스크래치3.0으로 익히는

컴퓨터적 사고

이 도서의 국립중앙도서관 출판예정도서목록(CIP)은 서지정보유통지원시스템 홈페이지(http://seoji.nl.go.kr)와
국가자료종합목록 구축시스템(http://kolis-net.nl.go.kr)에서 이용하실 수 있습니다. (CIP제어번호 : CIP2020035690)

스크래치3.0으로 익히는 **컴퓨터적 사고**

초판 1쇄 발행일_ 2020년 8월 31일
초판 3쇄 발행일_ 2024년 2월 20일

지 은 이_ 조현준
펴 낸 이_ 조완용, 고영진
표지디자인_ 블루기획

주소_ 서울시 금천구 시흥1동 992-12 영광빌딩 203호
문의전화_ 02-896-7846 / 02-3142-3600 **팩스_** 02-896-7852
홈페이지_ http://www.booksholic.co.kr

발행처_ 북스홀릭 퍼블리싱 **출판등록번호_** 제2012-000063호

ISBN_ 979-11-6289-029-5 [93000]

PREFACE

컴퓨터와 인터넷의 발달에 따라 인류가 정보화 사회로 진입한 이래 컴퓨터 기술과 통신 기술은 더욱 빠른 속도로 발달하였고, 이제는 정보화 사회를 넘어 컴퓨터 융합 기술의 시대인 4차 산업혁명의 시대가 도래할 것으로 전문가들은 보고 있다. 이에 따라 컴퓨터 전공자가 아니라도 각자의 분야에서 컴퓨터 프로그래밍을 응용할 수 있어야 한다고 인식되기 시작하였다. 이미 우리나라에서도 초중등 교과에 필수과정으로 컴퓨터 프로그래밍 교육을 도입하였다.

이와 같은 사회적 변화에 따라 대학의 교양과목으로 운영되고 있는 컴퓨터 교양과목을 위한 교재를 목표로 이 책을 구성하였다. 대학교의 컴퓨터 교양과목도 과거에는 컴퓨터 활용에 맞추어 스프레드시트나 프레젠테이션 소프트웨어 활용을 주로 다루었다면 요즘은 컴퓨터 활용의 정도를 높여서 프로그래밍을 통한 문제해결 능력에 그 초점을 맞추고 있다. 이에 따라 컴퓨터 기술에 대한 이해가 부족하고 프로그래밍의 경험이 없는 비전공 학생들을 대상으로 한 교재의 필요성을 느꼈다. 컴퓨터 연관 전공에서는 일반적으로 C언어를 이용한 기초프로그래밍을 공부한다. 그러나 강의 경험을 토대로 판단해보면 비전공자들을 위한 교양 강의로는 C 언어보다는 보다 쉽고 흥미를 가질 수 있는 스크래치를 도구로 하여 컴퓨터적 사고를 배양하는 교육이 효과적일 수 있다고 생각된다.

스크래치는 저연령 학생들에게 적절하도록 설계되어 있으나 대학교 교양 과목의 기초 프로그래밍을 연습하기에도 나쁘지 않다고 판단된다. 블록 코딩이라는 흥미로우면서도 친절한 인터페이스를 제공하기 때문에 처음 프로그래밍을 접하는 사용자에게 직관적으로 프로그램을 연습하며 컴퓨터적 사고를 익히는데 유익한 도구가 될 수 있다.

이 책의 구성은 처음 1장에서 프로그램 공부의 필요성을 언급하고 2, 3장까지 컴퓨터 시스템에 대하여 소개한다. 컴퓨터 프로그램을 배우기에 앞서 컴퓨터의 기본적인 원리와 구조를 이해하는 것이 중요하다고 판단하였기 때문이다. 이어서 4장에서는 컴퓨터적 사고의 구성 요소들에 대하여 살펴보았다. 컴퓨터적 사고의 요소를 이해한 후, 5장부터 시작되는 프로그래밍을 경험하면서 이러한 요소들이 활용되는 것을 느낄 수 있을 것이다. 5장부터 스크래치 3.0을 이용하여 프로그램의 논리 구성과 블록 사용법을 다루면서 프로그램 연습을 통한 컴퓨터적 사고를 익히도록 하였다. 마지막 11장에서는 스크래치 프로젝트의 예를 몇 가지 제시하여 독자들이 응용 프로그램의 가능성과 아이디어를 얻을 수 있도록 하였다.

컴퓨터적 사고는 무엇보다 다양한 문제에 대하여 프로그래밍을 이용한 해결의 경험을 통해서 증진될 수 있다고 생각하여 풍부한 예제를 제공하고자 하였다. 그리고 경우에 따라 C/C++, Java 언어에서의 문법을 함께 소개하면서 설명하여 단지 스크래치만을 다루기보다는 일반적인 프로그래밍에서의 논리 구조를 이해하도록 하였다. 아무쪼록 이 책이 처음 프로그램을 공부하고자 하는 대학생이나 일반인에게 도움이 될 수 있기를 바란다.

이 책이 나오기까지 많은 도움을 주신 북스홀릭퍼블리싱 관계자 여러분께 깊은 감사를 드린다. 끝으로 항상 옆에서 사랑으로 도와주는 아내와 아이들에게 고마움을 전하며 이만 머리말을 줄인다.

저자 씀

CONTENTS

Chapter 01 4차 산업혁명 시대와 프로그래밍

Chapter 02 컴퓨터 시스템

Chapter 03 컴퓨터의 데이터 표현

Chapter 04 컴퓨터적 사고

Chapter 05 스크래치 사용법

Chapter 06 제어 구조

Chapter 10 블록 정의와 확장 기능

Chapter 11 응용 프로그램 예

Chapter 01

Computational Thinking

4차 산업혁명 시대와 프로그래밍

학습목표

- 4차 산업혁명이 무엇인가에 대하여 알아본다.
- 소프트웨어의 중요성을 인식하고 프로그래밍 필요성을 이해한다.
- 4차 산업혁명의 요소기술들에 대하여 살펴본다.

1.1 4차 산업혁명

최근 들어 우리 주변에서 많이 언급되는 용어로 4차 산업혁명(Fourth Industrial Revolution)이 있다. 이 용어는 2016년 6월 스위스에서 열린 다보스 포럼(Davos Forum)에서 클라우스 슈밥(Klaus Schwab)이 처음으로 사용하면서 이슈화 되었는데, 슈밥 의장은 '이전의 1, 2, 3차 산업혁명이 전 세계적 환경을 혁명적으로 바꿔 놓은 것처럼 4차 산업혁명이 전 세계 질서를 새롭게 만드는 동인이 될 것'이라고 밝힌 바 있다. 1787년 영국에서 증기기관이 발명되고 이로 인하여 기계화된 생산시설이 나타나면서 세상은 농업사회에서 공업사회로의 혁명적 변화가 있었다. 이것을 1차 산업혁명이라 한다. 2차 산업혁명은 1870년에 전기 에너지를 이용한 컨베이어 시스템이 도입되면서 대량생산이 가능한 공업화가 이루어졌다. 이로써 소비재 상품 위주의 경공업 중심에서 대기업이 주도하는 중화학 공업으로의 변화가 이루어졌다. 그 결과 전화, 전등, 내연기관이 발달하여 자동차가 보편화된 사회가 되었고, 자본주의가 고도로 발달하는 계기가 되었다. 그리고 컴퓨터 기술과 인터넷 기술의 발달에 따른 디지털 정보화에 의한 변혁이 3차 산업혁명이다. 최초의 PLC(Programmable Logic Controller)가 1969년도에 개발되었다. 이후 전자공학의 발달과 컴퓨터 기술에 힘입어 자동화가 가능한 시대를 열었다. 다음에 도래할 것으로 예견되는 4차 산업혁명은 컴퓨터 기술의 보편화에 따라 모든 산업분야에서의 융합기술이 발달하고 다양한 서비스가 창출되는 산업혁명을 의미한다. 표 1.1은 1차부터 4차까지 산업혁명의 역사를 간추려 나타낸 것이다.

〈표 1.1〉 산업혁명의 역사

명칭	특징
1차 산업혁명	• 1784년대 최초의 기계식 방직기 발명 • 수력 및 증기기관 출현, 기계식 생산설비 • 농업사회에서 공업사회로의 변화
2차 산업혁명	• 1870년대에 최초의 컨베이어 벨트를 이용한 생산 라인 발명 • 전기동력을 이용한 대량생산체계 구축 • 대기업 위주의 공업화 고도화와 자본주의 발달
3차 산업혁명	• 1969년 최초의 PLC(Programmable Logic Controller) 개발 • 컴퓨터 기술에 의한 자동화 구축 • 반도체와 컴퓨터, 인터넷 기술의 발달에 의한 정보화 사회 출현
4차 산업혁명	• 전 산업분야에 컴퓨터 기술을 기반으로 한 융합기술 출현 예견 • 다양한 서비스 창출 가능

2016년 3월에 우리나라 서울에서 인공 지능 시스템인 구글 알파고(AlphaGo)가 세계 정상급 바둑기사인 이세돌 9단과의 대국에서 승리하는 사건을 보면서 전 세계 사람들은 인공 지능(AI : Artificial Intelligence)의 위력에 충격을 받았다. 바둑은 유구한 역사를 가진 게임으로 난이도가 현존하는 보드게임 중에서 가장 높은 것으로 알려져 있었기에 알파고의 승리는 인공지능 기술 수준이 이미 우리의 예측을 뛰어넘는다는 것을 보여준 사건이었다. 그리고 컴퓨터 기술이 가지고 올 미래 사회의 혁명적인 변화를 느끼며, 지금으로써는 상상하기 어려운 4차 산업혁명 시대가 머지않았음을 예견하게 되었다.

1.2 컴퓨터 프로그래밍의 필요성

컴퓨터 소프트웨어는 이미 산업 분야에서 폭넓게 활용되고 있으며 부가가치를 높이는데 중요한 역할을 하고 있다. 총 개발비에서 소프트웨어가 차지하는 비중이 날로 높아져서 자동차, 항공기, 의료서비스 분야에서는 50% 이상의 수준에 이르고 있고, 최근 도입을 추진하고 있는 최신 전투기 F-35의 경우에는 90% 이상을 차지한다. 이러한 추세는 날이 갈수록 점점 높아질 것으로 예상되고 있다. 메르세데스 벤츠 회장인 디터 제체는 '이제 자동차는 기름이 아니라 소프트웨어로 달린다.'라고 말했으며, 넷스케이프사 설립자인 마크 안드레센은 '소프트웨어가 모든 영역에서 세상을 지배할 것이며, 미래에는 모든 회사가 소프트웨어 회사가 될 것이다.'라고 했다.

이상에서 언급한 것처럼 산업 전 분야에서 컴퓨터 기술의 융합이 심화되는 4차 산업혁명 시대가 다가옴에 따라 미래의 인재들은 필수적으로 컴퓨터 기술에 대한 이해뿐만 아니고 컴퓨터 기술을 활용하고 더 나가 자신의 분야에서 요구되고 있는 컴퓨터 응용능력을 갖추어야 할 것으로 판단된다. 이미 스티브 잡스나 빌 게이츠, 마크 저커버그 등의 전문가들은 하나같이 모든 사람들이 프로그래밍 능력을 가져야 한다고 강조한 바 있다.

컴퓨터를 활용한 문제 해결에서 핵심적인 역할은 컴퓨터적 사고(Computational Thinking)이다. 이는 컴퓨터를 이용하여 주어진 목표나 문제를 해결하는데 요구되는 사고력으로 컴퓨터 프로그래밍(programming)을 위한 사고력으로 볼 수 있다. 이미 영국, 일본, 이스라엘 등의 선진국에서는 이러한 변화에 따라 교육 과정에 컴퓨터 프로그래밍(코딩)을 적극적으로 도입하여 미래에 대비하고 있다. 국내에서도 최근 들어 초등, 중등 교과에서 정보관련 교과의 필수화가 이루어져서 시행되고 있으며, 향후 더욱 확대될 것이다. 대학교에서도 컴퓨터 프로그래밍 교과목을 영어, 수학, 철학 등과 함께 일반 교양과목으로 채택하는 학교들이 점점 늘어나고 있다. 이러한 경향은 시간이 흐름에 따라 점점 더 강화될 것으로 보인다. 따라서 나이나 학력, 전공 등에 관계없이 모든 인재들은 컴퓨터에 대한 이해를 바탕으로 실제적인 컴퓨터 활용능력이라 할 수 있는 프로그래밍 기술을 필수적으로 갖추어야 할 것으로 판단된다.

코딩(coding)이라는 용어는 프로그래밍의 의미로 요즘 널리 사용되고 있다. 과거에는 설계된 알고리즘에 따라 단순히 프로그래밍만 하는 단순 작업을 의미하여 프로그래머들 사이에서는 잘 사용되지 않는 용어였으나 오늘날에는 프로그래밍의 의미로 부정적인 의미 없이 사용되고 있다.

1.3 4차 산업혁명 시대의 컴퓨터 기술

4차 산업혁명은 컴퓨터 기술의 심화와 확대에 따른 기존 산업의 변화뿐만 아니라, 전 산업 분야에서 정보통신기술(ICT) 융합에 의한 새로운 서비스나 산업 분야가 출현하는 산업혁명을 의미한다. 가까운 미래에 구현될 4차 산업혁명 시대에 핵심적인 역할을 할 것으로 판단되는 컴퓨터 기술을 살펴보면 사물 인터넷, 클라우드 컴퓨팅, 빅 데이터, 인공 지능, 로보틱스, 가상 현실, 증강 현실 등이 있다.

(1) 사물 인터넷

3차 산업혁명에서 중추적인 역할을 한 기술 가운데 하나인 인터넷(Internet)은 오늘날 일반인들도 필수적으로 사용하는 서비스인 전자 우편(e-mail), 인터넷 쇼핑, 웹(WWW : World Wide Web) 서비스 등 정보통신 서비스의 근간이 되었다. 이제 더 이상 인터넷에 연결되지 않은 컴퓨터는 상상하기 어려운 시대가 되었다. 사물 인터넷(IoT : Internet of Things)은 인터넷이 고도화된 형태로 볼 수 있다.

주로 컴퓨터나 스마트폰 사이에서의 네트워크(network)로 구성된 기존 인터넷과는 달리 사물 인터넷은 우리 주변에서 볼 수 있는 책상이나 의자, 현관문, 도서, TV, 냉장고 등의 일반 사물을 모두 인터넷에 연결한다. 그리고 각 사물에서 발생하는 상태변화를 센서(Sensor)를 통하여 인식하고, 이를 정보화하여 사물과 사물 사이나, 사물과 사람 사이의 상호작용을 가능하게 한다. 이 기술을 통해 '초연결' 사회가 가능해 질 것으로 예상된다. 여기에 더하여 컴퓨터의 인공 지능 알고리즘을 통해서 무궁무진한 서비스 창출이 기대되는 기술이다.

센싱 기술을 이용하여 사물에 부착된 센서로부터 정보를 모으고 이를 처리하여 서비스로 구현되기 때문에 센싱 기술은 사물 인터넷에서 핵심요소 중에 하나이다. 이미 온도, 습도, 압력, 가스, 조도, 기울기, 초음파, 적외선, 미세먼지 등의 센서들이 사용되고 있고, 마켓의 상품이나 도서관의 책 등에 사용되는 RFID(Radio Frequency Identification), 바코드, QR코드, 위치 추적에 사용되는 GPS, 수평 감지를 위한 자일로스코프(Gyroscope) 등도 많은 응용에 활용되고 있는 실정이다. 향후 보다 다양한 물리적인 변화를 감지할 수 있는 센싱 기술이 나타날 것으로 예견된다.

인터넷의 인프라도 이동성을 제공할 수 있는 무선통신 기술이 급속도로 발전하고 있다. 주변에서 흔히 볼 수 있는 블루투스(Bluetooth), NFC(Near Field Communication), 무선랜(WiFi) 등의 무선 근거리 통신 기술과 LTE의 이동 WAN 기술 등이 발전하여 더 높은 수준의 이동성과 통신용량을 제공할 것으로 보인다.
버스 정거장이나 지하철역에서 원하는 버스나 지하철이 몇 분 후에 도착할 것인가를 알려주는 교통전광판 서비스도 사물 인터넷의 한 예이다. 그림 1.1은 이미 사용되고 있는 버스 전광판의 모습이다.

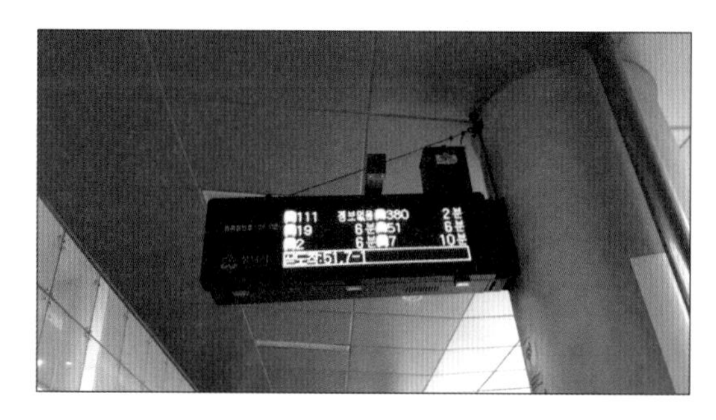

그림 1.1 버스 전광판

이미 홈 네트워크(Home Network)나 무인 쇼핑센터 등에서 각 사물이나 상품에 센서를 부착하여 이를 통해서 사물의 상태나 상품의 운반 등을 인식하고 자동 결재가 이루어지는 응용들이 나와 있다. 또한 건강관리를 위한 칫솔이나 만보기 정보를 활용하는 서비스들도 사용되고 있는 실정이다. 시간이 갈수록 네트워크는 높은 수준의 연결을 가능하게 할 것이고 이에 따라 상상을 초월할 정도로 많은 사물의 정보를 이용하는 서비스가 가능하리라 기대된다. 그림 1.2는 이미 주변에서 많은 사람들이 사용하고 있는 것을 볼 수 있는 스마트 워치이다.

그림 1.2 스마트 워치

그림 1.3은 사물 인터넷의 한 응용 예로 볼 수 있는 카카오 T 바이크의 모습이다. 이 서비스는 전기 자전거 공유 서비스로 스마트 폰을 이용하여 현재 자신의 위치에서 가까이 있는 전기 자전거의 위치를 GPS를 통해 찾고 QR 코드로 인증한 후 자전거를 활용할 수 있는 서비스이다. 사용시간에 따라 요금을 인터넷으로 결제해야 한다.

그림 1.3 카카오 T 바이크

(2) 인공 지능

인공 지능(Artificial Intelligence)이란 사람과 같이 학습과 추리가 가능한 기계를 만드는 기술을 의미한다. 인공 지능의 개념이 소개된 것은 1950년대로 이미 오랜 역사를 가지고 있지만, 하드웨어의 한계 때문에 크게 주목을 받지 못했다. 그러나 최근 들어 하드웨어의 눈부신 성장에 힘입어 과거에는 불가능했던 엄청난 규모의 분산처리 기술과 대용량 메모리 기술을 이용하여 기계학습(Machine Learning) 알고리즘들이 구현 가능하게 되었다. 이에 따라 알파고와 같은 특정 분야에서는 사람의 능력을 능가할 정도의 높은 지능을 갖춘 기계의 구현이 가능한 수준에 이르게 되었다. 특히 알파고(AlphaGo)가 세계 최정상급 기사인 이세돌 9단을 이긴 사건으로 인해 인공 지능의 위력이 전 세계에 널리 알려지게 되었다.

이미 인공 지능을 이용한 패턴 인식 기능은 일상생활에서 널리 사용되고 있다. 대표적인 예는 주차장에서 사용되는 차량 번호판 인식 시스템이다. 이는 이미지의 패턴을 인식하여 번호를 알아내는 인공 지능 시스템의 한 예이다. 비슷한 응용으로 지문 인식, 얼굴 인식, 홍채 인식 등도 이에 해당한다. 음성을 인식하는 기술도 대표적인 인공 지능 응용이며, 요즘 가정에서 많이 사용되고 있는 로봇 청소기도 인공 지능 알고리즘을 탑재하고 있다. 그림 1.4는 최근 국내에서 많이 사용되고 있는 로봇 청소기의 모습이다.

그림 1.4 로봇 청소기

또 다른 예로 소니(Sony) 사에서 개발한 아이보(AIBO)는 애완동물의 역할을 하는 로봇으로 1999년부터 제품이 출시되기 시작하였으며, 마치 반려동물과 같은 역할을 하고 있다. 아이보라는 이름은 인공 지능(AI)과 로봇의 합성어이다. 그림 1.5는 아이보의 모습이다.

그림 1.5 아이보(출처 : Pexels.com)

인공지능은 4차 산업혁명의 핵심 기술 중에서도 가장 중요한 요소 기술로 인식되고 있기 때문에, 국내에서도 인공 지능 분야의 인재를 양성하기 위한 국가적인 투자가 이루어지고 있다. 이미 연구중심 대학에서는 컴퓨터 공학, 전기전자 공학 등을 중심으로 한 인공 지능 연구가 계속되어 왔으며, 최근에는 대학원을 중심으로 인공 지능 관련 프로그램이 강화되고 있고, 정부에서도 이에 대한 예산 지원을 적극적으로 하고 있다.

(3) 빅 데이터

컴퓨터 분야에서 데이터를 모아놓은 것을 데이터베이스(DB : Database)라 한다. 그리고 데이터베이스의 데이터를 효과적으로 구축하고 편리하게 이용하기 위해서 DBMS(DB Management System)이라는 소프트웨어 시스템을 활용한다. 그 이름에서 알 수 있듯이 빅 데이터(Big Data)는 대용량의 데이터를 처리하는 기술을 의미한다고 볼 수 있다. 그러나 단순히 데이터의 양이 많다는 의미만이 아니고, 사진, 오디오, 비디오 등의 비정형화된 데이터를 처리할 수 있어야 한다. 즉, 다양한 형태의 데이터 처리가 가능해야 한다. 이를 위해서는 형식화 되어 있지 않은 대용량의 데이터로부터 가치 있는 정보들을 추출할 수 있는 인공 지능 알고리즘이 요구된다. 또한 빠른 속도로 변화하는 데이터로부터 실시간적으로 정보를 분석할 수 있어야 하기 때문에 높은 수준의 분산처리 기술도 필요하다고 판단된다. 이상에서 언급한 데이터의 대용량(Volume), 다양성(Variety), 속도(Velocity) 등의 성질은 3V라 불리며 빅데이터의 기본적인 특성으로 알려져 있다. 그리고 이러한 관련 데이터들을 수집하기 위해서는 사물 인터넷 기술도 함께 요구된다. 즉, 사물들의 상태 변화 등을 센서를 통해서 감지한 후 이를 데이터베이스에서 수집하여 실시간으로 분석해야 하기 때문이다.

(4) 클라우드 컴퓨팅

클라우드 컴퓨팅(Cloud Computing)이란 인터넷을 통해 연결된 다수의 컴퓨터 사이의 분산처리에 의하여 컴퓨팅 능력과 저장(메모리) 능력을 사용자가 필요로 할 때 즉시 제공하는 기술을 말한다. 단일 컴퓨터는 아무리 성능이 우수하더라도 데이터 처리능력이나 저장 능력에 한계가 있을 수밖에 없다. 이러한 한계를 극복하기 위해서는 인터넷을 통한 분산처리가 필수적이다. 따라서 이 기술은 기본적으로 인터넷의 통신기술을 기반으로 하며 다수의 컴퓨터에 의한 분산 처리를 이용하여 서비스가 제공된다. 사용자는 자신이 원하는 서비스가 어떤 컴퓨터에서 처리되는지는 알 필요가 없고, 인터넷에 접속이 가능한 곳이라면 어디서나 원하는 서비스에 접근할 수 있다.

이미 구글의 구글 드라이브(google drive), 마이크로소프트의 원드라이브(OneDrive) 등의 클라우드 서비스가 사용되고 있다. 구글 드라이브에서는 회원가입과 함께 무료로 5GB의 저장 공간을 제공하며 구글 오피스 소프트웨어를 온라인으로 사용할 수 있다. 구글 드라이브를 이용하면 PC 뿐만 아니라, 스마트폰, 탭 등의 장치와 연동하여 워드, 스프레드시트, 프레젠테이션, 양식, 그림 그리기 등의 기능을 온라인으로 사용할 수 있다. 또한 다른 사용자들과 협업도 가능하게 되어있다. 스마트폰 등의 기기에서는 앱스토어 구글 플레이에서 설치 파일을 다운로드하여 설치할 수 있다. 그림 1.6은 구글 드라이브의 홈페이지 화면이다.

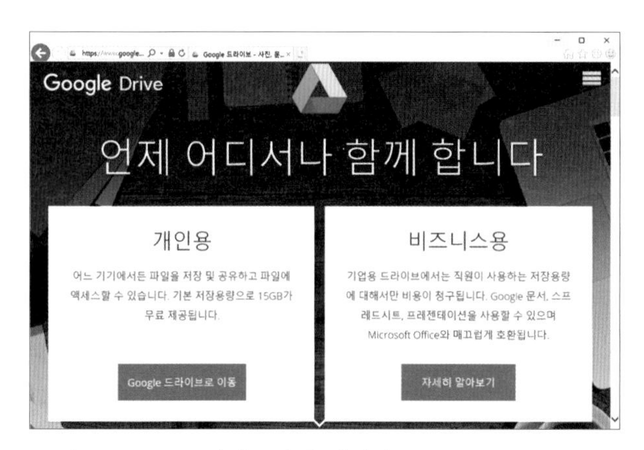

그림 1.6 구글 드라이브의 홈페이지

국내 업체에서도 네이버나 다음 등에서 클라우드 서비스를 제공하고 있다. 네이버의 경우 회원 가입과 함께 무료로 30GB의 저장 공간을 이용할 수 있으며 드라이브에서 제공하는 오피스 소프트웨어를 온라인으로 사용할 수 있다. 네이버 오피스에는 워드프로세서를 이용한 문서 작업이 가능한 네이버 워드, 프레젠테이션 소프트웨어인 네이버 슬라이드, 스프레드시트 기능을 제공하는 네이버 셀, 서식을 제공하는 네이버 폼 등의 기능을 제공한다. 이러한 소프트웨어와 저장 공간을 사용하면 자신의 컴퓨터에 필요한 소프트웨어나 대용량의 저장 장치를 가질 필요 없이 인터넷이 가능한 터미널만 있으면 언제 어디서나 기본적인 오피스 작업이 가능하다. 그림 1.7과 그림 1.8은 네이버 클라우드 내에서 오피스를 선택했을 때 화면이다.

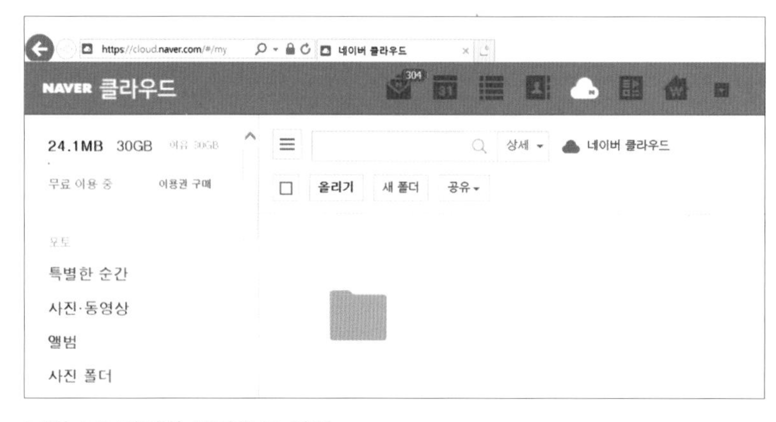

그림 1.7 네이버 클라우드 화면

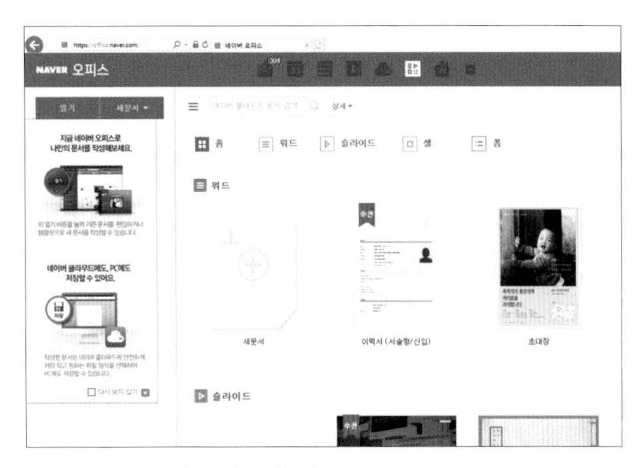

그림 1.8 네이버 오피스 화면

분산 처리에 의한 대용량의 저장 기능과 데이터처리 기능은 빅 데이터에서 필요로 하는 핵심기능으로 클라우드 기술을 기반으로 빅 데이터 서비스가 이루어진다고 볼 수 있기 때문에 두 기술은 매우 밀접한 관련이 있다.

(5) 로보틱스

로보틱스(Robotics)는 로봇공학을 의미하는 것으로 로봇을 물리적으로 구성하는 하드웨어와 이를 제어하는 소프트웨어 기술이 융합된 학문 분야이다. 로봇의 하드웨어 구성은 물리적인 기계장치들이 주를 이루기 때문에 기계공학적인 측면이 강하다. 그러나 로봇이 사람과 같이 외부와의 인터페이스를 하기 위해서는 높은 수준의 센서 기능이 필요하다. 즉, 시각, 촉각, 청각, 후각, 미각 등의 오감에 대한 인식이 가능해야한다. 오감에 의해 감지된 데이터에 따라서 지능적으로 반응하기 위해서는, 데이터를 처리하기 위한 능력이 필요한데 이는 컴퓨터 공학의 기술 영역이라고 볼 수 있다. 비전의 객체를 인식한다든지, 음성을 인식하기 위해서는 인공 지능 기술이 기반이 되어야 하며, 특정 분야의 작업 능력을 갖기 위해서는 역시 그 분야에 대한 학습과 추론을

그림 1.9 인간형 로봇의 예(출처 : pixabay.com)

할 수 있는 기계 학습(Machine Learning) 능력이 요구된다. 알파고가 보여준 높은 수준의 추론 능력은 인공 지능 기술 중 하나인 딥러닝(Deep Learning) 방식의 기계 학습을 이용한 것으로 알려져 있다.

(6) 가상 현실

가상 현실(VR : Virtual Reality)이란 현실의 환경과 거의 같은 가상의 환경을 의미한다. 즉, 가상 현실 기술은 현실 세계에서 느끼는 것과 유사한 느낌을 갖도록 인터페이스를 제공하는 기술이다. 이를 위해서는 현실 세계에서 보는 것과 같은 3차원적인 컴퓨터 그래픽 기능이 요구되며, 이들이 동적으로 변화하기 위해서는 실시간적인 이미지 처리가 가능해야 한다. 또한 실제 상황에서 느껴지는 중력에 따른 변화나 소리의 변화 등도 처리가 가능해야 한다. 오늘날 VR 체험관에서 보는 여러 가지 시스템들이 이러한 기술의 가능성을 잘 나타내고 있다. 그림 1.10은 대표적인 가상 현실 도구인 VR 헤드셋 모습이다.

그림 1.10 삼성 기어(출처 : pixabay.com)

가상 현실의 응용으로는 자동차 모의 주행이나 비행기 모의 주행 분야 등이 있으며, 우주 탐험이나 롤러코스터 기구 등의 서비스도 이에 포함된다. 기술의 발달에 따라 향 후 보다 다양한 분야에서 사용될 수 있을 것으로 예견되는 기술이다.

(7) 증강 현실

증강 현실(AV : Augmented Reality)은 현실 세계를 나타내는 화면에 3차원 그래픽을 이용하여 부가적인 정보를 나타낸다. 즉, 현실 세계에 부가 정보를 포함시켜서 보다 강화된 현실의 모습을 보여주는 것을 의미한다.

예를 들어 인터넷을 통해서 가구를 구입할 때, 가구를 거실에 배치했을 때의 모습이 어떻게 될 것인가를 보여주기 위한 기능을 만든다고 가정하자. 먼저 카메라 동영상을 이용하여 거실의 모습을 보여주며 가구를 3D 그래픽으로 함께 나타내면 증강된 현실의 모습을 미리 볼 수 있다. 또 다른 예로는 로봇이 등장하는 영화에서 로봇의 시각으로 건물을 바라보면 해당 건물에 대한 정보가 함께 나타나고, 사람을 바라보면 그 사람의 이름과 키, 몸무게 등의 관련 정보가 시각 화면 옆에 함께 나타나는 기능 등도 증강 현실 기술이다.

이상의 기술들은 독립적으로 서비스를 제공할 수도 있지만, 다른 기술과 상호작용을 통해 서비스를 창출하기도 한다. 이와 같이 새로 만들어진 서비스를 위해서 관련된 기술들은 융합이 이루어질 수 있다. 향후, 각 분야의 기술이 고도화되고 다양한 융합기술이 나타난다고 볼 때, 현재 생각하기 어려운 새로운 산업 형태나 서비스들이 출현할 것으로 예견된다.

- 4차 산업혁명은 컴퓨터 기술이 다른 산업 분야의 기술과 융합하여 새로운 서비스를 창출하는 산업혁명을 의미한다.
- 4차 산업혁명을 대비하기 위해서 각 분야의 인재들은 컴퓨터 기술을 자신의 분야에 활용할 수 있어야 하며, 이를 위해서 필수적으로 프로그래밍 능력을 갖추어야 한다.
- 사물 인터넷 기술은 인터넷을 기반으로 무수히 많은 사물들을 연결하고, 센서를 이용하여 사물에 관련된 정보를 획득, 교환, 제어, 관리하며 이를 통해서 서비스를 창출하는 기술을 의미한다.
- 4차 산업혁명의 핵심 컴퓨터 기술은 인공 지능이라 할 수 있다. 인공 지능은 사람과 같이 학습하고 이를 기반으로 추리하는 능력을 기계에 부여하는 기술이다.
- 클라우드 컴퓨팅은 언제 어디서나 컴퓨팅 파워와 데이터를 접근하여 사용할 수 있게 하는 기술을 의미한다.
- 빅데이터 기술은 대용량의 데이터를 축적, 관리하고 인공 지능 알고리즘을 이용하여 이를 분석 처리하는 기술을 의미한다.
- 로봇 기술은 컴퓨터의 인공 지능 기술과 기계 공학, 전기전자 공학이 융합하여 인간과 유사한 생각과 동작을 하는 기계를 만드는 기술이다.
- 가상 현실 기술은 3차원 그래픽을 이용하여 컴퓨터에서 표현되는 사이버 공간이 마치 현실 세계인 것 같은 효과를 창출하는 기술을 의미한다.
- 증강 현실은 3차원 그래픽을 이용하여 현실 세계에 부가적인 정보를 함께 제공하는 기술이다.

연습문제

01 4차 산업 혁명에 대한 설명이다. 잘못된 것은 무엇인가?

① 컴퓨터 기술이 산업 전반에 걸쳐서 각 분야의 기술과 융합된다.

② 인공 지능 기술이 핵심적인 역할을 할 것으로 예견된다.

③ 정보화 사회로의 변화를 의미한다.

④ 빅데이터 분야도 크게 성장할 것이다.

02 다음 중 4차 산업 혁명과 관련된 설명은 무엇인가?

① 초연결사회를 기반으로 무수히 많은 사물과 인간 사이의 통신이 활용된다.

② 슈퍼컴퓨터가 출현하여 대용량 이미지 처리 기술이 나타난다.

③ 분산처리 기술이 발달하여 네트워크 기반 서비스가 출현한다.

④ 모바일 기술의 출현으로 이동 센서망이 나타난다.

03 컴퓨터 전공자가 아니어도 프로그래밍을 익혀야 하는 이유는 무엇인가?

① 컴퓨터 프로그래밍이 재미있기 때문이다.

② 컴퓨터 기술 보유자가 더 많은 수입을 얻기 때문이다.

③ 각자 자기 분야에서 컴퓨터 기술을 심도 있게 활용하기 위해서이다.

④ 컴퓨터 프로그래머가 부족하기 때문이다.

04 인터넷 기술이 심화되어 다양한 사물 간의 통신이 가능하게 되는 기술은 무엇인가?

① IoT ② AI

③ AR ④ 클라우드 컴퓨팅

05 다음 인터넷 관련 기술 중에서 성격이 다른 것은 무엇인가?

① 블루투스 ② WiFi

③ NFC ④ Ethernet

06 언제 어디서나 컴퓨팅 파워를 이용할 수 있는 서비스와 관련이 깊은 기술은?

① IoT ② AI

③ 빅데이터 ④ 클라우드 컴퓨팅

07 현실 세계에 가상의 이미지를 중첩시켜서 보다 강화된 서비스를 제공하는 기술은 무엇인가?

① IoT ② AI

③ 증강 현실 ④ 클라우드 컴퓨팅

08 자동차의 번호판을 인식하는 기술과 가장 관련이 깊은 것은 무엇인가?

① IoT ② AI

③ 증강 현실 ④ 클라우드 컴퓨팅

09 다음 중 인공 지능 기술과 직접 관련이 있는 용어는 무엇인가?

① 기계 학습 ② 사물 인터넷

③ 빅 데이터 ④ 클라우드 컴퓨팅

10 빅 데이터의 특징을 나열한 것이다. 잘못된 것은 무엇인가?

① 빅 데이터 기술은 인공 지능과 깊은 관련이 있다.

② 실시간으로 대량의 데이터들을 처리할 수 있어야 한다.

③ 슈퍼컴퓨터를 사용하면 일반 데이터베이스로 빅 데이터 기술이 가능하다.

④ 수치 데이터나 문자 데이터뿐만 아니라 비정형 데이터 등의 처리도 가능하다.

11 컴퓨터 기술뿐만 아니라 기계 공학, 전기전자 공학 등이 융합된 기술은 다음 중 무엇인가?

① 인공 지능 ② 로봇

③ 빅 데이터 ④ 클라우드 컴퓨팅

12 3차원 그래픽 기술을 활용하여 현실 세계의 화면에 부가적인 정보를 합성하여 서비스를 제공하는 기술을 무엇이라 하는가?

① 인공 지능 ② IoT

③ 가상 현실 ④ 증강 현실

13 일상생활에서 인공 지능이 활용되는 서비스에 무엇이 있는지 알아보자.

14 인공 지능이 활용될 수 있는 서비스를 설계해 보자.

15 클라우드 컴퓨팅 서비스에 대해서 조사 해보자.

16 자율 주행 자동차를 구현하기 위해서 필요한 기술은 무엇이 있는지 설명하라.

Chapter 02

Computational Thinking

컴퓨터 시스템

학습목표

- 컴퓨터의 역사에 대하여 살펴본다.
- 컴퓨터 하드웨어 구조와 동작원리를 공부한다.
- 컴퓨터 소프트웨어의 종류와 역할을 공부한다.
- 프로그래밍 언어의 특징에 대하여 알아본다.
- 인터넷의 역할에 대하여 이해한다.

2.1 컴퓨터의 역사

역사상 인류가 계산하는 기계를 만들기 위한 노력을 보인 것은 고대로부터이다. 고대 중국에서는 산술에 도움을 줄 수 있는 도구로 주판을 개발하였다. 주판은 로마와 그리스에서도 사용되었다고 전해지며, 오늘날에도 사용되고 있다. 그러나 주판은 계산하는 기계라기보다는 산술결과를 잠시 저장하는 도구로 다음 계산에서 이전 계산 결과를 사용할 수 있도록 도와준다.

철학자이자 수학자인 파스칼은 1642년 세계최초의 계산기인 파스칼 계산기(Pascal's Caculator)를 발명하였다. 이 계산기는 기계식 수동 계산기로 덧셈을 위주로 5자리의 덧셈을 한 것으로 알려져 있다. 뺄셈의 경우는 보수를 구하여 더함으로써 계산할 수 있다. 곱셈은 덧셈을 반복함으로써 계산하고, 나눗셈은 뺄셈을 반복하여 계산하였다.

그림 2.1 파스칼 계산기(출처 : 네이버 지식백과)

찰스 바비지(Charles Babbage)는 최초의 기계식 컴퓨터인 분석 엔진(Analytical Engine)을 설계하였다. 이 분석 엔진을 위한 소프트웨어를 설계하기 위해 함께 연구한 에이다(Ada)는 역사상 최초의 프로그래머(programmer)라고 언급되기도 한다. 그러나 이 기계는 예산과 기술부족으로 당시에는 구현되지 못했고 증기기관을 이용한 구현 가능성만을 보여주었다.

이러한 기계들은 오늘날 우리가 사용하고 있는 컴퓨터와는 근본적으로 다른 것으로 오늘날의 컴퓨터의 구조가 아이디어 차원에서 발표된 것은 1936년 영국의 앨런 튜링(Alan Turing)의 논문에서이다. 이 논문에서 정의된 이론적인 계산 기계를 튜링 머신(Turing Machine)이라 부르는데, 이 논리적 모델에서 컴퓨터의 프로그램 처리에 대한 개념을 제시한 것으로 인정되고 있다. 이에 따라 튜링을 흔히 컴퓨터의 아버지로 언급하기도 하며, 그를 기리기 위해서 컴퓨터 분야에서 최고 권위의 상을 튜링 상(Turing Award)이라 명명하였다.

그림 2.2 앨런 튜링(출서 : 위키피디아)

1946년에 펜실베이니아 대학의 모클리(J.W Mauchly)와 에커트(J.P Eckert)교수에 의해 발명된 에니악(ENIAC : Electronic Numerical Integrator and Calculator)은 최초의 전자식 디지털 컴퓨터이다. 이 컴퓨터는 진공관 약 18000개를 이용하여 만들어진 무게가 30톤에 이르는 매우 큰 기계이다. 이것은 총의 탄도 계산을 위해서 군사 목적으로 개발되었고, 하드웨어 회로에 의하여 처리 기능이 만들어졌기 때문에 다양한 소프트웨어를 읽어 들여서 처리하는 오늘날의 컴퓨터와는 구조가 달랐다. 그림 2.3은 에니악의 모습을 보여준다.

그림 2.3 에니악(ENIAC)(출처 : 위키피디아)

에드삭(EDSAC : Electronic Delay Storage Automatic Computer)은 1949년 영국 캠브리지 대학의 윌키스(Maurice V. Wilkes)와 그의 동료들이 처음으로 폰 노이만이 고안한 내장 프로그램(stored program) 방식으로 완성한 디지털 컴퓨터이다. 오늘날에 우리가 사용하고 있는 컴퓨터는 폰 노이만식 구조를 따른다. 즉, 에드삭의 구조가 발전해서 현대의 디지털 컴퓨터가 되었다고 볼 수 있다. 참고로 폰 노이만은 1941년에 에드박(EDVAC : Electronic Discrete Variable Automatic Computer)을 설계하였는데, 에드박은 2진법을 도입하였으며, 내장 프로그램 방식을 채택하였다. 이후 1952년에 에드박은 완성되었다.

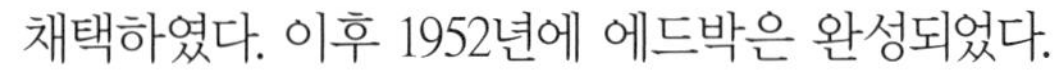

한편 최초의 상업용 컴퓨터는 유니박-1(UNIVAC-1)으로 1950년에 펜실베니아 대학의 모클리와 에커드에 의하여 개발되었다. 유니박은 모클리와 에커드의 이전 컴퓨터시스템인 에니악을 기반으로 더욱 발전시킨 컴퓨터로 이전의 컴퓨터들이 과학 기술용이나 군사용인 것과는 달리 유니박은 숫자와 문자 데이터를 모두 처리할 수 있었으며, 1951년에 미국 인구조사국에 전달되어 사용되었다.

그림 2.4 존 폰 노이만(John von Neumann)(출처 : 위키피디아)

1950년대를 거쳐서 트랜지스터(transistor)의 발명에 따라 초기 진공관 소자들은 트랜지스터로 대체되었다. 진공관에 비해 기능적으로 동일한 트랜지스터는 그 부피가 훨씬 작았다. 그 결과 컴퓨터의 크기가 그만큼 작아지는 효과를 가져왔으며, 성능 면에서도 많은 발전을 낳았다. 그림 2.5는 트랜지스터의 모습이다.

그림 2.5 트랜지스터

입력 장치로는 천공 카드 리더(punch card reader)를 사용하였고 출력 장치로는 라인 프린터(line printer)가 이용되었다. 천공 카드는 카드에 구멍을 뚫어서 데이터를 나타내는 방식으로 구멍의 위치에 따라서 문자가 결정되는 방식이다. 라인 프린터는 종이를 말아서 스크롤 방식으로 한 줄씩 프린트하는 장치로 컴퓨터의 처리 결과를 출력하기 위해 사용되었다.

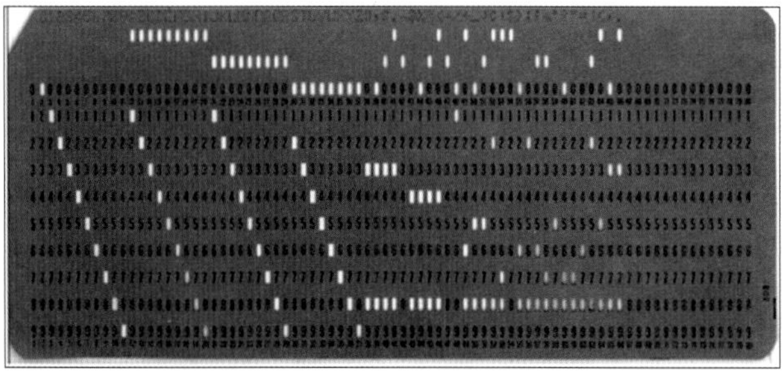

그림 2.6 천공 카드(출처 : wikipedia)

천공 카드 한 장은 오늘날의 콘솔 모니터의 한 줄에 해당한다고 볼 수 있다. 따라서 100라인의 프로그램을 나타내기 위해서는 100장의 카드가 필요하다. 이를 자동으로 읽어 들이기 위해서 카드 리더 장치를 이용한다. 일반적으로 다수의 작업에 해당하는 프로그램들을 천공 카드 리더로 읽어 들인 후, 한 번에 모든 프로그램을 차례로 처리하는 일괄 처리(batch processing) 방식으로 컴퓨터를 운영하고 그 결과도 모든 작업에 대하여 라인프린터로 한 번에 출력되는 방식을 사용하였다. 일괄 처리 방식에서는 동시에 다수의 프로그램을 입력하고 출력하기 때문에 한 프로그램을 입력한 후 그 결과를 보기까지는 상당한 시간이 소요되었다. 또 중간에 사용자가 프로그램 처리에 관여할 수 없어서 오늘날의 대화식 컴퓨터에 비하면 매우 비효율적이다.

1960년대 초반에 키보드와 모니터가 사용되기 시작하였다. 이에 따라 사용자들이 키보드를 이용하여 직접 데이터를 컴퓨터에 입력하고, 처리한 결과를 바로 모니터로 볼 수 있는 환경이 가능해졌다. 이는 일괄 처리 방식에 비해서 매우 효과적인 방식으로 사용자가 컴퓨터와 실시간으로 대화하며 작업을 해나갈 수 있게 되었기 때문에 대화형 시스템(Interactive System)이라 한다.

또한 이 시기에 포트란(FORTRAN), 코볼(COBOL) 등과 같은 고급 언어들이 사용되기 시작하였다. 고급 언어를 사용하여 소프트웨어를 개발하면서부터 기계어나 어셈블리어를 이용한 프로그래밍의 비효율성이 개선되었다.

1960년대 중반 이후에 집적 회로(IC : Integrated Circuit)를 이용한 전자회로 구현기술이 나타나게 되었다. 이에 따라 수백, 수천 개의 트랜지스터와 회로 소자들이 엄지손톱 크기의 반도체(semiconductor) 칩(chip) 내에 구현될 수 있게 되어 컴퓨터 하드웨어의 크기가 혁신적으로 줄어들게 되었다. 소프트웨어적으로는 운영 체제가 발달하면서 동시에 다수의 사용자가 대화식으로 컴퓨터를 사용할 수 있는 시분할 멀티태스킹(timesharing multitasking)이 가능하게 되었다. 시분할이란 시간을 일정한 작은 크기로 나누어서, 나누어진 시간 동안에 한 프로그램이 처리되고 다음 시간 구간 동안에는 다른 프로그램이 처리되는 방식으로 한 CPU가 다수의 프로그램을 각 시간 구간 동안 차례대로 하나씩 처리하는 방식을 의미한다. 한 시간 구간에 프로그램 처리가 끝나지 않으면, 그 프로그램의 처리는 잠시 멈추고 다음 프로그램을 처리하게 된다. 이러한 방식으로 처리하더라도 컴퓨터의 처리 속도가 매우 빠르기 때문에 각 사용자는 자신의 프로그램이 컴퓨터에서 계속 처리되는 것과 같은 느낌을 받는다. 결과적으로 다수의 프로그램들이 동시에 처리되는 효과를 얻게 된다. 그림 2.7은 3개의 프로그램 A, B, C가 시분할 멀티태스킹으로 처리되는 것을 보여주고 있다.

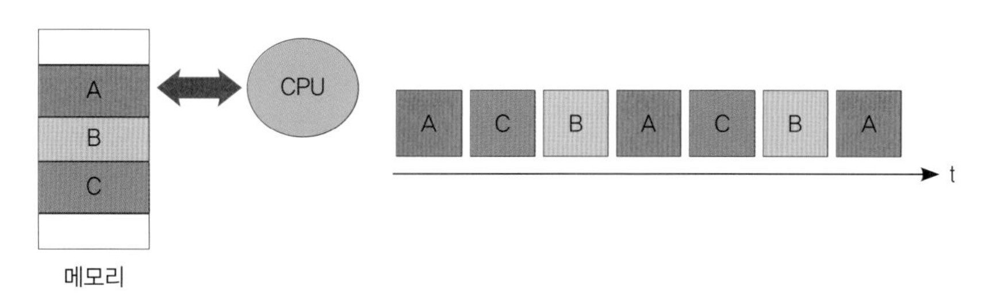

그림 2.7 시분할 멀티태스킹

1970년에 들어서면서 집적 회로의 집적도가 더욱 높아져서 고밀도 집적 회로(LSI : Large Scale Integration)나 초고밀도 집적 회로(VLSI : Very Large Scale Integration) 기술이 출현하였다. 그 결과 손톱 크기의 칩 안에 수천에서 수십만 개의 전자회로 소자가 포함되는 기술이 가능해졌고, 컴퓨터의 CPU가 하나의 칩 내에서 구현된 마이크로프로세서(microprocessor)가 나타나게 되었다. 마이크로프로세서에 의하여 컴퓨터는 더욱 소형화가 가능해졌으며, 그 처리 속도는 더욱 빨라지게 되었다. 메모리 기술도 집적 회로 기술의 발전에 따라 점점 그 용량이 커지게 되었다. 이에 따라 이전에 대형 컴퓨터가 주도하던 컴퓨터 시장에서 미니컴퓨터나 마이크로컴퓨터와 같이 작은 규모의 컴퓨터들이 가능하게 되었고 이들의 시장도 점점 커지게 되었다. 그림 2.8은 1972년 인텔(Intel) 사에서 개발한 초기 마이크로프로세서 중 하나인 8비트 마이크로프로세서인 인텔 8008이다.

그림 2.8 인텔 8008 마이크로프로세서

인텔은 1970년대 후반에 시작되는 개인용 컴퓨터(PC : Personal Computer)의 마이크로프로세서를 생산하면서 세계 최고의 반도체 회사가 되었고, 오늘날에도 PC의 CPU로 인텔의 마이크로프로세서가 가장 많이 사용되고 있다.

1970년대 후반에 들어서면서 컴퓨터의 크기는 더욱 작아지고 마이크로프로세서의 성능은 높아지고 가격은 낮아짐에 따라 개인용 컴퓨터들이 나타나게 되었다. 스티브 잡스가 이끄는 애플(Apple)의 애플-II, 빌 게이츠가 창업한 마이크로소프트의 DOS 운영 체제를 탑재한 IBM-PC 등이 나타나게 되었다. IBM-PC는 MS-DOS를 거쳐 1980년대에 그래픽 사용자 인터페이스(GUI : Graphical User Interface) 기능을 제공하는 윈도우 운영 체제로 발전하게 되었으며, 오늘날 우리가 PC에서 많이 사용하는 윈도우10으로 발전하였다.

흔히 컴퓨터 하드웨어 기술의 발달에 따라서 세대별로 컴퓨터를 분류하기도 한다. 표 2.1에 세대별 컴퓨터의 역사를 나타내었다.

〈표 2.1〉 하드웨어 기술에 따른 컴퓨터 세대 분류

세대 분류	기간	특징
1세대	1946 ~ 1958	• 진공관 소자를 이용한 하드웨어 구현 • 최초의 전자식 컴퓨터 등장
2세대	1958 ~ 1963	• 트랜지스터 소자를 이용한 하드웨어 구현 • 운영 체제 도입 • FORTRAN, COBOL 등의 고급 언어 등장
3세대	1964 ~ 1970	• 집적 회로(IC)를 이용한 하드웨어 구현 • 시분할방식 운영 체제 • PASCAL 등의 고급 언어 등장
4세대	1971년 이후	• 고밀도 집적 회로(LSI), 고초밀도 집적 회로(VLSI) 기술을 이용한 컴퓨터 하드웨어 구현 • 마이크로프로세서 등장, UNIX, C 언어 개발 • 인터넷 등장과 발달

1970년대를 거치면서 컴퓨터 분야에 나타난 새로운 기술 중에 인터넷(Internet)이 있다. 인터넷은 1960년대 말에 미 국방성에서 군사 목적으로 비밀리에 개발한 최초의 컴퓨터 네트워크인 ARPA(Advanced Research Project Agency)-NET이 민간에 알려지면서부터 시작되었다. 1970년대 중반에 ARPA 프로젝트에 참여하였던 빈트 서프(Vint Cerf)와 로버트 칸(Robert Kahn)이 라우터(Router) 개발을 위해 TCP/IP 프로토콜(protocol)을 개발하였고, 이를 기반으로 인터넷 기술은 급속히 발전하게 되었다. 라우터란 서로 독립적으로 설치 운영되는 네트워크를 연결해서 서로 데이터를 주고받을 수 있도록 하는 기능을 제공하는 인터넷의 중추적인 장비이다. 라우터의 모습은 그림 2.9와 같다.

그림 2.9 라우터(출처 : pixabay.com)

이후, 1980년대에 WWW(World Wide Web)이 개발되고, 1990년대에 그래픽 사용자 인터페이스를 기반으로 한 최초의 웹 브라우저(Web. Browser)인 모자이크(Mosaic)가 출현하여 큰 성공을 거두면서부터 인터넷은 전 세계인들이 사용하는 컴퓨터 네트워크 기술이 되었다. 웹 서비스뿐만 아니라 전자 우편(e-mail), 파일 송수신 등의 다양한 인터넷 응용 서비스들이 모두 인터넷을 기반으로 하고 있다. 오늘날 컴퓨터 사용자들은 컴퓨터는 당연히 인터넷에 연결되어 있다고 생각할 정도로 인터넷과 컴퓨터는 밀접한 관계가 되었다.

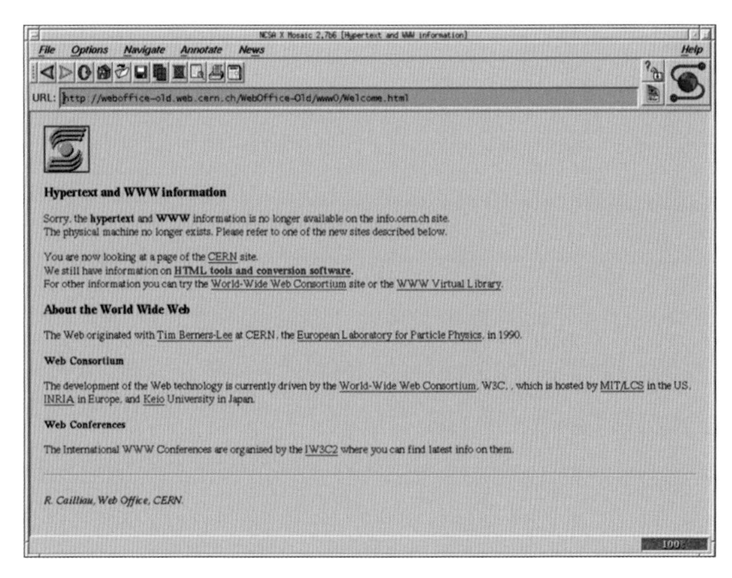

그림 2.10 모자이크 브라우저의 화면

2000년대에 들어서면서 무선통신 기술이 크게 발달하고, 이에 따라 이동 인터넷의 기술도 함께 발전하였다. 이동 통신을 기반으로 하는 스마트폰(smart phone)이 보편화 되면서부터 언제 어디서나 인터넷을 통한 통신 기능이 구축되었고, 계속적인 기술향상이 이루어지고 있다. 또한 모든 사물들을 인터넷으로 연결하고, 이들 간의 상호작용을 가능하게 하는 사물 인터넷 기술이 등장하였다. 인터넷을 통한 사물들의 연결은 갈수록 심화될 것으로 예상되고, 이에 따라 인터넷 연결 능력과 컴퓨터의 데이터 처리 능력이 융합되면서 다양한 서비스의 창출이 가능할 것으로 판단된다.

그림 2.11 사물 인터넷 개념도

2.2 컴퓨터의 구조

(1) 컴퓨터의 구성 요소

일반적으로 컴퓨터는 5개의 주요 구성 요소로 이루어진다. 중앙 처리 장치(CPU), 주기억 장치, 보조 기억 장치, 입력 장치, 출력 장치 등이 이들이다. 그림 2.12는 이들의 관계를 보여주고 있다.

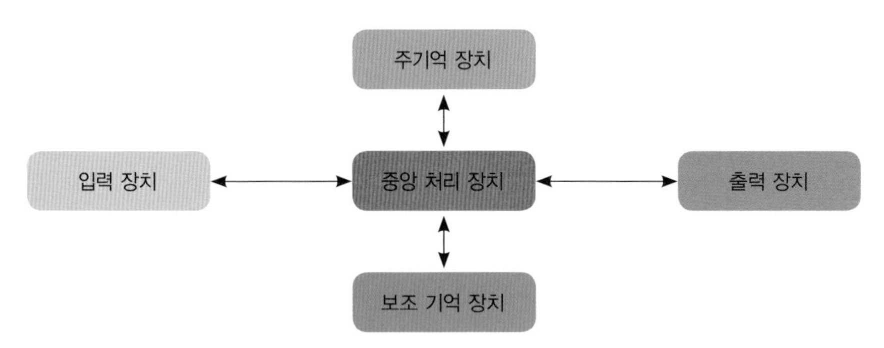

그림 2.12 컴퓨터의 구성 요소

구성 요소 중에서 컴퓨터가 프로그램을 처리하기 위해서 요구되는 것은 중앙 처리 장치와 주기억 장치이다. 모든 소프트웨어는 컴퓨터에서 처리되기 위해서 주기억 장치에 위치해야 한다. 중앙 처리 장치가 주기억 장치에 있는 기계어를 순차적으로 하나씩 읽어 들여서 처리하고 그 결과를 필요한 장소에 저장하도록 설계되기 때문이다. 처리해야 할 소프트웨어를 주기억 장치에 미리 저장하고 중앙 처리 장치가 소프트웨어의 명령어들을 순서대로 처리하게 하는 방식을 내장 프로그램(stored program) 방식이라 하는데, 이 구조는 폰 노이만에 의하여 처음 제안된 것이기 때문에 이를 폰 노이만식 컴퓨터라고도 부른다.

▶ 버스

주기억 장치와 중앙 처리 장치 그리고 입력/출력 장치 사이에 데이터가 전달되기 위한 통로가 필요한데, 이 통로를 버스(bus)라고 부른다. 버스에는 주소 버스, 데이터 버스, 제어 버스 등 3가지가 있다. 주소 버스는 장치에 할당된 주소 정보를 전달하기 위해서 사용되며, 데이터 버스는 데이터 전달을 위하여 사용된다. 그리고 제어 버스는 읽기와 쓰기 등을 결정하는 신호 전달을 위해 사용된다. 예를 들어서 메모리 100번지에 있는 데이터를 중앙 처리 장치로 읽어 들인다고 가정했을 때, 주소 버스는 100이 될 것이며, 제어 버스의 읽기 신호가 설정될 것이다. 이에 따라 메모리 100번지에 있는 데이터가 데이터 버스를 통해서 중앙 처리 장치로 전달된다. 그림 2.13은 버스를 이용한 연결 관계를 나타낸 것이다.

그림 2.13 버스 구조

버스는 컴퓨터의 중추에 해당한다고 볼 수 있다. 버스 구조가 효율적이어야만 중앙 처리 장치와 주기억 장치 사이에 데이터가 빠른 속도로 이동이 가능해지고 결과적으로 높은 컴퓨터 성능을 얻을 수 있다. 중앙 처리 장치와 주기억 장치가 아무리 빠르고 용량이 크다고 해도 버스의 성능이 이를 따라가지 못하면 결국 버스가 데이터 처리의 병목(bottleneck)이 되고 컴퓨터 전체의 성능은 버스가 좌우하게 될 것이다. 컴퓨터 본체를 열어보면 마더 보드(mother board)라 불리는 전자 회로 기판(PCB : Printed Circuit Board)을 볼 수 있다. 마더 보드 상에서 중앙 처리 장치, 주기억 장치, 보조 기억 장치, 입력 장치, 출력 장치 등이 모두 버스 회로에 의하여 연결된다. 그림 2.14는 개인용 컴퓨터의 마더 보드 형태이다.

그림 2.14 컴퓨터 마더 보드

▶ 주기억 장치와 보조 기억 장치

보조 기억 장치는 프로그램이나 데이터를 반영구적으로 저장하기 위해서 사용하는 장치이다. 주기억 장치는 ROM(Read Only Memory)와 RAM(Random Access Memory)으로 구성되는데 ROM은 한번 기록하면 수정이 불가능하기 때문에 수정할 필요가 없는 프로그램이나 데이터를 기록하여 사용한다. 일반적인 소프트웨어는 변경이 가능한 RAM에 기록되고 처리되는데, RAM은 프로그램이나 데이터를 빠르게 읽고 쓸 수 있지만 전원을 끄면 저장되어 있는 데이터들이 모두 사라진다. 그림 2.15는 RAM 모듈의 모습이다.

그림 2.15 RAM 모듈

RAM에 저장된 데이터는 전원이 꺼짐에 따라서 데이터가 사라지는 문제점 때문에 데이터를 장기적으로 보관할 수 없다. 전원의 유무에 관계없이 프로그램이나 데이터를 장시간 기억하기 위해서는 보조 기억 장치를 사용해야 한다. 많은 데이터와 소프트웨어를 저장(설치)하기 위해서 보조 기억 장치는 저장 용량이 주기억 장치에 비해 훨씬 크지만, 읽고 쓰는 속도는 상대적으로 느리다. 대표적인 보조 기억 장치로는 하드 디스크, USB 메모리, SSD(Solid State Device), SD(Secure Digital) 카드 등이 있다. 그림 2.16은 하드 디스크의 내부 모습이다.

그림 2.16 하드 디스크의 내부 모습

입력 장치는 처리의 대상이 되는 데이터를 입력하기 위하여 필요한 장치로, 키보드나 마우스, 터치스크린, 조이스틱 등이 그 예에 해당한다. 한편 출력 장치는 처리된 결과를 보여주기 위한 장치로 모니터나 프린터, 스피커 등이 이에 해당한다. 최근에는 인터넷 기능이 컴퓨터의 필수적인 요소로 부상하였다. 인터넷과 같은 통신 기능은 외부로부터 데이터를 수신하거나, 외부 시스템으로 송신하는 기능으로 볼 수 있기 때문에 입출력 장치로 구분할 수 있다.

(2) 중앙 처리 장치

흔히 CPU라 부르는 중앙 처리 장치는 컴퓨터의 뇌에 해당한다고 볼 수 있는 핵심 장치로 데이터에 대한 산술 논리 연산을 담당하고 있다. 컴퓨터의 데이터 처리는 중앙 처리 장치에 의하여 이루어지며, 제어 버스를 통해서 컴퓨터의 전체적인 제어 기능을 담당한다.
중앙 처리 장치를 구성하는 요소들은 연산 장치(ALU : Arithmetic and Logic Unit), 제어 장치(control unit), 레지스터(register) 등이 있으며 그림 2.17과 같이 나타낼 수 있다.

연산 장치에서는 더하기, 빼기, 곱하기, 나누기 등과 같은 산술 연산과 논리합(OR), 논리곱(AND), 논리역(NOT) 등과 같은 논리 연산이 이루어진다. 연산의 대상이 되는 피연산자는 연산 이전에 레지스터에 저장되어야 하며, 연산결과 데이터는 누산기(accumulator)라고 부르는 레지스터에 저장된다.

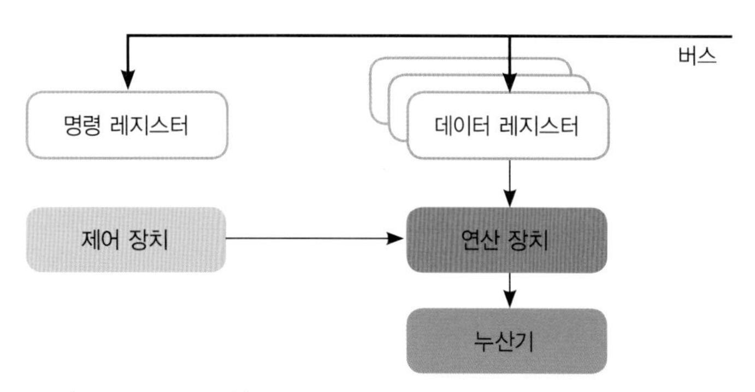

그림 2.17 CPU 구성 요소

제어 장치는 처리할 명령어와 데이터를 주기억 장치로부터 읽어 들여서 연산 장치가 처리할 수 있도록 명령어에 해당하는 디지털 논리를 해독(decode)하는 역할을 담당한다. 그리고 피연산자 데이터를 데이터 레지스터에 저장한다. 또한 현재 처리 중인 명령어의 처리가 끝난 후 다음 명령어를 읽어 들여서 준비하는 과정 등이 자동적으로 이루어질 수 있도록 하는 기능을 제공한다. 제어 장치는 이름에서 알 수 있는 것처럼 중앙 처리 장치의 전반적인 제어를 담당하는 핵심 기능으로 볼 수 있다.

레지스터는 주기억 장치로부터 읽어 들인 명령어와 데이터를 연산을 위해서 잠시 저장하는 메모리 기능 장치이다. 이를 위해서 다수의 레지스터가 CPU 내에 존재하며, CPU의 성능을 높이기 위해서 처리 속도가 빠른 메모리 장치를 사용한다. 우리가 흔히 컴퓨터를 말할 때 32비트 컴퓨터나 64비트 컴퓨터라고 지칭하는데, 이때 32비트 또는 64비트는 바로 레지스터의 크기를 의미한다. 즉, 그 컴퓨터가 연산에 사용하는 데이터 크기라 할 수 있다.

그림 2.18 인텔 코어 i5 CPU 칩

중앙 처리 장치는 인출(fetch), 해독(decode), 실행(execution) 등의 3단계를 통해서 명령어를 처리한다. 인출은 주기억 장치에서 명령어를 읽어 들이는 과정을 의미한다. 이를 위해서 해당 명령어가 있는 주소를 주소 버스를 통해서 전달하고 읽기 제어 신호를 내보낸다. 해독은 명령어를 해독하는 과정으로 연산을 하기 위한 디지털 논리를 준비하는 단계이다. 실행 단계는 피연산자인 레지스터에 저장된 데이터를 연산을 위한 디지털 논리 회로를 거쳐서 처리하는 단계이다. 그 결과는 레지스터에 저장되거나 주기억 장치에 저장되기도 한다. 명령어의 처리가 끝나면 다음 명령어에 대한 처리가 시작된다. 그림 2.19는 기계어 명령어 처리 단계를 나타내었다.

그림 2.19 명령어 실행 주기

(3) 소프트웨어

소프트웨어(software)라는 용어는 하드웨어(hardware)에 대비되는 용어로 그 사전적인 의미는 변경이 가능한 도구라는 의미이다. 반대로 하드웨어는 한번 만들어지면 변경 불가능한 도구라는 뜻으로 컴퓨터 모니터, 키보드, 마우스, 본체 등과 같이 폐기될 때까지 변경이 없이 사용되는 기계를 의미한다. 그림 2.20은 대표적인 하드웨어 시스템인 개인용 컴퓨터 모니터와 본체의 모습이다.

그림 2.20 하드웨어의 예 : 컴퓨터 모니터와 본체

소프트웨어는 하드웨어와는 달리 눈에 보이지 않는 무형의 기능으로 컴퓨터에서 특정작업을 하기 위해서 사용하는 응용 프로그램과 윈도우10과 같이 하드웨어를 관리하고 사용자에게 편의성을 제공하는 운영 체제 등이 이에 포함된다. 컴퓨터는 어떤 프로그램을 올려서 처리하는가에 따라 그 기능이 결정된다. 게임 소프트웨어를 처리하면 게임 기능으로, 동영상 플레이어를 실행하면 동영상 기능으로, 워드프로세서 소프트웨어를 실행시키면 워드프로세서로 기능이 변경된다. 이와 같이 변경 가능하다는 의미에서 소프트웨어라는 용어가 사용된 것이다.

컴퓨터는 소프트웨어에 따라서 다양한 기능을 제공할 수 있다는 장점이 일반 기계와 차별되는 컴퓨터의 특징이라 볼 수 있다. 궁극적으로 사용자에게 나타나는 컴퓨터의 기능은 컴퓨터에서 현재 처리되고 있는 소프트웨어가 제공하는 기능이므로, 사용자가 필요로 하는 유용한 소프트웨어를 만드는 것이야말로 무엇보다 중요하다고 할 수 있다. 아무리 성능 좋은 하드웨어를 가진 컴퓨터라 하더라도 사용자가 요구하는 소프트웨어가 없다면 무용지물이 될 수밖에 없기 때문이다. 따라서 소프트웨어 개발을 위한 프로그래밍 능력이야말로 컴퓨터 활용의 핵심적인 요소라 할 수 있다.

(4) 운영 체제

운영 체제(OS : Operating System)란 컴퓨터의 하드웨어를 효율적으로 관리하고 사용자에게 컴퓨터 하드웨어의 기능을 쉽게 사용할 수 있도록 편리한 인터페이스를 제공하는 소프트웨어이다. 만약 운영 체제가 없다면 사용자들이 직접 하드웨어를 제어해야 하는데, 이를 위해서는 전기전자 공학의 전문적인 지식이 필요할 것이며, 전문가라 하더라도 그 작업은 대단히 복잡한 일이 될 것이다. 예를 들어서 윈도우10을 운영 체제로 이용하는 컴퓨터에서 사용자는 윈도우 내에 나타나는 아이콘(icon)에 해당하는 파일을 마우스로 클릭함으로써 쉽게 컴퓨터 기능을 사용할 수 있다. 사용자의 명령을 받은 운영 체제는 이에 알맞은 기능을 위한 모든 처리를 담당하며 필요한 컴퓨터 하드웨어에게 명령하고 처리결과를 받아서 사용자에게 편리한 방법으로 그 결과를 알려준다. 이에 따라 사용자가 컴퓨터의 기능을 인식하게 되는 것은 운영 체제가 제공하는 인터페이스를 통해서 이루어지므로 사용자는 운영 체제를 통해 컴퓨터를 인식하게 된다. 동일한 하드웨어를 사용하는 컴퓨터라 하더라도 운영 체제를 윈도우10으로 할 것인가 리눅스로 할 것인가에 따라 그 기능이 전혀 달라지게 된다.

또한 운영 체제는 컴퓨터의 자원들을 효율적으로 관리하는 기능을 제공한다. 즉, 데이터 저장을 위해서 파일(file) 단위로 보조기억장치에 저장하고, 멀티태스킹이나 멀티스레딩과 같은 병렬적인 처리 등이 이루어지도록 프로세스와 메모리를 제어한다. 그리고 다중 사용자들을 위한 사용자 보호 기능을 제공한다. 그림 2.21은 운영 체제의 기능을 나타낸 것이다.

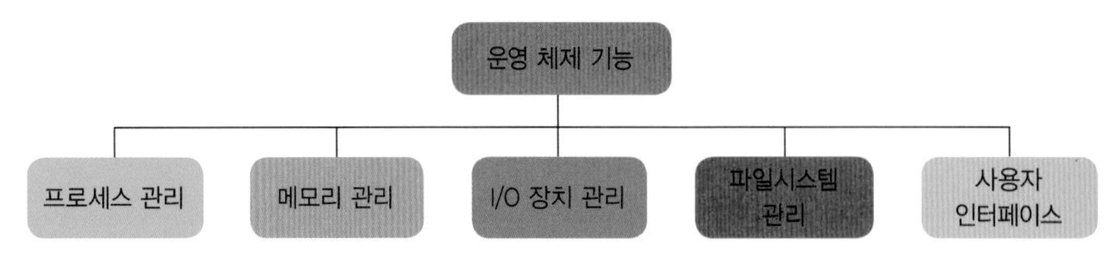

그림 2.21 운영 체제의 기능

오늘날 우리가 개인용 컴퓨터(PC)에서 주로 사용하는 운영 체제는 윈도우10이나 리눅스(LINUX) 등이다. 윈도우10은 빌게이츠가 이끄는 마이크로소프트에서 개발한 운영 체제로 오늘날 개인용 컴퓨터 운영 체제 시장에서 가장 많이 사용되고 있다. 초기 MS-DOS 운영 체제 때부터 개인용 컴퓨터에서는 가장 많이 사용되는 제품이었고, 이 운영 체제를 기반으로 하여 그래픽 사용자 인터페이스를 추가한 것이 윈도우(Window) 운영 체제이다. 그림 2.22는 윈도우10의 다운로드 사이트 화면이다.

그림 2.22 윈도우10 다운로드 사이트 화면

리눅스는 리누스 토발즈(Linus Torvalds)가 개발한 운영 체제로 유닉스(UNIX) 운영 체제를 모델로 하여 개발되었다. 리눅스는 윈도우 운영 체제와는 달리 그 소스를 인터넷으로 공개하고 일반인들이 자유롭게 사용하도록 하며, 기능 개선에 참여할 수 있도록 하고 있다.

그림 2.23 리눅스 공식 홈페이지(https://www.linux.ofr)

리눅스 개발에 500만 명이 넘는 개발자 그룹이 리눅스 개발에 참여하고 있고 그들의 시스템에 맞게 소스를 수정할 수 있으므로 다양한 리눅스 버전이 만들어져 사용되고 있다. 레드햇(Red Hat), 우분투(Ubuntu), Debian, SuSE, Oracle 등의 리눅스들이 현재 널리 사용되고 있다. 이 중 레드햇 리눅스는 최초의 상업용 리눅스로 지속적인 개발이 이루어지고 있으며 공식 홈페이지를 통해서 배포되고 있다.

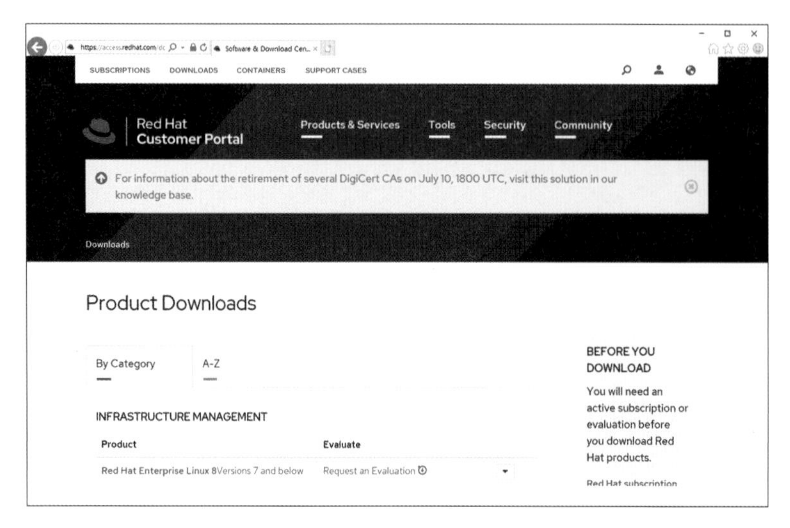

그림 2.24 레드햇 리눅스 다운로드 사이트

그리고 애플 컴퓨터에서 사용하는 매킨토시 운영 체제도 널리 사용되고 있다. 스티브 잡스가 스티브 워즈니악과 함께 세운 애플 컴퓨터(Apple Computer)는 최초로 상업적으로 성공한 개인용 컴퓨터인 8비트 컴퓨터 애플II를 1977년에 개발하였다. 그 후, 1984년에 그래픽 사용자 인터페이스 방식을 최초로 개인용 컴퓨터에 적용한 매킨토시를 발표하였다. 또한 1997년에는 이름을 바꾸어 MacOS 8을 내놓았다. 이와 같이 그래픽 사용자 인터페이스 기술을 PC에 적용하고 발전시킨 면에서 애플 컴퓨터는 마이크로소프트의 윈도우 보다 시기적으로 앞선 역사를 가지고 있다.

그림 2.25 IBM PC와 애플의 매킨토시 컴퓨터

2.3 컴퓨터의 종류

(1) 슈퍼컴퓨터

슈퍼컴퓨터는 처리 능력에 있어서 최고의 성능을 가진 컴퓨터로 기상 예측, 지구환경분야, 천문학분야, 의학 및 화학분야 등에서 주로 사용되는 과학 기술 전용 컴퓨터를 의미한다. 가장 큰 구조적 특징은 수백 또는 수천의 중앙 처리 장치를 이용하여 처리할 작업을 많은 수의 작은 작업으로 나누어서 병렬 처리(parallel processing)를 한다는 점이다.

슈퍼컴퓨터로 널리 알려져 있는 제품은 미국의 크레이(Cray) 사에서 만든 크레이 XC30 컴퓨터가 있다. 이 제품은 384개의 인텔 64비트 프로세서가 병렬로 연결되어 처리하는 캐비닛 모듈 단위로 구성된다. 이와 같은 캐비닛이 몇 개가 서로 연결되는가에 따라서 제품의 성능이 결정된다.

슈퍼컴퓨터의 성능은 FLOPS(FLoating Point Operation Per Second)라는 단위를 이용하여 나타내는데, 이는 초당 부동 소수점 연산 횟수를 나타내는 것이다. 일반적으로 슈퍼컴퓨터는 수천 Tera FLOPS 즉 초당 수천 조번의 부동 소수점 연산을 하는 성능 이상으로 알려져 있다. 그림 2.26은 IBM의 슈퍼컴퓨터 미라의 모습이다.

그림 2.26 IBM의 슈퍼컴퓨터 미라(Mira)(출처 : pixabay.com)

(2) 메인 프레임

메인 프레임(main frame)은 고성능의 대형 컴퓨터를 의미한다. 주로 대기업이나 은행, 대학교 등에서 사용된다. 이 시스템에서는 다수의 사용자가 터미널을 이용하여 동시에 작업한다. 최근 들어 소형 컴퓨터의 성능이 매우 빠른 속도로 향상됨에 따라 메인 프레임의 인기는 갈수록 약해지고 있지만, 아직도 큰 조직의 대규모 전산 시스템으로 널리 사용되고 있다. 전통적으로 IBM 시스템들이 메인 프레임 시장을 주도하고 있다.

(3) 미니컴퓨터

미니컴퓨터(mini computer)는 메인 프레임에 비해서 작다는 의미로, 개인용으로 사용되는 PC 같은 컴퓨터가 아니고 소규모 조직에서 사용되는 중형 컴퓨터이다. 하지만 오늘날에는 마이크로컴퓨터의 성능도 매우 급속히 향상되어서 과거의 미니컴퓨터와 크게 차이가 나지 않는 실정이다. 이에 따라 갈수록 미니컴퓨터의 인기는 낮아지고 있다.

(4) 워크스테이션

워크스테이션(Workstation)은 개인이 그래픽 작업과 같이 개인용 컴퓨터로는 처리하기 어려운 작업을 위해서 사용하는 개인용 컴퓨터이다. 주로 CAD 등의 기계설계나 그래픽 모델링, 애니메이션 등의 그래픽 작업에 사용된다. 대표적인 예로는 과거에 많이 사용되었던 썬사의 울트라 20 워크스테이션이 있다. 일반적으로 워크스테이션에서는 유닉스 계열의 운영 체제를 이용하며, 인터넷 기능을 기본적으로 탑재한다. 그러나 오늘날에는 PC의 성능이 많이 향상됨에 따라 워크스테이션과의 차이가 별로 없어져서 그 구분도 명확하지 않은 상태이다.

(5) 개인용 컴퓨터

개인용 컴퓨터는 흔히 PC(Personal Computer)로 불리는 개인이 사용하고 있는 컴퓨터를 의미한다. 주로 인텔 CPU를 사용하는 IBM PC와 애플 컴퓨터가 널리 사용된다. 데스크톱(desktop)이나 노트북이라 불리는 랩톱(laptop) 등이 있다. 그림 2.27은 랩톱, 태블릿, 스마트폰의 모습을 함께 보여주고 있다.

그림 2.27 랩톱, 태블릿, 스마트폰

(6) PDA

PDA(Personal Digital Assistant)는 개인 휴대 통신 단말기라고도 한다. 통신 기능을 이용하여 데이터를 검색하거나 전자펜 등을 이용하여 문서작업을 할 수 있는 이동 통신 단말기를 의미한다. 오늘날에 주로 사용되는 스마트폰과 기능적으로 매우 유사하다. 태블릿 PC도 일종의 PDA로 볼 수 있다.

(7) 스마트폰

오늘날 거의 대부분의 개인들이 사용하고 있는 이동 통신 장치로 음성과 데이터 통신 기능을 제공한다. 처음엔 전화기로부터 진화했지만, 이제는 더 이상 전화기로 인식되기보다는 PDA로 역할을 하고 있다. 크게 iOS와 안드로이드(Android) 운영 체제를 사용하며 다양한 응용프로그램인 앱을 설치해서 활용한다.

(8) 기타 컴퓨터

일반 PC 이외에 마이크로프로세서나 마이크로컨트롤러(micro-controller)를 이용한 실험용 보드들이 학교 실험에서 많이 사용되고 있다. 대표적인 것이 라즈베리파이와 아두이노 보드이다. 그림 2.28은 라즈베리파이와 아두이노 우노 보드의 모습이다.

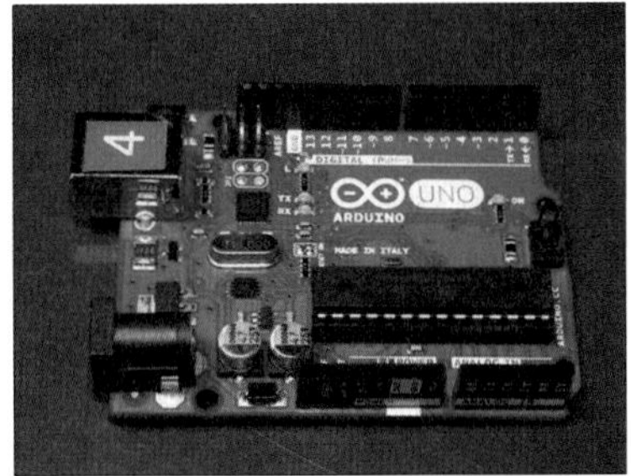

그림 2.28 라즈베리파이와 아두이노 우노 보드

마이크로컨트롤러는 마이크로프로세서와 달리 하나의 칩 내에 CPU 뿐만 아니라 메모리, 입출력장치를 모두 포함하는 원칩 컴퓨터를 의미한다. 일반적으로 제어목적으로 주로 사용되고 있으며, 사물 인터넷이나 임베디드 시스템 구축에 널리 사용될 것으로 예상된다.

라즈베리파이는 ARM CPU를 장착하고 2G 정도의 RAM을 가진 저가형 컴퓨터 보드이다. 이를 이용하여 임베디드 시스템이나 센서노드 등의 장치를 구축할 때 활용된다. 독립적으로 라즈베리파이에 리눅스 계열의 라즈비안 운영 체제를 올려서 컴퓨터로 활용할 수도 있다.

아두이노 보드는 소형의 센서 보드를 구축하거나 간단한 장치를 제어하기 위한 목적으로 사용된다. 아두이노는 독립된 운영 체제가 없으며, USB 포트로 PC에 연결하여 사용한다. PC에서 아두이노 통합 개발 환경 소프트웨어를 이용하여 프로그래밍 작업과 컴파일을 수행하여 보드로 다운로드하여 실행하는 방식으로 사용된다. 그림 2.29는 윈도우10 운영 체제에 설치한 아두이노 통합 개발 환경(Arduino IDE)의 화면이다.

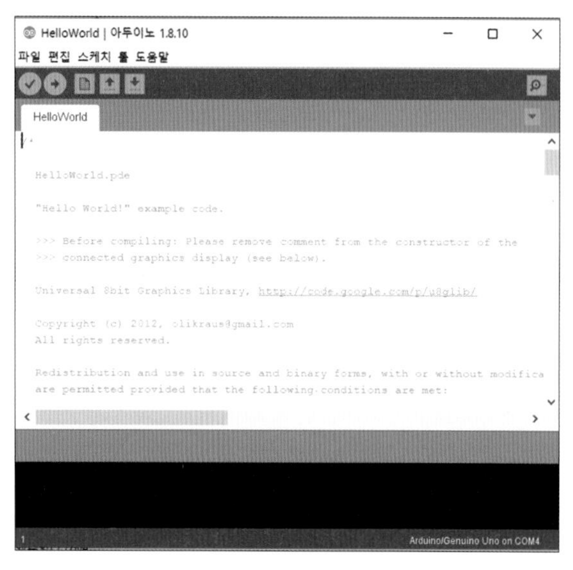

그림 2.29 아두이노 통합 개발 환경

2.4 프로그래밍 언어

(1) 기계어와 어셈블리어

컴퓨터 CPU가 인식하고 처리할 수 있는 유일한 언어는 기계어(machine language)인데, 이는 2진수로 표현되기 때문에 사람이 이해하기 어렵다는 단점이 있다. 기계어는 연산 코드(operation code)와 피연산자(operand)로 이루어진다. 연산 코드는 산술 연산과 논리 연산의 종류를 나타내는 부분이고, 피연산자는 연산의 대상이 되는 데이터가 저장된 메모리 주소나 레지스터가 된다. 1950년대에는 기계어를 이해하기 쉬운 단어에 대응시킨 표현 방식의 어셈블리 언어(assembly language)를 개발하여 프로그래밍 작업을 개선하였다. 예를 들어 누산기 레지스터에 저장하라는 명령어가 기계어로 0101000000000100라면, 이를 LDA A로 대응시키는 식이다. 그러나 어셈블리 언어는 단지 표현만 사람이 이해하기 쉬운 기호로 나타내었을 뿐, 프로그램 논리구성 방식은 기계어와 동일하기 때문에 사람이 사용하기에 쉽지 않다. 특히 기계어나 어셈블리 언어는

CPU 제조사마다 서로 다르기 때문에 프로그래머에게는 하드웨어 시스템이 달라지면 프로그래밍 방식도 달라진다는 문제점이 있다.

(2) 고급 언어

기계어와 어셈블리어의 낮은 소프트웨어 생산성 문제를 해결하기 위해서 고급 언어(high level language)가 탄생하였다. 고급 언어의 의미는 프로그래밍 언어가 사람이 사용하는 언어 즉, 자연어에 가깝다는 뜻이다. 사람이 일상생활에서 사용하는 언어와 유사한 문법 체계를 갖는 고급 언어는 프로그래밍하기가 그만큼 쉽다. 이에 반해서 기계어에 가까운 언어는 저급 언어(low level language)라고 부른다. 최초의 고급 언어는 1950년대 중반에 개발된 포트란(FORTRAN)으로 과학 기술 분야에서 주로 사용되었고, 지금도 사용되고 있는 언어이다. 그 후, 코볼(COBOL), 알골(ALGOL), 베이직(BASIC), 파스칼(PASCAL), C, C++, JAVA, 파이썬(Python) 등의 고급 언어들이 출현하였다.

다음은 C 언어로 된 프로그램의 예를 보여준다.

```
#include <stdio.h>
void main(void)
{
    char s[80];
    int i, blank;
    printf("Enter a string in a line: ");
    gets(s);
    for (i = blank = 0; s[i] != ' \0'; i++) {
        if (s[i] != ' ')   continue;
        blank++;
    }
    printf("%d blanks in your input \n", blank);
}
```

예에서 알 수 있는 것처럼 printf, for, if, continue 등과 같이 프로그램에서 사용하고 있는 키워드들이 인간의 언어와 매우 유사하거나 같은 단어들로 이루어진다. 단어의 의미를 쉽게 파악할 수 있기 때문에 프로그램의 논리를 이해하기 쉽고, 따라서 프로그래밍 작업도 효과적으로 이루어질 수 있다.

오늘날 소프트웨어 개발은 생산성을 높이기 위해서 주로 고급 언어를 이용하여 이루어진다. 그러나 특별히 하드웨어를 직접 제어하기 위한 프로그램 개발에 어셈블리 언어가 사용되는 경우도 있다. 표 2.2는 프로그래밍 언어의 세대별 분류를 나타낸 것이다.

〈표 2.2〉 프로그래밍 언어의 세대별 분류

세대	시기	특징
1세대	1950년대 초반 이전	기계어를 이용한 프로그래밍
2세대	1950년대 중반	어셈블리 언어가 개발되고, 이에 따라 프로그래밍 생산성 향상
3세대	1960년대 초반	포트란, 코볼 등 고급 언어들이 개발되고 프로그래밍 생산성이 매우 높아짐
4세대	1970년대 초반 이후 현재까지	• 비절차적 중심 언어 개발, 데이터베이스 질의어 사용 • 비주얼 프로그래밍, 블록코딩 등의 출현
5세대	미래	자연어를 이용한 프로그래밍

4, 5세대의 구분은 명확하지 않은데, 4세대 언어는 3세대 프로그래밍 언어와는 달리 절차적이지 않은 특성을 갖는 언어를 의미한다. 그래픽 인터페이스를 이용한 비주얼 프로그래밍이 발달하면서 나타난 비주얼 베이직이나 델파이 같은 언어를 4세대 언어라 하기도 한다. 이후 블록을 조립하는 방식의 블록코딩 언어가 개발되었는데 이것이 바로 스크래치(Scratch)이다. 프로그래밍 언어의 궁극적인 목표는 인간이 사용하는 자연어와 같은 방식에 의해 프로그래밍이 가능한 수준이며 이것이 5세대 프로그래밍 언어이다.

(3) 여러 가지 고급 언어

1) C 언어

벨 연구소의 연구원이었던 데니스 리치가 켄 톰슨과 함께 유닉스 운영 체제를 개발할 때, 운영 체제를 개발하기 위한 도구로 만든 언어이다. 발표 이후 1970년대를 통해서 미국의 대학과 연구소 등에 유닉스 운영 체제와 함께 널리 퍼져 가장 많이 사용하는 고급 언어가 되었고, 오늘날에도 가장 사용률이 높은 고급 언어 중 하나이다. 그 후, 객체지향 기법(Object-Oriented Methodology)이 소프트웨어 개발의 중심이 되면서부터 C++, Java의 객체지향 언어(Object-Oriented Language)가 대중화되어 널리 사용되고 있지만, 아직도 많은 분야에서 C 언어가 활용되고 있는 실정이다. C++, Java 언어도 문법이 C 언어와 매우 흡사하다. C++ 언어는 이름에서 알 수 있는 것처럼 C 언어 문법을 그대로 포함하면서 객체지향의 특징을 갖도록 확장시킨 언어로 볼 수 있다.

C 언어의 특징은 무엇보다도 시스템 프로그래밍에 적합하다는 점이다. 하드웨어를 제어해야 하는 시스템 소프트웨어는 기계어와 같이 메모리 주소를 직접 제어해야 할 필요성이 있는데, C 언어는 이와 같은 특징을 가지고 있다. 이에 따라 컴퓨터 공학 분야뿐만 아니라 전기전자 공학 분

야에서 하드웨어 시스템 제어 등을 위해서 C 언어가 많이 사용되고 있다.

2) C++

C++는 이름에서 알 수 있는 것처럼 C 언어를 기반으로 하고 객체지향 프로그래밍이 요구하는 문법을 포함하여 확장된 언어이다. 따라서 대부분의 C 언어 문법이 그대로 사용될 수 있고 C 언어에 익숙한 사용자는 쉽게 배울 수 있다는 장점이 있다. 1980년대 초반에 개발된 이후 오늘날까지도 가장 많이 사용되는 언어 중에 하나이다. 다음은 C++ 언어로 된 간단한 프로그램의 예이다.

```
#include <iostream.h>

class PrintHello
{
    public : void print(void)
    {
        cout << "Hello";
    }
};

int main(int argc, char *argv[])
{
    PrintHello ph;
    ph.print( );
    return 0;
}
```

이 프로그램은 Hello를 출력하는 클래스를 정의하고 이를 이용하여 ph 객체를 생성한 후 객체의 print( ) 메소드를 이용하여 출력하는 간단한 예이다. 프로그램의 표현이 C 언어와 거의 같음을 알 수 있다.

3) Java

1995년에 썬(Sun) 마이크로시스템즈의 제임스 고슬링에 의해 개발된 객체지향 프로그래밍 언어로 현재는 오라클이 썬 마이크로시스템즈를 인수하면서 Java의 저작권을 소유하고 있다.
Java는 안정성을 위해 C 언어의 포인터를 포기하고, 객체지향 기능에 집중하여 언어가 설계되었다. 가장 큰 특징은 이기종 시스템 간의 호환성을 제공한다는 점이다. 소스 코드를 기계어로 직접 컴파일하여 실행 가능한 파일을 생성하는 C/C++와 달리 자바 컴파일러는 바이트 코드인 클래스 파일(.class)을 생성하고, 실행될 때에는 자바 가상 머신(Java Virtual Machine : JVM) 상에서 바이트 코드를 읽은 뒤 기계어로 바꾸어 실행하는 하이브리드 방식을 이용한다. 이와 같은 호환성의 장점으로 인해 인터넷을 기반으로 하는 네트워크 소프트웨어 개발에 널리 사용되고 있다.
자바 프로그램의 예를 다음에 나타내었다.

```
public class ExampleClass
{
    private int n;
    public ExampleClass(int n)  {
        this.n = n;
    }

    public int get( ) {
        return n;
    }

    public static void main(String[] args) {
        ExampleClass ec = new ExampleClass( );
        System.out.println("ec = " + ec.get( ));
    }
}
```

자바에서는 C++에서와 마찬가지로 객체를 사용하기 위해서 먼저 객체 형(type)에 해당하는 클래스를 정의한다. 정의된 클래스로부터 생성되는 객체를 이용하여 프로그램이 구성된다. C 언어의 함수에 해당하는 것이 자바에서는 객체의 메소드이다. 앞의 예에서 ExampleClass라는 클래스를 정의하고 main( ) 메소드에서 ExampleClass 형의 객체 ec를 생성하여 ec의 메소드 get( )을 사용하는 프로그램 예를 보여준다.

4) 파이썬

파이썬(Python)은 1989년 귀도 반 로섬(Guido van Rossum)에 의하여 개발된 후, 2000년에는 Python 2, 2008년에는 Python 3가 발표되었다. 이 언어는 문법이 쉬워서 프로그램을 처음 배우는 사람들의 교육용 언어로 널리 이용되고 있다. 뿐만 아니라 소프트웨어 생산성도 매우 높은 것으로 알려져 있다. 파이썬은 고수준의 데이터 구조와 단순하지만 매우 효과적인 객체지향 프로그래밍 기능을 제공한다. 언어 번역 방식은 인터프리터 방식을 이용하기 때문에 실행 속도에는 단점이 있다. 실행 속도가 느린 단점을 보완하기 위해서 전체적인 소프트웨어는 파이썬으로 개발하고, 빠른 속도가 필요한 부분만 C/C++ 등으로 개발하여 링크하는 방식을 사용하기도 한다. 그림 2.30은 파이썬에서 대화형 인터프리터(interactive interpreter) 기능을 윈도우 환경에서 제공하는 IDLE(Integrated Development and Learning Environment) 프로그램의 실행화면이다.

```
Python 3.8.5 Shell
File  Edit  Shell  Debug  Options  Window  Help
Python 3.8.5 (tags/v3.8.5:580fbb0, Jul 20 2020, 15:43:08) [MSC v.1926 32 bit (In
tel)] on win32
Type "help", "copyright", "credits" or "license()" for more information.
>>> 1+2
3
>>> a = 10;
>>> b = 20;
>>> print a + b
SyntaxError: Missing parentheses in call to 'print'. Did you mean print(a + b)?
>>> a+b
30
>>> print(a+b)
30
>>> |
```

그림 2.30 파이썬의 IDLE 실행 화면

파이썬에서는 변수에 대한 자료형을 정의하지 않고 사용한다. 앞의 예에서 변수 a와 b를 사용하는데 자료형 선언이 없이 바로 10과 20을 저장하고 합을 출력하는 예를 보여주고 있다. 프롬프트(>>>)에서 바로 명령을 주면 그 명령어를 번역하고 실행하여 결과를 바로 출력하는 것을 알 수 있다. 이것이 인터프리터의 실행 방식이다. 문장마다 독립적으로 번역되어 실행되고 결과는 내부적으로 저장되어 차후에 다른 문장을 처리할 때 사용된다.

(4) 컴파일러와 인터프리터

고급 언어 프로그램은 기계어로 번역되어야 CPU에 의하여 처리될 수 있기 때문에 컴파일러(compiler)와 같은 번역 프로그램을 사용하여 기계어 프로그램으로 변환된다. 기계어로 변환하는 방식에는 컴파일러 방식과 인터프리터(interpreter) 방식이 있다. 컴파일러 방식은 고급 언어 원시 프로그램(source program)을 모두 기계어 프로그램으로 바꾸어 목적 프로그램(object program)을 생성하고 이를 링크(link)하여 실행 가능 프로그램(executable program)으로 만든다. 링크 과정에서 운영 체제가 실행할 프로그램을 주기억장치로 옮기고 중앙 처리 장치(CPU)가 처리하기 위해서 필요한 정보를 추가한다. C/C++ 등은 컴파일러 방식을 주로 사용한다. 그림 2.31은 C 프로그램에서 실행 프로그램이 만들어지는 과정이다.

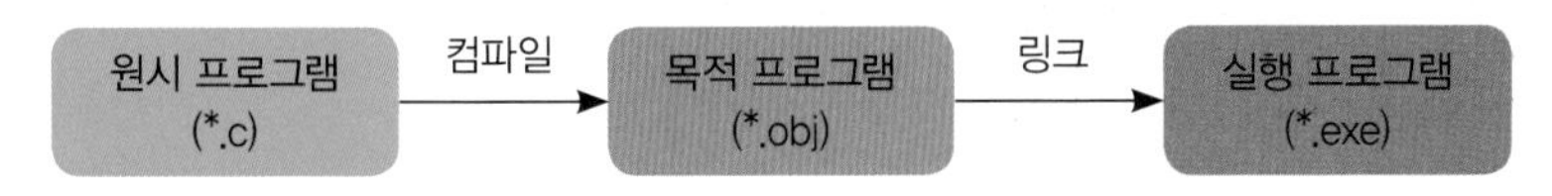

그림 2.31 컴파일과 링크 과정

인터프리터 방식은 이와 달리 고급 언어로 된 원시 프로그램을 실행할 때마다 문장 단위로 기계어로 번역하여 실행하는 방식이다. 때문에 인터프리터 방식은 실행 파일을 생성하지 않는다. 실행할 때 한 문장씩 번역되어 실행되므로 문장 단위의 실행이 이루어지고 그 결과를 볼 수 있기 때문에 디버깅에 용이한 점이 있다. 그러나 매번 실행할 때 번역을 해야 하므로 실행의 속도는 느려지게 된다. 인터프리터 방식을 사용하는 언어로는 파이썬, 스크래치 등이 있다.

Java의 경우는 호환성을 높이기 위해서 컴파일러 방식으로 바이트 코드라 불리는 중간 코드를 생성한다. 그리고 자바 가상 머신(Java Virtual Machine : JVM)에서 실행될 때 중간 코드가 다시 인터프리터 방식으로 기계어로 번역되어 실행된다. 따라서 컴파일러 방식과 인터프리터 방식이 혼합된 하이브리드 방식이라 볼 수 있다. 그림 2.32는 자바의 컴파일과 실행 과정을 나타내고 있다.

그림 2.32 자바의 컴파일과 실행 과정

(5) 통합 개발 환경

고급 언어로 원시 프로그램을 작성할 때에는 문서 편집기를 이용하고, 이를 컴파일러를 이용하여 목적 프로그램으로 번역한 후, 링커에 의하여 실행 프로그램을 생성하는 과정과 실행 프로그램을 테스트하고 오류를 바로잡는 디버깅 과정을 거친다. 이와 같은 소프트웨어 개발 과정에서 필요한 기능을 모두 제공하는 통합된 개발 도구를 통합 개발 환경(IDE : Integrated Development Environment)이라 한다. 대표적인 통합 개발 환경은 마이크로소프트의 비주얼 스튜디오(Visual Studio), 이클립스(Eclipse), 코드블록(Codeblocks) 등이 있으며 스크래치도 자체에 이와 유사한 통합 개발 환경을 제공한다. 이클립스나 코드블록 자체는 컴파일러를 제공하지 않고 통합 개발 환경의 인터페이스만을 제공하며, 사용자가 필요한 컴파일러를 독립적으로 설치하여 통합 개발 환경의 인터페이스에 등록해야 한다. 그림 2.33은 Java 응용 프로그램을 만들 때 주로 사용되는 Eclipse 통합 개발 환경의 초기 화면이다.

그림 2.33 eclipse IDE 초기 화면

(6) 디버깅

프로그래밍 과정에서 문법에 맞지 않는 오류를 범하거나 문법에는 맞지만 논리 구성에 잘못이 있는 경우엔 목표한 결과를 얻지 못한다. 이러한 문제를 바로잡는 것을 디버깅(debugging)이라 한다. 여기에서 버그는 오류(error)를 의미하는 것으로 디버깅은 오류를 바로잡는다는 의미이다. 프로그램은 복잡도가 상당히 높은 것이 일반적이기 때문에 프로그래밍 과정에서 오류가 발생할 가능성이 높고, 이를 해결하기 위한 디버깅 과정에 상당한 노력을 필요로 한다. 디버깅을 도와주는 소프트웨어를 디버거(debugger)라 한다.

문법상의 오류는 컴파일 과정에서 인식되기 때문에 컴파일러가 알려주는 오류 메시지를 참고하여 수정할 수 있다. 그러나 프로그램 논리의 문제로 인해 실행 시 발생하는 오류(run-time error)는 프로그램을 추적하면서 논리의 오류를 찾아내야 하는 상당히 어려운 작업이다. 소스 프로그램을 보면서 논리의 잘못을 찾는 것보다는 디버거를 이용하여 과정을 추적하고 변수 값을 살펴보는 기능을 이용하면 디버깅에 상당한 도움을 받을 수 있다.

2.5 인터넷

오늘날 사용자들이 컴퓨터를 이용하여 수행하는 많은 작업은 컴퓨터 네트워크를 기반으로 하고 있다. 컴퓨터 네트워크에 연결되지 않고 독립적으로 컴퓨터가 작업을 수행할 수 있지만, 이 때 컴퓨터는 작업에 필요한 데이터와 프로그램을 모두 가지고 있어야만 한다. 그러나 작업에 관련된 데이터와 프로그램들이 네트워크 내에 흩어져 존재할 경우, 컴퓨터는 네트워크에 연결되어 있어야만 한다. 네트워크에 연결된다는 것은 결국 네트워크에 연결된 다수의 컴퓨터 사이에 데이터 공유나 컴퓨터의 처리 능력을 공유할 수 있게 된다는 의미이다. 그 결과 다양한 서비스 창출이 가능해진다. 데이터 송수신을 기반으로 하는 전자 우편, 파일 송수신과 같은 서비스뿐만 아니라 오늘날에 보편화된 웹 서비스나 클라우드 컴퓨팅, 사물 인터넷 등이 모두 인터넷을 기반으로 하는 컴퓨터 기술이다. 이런 점에서 컴퓨터 네트워크 기술은 컴퓨터 기술에서 빼놓을 수 없는 요소가 되었다.

(1) TCP/IP

전 세계를 연결한 컴퓨터 네트워크가 인터넷(Internet)이다. 인터넷은 1970년대에 개발되어서 계속적인 발전을 거듭하여 오늘날에 이르고 있다. 오늘날 사용자들은 전 세계로부터 생산되는 엄청난 양의 정보를 얻고, 이를 활용하여 서비스를 창출하고 있다. 인터넷의 핵심 기능은 TCP/IP 라고 불리는 프로토콜에 의하여 제공된다. 그림 2.34는 TCP/IP 프로토콜의 계층 구조를 보여주고 있다.

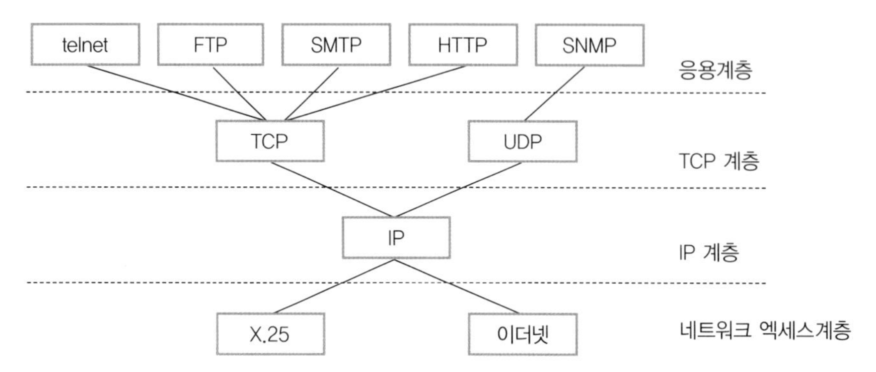

그림 2.34 인터넷 프로토콜 계층 구조

인터넷은 독립적으로 설치되고 운영되는 다수의 네트워크들을 연결하여 이루어지는 네트워크이다. 그러므로 네트워크의 네트워크라 할 수 있다. 그리고 네트워크와 네트워크 사이의 연결을 하는 장치를 라우터(router)라 한다. 그림 2.35는 라우터에 의해서 연결된 네트워크들의 구성을 보여준다.

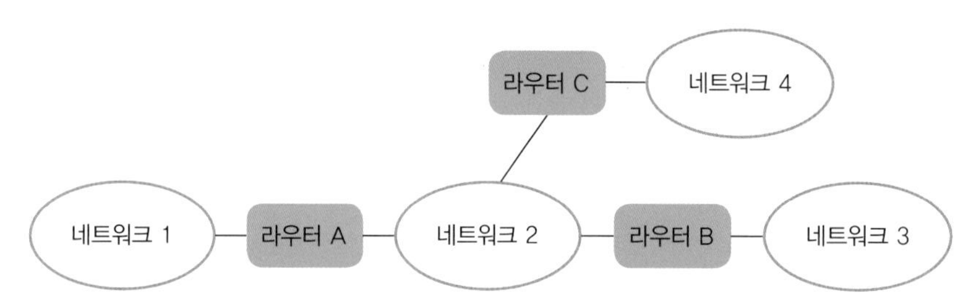

그림 2.35 라우터에 의한 인터넷 연결

라우터에서 동작하는 프로토콜인 IP(Internet Protocol)는 인터넷 내에서 한 호스트(컴퓨터)로부터 다른 호스트까지의 패킷(Packet)을 전달하는 역할을 한다. 패킷은 전달하기에 적절한 크기의 데이터 조각을 의미한다. 목적지로의 전달을 위해서 패킷에는 송신호스트의 주소와 수신호스트의 주소를 가지고 있다. 라우터는 수신된 패킷의 주소를 기반으로 패킷이 다음에 전달되어야 하는 라우터를 찾아 전진시키는 역할을 한다. TCP는 IP 기능을 이용하여 임의의 크기의 데이터를 목적지까지 신뢰성 있게 전달하는 기능을 담당한다. UDP(User Datagram Protocol)는 TCP와는 달리 작은 크기의 데이터 전달에 사용되며 100% 신뢰성을 제공하지는 않는다. UDP는 시스템에 부하를 크게 요구하지 않기 때문에 적은 비용의 서비스에 사용될 수 있다.

TCP나 UDP 프로토콜을 이용하는 응용 계층에는 다양한 응용에 관련된 통신 프로토콜이 있다. 대표적인 것은 웹 서비스에서 사용하는 응용 프로토콜인 HTTP(Hyper Text Transfer Protocol)와 전자 우편에서 사용하는 SMTP(Simple Mail Transfer Protocol), 파일 전송을 위한 FTP(File Transfer Protocol) 등이다. 이 응용 프로토콜은 신뢰성 있는 데이터 전송을 요구하기 때문에 TCP의 데이터 전달 기능을 이용하여 이루어진다. SNMP(Simple Network Management Protocol)는 네트워크 관리를 위한 프로토콜로 주기적으로 네트워크 구성요소들의 상태를 모니터링하는데 사용된다. 이때 전달되는 데이터의 크기가 작고 주기적으로 전달되기 때문에 간헐적인 오류는 문제가 되지 않는다. 이런 경우 UDP를 사용한다.

(2) 웹 서비스

웹(WWW : World Wide Web) 서비스는 오늘날 인터넷 응용 서비스 중에서 가장 많이 사용되고 있는 기능 중에 하나이다. 사용자들은 웹 클라이언트(client)인 웹 브라우저(browser) 프로그램을 이용하여 원하는 정보를 제공하는 웹 서버에 접속하여 웹 문서를 검색한다. 이때에 웹 문서들은 하이퍼 텍스트 구조로 되어 있다.

하이퍼 텍스트(hyper text)란 일반 문서(text)들 사이에 연관성을 고려하여 연관성이 있는 문서들을 하이퍼 링크(hyper link)로 서로 연결하여 구성된 문서의 집합을 의미한다. 그림 2.36은 하이퍼 텍스트를 개념적으로 단순화시켜서 나타낸 것이다.

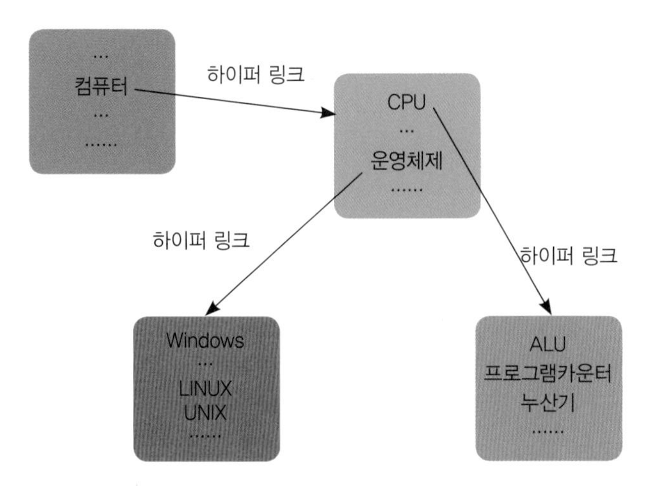

그림 2.36 하이퍼 텍스트의 개념적 구조

각 문서에 내용에 관련된 다른 문서들을 해당하는 키워드에 대응시켜서 논리적인 연결을 한 것이다. 이와 같이 한 문서를 참조하다가 관련된 다른 문서를 빠르게 찾아서 참조할 수 있도록 구조화한 것이다. 각 문서들은 인터넷에서 서로 다른 호스트에 위치할 수 있다. 따라서 전 세계에 흩어져있는 관련 문서들을 논리적인 링크를 이용하여 연결하고, 이를 통해서 관련된 문서들을 빠르게 검색 및 참조할 수 있도록 만들어 놓은 문서 구조를 하이퍼 텍스트라 할 수 있다.
하이퍼 텍스트를 나타내는 문법이 HTML(Hyper Text Markup Language)이다. 웹 서비스를 이용할 때 마이크로소프트의 인터넷 익스플로러(Internet Explorer)나 구글의 크롬(Chrome) 등의 웹 브라우저 화면에 나타나는 문서들을 기술할 때 사용하는 문법이다.
HTTP 프로토콜의 절차는 클라이언트에서 웹 문서에 대한 요청(request)을 서버에게 보내면 서버는 이에 대한 응답(reply)을 수행하는 요청과 응답의 단순한 절차에 의하여 동작한다. 클라이언트에서 요청이 발생하면 먼저 TCP 연결을 설정하고 이를 통해서 신뢰성 있는 웹 문서 요청을 보내면, 이에 대한 응답으로 서버는 요구된 웹 문서를 자신의 시스템으로부터 찾아서 전달한다.
웹 서비스는 처음엔 웹 문서 검색을 위해서 개발되었지만, 계속적인 발전을 거듭하여 오늘날엔 웹 프로그래밍을 통해서 응용 소프트웨어 기능을 함께 포함할 수 있게 되었다. 또한 매우 보편화된 소프트웨어가 되면서 이젠 하나의 응용 서비스라기보다는 응용 서비스를 위한 도구를 제공하는 플랫폼(Platform)으로 인식되고 있다. 더 이상 컴퓨터의 운영 체제가 무엇인가가 중요한 것이 아니고, 웹 서비스가 가능한가가 더 중요한 상황으로 변화되고 있다.

- 오늘날의 컴퓨터의 구조가 아이디어 차원에서 발표된 것은 1936년 영국의 앨런 튜링의 논문에서이다.
- 1946년에 펜실베이니아 대학의 모클리와 에커트 교수에 의해 발명된 에니악(ENIAC)은 최초의 전자식 디지털 컴퓨터이다.
- 에드삭(EDSAC)은 1949년 영국 캠브리지 대학의 윌키스와 그의 동료들이 처음으로 폰 노이만이 고안한 내장 프로그램(stored program) 방식의 디지털 컴퓨터를 완성하였다.
- 폰 노이만은 1941년에 에드박(EDVAC)을 설계하였는데, 에드박은 2진법을 도입하였으며, 내장 프로그램 방식을 채택하였다. 이후 1952년에 에드박은 완성되었다.
- 1950년대의 컴퓨터는 입력 장치로 천공 카드 리더를 사용하였고 출력 장치로는 라인 프린터를 이용하였다. 그리고 모든 작업을 모아서 한꺼번에 처리하는 일괄 처리 방식을 이용하였다.
- 1960년대 초에 모니터와 키보드가 사용되기 시작하면서 사용자가 직접 컴퓨터와 실시간으로 상호작용하는 대화형 시스템이 가능해졌다. 또한 포트란, 코볼 등의 고급 언어들이 나타나서 사용되기 시작하였다.
- 1960년대 중반에 집적 회로 기술이 등장하여 컴퓨터의 크기는 혁신적으로 줄어들기 시작하였다. 소프트웨어적으로는 운영 체제가 발달하여 시분할 멀티태스킹이 가능하게 되었다. 이에 따라 한 컴퓨터에 다수의 사용자가 터미널 앞에서 동시에 작업하는 환경이 가능해졌다.
- 1970년대에 들어서면서 집적 회로 기술의 고도화에 따라 아주 작은 칩 하나로 컴퓨터 CPU의 기능을 구현한 마이크로프로세서가 등장하였다. 그 결과, 미니컴퓨터나 마이크로컴퓨터 같은 작은 크기의 컴퓨터가 나타나게 되었다.
- 컴퓨터의 구성요소는 중앙 처리 장치, 주기억 장치, 보조 기억 장치, 입력 장치, 출력 장치이다.
- 중앙 처리 장치(CPU)는 수치 연산과 논리 연산을 수행하며, 컴퓨터의 전체적인 제어를 담당한다.
- CPU는 주기억 장치에 있는 기계어 프로그램을 순차적으로 읽어 들여서 처리하는데, 처리 단계는 인출 → 해독 → 실행 순으로 이루어진다.

- 주기억 장치는 CPU가 처리할 프로그램과 데이터를 저장하는 장치로 ROM과 RAM으로 구성된다. 주기억 장치의 ROM은 변경할 필요가 없는 프로그램과 데이터가 저장되어 있고, 일반적으로 처리할 프로그램을 저장하기 위해서는 RAM을 사용한다.
- 보조 기억 장치는 프로그램이나 데이터를 반영구적으로 저장하기 위한 장치로 주기억 장치에 비해 용량이 크고 전원을 꺼도 저장된 데이터가 사라지지 않는다는 특징이 있다.
- 컴퓨터는 소프트웨어에 따라서 다양한 기능을 제공할 수 있고, 이런 장점이 일반 기계와 차별되는 컴퓨터의 특징이라 볼 수 있다.
- 운영 체제란 컴퓨터의 하드웨어를 효율적으로 관리하고 사용자에게 컴퓨터 하드웨어의 기능을 쉽게 사용할 수 있도록 편리한 인터페이스를 제공하는 시스템 소프트웨어이다.
- 컴퓨터는 규모와 성능에 따라 슈퍼컴퓨터, 메인 프레임, 미니컴퓨터, 워크스테이션, 개인용 컴퓨터, PDA, 스마트폰 등으로 나눌 수 있다.
- 1950년대 초, 컴퓨터가 발표되었을 때는 기계어를 이용하여 프로그램을 작성하였다. 이후 기계어는 이해하기 어렵다는 점을 극복하기 위해서 사람이 이해하기 쉬운 기호로 대응되는 어셈블리어가 출현하였다.
- 기계어나 어셈블리어의 낮은 생산성 문제를 해결하기 위해서 고급 언어가 출현하였다. 최초의 고급 언어는 1950년대에 개발된 과학기술용 언어인 FORTRAN이다.
- 오늘날 소프트웨어 개발에 많이 사용되고 있는 고급 언어로는 C, C++, Java, 파이썬 등이 있다.
- 컴파일러 방식은 고급 언어 원시 프로그램을 모두 기계어로 바꾸어 목적 프로그램을 생성하고 이를 링크하여 실행 프로그램을 만드는 방식이다.
- 인터프리터 방식은 고급 언어로 된 원시 프로그램을 실행할 때마다 문장 단위로 기계어로 번역하여 실행하는 방식이다.
- 소프트웨어 개발 과정에서 필요한 기능을 모두 제공하는 통합된 개발 도구를 통합 개발 환경이라 한다.
- 프로그래밍에서 문법에 맞지 않는 오류를 범하거나, 문법에는 오류가 없는데 논리 구성에 잘못이 있는 경우, 오류를 바로잡는 것을 디버깅(debugging)이라 한다.
- 인터넷에서 중추적인 역할을 하는 프로토콜은 TCP/IP이다.
- 인터넷은 컴퓨터 간에 전자 우편, 웹 서비스 같은 통신 서비스뿐만 아니라, 컴퓨터 사이의 분산 처리와 컴퓨팅 파워 공유를 가능하게 한다. 그리고 통신을 기반으로 한 클라우드 컴퓨팅, 사물 인터넷 등의 기반이 된다.

연습문제

01 다음 중 폰 노이만에 의해 설계된 컴퓨터는 무엇인가?

① 에니악 ② 에드박 ③ 에드삭 ④ 유니박

02 다음 중 최초로 구현된 폰 노이만식 컴퓨터는 무엇인가?

① 에니악 ② 에드박 ③ 에드삭 ④ 유니박

03 폰 노이만식 컴퓨터의 특징은 다음 중 무엇인가?

① 중앙 연산 장치를 이용한 컴퓨터 구조를 갖는다.

② 프로그램을 주기억 장치에 저장한 뒤, 중앙 처리 장치가 프로그램을 순차적으로 처리하는 구조이다.

③ 고급 언어로 된 프로그램을 이용한 프로그램을 처리하는 구조이다.

④ 하드웨어 회로에 의하여 작업을 처리하는 방식이다.

04 컴퓨터의 주요 구성요소가 아닌 것은 다음 중 무엇인가?

① 중앙 처리 장치 ② 주기억 장치 ③ 입출력 장치 ④ 주배터리 장치

05 스캐너는 컴퓨터의 주요 구성 요소 중에서 어느 것에 포함되는가?

① 중앙 처리 장치 ② 주기억 장치 ③ 입력 장치 ④ 출력 장치

06 중앙 처리 장치와 주기억 장치 사이의 데이터 전달을 위한 통로 역할을 하는 것은 무엇인가?

① 입력 장치 ② 버스 ③ 데이터 버퍼 ④ 캐시 메모리

07 다음 메모리 중에서 가장 속도가 빠른 것은 무엇인가?

① 주기억 장치 ② 보조 기억 장치 ③ 캐시 메모리 ④ 레지스터

08 전원을 꺼도 데이터가 사라지지 않는 주기억 장치는 다음 중 무엇인가?

① ROM ② RAM ③ SSD ④ 하드 디스크

09 메모리 장치에 대한 설명이다. 잘못된 것은 무엇인가?

① ROM은 제조사에서 데이터를 기록한 상태에서 시장에 나온다.

② DRAM은 데이터를 유지하기 위해서 주기적으로 데이터를 다시 써야 한다.

③ RAM은 저장된 데이터의 내용을 갱신할 수 있다.

④ SSD는 용량이 큰 주기억 장치이다.

10 다음 중 중앙 처리 장치의 실행 단계 순서가 올바른 것은 무엇인가?

① 인출-해독-실행 ② 해독-인출-실행

③ 인출-실행-해독 ④ 해독-실행-인출

11 운영 체제의 기능으로 옳지 않은 것은 무엇인가?

① 전원을 켰을 때 하드웨어 장치를 테스트한다.

② 응용 프로그램을 실행할 때 주기억 장치로 응용 프로그램을 옮긴다.

③ 하드 디스크에 오류가 발생하면 이를 복구한다.

④ 인터넷을 통해서 전자 우편을 읽어온다.

12 운영 체제는 다음 중 어느 소프트웨어에 속하는가?

① 시스템 소프트웨어 ② 응용 소프트웨어

③ 웹 소프트웨어 ④ 유틸리티 소프트웨어

13 컴퓨터에 응용 소프트웨어를 설치하면 응용 소프트웨어는 어느 장치에 저장되는가?

① 주기억 장치 ② 보조 기억 장치 ③ 캐시 메모리 ④ RAM

14 고급 언어를 기계어로 번역하여 실행 프로그램을 생성한 다음, 실행할 때에는 번역을 하지 않는 방식은 다음 중 무엇인가?

① 인터프리터 ② 컴파일러 ③ 하이브리드 ④ 링커

15 컴파일러에 의하여 생기는 파일은 다음 중 무엇인가?

① 원시 프로그램 ② 목적 프로그램 ③ 실행 프로그램 ④ 중간 코드

16 다음 중 고급 언어가 아닌 것은 무엇인가?

① FORTRAN ② PASCAL ③ C++ ④ 어셈블리어

17 다음 고급 언어 중에서 가장 쉬우면서도 생산성이 높은 것으로 알려진 언어는?

① FORTRAN ② PASCAL ③ C++ ④ 파이썬

18 다음 중에서 객체지향 언어가 아닌 것은 무엇인가?

① C ② Java ③ C++ ④ 파이썬

19 다음 중 응용 프로그램이 아닌 것은 무엇인가?

① 엑셀 ② 파워포인트 ③ 워드프로세서 ④ 윈도우10

20 운영 체제의 목적으로 가장 알맞은 것은 무엇인가?

① 사용자에게 편리한 그래픽 유저 인터페이스(GUI)를 제공한다.

② 컴퓨터 하드웨어 시스템을 효율적으로 관리한다.

③ 프로그래밍 환경을 제공한다.

④ 사용자에게 필요한 업무처리를 제공한다.

21 다음 중에서 운영 체제가 관리하는 것이 아닌 것은?

① 프로세스 ② 메모리 ③ 전원 장치 ④ 파일 시스템

22 다음 운영 체제 중에서 PC 환경에 적합하지 않은 것은 무엇인가?

① 리눅스 ② 윈도우10 ③ Mac OS ④ UNIX

23 동시에 다수의 프로그램을 주기억 장치에 위치시키고 하나의 CPU가 돌아가면서 정해진 시간 동안 프로그램을 하나씩 순차적으로 처리하는 방식을 무엇이라고 하는가?

① 시분할 시스템 ② 병렬 처리 시스템

③ 일괄 처리 시스템 ④ 실시간 시스템

24 2개 이상의 CPU가 동시에 2개 이상의 프로그램을 처리하는 방식을 무엇이라고 하는가?

① 병렬 처리 ② 다중 처리 ③ 분산 처리 ④ 시분할 처리

25 다음 중 라즈비안 운영 체제를 이용하는 소규모 컴퓨터보드는?

① 아두이노 ② 라즈베리파이 ③ 유닉스 ④ PDA

26 센서 장치를 제어하기 위한 목적으로 주로 사용되며, 자체 운영 체제가 없는 것은 다음 중 무엇인가?

① 아두이노 ② 라즈베리파이 ③ 워크스테이션 ④ PDA

27 사물 인터넷의 센서 제어용으로 저가이면서 충분한 입출력 포트를 제공하는 것은 다음 중 무엇인가?

① 아두이노 ② 라즈베리파이 ③ ATMEGA128 ④ PDA

28 다음 중 TCP/IP 계층 구조에 속하지 않는 것은?

① 네트워크 엑세스 계층 ② IP 계층
③ TCP 계층 ④ 세션 계층

29 인터넷에서 한 컴퓨터에서 목적지 컴퓨터까지 패킷을 전달하는 역할에 관련된 프로토콜은 다음 중 무엇인가?

① 네트워크 엑세스 계층 ② IP 계층
③ TCP 계층 ④ 응용 계층

30 웹(WWW) 서비스를 위한 프로토콜은 다음 중 무엇인가?

① telnet ② FTP ③ HTTP ④ SMTP

31 기계어를 사람이 이해하기 편리하게 기호로 대응시켜 나타내는 프로그래밍 언어를 (　　　) 라 한다.

32 소프트웨어 개발 과정에서 문법의 오류나 논리적 오류를 바로 잡는 것을 무엇이라고 하는가? (　　　　)

33 슈퍼컴퓨터의 특징은 하나의 작업을 다수의 작업으로 나누어서 동시에 여러 CPU에게 할당한 후 처리하는 (　　　　　)를 이용한다는 점이다.

34 오늘날의 컴퓨터 구조를 처음으로 논문에서 제시한 사람은 튜링이다. 이 사람이 제시한 기계를 (　　　　　)라 부른다.

35 인터넷 장치는 컴퓨터의 구성요소 중에서 어디에 속하는가?

36 메인 프레임 컴퓨터와 개인용 컴퓨터의 중간 정도의 성능을 갖는 중형 컴퓨터를 (　　　　) 라고 한다.

37 인터넷에서 네트워크와 네트워크를 연결하는 장치를 (　　　　　)라 한다.

38 객체지향 프로그래밍의 장점에 대하여 알아보자.

Chapter 03

Computational Thinking

컴퓨터의 데이터 표현

학습목표

- 데이터와 정보의 차이점에 대하여 알아본다.
- 기본적인 데이터 단위와 용량에 대하여 공부한다.
- 정수와 실수에 대한 컴퓨터의 표현 방법을 이해한다.
- 문자 표현을 위한 코드 체계를 공부한다.
- 오디오나 비디오 파일의 종류에 대하여 살펴본다.

3.1 데이터와 정보

오늘날엔 **데이터**(data)를 저장하기 위해서 주로 컴퓨터 시스템을 이용하지만, 과거에는 문서를 작성하는 방법으로 중요한 데이터나 정보를 기록하였다. 인류의 역사에서, 우리는 기록이 가능해진 시대를 역사시대라 하고, 그 이전 시대를 선사시대라 한다. 그만큼 기록물이 존재한다는 것은 인류 문명사에서 의미가 큰 것인데, 인류는 이를 위해서 문자를 발명하였고, 또한 문자를 기록하기 위하여 종이를 발명하였다. 그러므로 문서를 이용한 기록물은 데이터를 저장한 매체로 생각할 수 있다. 우리가 흔히 데이터라고 말하는 것은 바로 인류가 종이에 남긴 기록물과 같이 세상에 존재하는 사실을 의미한다. 아침에 집으로 배달되는 신문에 기록된 내용, TV에서 볼 수 있는 영상이나 음악, 문자 데이터 등이 모두 데이터이다.

일상생활에서 **정보**(Information)라는 용어도 데이터와 함께 혼용되고 있다. 그러나 엄격하게 구분하자면 정보는 데이터를 가공하여 사용자에게 가치가 있는 처리된 데이터를 의미한다. 어떤 사실이 한 사람에게는 중요한 정보가 될 수 있지만, 다른 사람에게는 아무 의미도 없는 데이터일 수도 있다. 예를 들어서, 야구팬에게는 야구 선수의 타율이 매우 중요한 정보가 될 수 있지만, 야구에 관심이 없는 사람에게는 야구 선수의 타율은 그냥 데이터일 뿐이다. 이와 같이 정보인가 데이터인가는 사용자의 주관적인 판단에 의한 것이므로 절대적인 기준은 없다. 보통 사용자의 목적을 위해서 컴퓨터를 이용하여 데이터를 처리한 결과는 정보라 한다. 그리고 데이터를 처리하는 장치라는 의미에서 컴퓨터를 데이터 처리 기계(Data Processing Machine)라고 볼 수도 있다.

데이터를 처리해서 정보를 만든다는 의미는 사용자에게 가치를 갖는 데이터를 생성하는 것을 말한다. 예를 들어서 작년에 활약한 특정 선수의 타율 변화를 알기 위해서는 누적되어 있는 많은 데이터 중에서 해당 선수의 경기 내용을 뽑아서 각 경기마다 타석에서의 안타 수를 분석해야만 할 것이다. 이와 같은 작업이 데이터 처리의 예이다.

3.2 데이터 단위

(1) 비트

컴퓨터의 데이터 표현에서 가장 작은 단위는 2진수 한 자리를 나타내는 **비트**(Bit)이다. 이는 2진수 한자리에 대한 영문 표현인 Binary Digit의 앞자리 문자를 조합하여 만들어진 용어이다. 컴퓨터가 10진수를 이용하지 않고 2진수를 이용하는 것은 10진수보다 2진수가 물리적으로 나타내기 쉽기 때문이다. 10진수를 이용한다면 한 자리를 표현하기 위해서 0에서 9까지 10가지의 서로 다른 물리적인 표현이 요구되지만 2진수는 단 2가지만 있으면 가능하다. 실제 디지털 컴퓨터에서는 전압(voltage) 신호를 이용하여 전압이 존재하면 1, 존재하지 않으면 0으로 나타낸다. 예를 들어 5V와 0V로 1과 0을 나타낸다고 가정하면 디지털 전압 신호는 그림 3.1과 같이 나타낼 수 있다.

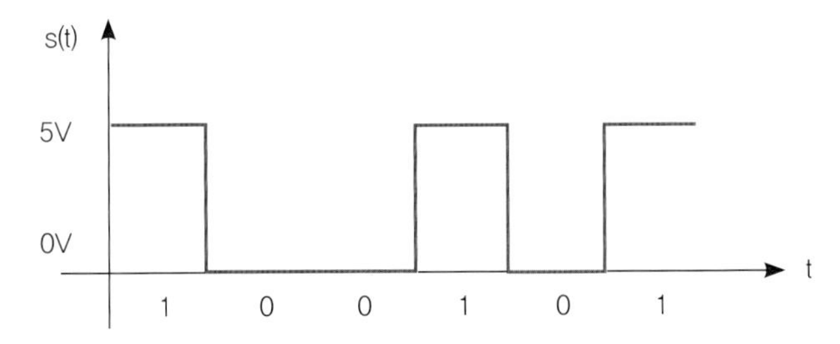

그림 3.1 전압 신호로 나타낸 디지털 신호

한 비트는 0과 1 두 가지로 데이터를 표현하기 때문에 만약 4비트가 있다면 $2^4 = 16$가지를 나타낼 수 있다. 이를 2진수로 모두 나타내면 다음과 같다.

0000, 0001, 0010, 0011, 0100, 0101, 0110, 0111, 1000, 1001, 1010, 1011, 1100, 1101, 1110, 1111

컴퓨터에서 4비트 단위를 **니블(nibble)**이라 부른다. 니블은 0에서 15까지 총 16가지의 데이터를 표현할 수 있다.

(2) 바이트와 워드

컴퓨터에서 가장 많이 사용되는 데이터 단위는 8비트로 구성되는 **바이트(byte)**이다. 8비트이면 총 $2^8 = 256$가지의 데이터 표현이 가능한데, 미국인들이 사용하는 영문자, 숫자, 특수문자 등을 모두 표현할 수 있는 크기이기 때문에 데이터 용량을 나타낼 때 미국인들의 문자 하나를 저장할 수 있는 크기의 의미로 사용된다. 우리가 메모리의 용량을 언급할 때 1메가바이트(MB)라고 표현하는 것은 곧 영문자 1메가, 즉 백만 개의 영문자를 저장할 수 있는 용량이라는 의미이다. 메모리 용량을 나타내는 단위는 표 3.1과 같다.

〈표 3.1〉 메모리 용량의 단위

단위	표기	크기
바이트(Byte)	B	1
킬로바이트(Kilo Byte)	KB	10^3 = 1,000
메가바이트(Mega Byte)	MB	10^6 = 1,000,000
기가바이트(Giga Byte)	GB	10^9 = 1,000,000,000
테라바이트(Tera Byte)	TB	10^{12} = 1,000,000,000,000
페타바이트(Peta Byte)	PB	10^{15} = 1,000,000,000,000,000

컴퓨터의 하드웨어 구조에서 주기억 장치를 이루고 있는 각 메모리의 주소는 바이트당 하나씩 주어진다. 따라서 주기억 장치의 용량을 언급할 때에도 바이트를 사용한다. 바이트는 영문자를 기준으로 한 것으로 한글 문자를 나타내기 위해서는 2바이트가 필요하다. 기타 중국어나 일본어 등의 다른 문자들은 문자의 개수에 따라 필요한 바이트의 수가 다를 것이다.

〈표 3.2〉 컴퓨터 데이터 단위의 크기

데이터 단위	크기(단위: 비트)
비트(bit)	1
니블(nibble)	4
바이트(byte)	8
워드(word)	32 또는 64 등(하드웨어 시스템에 따라 다름)

컴퓨터 시스템에서 데이터를 연산할 때 사용되는 데이터의 기본 크기가 정해져 있는데 이를 워드(word)라 한다. CPU의 산술 논리 연산에 사용될 데이터는 레지스터 내에 위치해야 한다. 따라서 연산 처리의 데이터 크기는 곧 레지스터의 크기와 같고, 이 크기가 해당 컴퓨터의 워드이다. 또 주기억 장치와 CPU 사이의 데이터 버스의 크기도 워드 크기와 관련이 있다. 컴퓨터 시스템의 하드웨어 구조는 제조사마다 어떤 CPU 칩을 이용했는가에 따라 다르기 때문에 워드가 몇 바이트인가는 하드웨어 시스템에 따라 다를 수 있다. 오늘날 우리가 사용하는 PC의 경우엔 32비트나 64비트 워드를 주로 사용한다. 이에 따라 운영 체제도 32비트 운영 체제와 64비트 운영 체제 버전이 있다. 결론적으로 워드는 CPU 내에서 데이터가 연산될 때의 크기로 CPU의 종류에 따라 결정된다.

3.3 정수 표현

(1) 2진수

컴퓨터에서 모든 데이터는 2진수로 표현된다. 즉, 2진수 숫자로 나타낸다는 의미이다. 우리가 일상생활에서 친숙한 10진수의 숫자는 컴퓨터에서 모두 2진수로 변환되어서 메모리에 저장되거나 계산된다. 10진수 데이터를 2진수로 변환하는 방법은 다음과 같이 2로 나누는 연산을 몫이 0이 될 때까지 반복한다. 그 후 나머지들을 역순으로 모으면 2진수 표현이 된다.

```
2 ) 6
2 ) 3   … 0  ↑
    1   … 1  │
```

결과적으로 10진수 6 = $110_{(2)}$이다.

이는 $6 = 2 \times 3 = 2 \times (2 + 1) = 2 \times 2 + 2 = 1 \times 2^2 + 1 \times 2^1 + 0 \times 2^0 = 110_{(2)}$이기 때문이다.

연습 10진수 12와 21을 2진수로 변환하라.

또한, 2진수를 10진수로 변환하는 방법은 2의 자릿수를 고려하여 다음과 같이 한다.

$110_{(2)}$는 2^2은 1, 2^1은 1, 2^0은 0이므로 $1\times2^2 + 1\times2^1 + 0\times2^0 = 4 + 2 = 6$이다.

$10110_{(2)} = 1\times2^4 + 0\times2^3 + 1\times2^2 + 1\times2^1 + 0\times2^0 = 16 + 4 + 2 = 22$

연습 2진수 1010과 11011을 10진수로 변환하라.

(2) 8진수와 16진수

2진수와 함께 컴퓨터 분야에서 많이 사용하는 것이 8진수와 16진수이다. 2진수로 표현하면 너무 많은 자릿수가 필요하므로 이보다 훨씬 적은 자릿수로 쉽게 표현할 수 있는 8진수나 16진수가 많이 사용된다. 2진수의 표현에서 3자리씩 묶으면 8진수의 한 자리에 대응되므로 쉽게 8진수로 표현할 수 있다. 2진수 110101에서 앞의 세 자리 110은 6으로 뒤의 세 자리 101은 5로 대응되므로 8진수 65가 된다.

연습 8진수 23과 405를 2진수와 10진수로 변환하라.

2진수 표현에서 4자리씩 묶으면 16진수의 한자리에 해당하므로 8진수와 마찬가지 방법으로 쉽게 변환할 수 있다. 01101100은 앞의 네 자릿수 0110은 6으로 뒤의 네 자릿수 1100은 12로 대응된다. 그런데 12를 16진수 표현에서는 알파벳 C에 대응시키기 때문에 16진수 6C가 된다. 16진수에서는 한 자리의 수 0에서 9까지는 10진수와 같은 방법으로 나타내고, 10에서 15까지는 알파벳 A에서 F에 대응시킨다.

연습 2진수 10010111을 16진수로 변환하라.

표 3.3은 10진수 값들이 2진수, 8진수, 16진수에서 어떻게 나타내는지를 보여준다.

〈표 3.3〉 10진수, 2진수, 8진수, 16진수 표현

10진수	2진수	8진수	16진수
0	0000	00	0
1	0001	01	1
2	0010	02	2
3	0011	03	3
4	0100	04	4
5	0101	05	5
6	0110	06	6
7	0111	07	7
8	1000	10	8
9	1001	11	9
10	1010	12	A
11	1011	13	B
12	1100	14	C
13	1101	15	D
14	1110	16	E
15	1111	17	F

(3) 2의 보수

어떤 수의 보수란 그 수에 더했을 때 그 결과가 0이 되고 자리 올림이 발생하는 수를 의미한다. 10진수에서 34의 보수란 34에 더했을 때 자리 올림이 발생하며 두 자리 십진수는 0이 되는 수 즉, 100이 되는 수를 의미한다. 따라서 34 + x = 100에서 x = 100 - 34 = 66이다. 34 + 66 = 100이고 2자리 10진수만을 이용한다고 했을 때에는 그 결과가 0이 된다.

마찬가지로 8자리 2진수에서 2의 보수란 2진수 100000000(10진수 256)에서 어떤 수를 빼면 그 수의 2의 보수가 된다. 예를 들어서 43의 2의 보수는 다음과 같이 구할 수 있다.

```
     100000000  (8+1=9자리)  256
 -)   00101011  (8자리)       43
      11010101  (8자리)      213
```

주어진 2진수에 대하여 2의 보수를 구하는 방법은 모든 비트를 역(reverse)으로 바꾸고 1을 더하는 방식으로 계산한다. 43이 주어졌을 때에는 다음과 같이 계산한다.

```
      00101011  (8자리)       43
      11010100  (1의 보수 : 모든 비트를 역으로 변환)
 +)          1
      11010101               213
```

컴퓨터에서 주어진 정수에 대하여 음수를 표현할 때에는 2의 보수 방법을 이용하는데, 그 이유는 2의 보수는 더하기에 의하여 뺄셈 계산이 가능하기 때문이다. 예를 들어서 72 - 43을 계산할 때, 컴퓨터 하드웨어는 72 + (43의 2의 보수)로 연산이 이루어진다. 그 계산 결과는 다음과 같다.

```
      01001000  (10진수 72)
 +)   11010101  (10진수 -43 : 43의 2의 보수)
     100011101  (9번째 자리에 1 발생 : 오버플로우에 의한 자리 올림 발생)
      00011101  (10진수 29 : 자리 올림을 무시한 최종 결과)
```

3.4 실수 표현

실수를 2진수로 나타내는 방법은 다음과 같다. 32.75와 같이 소수점을 포함하는 실수에서 정수 부분과 소수점 이하의 부분 등 두 부분으로 나누어 생각한다. 정수 부분은 10진수를 2진수로 변환하는 방법으로 바꿀 수 있다. 즉 32는 2진수로 100000이다. 소수점 이하의 값을 2진수로 나타내는 방법은 다음과 같다.

주어진 소수점 이하의 값에 2를 곱하여 정수 부분과 소수점 이하 부분의 값을 얻는다. 즉, 0.75 × 2 = 1.5에서 정수 1과 소수점 이하 0.5를 얻는다. 여기서 소수점 이하가 0이 아니므로 이를 다시 2를 곱한다. 0.5 × 2 = 1.0에서 정수 부분 1과 소수점 이하 0을 얻는다. 소수점 이하가 0이 되면 처리가 종료된다. 앞의 과정에서 얻어지는 정수 값을 모으면 소수점 이하의 값이 된다. 즉 정수 부분의 값이 1, 1이므로 2진수로 0.11이 된다. 결과적으로 32.75는 2진수로 100000.11이다.

예 0.8을 2진수로 나타내면

0.8 × 2 = 1.6, 0.6 × 2 = 1.2, 0.2 × 2 = 0.4, 0.4 × 2 = 0.8이 되어 처음 값으로 환원되므로 순환소수의 형태가 된다. 이 과정에서 얻어진 정수 부분의 값은 1100이므로 0.11001100 … 이 된다. 이러한 수는 무한한 자릿수가 있어야만 나타낼 수 있기 때문에 컴퓨터와 같이 유한한 메모리를 이용하여 데이터를 표현할 때에는 가능한 자릿수를 고려한 유효자리 수까지만 나타내므로 오차가 발생한다.

예 0.25를 2진수로 나타내면

0.25 × 2 = 0.5, 0.5 × 2 = 1.0이 된다. 이 과정에서 얻어진 정수부분의 값은 0, 1이므로 2진수로 0.01이 된다.

예 0.875는 2진수로 나타내면

0.875 × 2 = 1.75, 0.75 × 2 = 1.5, 0.5 × 2 = 1.0이 된다. 이 과정에서 얻어진 정수 부분의 값은 1, 1, 1이므로 2진수 0.111로 변환된다.

연습 0.375를 2진수로 나타내어라.

컴퓨터 내에서 실수 표현은 지수(exponential)를 이용하는 부동 소수점 표현 방식을 이용한다. 부동 소수점 표현이란 예를 들어서 12.3이라는 실수가 있다면, 이를 밑수가 10인 1.23×10^1로 나타내는 것을 의미한다. 이때 밑수는 10이고 앞의 예에서 가수는 1.23이고 지수는 1이 된다. 가수의 첫 자리는 밑수보다 작은 정수가 되도록 자릿수를 맞추고 이에 따라 지수의 값을 정한다. 밑수가 2인 경우에는 실수 0.625는 2진수로 0.101인데, 부동 소수점 표현으로 정규화하면 1.01×2^1이 된다. 밑수가 2일 경우에는 정규화하면 가수 부분의 첫째 숫자는 항상 1이 된다.

컴퓨터에서는 부호 비트, 지수 부분, 가수 부분으로 나누어서 실수를 표현하는데, 1.01×2^1의 경우에는 부호 +, 지수는 1, 가수는 1.01이 된다. 밑수가 2일 때에는 첫 번째 비트는 항상 1이기 때문에 이를 생략하고 나타낼 수 있고, 결과적으로 유효 숫자가 1비트가 늘어나는 장점이 있다.

부호 비트	지수 부분	가수 부분

그림 3.2 실수 표현

오늘날 대부분의 컴퓨터 부동 소수점 방식은 실수를 32비트로 처리하는 단정밀도(single precision)에서는 부호 1비트, 지수부 8비트, 가수부 23비트를 사용하며, 64비트로 처리하는 배정밀도(double precision)에서는 부호 1비트, 지수부 11비트, 가수부 52비트를 사용한다. 가수 부분의 비트수가 많을수록 유효 숫자 자리 수가 많아지므로 더 정확한 수를 표현할 수 있고, 지수 부분의 비트 수가 많을수록 더 큰 수를 표현할 수 있다.

3.5 문자 표현

(1) ASCII 코드

컴퓨터에서는 모든 데이터가 2진수로 표현되므로 문자를 나타낼 때에도 2진수를 이용한다. 영문자의 경우는 미국국립표준협회(ANSI : American National Standards Institute)에서 제정한 ASCII(American Standard Code for Information Interchange) 코드 체계를 이용한다. 표 3.4는 ASCII 코드에서 할당한 문자에 대한 2진 코드를 보여주고 있다. 이에 따르면 7비트를 이용하여 0에서 127까지 총 128개의 코드에 영문자, 숫자, 기타 문자 들이 할당된 것을 알 수 있다.

〈표 3.4〉 ASCII 문자 코드

2진 코드	10진수	문자	2진 코드	10진수	문자
0000000	0	NUL	0100000	32	Space
0000001	1	SOH(Start of Heading)	0100001	33	!
0000010	2	STX(Start of Text)	0100010	34	“
0000011	3	ETX(End of Text)	0100011	35	#
0000100	4	EOT(End of Transmission)	0100100	36	$
0000101	5	ENQ(Enquiry)	0100101	37	%
0000110	6	ACK(Acknowledge)	0100110	38	&
0000111	7	BEL(Bell)	0100111	39	‘
0001000	8	BS (Backspace)	0101000	40	(
0001001	9	HT (Horizontal Tabulation)	0101001	41	)
0001010	10	LF (Line Feed)	0101010	42	*
0001011	11	VT (Vertical Tabulation)	0101011	43	+
0001100	12	FF (Form Feed)	0101100	44	,
0001101	13	CR (Carriage Return)	0101101	45	–
0001110	14	SO (Shift Out)	0101110	46	.
0001111	15	SI (Shift In)	0101111	47	/
0010000	16	DLE (Data Link Escape)	0110000	48	0
0010001	17	DC1 (Device Control 1)	0110001	49	1
0010010	18	DC2 (Device Control 2)	0110010	50	2
0010011	19	DC3 (Device Control 3)	0110011	51	3
0010100	20	DC4 (Device Control 4)	0110100	52	4
0010101	21	NAK (Negative Acknowledge)	0110101	53	5
0010110	22	SYN (Synchronous Idle)	0110110	54	6
0010111	23	ETB (End of Transmission Block)	0110111	55	7
0011000	24	CAN (Cancel)	0111000	56	8
0011001	25	EM (End of Medium)	0111001	57	9
0011010	26	SUB (Substitute)	0111010	58	:
0011011	27	ESC (Escape)	0111011	59	;
0011100	28	FS (File Separator)	0111100	60	〈
0011101	29	GS (Group Separator)	0111101	61	=
0011110	30	RS (Record Separator)	0111110	62	〉
0011111	31	US (Unit Separator)	0111111	63	?

2진 코드	10진수	문자	2진 코드	10진수	문자
1000000	64	@	1100000	96	`
1000001	65	A	1100001	97	a
1000010	66	B	1100010	98	b
1000011	67	C	1100011	99	c
1000100	68	D	1100100	100	d
1000101	69	E	1100101	101	e
1000110	70	F	1100110	102	f
1000111	71	G	1100111	103	g
1001000	72	H	1101000	104	h
1001001	73	I	1101001	105	i
1001010	74	J	1101010	106	j
1001011	75	K	1101011	107	k
1001100	76	L	1101100	108	l
1001101	77	M	1101101	109	m
1001110	78	N	1101110	110	n
1001111	79	O	1101111	111	o
1010000	80	P	1110000	112	p
1010001	81	Q	1110001	113	q
1010010	82	R	1110010	114	r
1010011	83	S	1110011	115	s
1010100	84	T	1110100	116	t
1010101	85	U	1110101	117	u
1010110	86	V	1110110	118	v
1010111	87	W	1110111	119	w
1011000	88	X	1111000	120	x
1011001	89	Y	1111001	121	y
1011010	90	Z	1111010	122	z
1011011	91	[	1111011	123	{
1011100	92	₩	1111100	124	|
1011101	93	]	1111101	125	}
1011110	94	^	1111110	126	~
1011111	95	_	1111111	127	DEL

ASCII 코드에서 제정한 문자 이외의 문자들을 표현하기 위해서 확장 ASCII 코드를 이용하는데, 확장 ASCII 코드는 기본 ASCII 코드의 7비트에 1비트를 추가하여 8비트로 나타낸다. 8비트 ASCII 코드에서 확장 코드가 0이면 기본 ASCII 코드이고, 1이면 확장 ASCII 코드이다.
문자열은 복수의 문자들이 합쳐서 이루어지는데 예를 들어 "the"라는 문자열은 't', 'h', 'e' 등의 3개의 문자가 합쳐서 구성된다. 즉, ASCII 문자 코드를 여러 개 합쳐서 표현되는 것이다.

C 언어에서는 문자열을 문자의 배열로 나타낸다. 문자열을 이루고 있는 문자들이 순서대로 나열되고 마지막에는 문자열의 끝을 나타내는 널(null) 문자를 포함한다. 널 문자는 코드 값이 0인 문자이며 C 언어에서는 '\0'으로 표현된다.

(2) 한글 코드

표준 KSC 5601 한글 코드는 2바이트로 한 문자를 나타낸다. 영문 ASCII 코드는 정확히 7비트를 이용하는 코드인데 반해서, 표준 한글 코드는 2바이트 중에 그림 3.3과 같이 각 바이트의 최상위 비트(MSB : Most Significant Bit)는 1로 정해지고 나머지 7비트에 코드 값이 할당되는 형태를 갖는다.

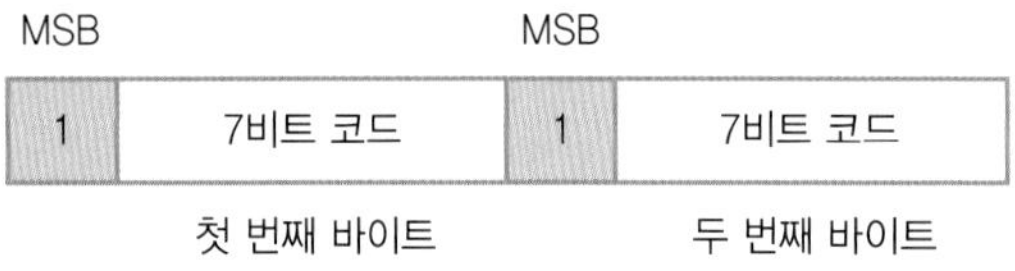

MSB		MSB	
1	7비트 코드	1	7비트 코드
	첫 번째 바이트		두 번째 바이트

그림 3.3 표준 한글코드(KSC 5601)의 형식

예를 들어서 한글 코드 중에서 '가'에 대한 코드 값은 16진수로 B0A1이며 10진수로 나타내면 첫 번째 바이트는 176, 두 번째 바이트는 161이 된다. 이를 확인하기 위한 C 프로그램 예는 다음과 같다.

```
#include <stdio.h>
int main(void)
{
    char str[] = "가나다";
    unsigned char c1, c2;

    c1 = str[0], c2 = str[1];
    printf("%c%c : %2x, %2x\n", c1, c2, c1, c2);
    c1 = str[2], c2 = str[3];
    printf("%c%c : %2x, %2x\n", c1, c2, c1, c2);
    c1 = str[4], c2 = str[5];
    printf("%c%c : %2x, %2x\n", c1, c2, c1, c2);

    return 0;
}
```

실행 결과

가 : b0, a1

나 : b3, aa

다 : b4, d9

(3) 유니코드

유니코드(unicode)는 세계의 모든 언어를 하나의 코드 체계로 나타내기 위한 목적으로 국제 표준화 기구인 ISO(International Organization for Standardization)에서 인정한 표준 코드이다. ASCII 코드는 영문자를 위한 코드 체계이므로 한글과 같은 2바이트 문자를 나타낼 수는 없다. 이러한 문제점을 해결하기 위해서 유니코드에서는 2바이트를 이용한 코드 체계를 갖는다. 2바이트이면 2^{16} = 65536가지의 데이터를 나타낼 수 있다. 이 범위 내에 한글, 중국어, 일본어 문자가 모두 포함된다. 특히 한자의 경우는 문자의 수가 많아서 중국어가 전체 코드 범위 중에서 약 39.89%를 차지한다. 한글의 경우도 약 17.04%로 비교적 큰 범위를 이용하고 있다.

3.6 다양한 데이터 표현

(1) 사운드 데이터

음원 데이터를 저장할 때 사용하는 형식으로는 WAV(Waveform), AV(Audio Visual), MIDI(Musical Instrument Digital Interface) 등이 있다. 이들은 아날로그 신호를 PCM(Pulse Code Modulation) 방식으로 샘플링하여 디지털화한다. 각 샘플링된 값은 디지털로 바뀌는데 8비트, 16비트, 24비트, 32비트 등의 데이터로 변환된다. MIDI 파일 형식은 악기나 신서사이저(synthesizer) 또는 컴퓨터 사이의 정보 교환을 위한 표준이다. MP3(MPEG-3)는 높은 압축률을 가지면서도 좋은 품질을 제공하기 때문에 현재 가장 많이 사용되는 형식이다.

(2) 이미지 데이터

사진 데이터를 컴퓨터에서 나타낼 때에는 사진의 각 픽셀(pixel : picture cell)을 비트 값으로 나타내는 방식을 사용한다. 한 픽셀을 흑백 두 가지로 나타낸다면 0과 1의 값으로 가능하기 때문에 한 픽셀에 하나의 비트가 대응된다. 그러나 컬러를 갖는 픽셀의 경우에는 256가지의 색깔로 픽셀을 나타낸다면 2^8 = 256이므로 8비트 즉 1바이트가 한 픽셀에 해당한다. 만약 256가지의 색깔을 사용하며 화면 해상도가 640×480이라면 한 화면을 위해서 필요한 용량은 640×480바이트가 된다.

오늘날 웹에서 가장 흔히 볼 수 있는 형식은 JPEG이다. JPEG은 압축을 수행하기 때문에 파일의 크기를 대폭 줄일 수 있는 방법이다. 상대적으로 BMP 파일은 압축을 하지 않기 때문에 파일이 크다. 화질은 PNG(Portable Network Graphics)나 TIF(Tag Image File) 형식이 좋은 편이며 JPEG은 압축률이 더 좋지만 화질은 상대적으로 떨어진다.

(3) 동영상

동영상에서는 다수의 이미지가 연속적으로 변하면서 움직임을 나타낸다. 부드러운 움직임을 표현하기 위해서는 초당 30 프레임이 요구된다. 애니메이션의 경우도 동일한 원리를 이용하는데 동영상보다 적은 프레임 개수를 사용한다. 보통 초당 24 프레임을 사용하면 높은 품질의 애니메이션이 된다.

연습 640×480 해상도의 동영상을 위해서 1초에 30프레임(화면)이 진행된다고 한다면 1초간의 동영상을 위한 총용량은 얼마가 되는가? 단, 압축을 하지 않았다고 가정한다.

풀이 640×480×30 = 9,216,000바이트/초

동영상 파일 형식으로는 AVI(Audio Video Interleaved)가 많이 사용되고 있다. 이 형식은 마이크로소프트에서 개발한 압축을 하지 않는 형식이다. 화질이 좋은 편이지만 용량이 커서 실시간 동영상에는 잘 사용되지 않는다. MPEG-2 형식은 동영상 압축 형식인데 HDTV도 가능하다. 이에 반해 MPEG-4 형식은 스마트폰, PDA 등에서 주로 사용되며 낮은 전송률을 지원한다. 이외에도 WMV(Windows Media Video), MOV, MKV 등의 형식이 흔히 사용된다.

- 컴퓨터의 데이터는 내부적으로 2진수에 의하여 표현된다.
- 2진수 한 자리를 비트(bit)라 한다.
- 영문자 하나를 나타낼 수 있는 데이터 단위를 바이트(byte)라 한다.
- 컴퓨터 CPU에서 연산이 이루어질 때 사용되는 데이터의 크기를 워드(word)라 한다. 워드는 컴퓨터 하드웨어에 의하여 결정되며, 컴퓨터 하드웨어가 다를 경우엔 워드의 크기는 달라진다.
- 컴퓨터의 수치 데이터는 정수와 실수로 나눌 수 있다.
- 정수 표현에서 음수는 2의 보수 방식으로 나타낸다.
- 실수 표현은 부동 소수점 표현 방식을 이용하여 나타내며, 부호, 가수, 지수 등 세 부분으로 표현된다.
- 영문자의 미국 표준 코드는 8비트 크기로 ASCII 코드라고 한다.
- 한글 코드는 2바이트 코드로 표준 명칭은 KSC 5601이다.
- 전 세계 모든 언어를 단일 체계로 나타내기 위한 표준 코드가 2바이트 크기의 유니코드(Unicode)이다.
- 문자열은 문자들의 집합으로 구성된다.
- 사운드나 이미지 등은 자연계에서는 아날로그 신호이지만 컴퓨터에서는 이를 디지털로 변환하여 데이터화 한다.
- 사운드 파일형식으로는 WAV, AV, MIDI, MP3 등이 있다.
- 이미지 파일형식으로는 JPEG, PNG 등이 인터넷에서 많이 사용되는데, JPEG은 압축률이 높으나 화질이 떨어진다. BMP는 비압축 파일 형식으로 파일이 상대적으로 큰 단점이 있다.
- 동영상은 다수의 사진을 빠르게 넘기는 방식으로 나타내는데 부드러운 움직임을 위해서는 초당 30프레임이 요구된다.
- 동영상 파일형식으로 AVI, MPEG-2, MPEG-4, WMV 등이 많이 사용되고 있다.

연습문제

01 10진수 17을 2진수로 나타낸 값은 다음 중 무엇인가?

① 11111 ② 11011 ③ 10001 ④ 11000

02 2진수 1010은 10진수로 얼마인가?

① 10 ② 11 ③ 12 ④ 13

03 컴퓨터에서 정수를 나타낼 때, 음수를 나타내는 방법은 다음 중 무엇인가?

① 1의 보수 방법 ② 2의 보수 방법
③ 부동 소수점 방법 ④ 부호 없는 정수 방법

04 컴퓨터에서 내부적으로 표현되는 실수는 세 부분으로 이루어져 있다. 다음 중에서 포함되지 않은 것은 무엇인가?

① 부호 ② 지수 ③ 가수 ④ 로그

05 컴퓨터의 실수 표현에서 유효숫자 자리와 관계있는 부분은 다음 중 무엇인가?

① 부호 ② 지수 ③ 가수 ④ 로그

06 2진수 0.110은 10진수로 얼마인가?

① 0.70 ② 0.75 ③ 0.8 ④ 0.85

07 실수 123.45를 10을 밑수로 하는 정규화된 부동 소수점 표현 방식으로 나타내면 어떻게 되는가?

① 123.45×10^0 ② 12.345×10^1 ③ 1.2345×10^2 ④ 0.12345×10^3

08 미국 표준 코드로 영문자와 특수 문자 등을 위한 1바이트 코드 체계를 무엇이라고 하는가?

① ASCII 코드 ② EBSDIC 코드 ③ 유니코드 ④ UTF-8

09 ASCII 코드에 대한 설명이다. 잘못된 것은 무엇인가?

① 영문자, 숫자 등을 나타내는데 7비트 코드를 이용한다.

② 영문 대문자보다 영문 소문자가 코드 값이 더 크다.

③ +, −와 같은 특수문자도 포함된다.

④ 코드를 확장하기 위한 방법이 없다.

10 한글의 경우는 표준 코드의 길이가 몇 바이트 인가?

① 1바이트 ② 2바이트 ③ 3바이트 ④ 4바이트

11 세계의 모든 문자를 포함하기 위한 2바이트 코드 체계로 ISO에서 인정한 표준 코드 체계를 무엇이라고 하는가?

① ASCII 코드 ② EBSDIC 코드 ③ 유니코드 ④ UTF-8

12 압축률이 좋아서 인터넷의 이미지 형식으로 많이 사용되는 것은 무엇인가?

① JPEG ② PNG ③ TIF ④ GIF

13 다음 파일 형식에서 나머지와 구별되는 형식은 무엇인가?

① WMV ② MOV ③ MP3 ④ AVI

14 다음 파일 형식 중에서 스마트폰이나 PDA의 동영상 전송에 적합한 형식은 무엇인가?

① MPEG-2 ② MPEG-4 ③ MP3 ④ GIF

15 2진수 00110110을 8진수와 16진수로 나타내어라.

16 1바이트 크기의 정수가 사용된다고 가정할 때, −12를 2의 보수 방법으로 나타내면 2진수로 어떻게 표현되는가?

17 한 픽셀을 위해서 2바이트를 사용하는 이미지가 있다. 만약 해상도가 640×480이라면 한 화면을 위해서 몇 바이트의 용량이 필요한가?

18 컴퓨터에서 데이터를 표현할 때 2진수를 이용하는 이유는 무엇인가?

19 컴퓨터에서 기본적으로 많이 사용하는 단위인 바이트(byte)가 8비트인 이유는 무엇인가?

Chapter 04

Computational Thinking

컴퓨터적 사고

학습목표

- 컴퓨터의 문제 해결 과정을 알아본다.
- 컴퓨터적 사고의 구성 요소에 대하여 이해한다.
- 패턴 인식과 알고리즘의 예를 공부한다.
- 알고리즘 표현 방법에 대하여 살펴본다.

4.1 컴퓨터를 이용한 문제해결

컴퓨터를 이용하여 주어진 문제를 해결한다는 것은 문제를 해결하기 위해서 컴퓨터 소프트웨어를 이용하여 데이터를 목적에 맞게 처리함을 의미한다. 그러나 문제를 해결할 수 있는 프로그램이 없다면 사용자는 문제 해결을 위해 필요한 프로그램을 만들어야만 한다. 컴퓨터는 대단히 빠르고 정확한 산술, 논리 연산을 할 수 있는 놀라운 힘을 가지고 있지만 사람처럼 스스로 알아서 문제를 해결하지는 못하기 때문이다. 따라서 강한 힘을 가진 컴퓨터에게 문제 해결에 알맞은 작업지시서를 만들어서 정확히 지시해야만 컴퓨터의 능력을 활용할 수 있다.

프로그램(program)은 어원적으로는 프로와 그램이 합쳐져서 만들어진 단어이다. 프로는 프리(pre)에서 파생된 접두어로 이전이라는 의미이며, 그램(gram)은 문서나 스크립트를 의미한다. 따라서 프로그램은 작업 이전에 작성된 문서, 즉 작업지시서를 의미하는 단어이다.
컴퓨터는 인텔(Intel)과 같은 반도체 회사에서 만들어지는 CPU에 의하여 프로그램의 명령어 순서에 따라 처리를 하도록 하드웨어적으로 만들어진다. 하드웨어는 사용자에 의하여 변경될 수 없는 부분이기 때문에 CPU 제조사의 방식에 따라 하드웨어를 이용해야만 한다. CPU는 제조사에서 설계한 디지털 논리에 따라서 동작하도록 생산되기 때문에 제조사에서 규정한 기계어(machine language)만을 유일하게 이해하고 처리할 수 있다.

기계어를 이용해서 프로그램을 만들 수도 있지만, 기계어는 2진수로 표현되어서 프로그래밍 작업이 어렵기 때문에 소프트웨어 생산성이 낮다. 또한 CPU를 제조한 회사마다 서로 다른 방식의 CPU 칩이 만들어지므로 CPU마다 서로 다른 방식의 기계어가 존재하게 된다. 그 결과 기계어 프로그램은 호환성이 없다. 따라서 프로그래밍의 효율성을 높이고 생산성을 향상시키기 위해서 인간이 사용하는 자연어와 유사한 고급 언어를 이용하여 프로그래밍하고, 고급 언어로 된 원시 프로그램(source code)을 기계어로 바꾸는 컴파일과 링크 과정을 거쳐서 실행 프로그램으로 변환하고, 이를 CPU를 통해서 처리하게 된다. 이러한 이유로 오늘날 대부분의 프로그래밍은 고급 언어에 의하여 작성되며, 프로그래밍을 배우는 과정도 고급 언어의 문법을 익히고 이를 이용하여 주어진 문제를 해결하는 방법을 익히는 것으로 이루어진다.
그러나 단순히 고급 언어의 문법을 익힌 것으로 프로그래밍 능력을 갖추었다고 볼 수는 없다. 실제 고급 언어의 문법을 이용하여 문제를 해결할 수 있는 프로그램을 만드는 과정에서 문법보다는 논리 구성, 즉 문제를 해결하기 위한 방법이나 절차를 구성하는 것이 더욱 어려운 부분이다. 그러므로 프로그래밍에서 핵심적인 것은 프로그래밍 언어의 문법보다는 문제 해결을 위한 논리를 구성할 수 있는 사고력이라고 할 수 있다. 우리는 이러한 사고력을 컴퓨터적 사고(computational thinking)라고 한다. 결국 소프트웨어 개발 능력에서 가장 중요한 부분은 바로 이 컴퓨터적 사고라고 할 수 있다.

사람들이 일상생활에서 일반적으로 사용하는 문제 해결 과정은 문제 정의 ⇒ 문제 해결 방안 탐색 ⇒ 문제 해결 방안 고안 ⇒ 실행 및 평가이다. 컴퓨터를 이용한 문제해결 과정도 이와 유사하나 문제 해결 방안 탐색과 고안에서 컴퓨터적 사고를 이용하여 알고리즘을 고안하고 프로그래밍을 한다는 점에 차이가 있고 실행에서 컴퓨터를 사용한다는 점이 다르다.
그림 4.1은 컴퓨터에서 문제 해결 과정을 나타낸 것이다.

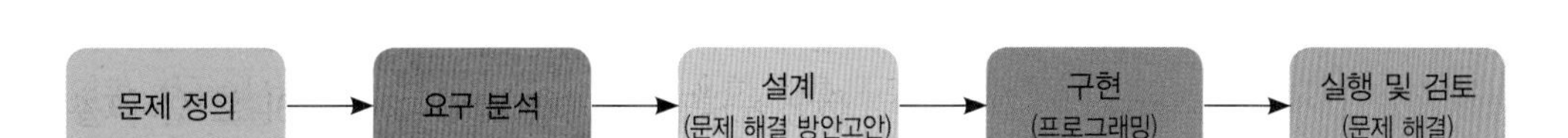

그림 4.1 컴퓨터에서 문제 해결 과정

그림 4.1에서 컴퓨터적 사고력이 작용하는 부분은 주로 문제 해결 방안을 찾는 단계에서 작용하게 된다. 문제 해결 방안은 다른 말로 알고리즘(algorithm)이라 한다. 그리고 추상적으로 기술된 알고리즘을 프로그래밍 언어로 표현하는 단계에서도 낮은 수준의 논리 구성이 이루어진다. 우리가 흔히 '프로그래밍한다'라고 할 때, 이것은 문제 해결 방안을 구상하는 단계와 프로그래밍(코딩) 단계를 모두 포함해서 언급하는 것이다. 그리고 핵심적인 능력은 전 단계인 문제 해결 방안을 생각해내는 컴퓨터적 사고이다.

4.2 컴퓨터적 사고의 의미

'컴퓨터적 사고(computational thinking)'란 용어는 MIT 교수인 페퍼트(Seymour Papert)에 의해 1980년에 처음으로 언급되었고, 2006년 카네기멜론대 교수 지넷 윙(Jeannette M. Wing)이 Journal of ACM에 'Computational Thinking'을 기고하여 큰 관심을 불러일으켰다. 윙 교수는 여기에서 '컴퓨터적 사고는 컴퓨터 과학자에게만 적용되는 것이 아니라, 누구에게나 일반적으로 적용되는 사고방식과 기술이며, 배워서 사용할 가치가 충분하다.'고 주장하였다. 지넷 윙의 컴퓨터적 사고의 다섯 가지 주요 요소는 표 4.1과 같다.

〈표 4.1〉 지넷 윙의 컴퓨터적 사고의 다섯 가지 주요 요소

주요 요소	의미
분해(decomposition)	복잡한 문제를 작게 분할하여 해결할 수 있는 사고
개념화(conceptualizing)	문제를 여러 단계의 추상화 시각에서 접근할 수 있는 사고
추상화(abstraction)	복잡한 문제에서 공통적인 요소들을 추출하여 핵심을 파악하고 단순화 시키는 사고
재귀적 사고(recursive thinking)	문제에 대한 해법을 찾고 난 후 해법을 문제해결에 반복적으로 적용할 수 있는 사고
병렬 처리(parallel processing)	동시에 다수의 작업 처리를 이용하여 문제를 해결하는 사고

한편, 구글(google)은 자신들이 필요로 하는 프로그래머, 소프트웨어 공학자, 시스템 설계자를 양성하기 위해 개발된 실제적인 모형에 맞춘 것으로 컴퓨터적 사고의 하위 개념을 분해, 패턴 인식, 추상화, 알고리즘 등의 4단계로 구분하여 설명하였다. 이와 같이 컴퓨터적 사고의 구성요소를 규정함에 있어서 전문가들 사이에서도 다소간의 차이가 있음을 알 수 있다. 소프트웨어를 설계할 때 모든 구성 요소들이 항상 요구되는 것은 아니고 문제에 따라서 이들 중 몇 가지의 요소들이 조합적으로 작용할 것이다. 이 책에서는 이 중에서 분해, 추상화, 패턴 인식, 재귀적 사고, 알고리즘, 병렬 처리 등에 대하여 알아본다.

(1) 분해

주어진 문제가 크고, 복잡할 경우에는 이를 하나의 덩어리로 분석하기 어렵다. 문제의 복잡도를 낮추기 위해서는 문제를 보다 작은 문제로 나눈 다음에, 나누어진 문제를 하나씩 분석하는데 이를 분해(decomposition)라 한다. 이때 나누어진 각 부분은 자신의 고유한 기능 단위로 이루어진다. 이렇게 고유한 기능을 갖는 단위를 모듈(module)이라고 부른다. 각 모듈은 다른 부분들과는 인터페이스를 통해서 상호작용하게 된다. 잘 정의된 인터페이스를 이용하면, 다른 부분에 영향을 최소화하면서 해당 모듈을 설계하고 구현할 수 있다.

컴퓨터 통신 기능에 대한 표준 프로토콜(protocol)은 계층적인 구조로 이루어진다. 국제 표준화 기구인 ISO(International Organization for Standardization)의 OSI(Open System Interconnection) 7계층 프로토콜 구조도 분해의 한 예로 볼 수 있다. 컴퓨터 통신 기능이 너무 복잡하기 때문에 하나의 모듈로 설계 및 구현이 어렵다. 이에 따라 컴퓨터 통신 기능을 논리적으로 7개의 계층으로 분해하여 각 계층의 기능을 독립적으로 규정하고 명세하여 표준으로 발표하였다. 그림 4.2는 7계층으로 나누어진 프로토콜 구조를 보여준다.

응용 계층(Application Layer)
표현 계층(Presentation Layer)
세션 계층(Session Layer)
전송 계층(Transport Layer)
네트워크 계층(Network Layer)
데이터링크 계층(Data Link Layer)
물리계층(Physical Layer)

그림 4.2 OSI 7 계층 구조

각 계층은 독립된 기능 모듈로 위, 아래의 기능 모듈과 상호 작용(interface)을 한다. 사용자는 응용 계층과 상호작용을 하며 전체 시스템을 바라보게 된다. 아래 계층의 모듈은 윗 계층 모듈에게 서비스를 제공하는 관계에 있다.
이와 같은 분해는 공학(Engineering) 분야에서 보편적으로 사용되는 것으로 자동차를 설계할 때에도 엔진, 트랜스미션, 서스펜션, 휠, 스티어링 등의 많은 독립 기능들로 분해하여 설계하고 구현하는 것이 일반적이다.

도서 관리 소프트웨어를 설계할 때에도 요구되는 기능들을 분석하여 도서 검색, 도서 대여, 도서 반납, 회원 등록 등의 기능으로 분해하여 설계되고 구현된다. 그림 4.3은 도서관리 소프트웨어의 요구분석으로부터 얻은 분해된 기능의 한 예이다.

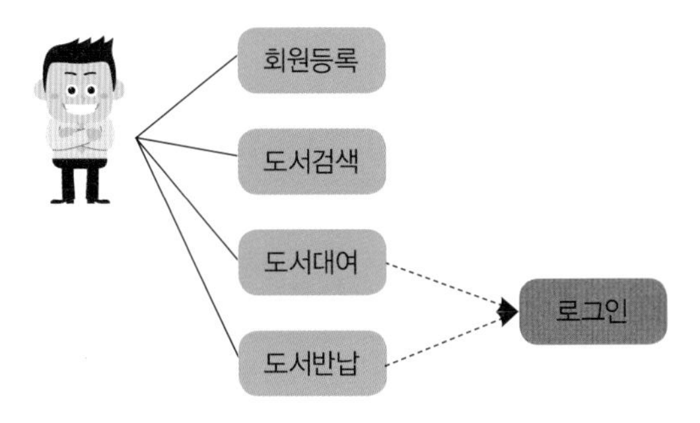

그림 4.3 도서 관리 시스템의 기능

(2) 패턴 인식

패턴 인식(pattern recognition)은 문제를 면밀히 살펴서 데이터나 문제해결 절차의 패턴, 규칙성, 공식 등을 파악하는 것을 의미한다. 주어진 데이터의 패턴을 발견하는 것과 문제를 해결하는 절차상에서의 규칙성을 기반으로 패턴을 찾는 것도 포함될 수 있다. 이와 같이 발견한 규칙성은 일반화를 통해서 공식화된다. 수학의 공식도 다양한 문제에서 활용될 수 있는 것처럼, 발견된 패턴도 다양한 유사 문제해결을 위해서 사용될 수 있다.
예를 들어서 다음과 같은 수열이 있다.
1 3 5 7 9 11 …

이 수열에서 11번째 수는 무엇인지 알기 위해서는 이 수열의 규칙성을 관찰하여 임의의 n번째 수의 값을 결정할 수 있는 식을 유도할 필요가 있다. 첫 번째 수는 1이고 다음 수는 첫 번째 수에 2만큼 증가했음을 알 수 있다. 또한 그 다음 수들도 이전 수에 2를 더함으로써 구할 수 있다는 규칙성을 알아낼 수 있다. 따라서 이 수열은 다음과 같은 식으로 표현가능하다.
1 1+2 1+2+2 1+2+2+2 1+2+2+2+2 …

이는 1 1+2 1+2×2 1+2×3 1+2×4 …로 나타낼 수 있다. 따라서 n번째 수는 다음 식으로 표현가능하다.
$1+2\times(n-1)$

이와 같이 주어진 데이터의 규칙성 또는 패턴을 찾아내고 이를 공식화하는 사고력이 패턴 인식이다.

연습 다음과 같은 수열에서 n번째 수를 나타내는 일반식은 무엇인가?
1 3 9 27 81 243 …

(3) 추상화

추상화(abstraction)는 주어진 문제에서 불필요한 부분은 걸러내고 핵심이 되는 부분만 남겨 문제를 단순화한다. 따라서 문제의 핵심적인 개념에 초점을 맞추어 일반적인 원리를 찾아낸다. 이는 복잡한 문제에서 관심의 대상이 되는 특징들만을 추려내어 모델(model)로 규정하고, 모델을 이용하여 문제를 분석하는 것을 의미한다.

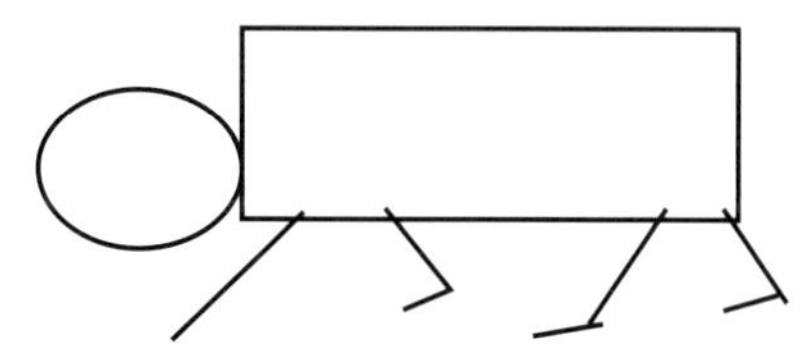

그림 4.4 추상화를 통한 모델링의 예(출처 : openclipart.org)

또한 추상화는 사용자에게 시스템의 기능을 제공할 때 시스템의 복잡한 내용을 감추고 사용자가 관심을 갖는 기능에 관련된 내용만 단순화해서 제공하는 것을 의미하기도 한다. 일상생활에서 쉽게 찾아볼 수 있는 예로는 지도 서비스에서 지도를 표현하는 방식도 추상화된 형태이다.

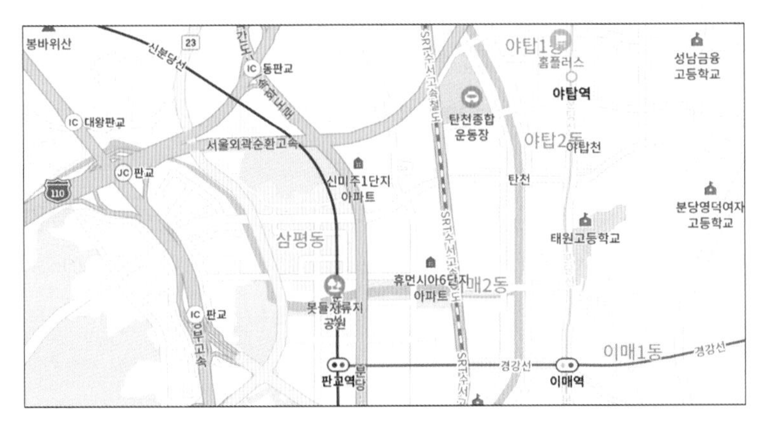

그림 4.5 일상생활에서의 추상화 활용 예 : 지도

예를 들어 컴퓨터의 복잡한 하드웨어적인 구조나 기능을 감추고 단순화된 모습을 모니터를 통해서 제공하는 운영 체제의 모습도 컴퓨터 기능의 추상화로 볼 수 있다. 또 다른 예로 자동차의 경우도 사용자들은 자동차의 내부 메커니즘에 대해서 상세히 모르더라도 편리하게 자동차를 운전하며 사용할 수 있다. 이는 자동차의 복잡한 엔진, 트랜스미션, 서스펜션 등의 장치를 감추고 사용자에게 필요한 기능만 단순화시켜서 외부에 나타내었기 때문이다. 이것도 일종의 추상화라고 볼 수 있다.

소프트웨어를 개발할 때에도 복잡한 기능 모듈의 핵심적인 기능만을 외부에 드러나도록 설계한다. 이와 같은 기능 모듈의 단순화를 통해서 다수의 모듈 사이의 관계를 보다 체계적이고 명료하게 설계할 수 있게 된다. 객체지향 프로그래밍에서 클래스(class)의 속성(attribute)이나 메소드(method) 중에서 외부에 접근을 허용하는 public과 내부에서만 접근이 가능한 private를 명시하여 외부에서 객체를 바라볼 때 단순화된 형태로 인식하도록 하는 것이 추상화의 한 예이다.

(4) 알고리즘

알고리즘(algorithm)은 문제를 해결하기 위해서 처리해야 할 일들의 일련의 순서를 정하는 것을 의미한다. 알고리즘의 개념과 유사한 것이 요리에서 사용하는 요리법, 즉 레시피(recipe) 이다. 예를 들어서 라면을 끓일 때, 라면봉지에 표현되어있는 조리법도 알고리즘의 예라고 볼 수 있다. 조리법에는 각 단계별로 해야 할 작업들이 명확히 기술되어있다.

1. 물을 500ml를 냄비에 넣고 끓인다.
2. 끓는 물에 면과 스프를 넣고 3분 더 끓인다.
3. 기호에 따라 파, 계란 등을 넣는다.
4. 그릇에 담아 맛있게 먹는다.

알고리즘은 앞서 설명한 분해, 패턴 인식, 추상화 등의 사고를 통해서 설계된 해결책을 이용하여 문제해결을 위한 구체적인 절차를 만드는 단계로 볼 수 있다. 다음은 최대 공약수를 구하는 유클리드 호제법 알고리즘을 단계별로 나타낸 것이다.

1. 최대 공약수를 구할 두 수 a, b 중에서 큰 수는 a, 작은 수는 b로 한다.
2. a를 b로 나누어 나머지가 0이면 b가 최대공약수가 되고 알고리즘은 종료된다.
3. a를 b로 나눈 결과의 나머지가 0이 아니면 b를 a에 저장하고 나눈 결과는 b에 저장한 후 2단계로 간다.

1) 알고리즘의 특징

일반적으로 알고리즘은 입력 데이터나 출력 데이터를 갖는다. 입력 데이터는 문제해결을 위해서 사용되는 데이터이다. 특별한 경우에는 입력 데이터가 없을 수도 있다. 그러나 출력 데이터는 항상 있다. 출력 데이터가 사용자가 얻고자 하는 데이터이기 때문이다. 만약 출력 데이터가 없다면 그 알고리즘은 사용자에게 아무런 결과를 주지 못하고 결과적으로 사용자에게는 쓸모없는 것이 된다. 또한 절차는 유한 단계로 이루어져야 한다. 무한 단계는 끝나지 않으므로 사용자에게는 의미가 없다. 각 단계는 명확해서 모호함이 없어야 한다.

2) 알고리즘 표현 방법

알고리즘을 표현하는 방법으로는 앞에서 보여준 유클리드 호제법처럼 자연어를 이용하기도 하지만, 의사 코드(pseduo code), 순서도(flow chart), 프로그래밍 언어 등을 이용하기도 한다. 의사 코드는 프로그래밍 언어와 유사한 구조로 나타나지만 부분적으로는 자연어를 활용하여 나타내는 방식을 말한다. 다음은 앞에서 나타낸 최대 공약수를 구하는 알고리즘을 의사 코드로 나타낸 예이다.

```
if (a < b)
   a와 b를 맞교환한다.
while( (c = a를 b로 나눈 결과의 나머지) ≠ 0)
   a = b, b = c
b가 최대공약수
```

순서도도 알고리즘을 표현하기 위해서 자주 사용되는 방법이다. 이는 처리 흐름을 보기 좋게 기호를 이용하여 나타낸다. 순서도에서 자주 사용하는 기호들은 다음 그림 4.6과 같은 것들이 있다. 각 도형 형태의 기호는 고유한 기능을 가지고 있기 때문에 도형을 보면 무엇을 하는 것인가를 쉽게 판단할 수 있다. 이들 도형 기호들은 처리 순서에 따라서 나열되고, 다음 단계로 넘어가는 의미를 나타내는 화살표가 도형 사이를 연결한다.

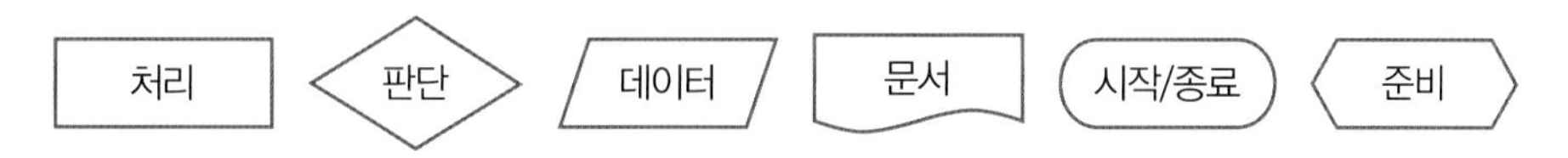

그림 4.6 순서도의 기호들

앞의 유클리드 호제법을 순서도로 나타내면 그림 4.7과 같다.

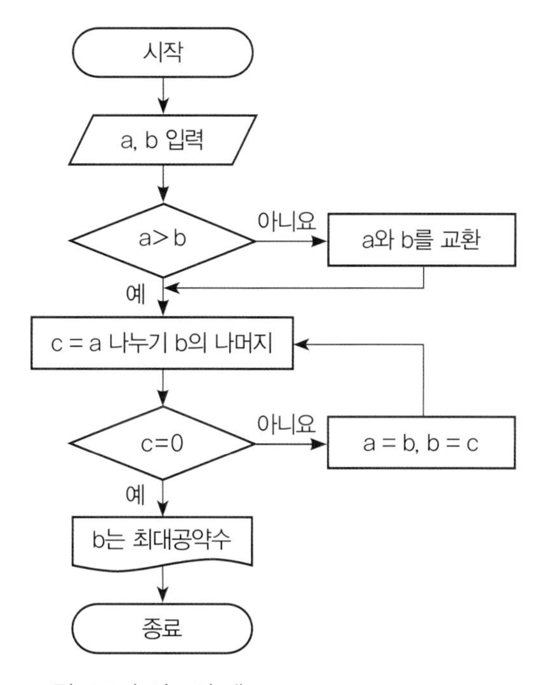

그림 4.7 순서도의 예

순서도는 그림 4.7과 같이 절차를 시각적으로 표현하기 때문에 이해하기가 쉽다는 장점이 있지만, 절차가 복잡해지면 그리기가 어려워진다는 단점이 있다. 그러므로 일반적으로 간단한 절차를 나타낼 때 주로 사용한다.

3) 알고리즘의 예

연습 두수 a, b를 읽어 들여서 큰 수가 a가 되고 작은 수가 b가 되도록 하여 출력하는 알고리즘을 순서도로 나타내어라.

힌트 두수를 교환하기 위해서는 제 3의 변수가 필요하다. 만약 a에 b 값을 바로 저장하면 이전 a 값이 없어지므로 이전 a 값을 유지하기 위한 변수가 있어야 한다.

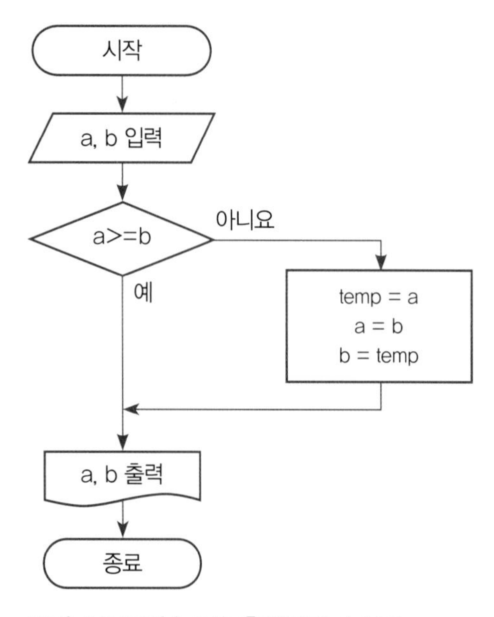

그림 4.8 크기순으로 출력하기 순서도

연습 a_1 a_2 a_3 … a_n으로 이루어진 데이터 배열이 있다. 이 데이터 중에서 가장 큰 수를 찾는 방법을 의사 코드로 나타내어라.

1단계 max = a_1

2단계 for i = 2에서 n까지 1씩 증가시키면서 다음 절차를 반복한다.
if (a_i > max)이면 max = a_i

3단계 print (최대값은 max)

이 알고리즘을 C 언어로 표현하면 다음과 같다.

```
int a[] = {1, 3, 2, 6, 5, 4, 9, 7, 0, 8};
int i, max;
max = a[0];
for (i = 1; i<10; i++)
    if (a[i] > max)  max = a[i];
printf("max = %d\n", max);
```

이상에서 보는 바와 같이 의사 코드 방식의 알고리즘 표현과 프로그래밍 언어 표현이 상당히 유사한 것을 알 수 있다.

연습 a_1 a_2 a_3 … a_n으로 이루어진 데이터 배열이 있다. 이 데이터들을 모두 합한 합계를 구하는 방법을 의사 코드로 나타내어라.

1단계 sum = 0

2단계 for i = 1에서 n까지 1씩 증가시키면서 다음 절차를 반복한다.
sum = sum + a_i

3단계 print (합계는 sum)

(5) 재귀적 사고

컴퓨터를 이용한 문제 해결 방안을 고려하다 보면 동일한 처리 절차를 반복적으로 사용하는 경우가 많다. 기존 프로그래밍 언어의 문법에 반복 구조를 구성할 수 있는 문장이 제공되고, 실제로 프로그래밍에서 반복 구조를 활용하는 경우는 매우 흔하다. 이와 같이 문제 해결 방안을 반복적으로 적용한다는 것은 문제 해결 절차 과정에서 규칙성(패턴)을 찾아 이를 반복적으로 사용하는 것이다.

재귀적 호출(recursive call)은 모듈화된 기능이 그 내부에서 자신의 기능을 호출하는 것을 말한다. 단순히 언급하면 자기가 자기를 부르는 것이고 결과적으로 동일한 처리가 반복되는 것을 의미한다. 지넷 윙이 언급한 재귀적 사고는 이와 같은 사고력을 언급한 것이다. 예를 들어서 1에서부터 n까지의 자연수를 더하는 기능을 SUM(n)이라고 하자. 그러면 다음과 같은 수학적 표현이 가능하다.

$$SUM(n) = 1 + 2 + \cdots + n = (1 + 2 + \cdots + (n-1)) + n = SUM(n-1) + n$$

여기에서 SUM(n)을 구하기 위해서 SUM(n-1)을 이용하는 것을 볼 수 있다. 즉 기능 자체에서 자기 자신의 기능을 이용하는 것이다. 이와 같은 구조를 재귀적이라고 한다.

(6) 병렬 처리

컴퓨터에서 하나의 작업을 처리하기 위한 절차에서 동시에 처리가 가능한 부분들을 서로 나누어서 동시에 처리하는 것을 병렬 처리라 한다. 일반적으로 병렬 처리는 처리 시간을 단축하여 처리율을 높이기 위해서 사용된다.

분할 정복(divide and conquer)의 예로 정렬 알고리즘에서 병합 정렬(merge sort)이 있다. 이는 정렬할 데이터를 반으로 나누어서 반씩 정렬을 한 후에 하나로 병합하는 방식으로 정렬을 한다. 정렬된 두 부분을 병합할 때 크기에 따라 정렬이 이루어진다. 이와 같이 전체 대상에 대하여 두 개로 나누어 각 부분을 동시에 정렬하게 되면 일종의 병렬 처리라 할 수 있다. 다음과 같이 8개의 정수를 오름차순으로 병합 정렬한다고 가정하자.

4 2 1 6 5 3 7 8

이를 (4 2 1 6)과 (5 3 7 8)로 나누어 생각할 수 있다.
다음 단계로 (4 2 1 6)은 다시 동일한 방식으로 (4 2)와 (1 6)으로 나누어 정렬이 가능하다.
다음 단계로 (4)와 (2)로 나누어 정렬한다. 더 이상은 나눌 수 없기 때문에 각각 정렬이 완료되었다고 볼 수 있다. 그러면 4와 2가 오름차순으로 합해지면서 (2 4)로 병합된다. 마찬가지로 (1 6)도 (1)과 (6)으로 나누어 이를 병합하면 (1 6)이 될 것이다.
그 다음은 정렬이 완료된 (2 4)와 (1 6)을 병합한다. 이때 각 부분의 왼쪽 항을 기준으로 작은 수를 먼저 놓고 다음 수들을 비교한다. 즉 2와 1 중에서 작은 수는 1이므로 1이 가장 앞에 위치한다. 다음은 2와 6을 비교한다. 그러면 2가 선택되고 다음은 4와 6을 비교하여 4가 세 번째 마지막은 6이 된다. 이렇게 병합을 하면서 정렬이 이루어지고 (1 2 4 6) 부분의 정렬이 완료된다.
(5 3 7 8) 부분도 동일한 과정으로 5와 3이 병합되어 (3 5)가 되고 7과 8이 병합되어 (7 8)이 된다. 그다음 (3 5)와 (7 8)을 병합하면서 정렬하면 (3 5 7 8)이 된다. 마지막으로 (1 2 4 6)과 (3 5 7 8)이 병합되면서 정렬되어 (1 2 3 4 5 6 7 8)로 최종 병합이 이루어진다. 이상의 과정을 단계별로 표로 정리하면 다음과 같다.

〈표 4.2〉 병합정렬 과정

단계	데이터 열
초기 단계	(4 2 1 6 5 3 7 8)
분해 단계 1	(4 2 1 6) (5 3 7 8)
분해 단계 2	(4 2) (1 6) (5 3) (7 8)
분해 단계 3	(4) (2) (1) (6) (5) (3) (7) (8)
병합 단계 1	(2 4) (1 6) (3 5) (7 8)
병합 단계 2	(1 2 4 6) (3 5 7 8)
병합 단계 3	(1 2 3 4 5 6 7 8)

여기서 각 부분을 나누어서 독립된 다수의 프로세서에 할당하여 병렬 처리할 수 있다면 처리 시간은 그만큼 줄어들 수 있다.

- 컴퓨터를 이용한 문제 해결의 핵심은 문제를 해결할 수 있는 프로그램의 논리를 고안하기 위해 필요한 컴퓨터적 사고이다.
- 지넷 윙 박사는 컴퓨터적 사고의 구성 요소로 분해, 개념화, 추상화, 재귀적 사고, 병렬 처리 등을 꼽았다.
- 구글에서는 자신들이 필요한 컴퓨터 인재를 위한 컴퓨터적 사고의 하위 단계로 분해, 추상화, 패턴 인식, 알고리즘 등 4가지를 제시했다.
- 분해는 큰 기능을 작은 기능으로 나누어 복잡도를 낮추는 것을 의미한다.
- 추상화는 복잡한 모습을 감추고 설계에 꼭 필요한 기능을 단순화시켜서 나타내는 것을 말한다.
- 패턴 인식은 데이터나 처리 절차상에서 규칙성을 찾아내는 사고를 의미한다.
- 알고리즘은 문제 해결을 위한 단계적인 절차를 의미한다.
- 알고리즘을 표현하는 방법으로는 자연어, 의사 코드, 프로그래밍 언어, 순서도 등이 있다.

연습문제

01 주어진 문제를 해결하기 위한 처리 절차를 기술한 것을 무엇이라고 하는가?

① 분해 ② 패턴 인식 ③ 추상화 ④ 알고리즘

02 다음 중 알고리즘 표현 방법이 아닌 것은 무엇인가?

① 순서도 ② 의사 코드 ③ 코딩 규칙 ④ 프로그램 언어

03 다음 중에서 구글의 컴퓨터적 사고의 4가지 요소가 아닌 것은 무엇인가?

① 분해 ② 패턴 인식 ③ 추상화 ④ 합성

04 컴퓨터적 사고에 대한 설명이다. 잘못된 것은 무엇인가?

① 분해를 이용하여 시스템의 복잡도를 낮출 수 있다.

② 추상화를 통해서 사용자에게 시스템을 단순화시켜서 보여줄 수 있다.

③ 패턴 인식이란 데이터의 규칙성을 알아내는 것을 포함한다.

④ 알고리즘이란 프로그램으로 표현된 것을 의미한다.

05 도서관리 시스템을 설계할 때 도서 검색, 도서 대여, 도서 반납, 회원 관리 등의 고유기능으로 나누어 설계하는 것과 관련이 깊은 요소는 다음 중 무엇인가?

① 분해 ② 패턴 인식 ③ 추상화 ④ 알고리즘

06 호랑이, 사자, 곰, 늑대 등의 동물의 공통적인 특성을 고려하여 단순화된 네발달린 육상 동물을 모델링하였다. 이에 관련된 컴퓨터적 사고의 요소는 무엇인가?

① 분해 ② 패턴 인식 ③ 추상화 ④ 알고리즘

07 이전 문제 해결을 위해 알아낸 처리 절차를 유사한 문제에 적용할 수 있는가를 생각할 수 있는 사고력은 다음 중 무엇에 해당되는가?

① 분해 ② 패턴 인식 ③ 추상화 ④ 합성

08 다음 중에서 프로그래밍 언어의 표현과 유사한 특징을 갖는 알고리즘 표현 방법은 무엇인가?

① 순서도 ② 의사 코드 ③ 코딩 규칙 ④ 추상화

09 다음은 알고리즘에 대한 설명이다. 잘못된 것은 무엇인가?

① 문제를 해결하기 위한 절차를 나타낸 것이다.
② 항상 입력 데이터를 갖는다.
③ 항상 출력 데이터를 갖는다.
④ 유한한 단계로 이루어져야 한다.

10 다음 순서도 기호 중에서 판단에 해당하는 것은 무엇인가?

① 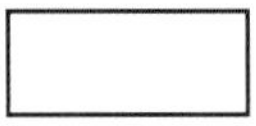 ②

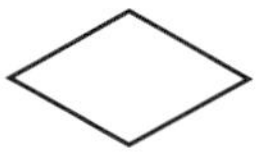

③  ④

11 다음은 알고리즘 표현에 대한 설명이다. 잘못된 것은 무엇인가?

① 자연어를 이용해서 알고리즘을 나타낼 수도 있다.
② 의사 코드는 일종의 프로그래밍 언어이다.
③ 순서도는 도형을 이용하여 절차를 나타내기 때문에 이해하기 쉽다.
④ 순서도는 절차가 복잡한 경우에는 나타내기 어렵다는 단점이 있다.

12 작업을 동시에 처리할 수 있는 부분들로 나누어서 각각의 부분을 동시 처리함으로써 전체적으로 처리 속도를 높이는 방식을 무엇이라고 하는가?

① 분해 ② 패턴 인식 ③ 추상화 ④ 병렬 처리

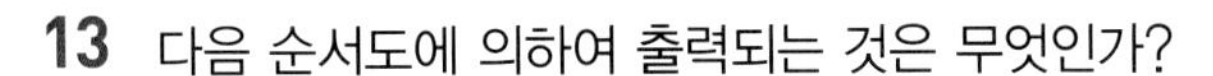

13 다음 순서도에 의하여 출력되는 것은 무엇인가?

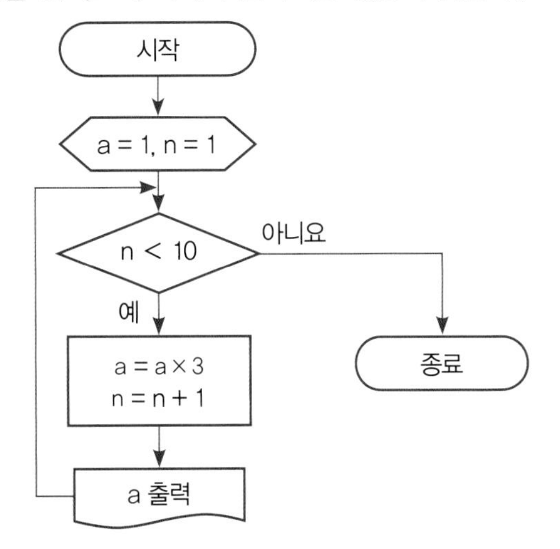

14 a_1 a_2 a_3 ⋯ a_n으로 이루어진 데이터 배열이 있다. 이 데이터 중에서 가장 작은 수를 찾는 방법을 순서도로 나타내어라.

15 세 정수 a, b, c가 있을 때 작은 수부터 큰 수순으로 출력하는 문제에 대한 알고리즘을 의사코드로 나타내어라.

16 우리 주변에서 추상화를 활용하는 것들은 무엇이 있는지 알아보자.

17 유클리드 호제법 알고리즘을 이용하여 18과 24의 최대 공약수를 구하는 과정을 단계별로 나타내 보자.

18 다음과 같이 맨 앞의 두 수를 제외한 나머지 수들은 자신의 바로 앞의 두수를 더하여 정해지는 수열을 피보나치수열이라 한다. 이 수열을 출력하기 위한 알고리즘을 순서도를 이용하여 나타내어라.

1 1 2 3 5 8 13 21 34 55 89 144

19 재귀적 사고(recursive thinking)란 무엇을 의미하는지 설명하라.

Chapter
05

Computational Thinking

스크래치 사용법

학습목표

- 스크래치의 특징에 대하여 살펴본다.
- 스크래치 만들기의 사용법을 익힌다.
- 스프라이트의 특성에 대하여 공부한다.
- 스크립트 작성 방법을 익힌다.
- 스프라이트와 무대 배경 추가 방법을 익힌다.
- 스크래치가 제공하는 블록 영역과 영역에 포함된 블록을 살펴본다.

5.1 스크래치 역사

스크래치(Scratch)는 2005년에 미국의 MIT의 미디어랩(Media Lab.) 소속의 라이프롱 킨더가든 그룹(Lifelong Kindergarten Group)에서 발표한 교육용 프로그래밍 언어이다. 초등학생이나 중등학생 등과 같은 낮은 연령대를 대상으로 프로그래밍(코딩)을 교육하기 위한 도구로 만들어졌지만, 누구나 무료로 이용할 수 있기 때문에 프로그래밍에 경험이 없는 비전공자나 일반인의 프로그래밍 학습을 위한 목적으로도 널리 이용되고 있다. 이미 1.4와 2.0 버전을 거쳐서 현재 3.0 버전이 발표되어 사용되고 있다. 이 소프트웨어는 무료로 인터넷을 통해서 언제든지 손쉽게 사용할 수 있고, 사용법도 그래픽 사용자 인터페이스를 이용하여 직관적으로 사용법을 익힐 수 있도록 되어있기 때문에 처음 프로그래밍을 배우는 사용자들에게 매우 유익한 도구로 인식되고 있다. 특히 인터넷을 통해서 회원들 사이에 자신의 프로젝트를 공유할 수 있어 협업도 가능하며, 공유되는 정보는 스크래치를 배우는 사용자에게 도움이 된다.

그림 5.1 스크래치 로고

5.2 스크래치의 특징

스크래치는 사용자들의 흥미를 유발하기 위해서 게임, 애니메이션, 음악, 스토리 등을 쉽게 만들 수 있도록 구성되어 있고, 스크래치 홈페이지를 통해서 결과물들을 세계의 다른 사용자들과 공유할 수도 있다. 이 절에서는 스크래치가 갖는 특징에 대하여 알아보자.

① 블록 명령어

스크래치는 레고 블록을 조립하여 장난감을 만드는 것과 같은 개념을 적용하여 프로그래밍도 블록을 조립하여 스크립트를 작성하도록 설계되었다. 사용자들이 이용할 수 있는 블록을 제시하고 있기 때문에 블록을 외우고 있지 않더라도 제시된 블록들을 살펴보면서 자신에게 필요한 명령어를 고를 수 있게 되어 있다.

② 통합 개발 환경

스크래치 시스템은 소프트웨어를 만드는데 필요한 프로그래밍뿐만 아니라 이미지 편집기능과 소리 편집 기능 등을 함께 제공하고 있다. 따라서 스크래치 시스템만을 이용해서 멀티미디어 콘텐츠들을 쉽게 만들 수 있는 통합적인 개발 환경을 제공한다.

③ 풍부한 멀티미디어 콘텐츠 제공

애니메이션이나 게임, 사운드, 예술 등의 작품을 만들기 위해서 자주 사용되고 있는 이미지나 사운드 등을 기본적으로 제공하고 있다. 따라서 만들고자 하는 프로그램에서 요구하고 있는 캐릭터나 소리 등을 다시 만들 필요 없이 제공되는 콘텐츠들을 검색하여 적절한 것을 선택함으로써 즉시 이를 이용하여 프로그래밍할 수 있다.

④ 스프라이트 중심의 스크립트

스크래치에서 만들어지는 프로그램은 마치 연극에서 배우들이 무대에서 연기를 하는 것을 옮겨 놓은 것과 같은 구조로 구성되어 있다. 무대의 배경에 대응되는 무대(stage)가 있고, 배우에 해당하는 스프라이트(sprite)가 있으며, 배우들의 연기를 기술해 놓은 대본이 있는 것처럼 스프라이트들의 동작을 지시하는 스크립트(script)가 있다.

스크립트는 기존 프로그래밍 언어의 프로그램 절차(모듈 또는 함수, 메소드)에 해당한다고 볼 수 있다. 따라서 스크래치에서 프로그래밍한다는 것은 스프라이트의 동작을 결정하는 스크립트를 만드는 작업이다. 즉, 사용자가 원하는 스프라이트들을 설정하고 이에 대한 동작을 프로그래밍하여 원하는 소프트웨어나 멀티미디어 콘텐츠를 작성하는 것이다.

⑤ 교육용 시스템

스프라이트의 스크립트를 블록을 이용하여 프로그래밍함으로써 프로그램의 개념을 쉽고 흥미있게 접근할 수 있도록 하는데 주안점을 두었다. 특히 스크래치 사이트를 통해서 사용자들 사이에 각자가 만든 프로젝트를 쉽게 공유할 수 있는 기능을 제공하기 때문에 프로그래밍을 배우는데 큰 도움을 준다.

제공되는 블록 명령어를 이용하여 프로그래밍하는데 논리 구성에 제한이 있는 것은 아니다. 그러나 매우 복잡하고 규모가 큰 소프트웨어 제작에는 적합하지 않다. 또한 C/C++나 JAVA 언어들을 이용한 상용 프로그램 개발에 비하면 복잡한 시스템을 프로그래밍하기에는 한 번에 볼 수 있는 코드 편집 창의 크기나 구조가 불편하며, 수많은 스프라이트들을 통합적으로 작업하기에는 어려운 부분이 있다.

이외에도 기존 컴퓨터 프로그래밍 언어들이 갖고 있는 문자 중심의 입출력 기능이 약하고, 작업을 위한 데이터 저장에 필수적인 파일 처리 등의 기능이 없기 때문에 상용화된 응용 프로그램을 만들기에는 어려움이 있다. 이러한 문제점들은 스크래치 프로그래밍 언어의 목적이 교육용이기 때문으로 판단된다.

5.3 스크래치 홈페이지

스크래치는 웹 브라우저 상에서 https://scratch.mit.edu에 접속하여 온라인 상에서 작업할 수 있다. 또는 스크래치 앱을 스크래치 홈페이지에서 다운로드하여 설치한 후 사용할 수도 있다.

웹 브라우저 중에서 마이크로소프트의 인터넷 익스플로러(IE : Internet Explorer)는 스크래치 3.0을 사용할 수 없고, 구글의 크롬(Chrome), 파이어폭스(Firefox), 사파리(Satari)에서는 잘 동작한다. 그림 5.2는 크롬 웹 브라우저에서 접속한 스크래치 홈페이지의 초기 화면이다.

그림 5.2 스크래치 홈페이지의 초기 화면

스크래치의 초기 화면에서 상단에 있는 메뉴 중에서 [만들기]를 선택하면 스크래치 프로젝트를 만들 수 있는 환경이 나타난다. [탐험하기] 메뉴를 선택하면 다른 사람들이 만든 프로젝트들을 살펴볼 수 있다. [스크래치 가입] 메뉴를 선택하면 스크래치 사이트에 회원 가입으로 이동한다. 회원 등록을 하면 스크래치 사이트에서 제공하는 모든 기능을 활용할 수 있다. 회원 가입을 하지 않고도 만들기를 이용하여 스크래치 프로젝트(project)를 생성할 수 있지만 "개인 저장소" 기능이나 다른 회원들과의 정보 공유 등을 할 수 없다.

[동영상 시청하기]를 선택하면 스크래치의 홍보 동영상을 볼 수 있다. 이외에도 [소개] 메뉴에서 스크래치의 목적이나 개발 그룹에 대한 정보를 얻을 수 있으며 부모나 교육자 메뉴에서 부모나 교육자에게 도움이 될 수 있는 정보를 볼 수 있다. 검색 입력 줄을 통해서 회원들의 프로젝트와 스튜디오를 검색할 수 있다. 스튜디오(studio)란 같은 주제에 포함되는 프로젝트를 모아놓은 공간이다.

스크래치 사이트의 하단으로 스크롤하여 내려가면 [지원] 영역에 [다운로드] 메뉴가 있다. 이 메뉴를 선택하면 스크래치 앱을 다운로드 할 수 있다. 자신이 사용하는 운영 체제에 맞는 앱을 다운로드하면 인터넷에 연결되지 않더라도 언제든지 스크래치 앱을 이용하여 작업할 수 있다. 그림 5.3은 스크래치 앱 다운로드 사이트의 화면이다.

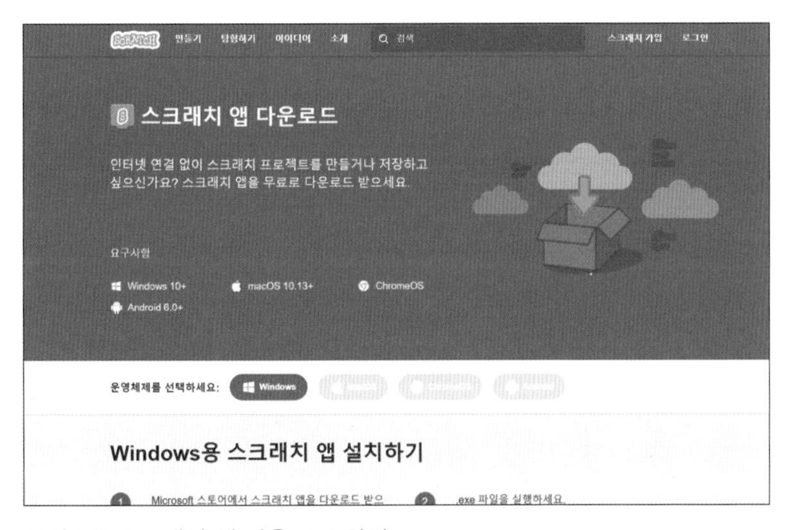

그림 5.3 스크래치 앱 다운로드 화면

5.4 스크래치 만들기 화면

회원 가입을 한 후에 만들기 메뉴를 선택하면 그림 5.4와 같은 스크래치 만들기 화면이 나타난다. 만들기 화면 내에서 스프라이트 생성, 무대 배경 추가, 모양 편집, 소리 추가, 프로그래밍, 실

행 등의 전 과정을 통합적으로 할 수 있도록 되어 있다.

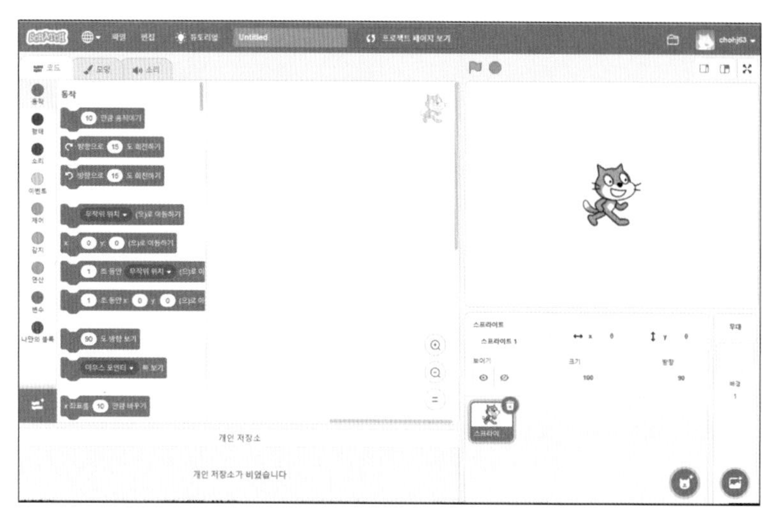

그림 5.4 스크래치의 만들기 화면

맨 윗줄에는 왼쪽에 스크래치 로고가 있고, 오른쪽으로 메뉴들이 나타나 있다. 메뉴 바에서 지구 표시는 언어를 선택하는 메뉴로 우리글로 메뉴를 나타내고 싶다면 [한국어]를 선택하면 된다.

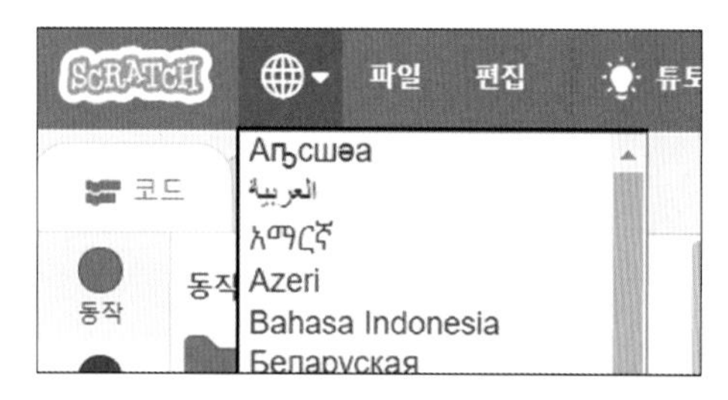

그림 5.5 언어 선택 메뉴

[파일] 메뉴에서는 프로젝트를 '새로 만들기', '저장하기', '복사본 저장하기', 'Load from your computer', '컴퓨터에 저장하기' 등과 같이 스크래치에서 작업한 프로젝트 파일을 저장하거나 불러오기에 관련된 메뉴들을 가지고 있다. 프로젝트를 저장할 때에는 온라인 스크래치 시스템에 저장하는 경우와 자신의 컴퓨터에 저장하는 경우로 나뉜다.

[편집] 메뉴에는 '되돌리기'와 '터보 모드 켜기' 메뉴가 포함되어 있다. 되돌리기는 마지막으로 편집한 내용을 바로 이전 상태로 되돌리는 기능이며, 터보 모드 켜기는 스크래치의 실행 속도를 올려주는 기능이다.

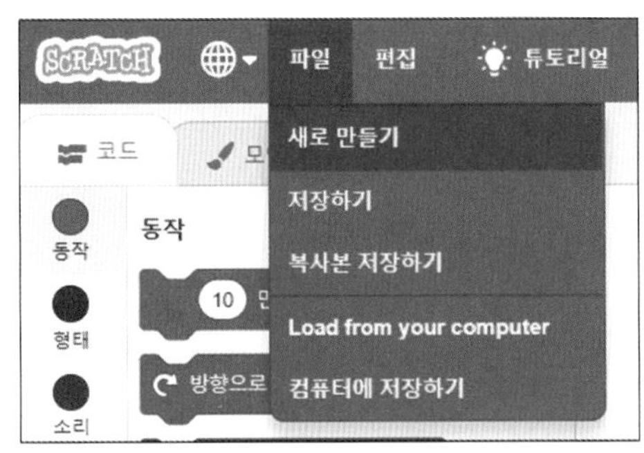

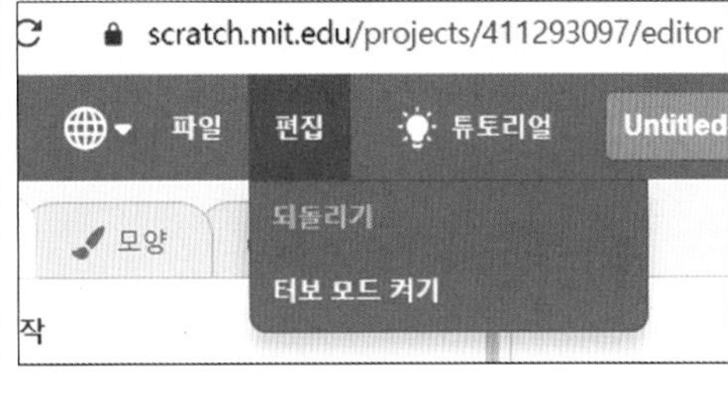

그림 5.6 파일 메뉴와 편집 메뉴

튜토리얼 메뉴를 선택하면 스크래치를 처음 배우는 사람들에게 스크래치 작성에 도움이 될 수 있는 동영상 강의 자료들이 제시되어 있다.

튜토리얼 메뉴 오른쪽에 나타나 있는 입력 줄은 프로젝트의 이름을 입력하는 창으로 입력되기 이전에는 Untitled로 나타난다.

메뉴 바의 오른쪽에는 내 작업실 아이콘과 사용자 계정에 대한 정보와 설정을 할 수 있는 메뉴가 있다. 내 작업실이란 현재까지 저장해둔 프로젝트들을 볼 수 있는 공간이다.

그림 5.7 프로젝트 이름 입력 줄

그림 5.8 내 작업실 아이콘과 사용자 계정 메뉴

스크래치 초기 화면의 메뉴바 아래에는 [코드], [모양], [소리]라고 명명된 탭이 3가지 있다. 기본적으로는 [코드] 탭이 선택되어 있지만, 마우스를 이용하여 [모양] 탭과 [소리] 탭을 선택할 수 있다. [코드] 탭에서는 스크립트(script)를 작성할 수 있도록 구성되어 있는데, 왼쪽에는 블록 영역을 선택할 수 있도록 되어 있으며 영역을 선택하면 선택된 영역의 블록 리스트가 바로 오른쪽 화면에 나타난다. 그림 5.9는 [코드] 탭의 구성을 나타내고 있다.

그림 5.9 [코드] 탭의 구성

블록 리스트 오른쪽에 스크립트 작업 창이 나타나 있다. 작업 창의 오른쪽 상단에는 현재 선택되어 있는 스프라이트(sprite) 이미지가 희미하게 나타나 있다. 이것은 현재 스크립트 작성의 대상이 되는 스프라이트를 나타내는 것이다. 프로젝트에는 다수의 스프라이트들이 포함될 수 있기 때문에 현재 어떤 스프라이트에 대한 스크립트를 작성 중인가를 명확히 할 필요가 있다.

스프라이트는 프로젝트를 이루고 있는 개체를 의미한다. 스크래치 프로그램은 다수의 스프라이트들에 의하여 구성되며, 스프라이트의 동작은 스크립트에 의하여 프로그래밍된다.

(1) 스크립트 작성 방법

스크립트는 블록을 마우스로 선택하여 끌어서 스크립트 작업 창에 놓으면 해당 블록이 원하는 위치에 놓이게 된다. 블록들은 가까이 가게 되면, 블록 사이에 그림자가 생기면서 자동으로 서로 붙어서 조립된다. 이는 마치 레고 블록을 조립하여 장난감을 만드는 것과 같은 개념으로 블록을 조립하여 프로그램을 구성하도록 한 것이다. 그림 5.10은 블록이 조립될 수 있는 경우에 나타나는 그림자를 보여주고 있다.

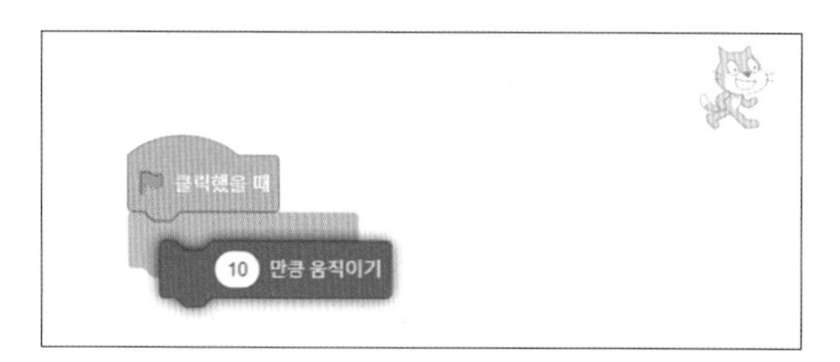

그림 5.10 블록을 조립할 수 있을 때 나타나는 그림자

그림 5.11은 동작 영역에 있는 두 블록을 마우스로 끌어서 스크립트 작업 창으로 복사하여 붙여놓은 모습을 보여주고 있다.

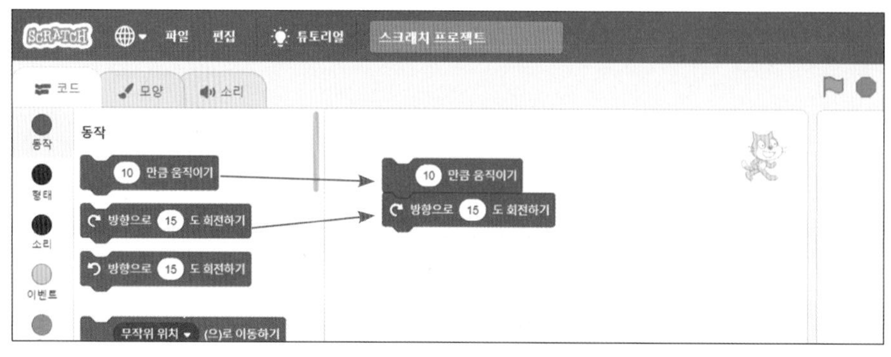

그림 5.11 [코드] 탭의 화면 구성

▶ 블록 복사

스크립트를 조립할 때는 스크립트 내에서 블록에 마우스 포인터를 위치하고 오른쪽 버튼을 누르면 그림 5.12와 같이 [복사하기] 메뉴가 나타난다.

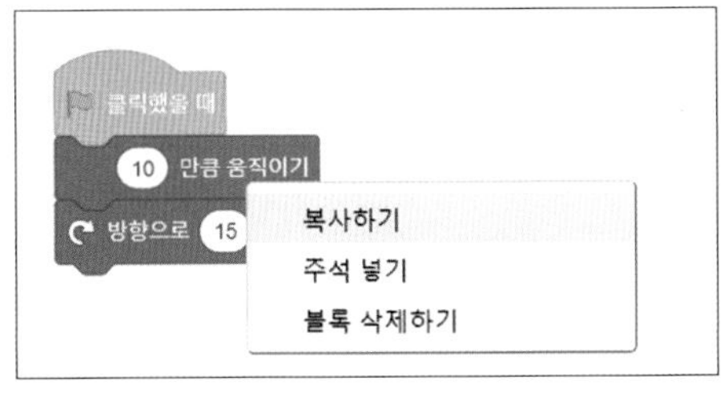

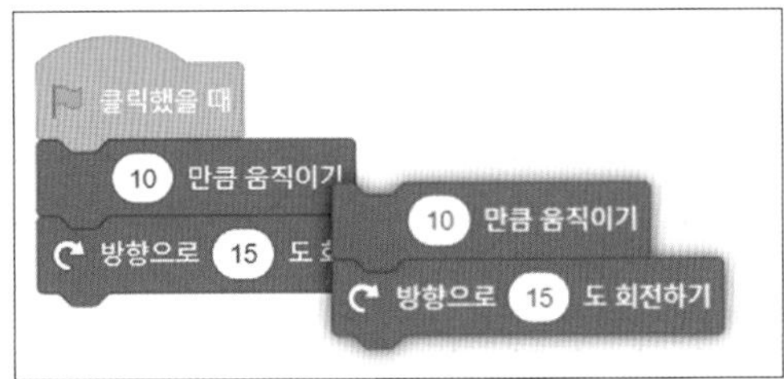

그림 5.12 스크립트 복사하기 메뉴와 복사하기

그림 5.12에서는 10만큼 움직이기 블록을 클릭하여 복사했을 때 클릭된 블록 이후의 블록들이 함께 복사되는 것을 알 수 있다.

▶ 블록 분리

여러 블록이 조립되어 있는 경우, 이 중에서 일부의 블록을 분리할 때에는 분리되는 부분의 첫 번째 블록을 클릭하여 끌기를 하면 그 블록 아래로 조립된 모든 부분이 함께 분리된다. 그림 5.13은 붙어있던 블록들이 두 부분으로 나뉘는 모양을 보여준다.

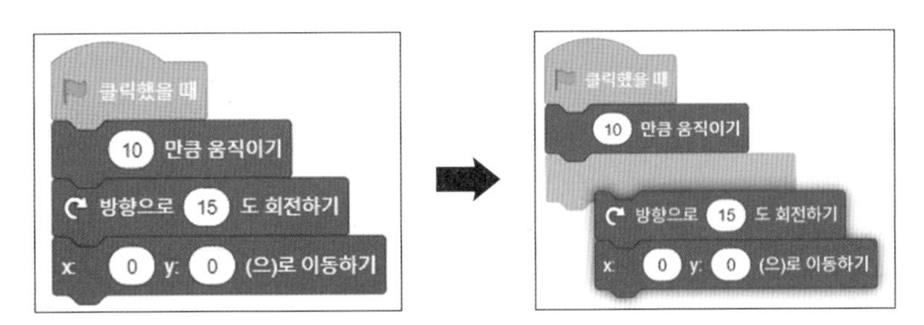

그림 5.13 블록 분리

▶ 블록 삭제

스크립트에 조립된 블록을 삭제할 때에는 블록에 마우스 포인터를 위치하고 오른쪽 버튼을 누르면 다음과 같은 메뉴가 나타난다. 이 메뉴에서 [블록 삭제하기]를 클릭하면 된다.

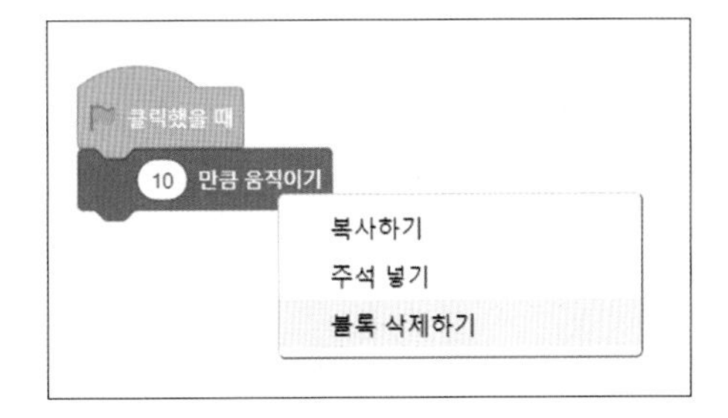

그림 5.14 블록 삭제하기 메뉴

다른 방법으로 해당 블록을 마우스로 클릭한 후, 끌어서 왼쪽 블록이 제시되는 부분으로 옮기면 블록은 삭제된다. 그림 5.15는 블록을 마우스로 끌어서 왼쪽으로 옮김으로써 삭제하는 모습을 나타낸다.

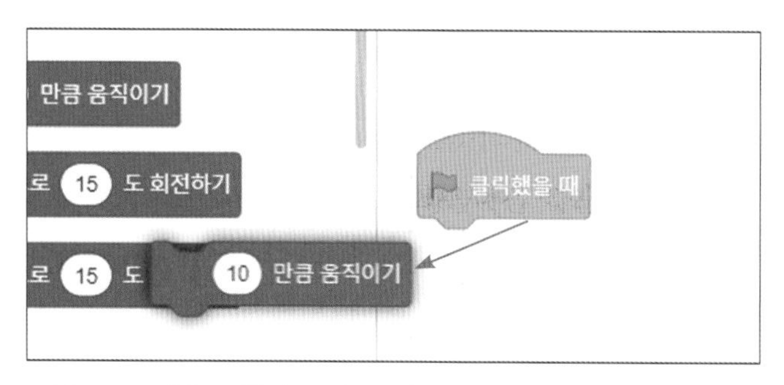

그림 5.15 마우스 끌기로 블록 삭제하는 모습

▶ 주석 달기

주석(comment)이란 프로그램 내에 관련된 설명을 붙이는 것을 의미한다. 주석은 프로그램 논리에 영향을 주지 않으면서 소스 코드를 읽을 때 이해를 돕기 위해서 작성한다. 프로그램이 간단하다면 주석의 의미는 크지 않지만, 프로그램의 규모가 크고 복잡해지면 프로그래밍에 필요한 시간이 길어지고 프로그램 개발자 자신도 프로그램이 어떤 의도로 만들어졌는가를 기억하지 못하는 경우가 있다. 이 때 주석이 프로그램 이해에 도움을 준다. 또 다른 개발자들이 소스 코드를 볼 때 주석이 프로그램 이해에 큰 도움을 줄 수 있다.

스크래치에서도 소스 코드에 주석을 붙일 수 있는데 블록 단위로 주석을 만든다. 해당 블록에 마우스 포인터를 위치하고 오른쪽 마우스 버튼을 클릭한 후 주석 넣기 메뉴를 선택하면 된다.

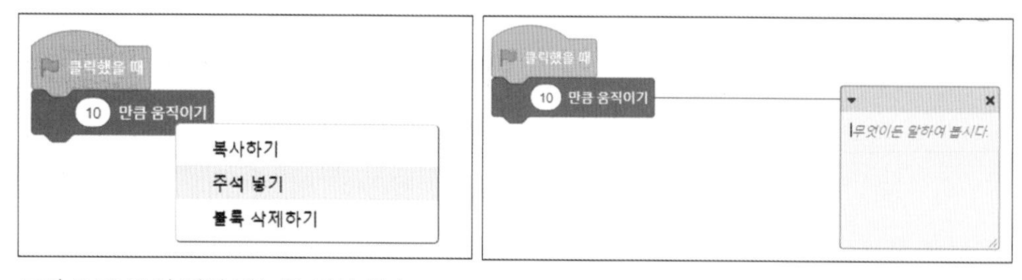

그림 5.16 주석 넣기 메뉴와 주석 박스

[주석 넣기] 메뉴를 선택하면 그림 5.16의 오른쪽 그림처럼 주석을 편집할 수 있는 창이 나타나며 창 안에 관련 주석을 작성하면 된다. 주석 창의 왼쪽 위에 있는 버튼을 클릭하면 주석 창이 한 줄로 줄어든다. 주석 창의 오른쪽 위에 있는 닫기 버튼을 선택하면 삭제된다.

▶ 블록 영역

표 5.1은 스크래치에서 제공하는 블록 영역을 나타낸 것이다.

〈표 5.1〉 스크래치 블록의 영역

블록 영역	기능
동작	스프라이트의 움직임에 관련된 블록을 포함한다.
형태	스프라이트의 형태에 관련된 블록을 포함한다.
소리	스프라이트의 소리 생성에 관련된 블록을 포함한다.
이벤트	프로그램 처리 도중 발생하는 이벤트를 처리하기 위한 블록을 포함한다.
제어	프로그램의 반복 구조, 선택 구조를 구성하기 위한 제어 블록을 포함한다.
감지	특정 상황의 발생 유무를 알아낼 수 있는 블록을 포함한다.
연산	산술, 논리 연산을 위한 블록을 포함한다.
변수	스크립트에서 필요한 데이터를 저장하기 위해 사용되는 변수 생성 및 관리를 위한 블록을 포함한다.
나만의 블록	새로운 블록을 만들고 이용하기 위해 필요한 기능을 포함한다.

▶ 확장 기능

[코드] 탭 왼쪽 아래 부분에 있는 확장 기능 추가하기( )를 클릭하면 그림 5.17과 같이 추가할 확장 기능들이 나타난다.

그림 5.17 확장 기능 고르기 화면

확장 기능에는 음악, 펜, 비디오 감지, 텍스트 음성 변환(TTS) 등 매우 강력한 기능을 갖는 블록이 있다. 따라서 확장 기능을 이용하여 스크립트를 작성하고 싶으면 이 화면에서 해당 기능을 클릭하면 된다.

예를 들어서 음악 확장 기능을 클릭하면 그림 5.18과 같이 [코드] 탭에 음악 영역이 새로이 등록되고 해당 블록이 나타난다.

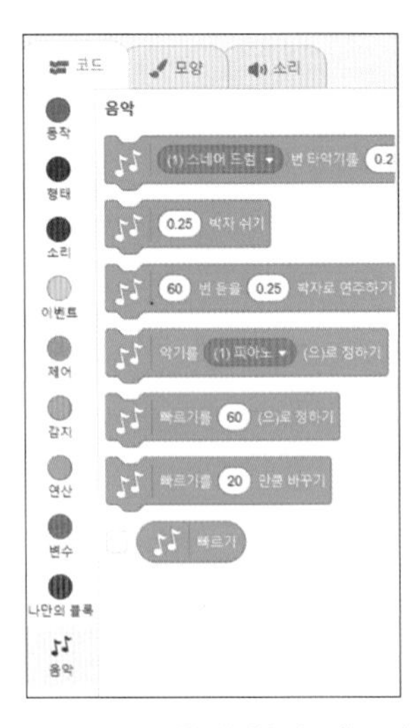

그림 5.18 음악 확장 기능의 블록들

확장 기능 영역의 블록 사용법은 기본 블록들과 동일한 방식이다. 기타의 확장 기능에 대한 설명은 지면 관계상 생략하도록 한다.

▶ [모양] 탭

[모양] 탭을 클릭하면 그림 5.19와 같은 스프라이트의 모양에 관련된 화면이 나타난다.

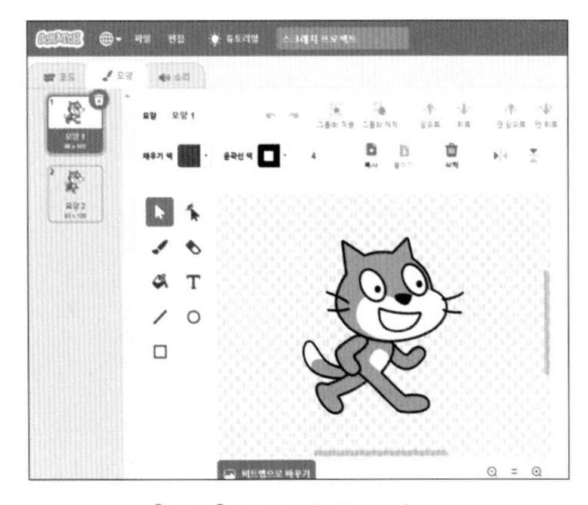

그림 5.19 [모양] 탭의 화면 구성

왼쪽 세로 부분에 해당 스프라이트의 모양들이 나타난다. 스프라이트의 모양은 하나 이상이 등록될 수 있으며, 등록된 모양을 삭제하거나 모양을 새로 등록할 수도 있다. 그리고 오른쪽 부분에는 현재 선택된 모양을 편집할 수 있는 모양 편집기 화면이 나타난다. 모양 편집기를 이용해서 현재 모양을 바꾸거나 수정할 수 있으며 다른 스프라이트의 모양을 복사하여 붙여 넣어서 모양을 합성할 수도 있다.

▶ [소리] 탭

[소리] 탭을 선택하면 그림 5.20과 같이 해당 스프라이트에 등록된 소리에 관련된 화면이 나타난다.

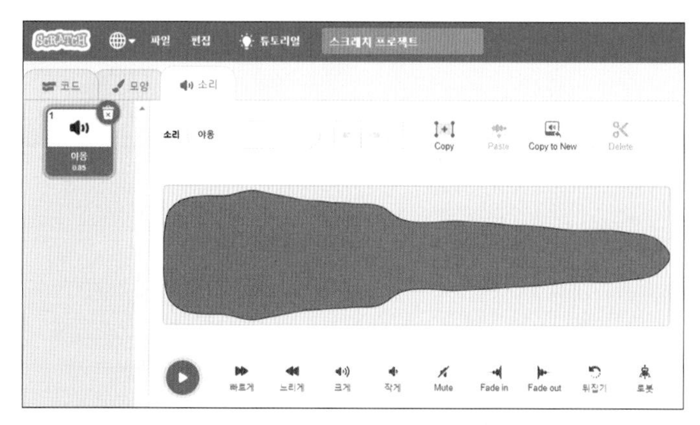

그림 5.20 [소리] 탭의 화면

왼쪽 부분에는 스프라이트에 등록된 소리를 보여준다. 스프라이트에는 여러 개의 소리가 등록될 수 있으며 추가나 삭제도 가능하다. 또한 현재 선택된 소리에 대하여 편집할 수 있는 소리 편집기 기능 창이 오른쪽에 나타나 있다. 소리는 외부에서 불러올 수도 있으며, 마이크로 녹음할 수도 있다.

▶ 실행 화면

스크래치 초기 화면에서 오른쪽 상단에는 그림 5.21과 같은 실행 화면 창이 나타나 있다.

실행 화면 창 바로 위 왼쪽에 나타나 있는 깃발과 멈춤 신호( ) 표시는 시작하기와 멈추기를 선택하는 버튼이다. 깃발을 클릭함으로써 현재 작성된 스크래치 프로그램 실행을 시작할 수 있다. 멈추기 버튼은 현재 실행 중인 스크래치 프로그램을 종료할 때 사용하는 버튼이다.

실행 화면 창 오른쪽 위에 있는 3개의 버튼( )은 실행 화면 창의 크기를 조절하기 위해서 사용하는 버튼이다. 가장 왼쪽 버튼은 실행 화면 창의 크기를 최소화하고, 그 결과 [코드] 탭 화면의 크기는 최대화된다. 가운데 버튼은 실행 화면 창의 크기를 보통으로 한다. 가장 오른쪽 버

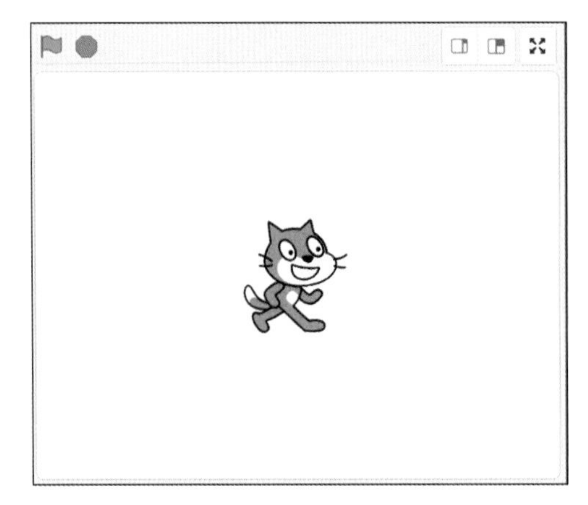

그림 5.21 실행 화면 창

튼은 전체 화면에서 실행 화면 창을 보여준다. 따라서 [코드] 탭이나 스프라이트 창은 나타나지 않게 되며 실행 화면은 최대화된다.

▶ 스프라이트 창과 무대 창

스크래치 초기 화면에서 실행 화면 창 아래 부분에 그림 5.22와 같은 스프라이트 창과 무대 창이 나타나 있다.

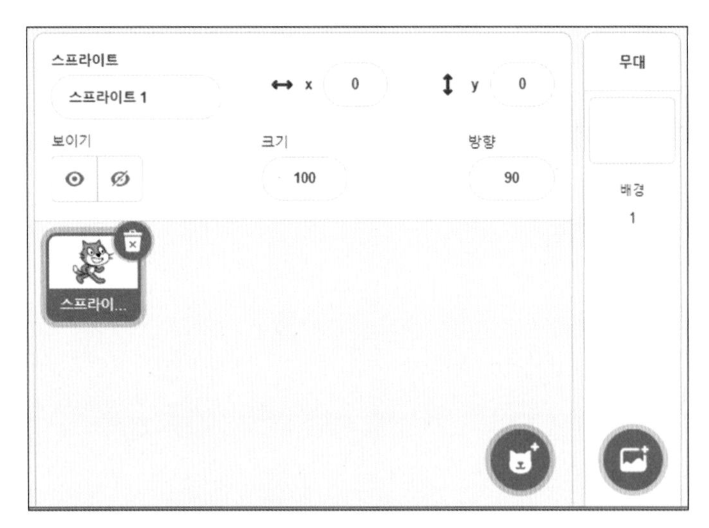

그림 5.22 스프라이트 창과 무대 창

스프라이트 창에서는 현재 프로젝트에 포함되어 있는 스프라이트 아이콘들이 모두 나타난다. 그리고 그 중에서 하나의 스프라이트가 선택되는데, 선택된 스프라이트는 [코드] 탭에 있는 스크립트 작업 창에 희미한 이미지로 나타나게 된다. 한편 현재 선택된 스프라이트의 이름, x와 y 좌표, 보이기 속성, 크기, 방향 등의 정보가 함께 나타나 있으며 직접 수정도 가능하다. 스프라이트 창 오른쪽 아래 부분에 고양이 얼굴 그림이 있는 버튼은 스프라이트 고르기 기능으로 새로운 스프라이트를 읽어 들여 현재 프로젝트에 포함시킬 수 있다.

▶ 무대에 대한 탭

무대 창에는 포함된 무대 배경에 대한 아이콘이 나타난다. 무대 창을 선택하면 무대 창 주변이 진한 색으로 바뀌게 되고 그림 5.23과 같이 무대에 대한 작업을 할 수 있는 탭이 화면 왼쪽에 나타난다.

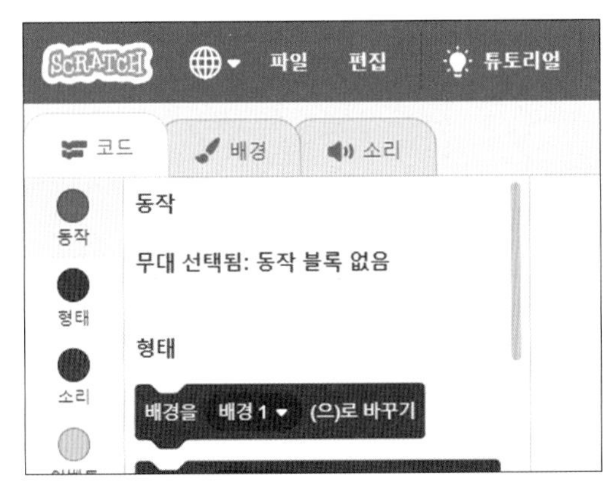

그림 5.23 무대 배경에 대한 기능 탭

스프라이트와는 달리 무대에서는 [모양] 탭 대신 [배경] 탭이 있다. [코드] 탭에서는 스프라이트와 유사한 블록들이 제공되지만 동작 영역에서는 관련 블록이 전혀 없다. 이는 무대는 움직이는 개체가 아니기 때문이다. 다른 영역에서도 스프라이트에 비해 단순화 되어있다. [배경] 탭에서는 무대 배경을 편집할 수 있는 배경 편집기 기능을 제공한다.

▶ 스프라이트 고르기와 배경 고르기

스프라이트 창 오른쪽 아래에 스프라이트 고르기 버튼이 있고, 무대 창 아래 풍경 그림이 있는 버튼이 있는데 이는 새로운 무대 배경을 불러들이기 위한 배경 고르기 기능이다.

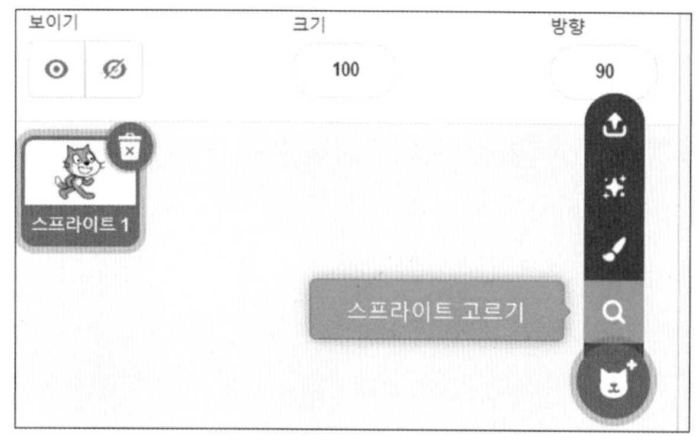

그림 5.24 스프라이트 고르기와 배경 고르기

▶ 스프라이트 고르기 메뉴와 배경 고르기 메뉴

스프라이트 고르기 이외에 그리기, 서프라이즈, 스프라이트 업로드하기 등의 메뉴가 제공된다. 그리기는 새로운 이미지를 모양 편집기에서 그릴 수 있도록 한다. 서프라이즈는 스크래치가 가지고 있는 임의의 스프라이트를 제시하는 기능이다. 스프라이트 업로드하기는 외부에 있는 이미지를 스프라이트로 사용하기 위한 기능이다.

배경 고르기에서도 그리기, 서프라이즈, 스프라이트 업로드하기 등의 메뉴가 제공된다. 기능은 스프라이트와 동일하므로 설명은 생략한다.

▶ 스프라이트 관련 메뉴

다음은 스프라이트 복사, 내보내기, 삭제 등의 기능에 대하여 알아본다. 스프라이트 창에서 스프라이트 이미지를 선택한 후 마우스 오른쪽 버튼을 클릭하면 그림 5.25와 같은 메뉴가 제시된다.

그림 5.25 스프라이트 복사와 복사된 스프라이트

[복사] 메뉴를 선택하면 그림 5.25의 오른쪽과 같이 동일한 스프라이트가 창 내에 나타난다. 복사된 스프라이트와 동일한 코드와 모양, 소리를 갖는다. 따라서 수정하고 싶으면 다시 해당 스프라이트를 독립적으로 수정할 수 있다. 이러한 복사는 제한 없이 원하는 만큼 복사할 수 있다.

[내보내기] 메뉴는 해당 스프라이트만 따로 저장할 때 사용한다. 한 프로젝트 내에서 작업한 스프라이트를 다른 프로젝트에 포함시키고 싶다면, 내보내기를 이용하여 컴퓨터에 저장한 다음, 다른 프로젝트에서 해당 스프라이트 업로드하기를 이용해서 불러들일 수 있다. 인터넷에서 스크래치를 사용하는 경우에는 내보내기에 의하여 다운로드 폴더에 해당 스크래치가 저장된다. 데스크톱 버전의 스크래치에서는 내보내기에 의하여 그림 5.26과 같은 저장 화면이 나타난다.

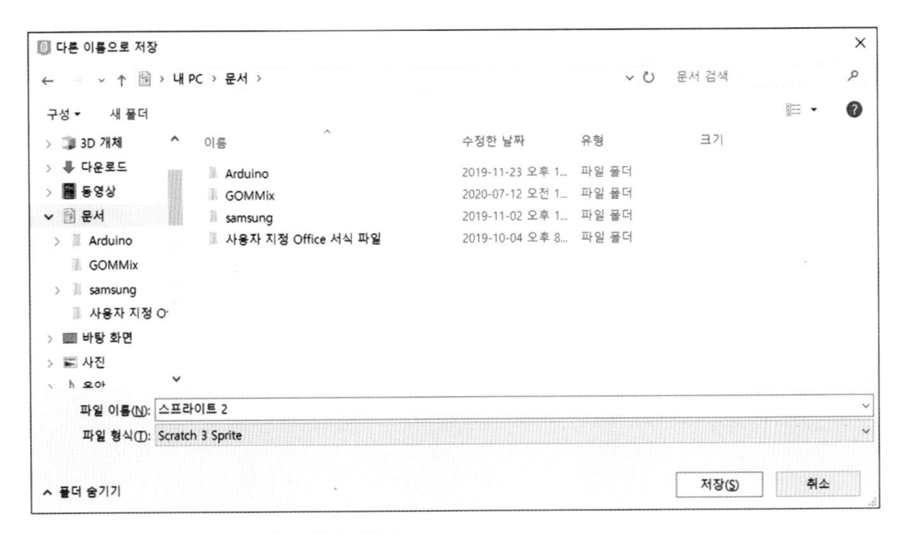

그림 5.26 스프라이트 내보내기 화면

자신의 컴퓨터에 저장된 스프라이트를 불러들이기 위해서는 스프라이트 업로드를 해야 한다. 그림 5.27은 스프라이트 업로드를 선택했을 때 나타나는 창이다.

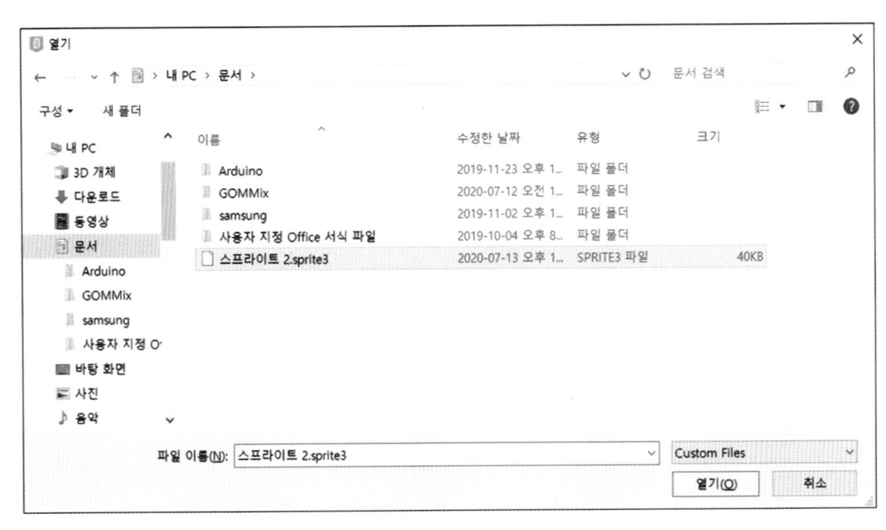

그림 5.27 스프라이트 업로드하기 화면

[삭제]를 선택하면 해당 스프라이트가 현재 프로젝트에서 삭제된다. 또는 스프라이트를 선택했을 때 스프라이트 이미지 오른쪽 상단에 나타나는 휴지통 모양을 클릭해도 삭제된다.
인터넷 버전 스크래치에서는 개인 저장소를 이용해서 프로젝트 내에 포함된 스프라이트를 각각 저장할 수 있다. 화면 아래에 있는 개인 저장소에 스프라이트 창에 있는 스프라이트를 클릭한 후 끌어서 옮기면 그림 5.28과 같이 저장된다.

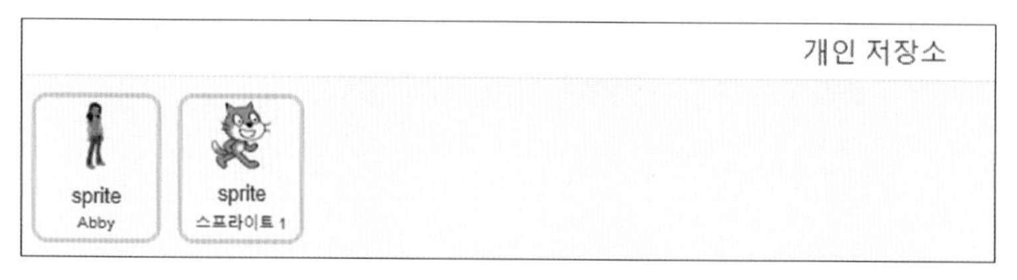

그림 5.28 개인 저장소 화면

5.5 스크래치 프로그래밍 절차

(1) 스프라이트와 무대 배경 정하기

우선 사용자는 구상하고 있는 소프트웨어에서 필요로 하는 스프라이트를 정한다. 스프라이트는 프로젝트 목적에 따라 적절한 이미지를 갖는 스프라이트를 스프라이트 고르기를 통해서 살펴보고 추가할 수 있다. 적절한 스프라이트가 없는 경우에는 다른 모양을 읽어오거나 스프라이트 그리기에서 모양 편집기를 이용하여 스크래치 자체에서 편집할 수 있다. 유사한 방식으로 [소리] 탭의 화면 왼쪽 아래 부분에 나타나 있는 소리 고르기 메뉴 버튼을 이용하여 스프라이트에 관련된 소리를 등록할 수 있다. 이렇게 등록된 모양이나 소리는 스크립트 내에서 블록을 이용하여 화면에 모양을 보여주거나 소리를 재생할 수 있다.

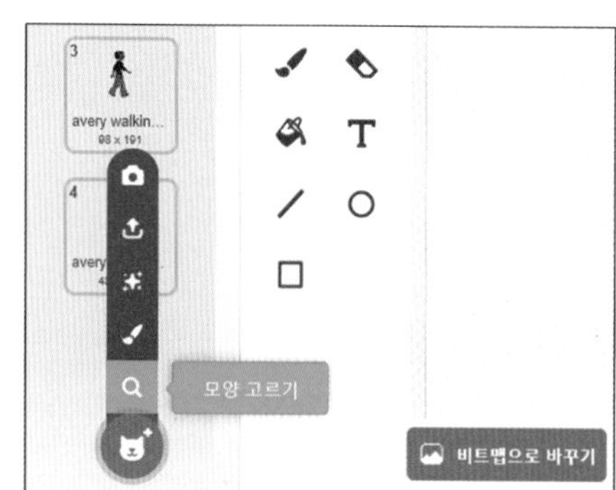

그림 5.29 모양 고르기와 소리 고르기 화면

필요한 스프라이트 이미지와 소리가 모두 선택되었으면 다음으로는 무대 배경에 대한 선택이 필요하다. 배경을 고려하지 않고 스프라이트만 가지고도 프로그래밍이 가능하지만, 스크래치의 멀티미디어적인 특징을 살리기 위해서는 적절한 이미지로 표현되는 배경 화면을 활용하는 것이 더 효과적이다. 무대를 선택하면 그림 5.30에 나타난 것처럼 배경 고르기 메뉴를 이용하여 다른 배경을 고를 수 있다. 또한 스프라이트가 선택되었을 때와는 다른 탭 화면이 왼쪽에 나타난다.

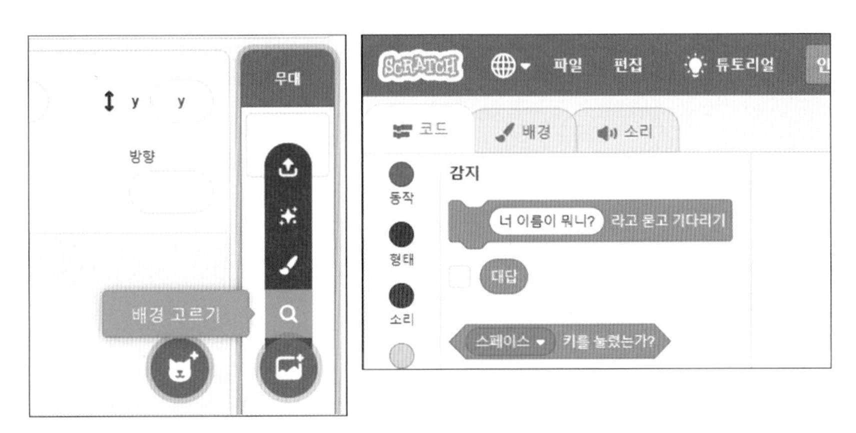

그림 5.30 무대를 선택했을 때 배경 고르기 메뉴와 무대의 탭 화면

무대 작업 창은 [코드] 탭과 [배경] 탭 그리고 [소리] 탭으로 구성된다. [코드] 탭에서는 스프라이트와 기능적으로는 유사하나 구체적으로 사용되는 블록에 차이가 있다. 예를 들어 동작을 위한 블록은 무대에서는 전혀 제공되지 않는다. [배경] 탭에서는 무대에서 사용할 수 있는 배경 이미지를 추가할 수 있다. 다수의 배경을 추가하고 이를 활용하여 필요할 때마다 배경을 바꾸어서 프로그래밍할 수 있다. 예를 들어 게임 프로그램에서는 게임 스테이지에 따라 게임의 배경을 바꿀 수 있겠다.

(2) 스크립트 작성하기

다음으로는 스프라이트와 배경에 대한 동작을 제어하기 위하여 스크립트를 작성한다. 스크립트를 작성할 때 유의해야 할 점은 현재 작성하고 있는 스크립트의 스프라이트나 배경이 무엇인지를 명확히 해야 한다. 스프라이트의 선택은 마우스로 클릭함으로써 이루어진다. 여러 개의 스프라이트를 포함하는 프로젝트에서 프로그래밍 작업을 하다 보면, 다른 스프라이트에 스크립트를 작성하는 실수를 자주 범하게 된다. 선택된 스프라이트는 그림 5.31처럼 테두리 색이 진하게 표시된다.

그림 5.31 선택된 스프라이트 모양

프로그래밍 작업은 [코드] 탭 화면에서 블록을 스크립트 작업 창 내로 드래그하여 이루어진다. 제시되는 블록을 조립함으로써 프로그래밍이 이루어지기 때문에 블록의 기능을 이해하는 것이 필요하다. 각 블록의 기능을 잘 모르는 경우에는 그 블록을 클릭하여 실행해 봄으로써 이해할 수 있다. 스크래치는 인터프리터 방식의 번역과 실행을 하기 때문에 블록을 하나씩 실행해 볼 수 있는 장점이 있다.

(3) 테스트하기

스크립트가 작성되고 나면 이를 클릭함으로써 전체 스크립트를 실행해 볼 수 있다. 모든 스크립트가 작성되면 시작하기 버튼을 클릭하여 프로그램을 테스트할 수 있다. 실행이 되고 있는 스크립트는 그림 5.32처럼 주변에 노란색으로 표시된다.

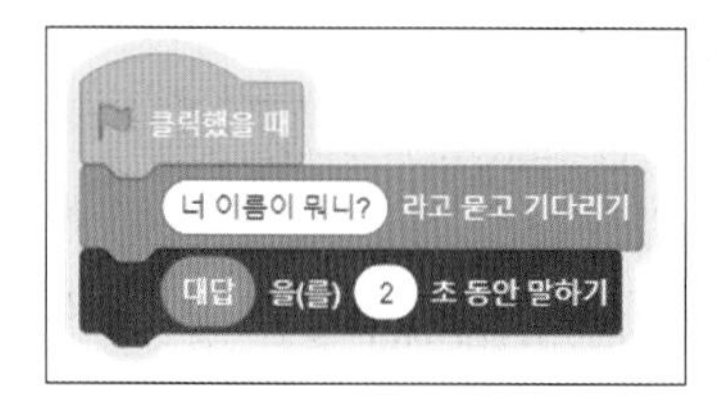

그림 5.32 현재 실행 중인 스크립트 모양

(4) 저장하기와 불러오기

완성된 프로젝트는 온라인 상에 있는 내 작업실에 저장하거나 자신의 컴퓨터에 저장할 수 있다. 저장된 프로젝트는 필요할 때 다시 불러오기를 수행하여 후속 작업을 할 수 있다. 다음은 현재 작업하고 있는 프로젝트를 '안녕 인사하기'로 이름을 정하고 내 작업실에 저장했을 때 내 작업실 메뉴 버튼을 선택하면 나타나는 화면을 보여주고 있다.

그림 5.33 내 작업실 화면

이상에서 기술한 절차에 따라 첫 번째 예제를 진행해 보자.

예제 5.1

좌우로 움직이는 고양이

단계 1 기본 스프라이트의 이름을 '스프라이트1'에서 '고양이'로 바꾼다. 그림 5.34에서와 같이 스프라이트 창에서 스프라이트 이름을 정하는 입력 줄에 "고양이"를 입력한다.

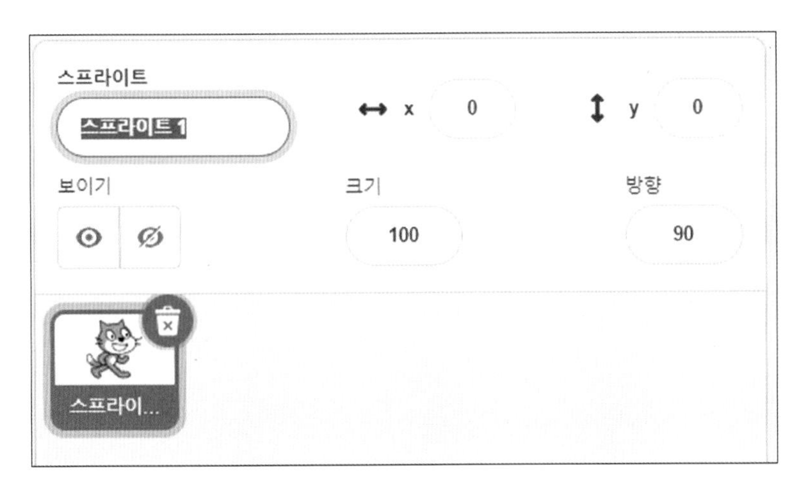

그림 5.34 스프라이트 창 화면

단계 2 시작하기( ) 버튼을 누르면 고양이 스프라이트가 먼저 오른쪽으로 움직이도록 한다.

시작하기 버튼을 클릭했을 때
90도 방향(오른쪽)으로 스프라이트가 바라보는 방향을 바꾼다.
10만큼 움직인다. 10은 화면 좌표 값으로 10만큼을 의미한다.

스프라이트가 계속 움직이도록 하기 위해서는 10만큼 움직이기 블록을 반복적으로 수행해야 한다. 이를 위해서는 제어 영역에 있는 '무한 반복하기' 블록을 사용해야 한다.

시작하기 버튼을 클릭했을 때
10만큼 움직이기를 무한 반복하도록 하기 위해서 무한 반복 블록으로 10만큼 움직이기를 포함시킨다. 이를 실행하면 고양이가 오른쪽으로 10만큼씩 계속 이동한다. 그러나 스프라이트가 오른쪽 경계에 닿으면 더 이상 움직이지 못한다. 또한 스프라이트의 움직임이 너무 빠르다.

단계 3 만약 경계에 닿으면 방향을 바꾸어 움직이도록 한다. 그리고 움직임을 반복하기 전에 시간 지연을 추가하여 움직이는 속도를 적절히 조절한다.

시작하기 버튼을 클릭했을 때
10만큼 움직이기를 한 후에 벽에 닿으면 튕기기 블록을 이용하여 무대 배경의 경계에 닿으면 스프라이트의 방향을 반대로 바꾸어준다. 또한 스프라이트의 움직임이 너무 빠르므로 반복하기 전에 0.2초 동안 기다리도록 0.2 초 기다리기 블록을 추가한다. 그러나 스프라이트가 방향을 바꿀 때 180도 회전이 발생하여 스프라이트가 거꾸로 뒤집힌 모양이 된다.

단계 4 스프라이트의 회전 방식을 왼쪽-오른쪽으로 설정하여 벽에 닿았을 때 거꾸로 뒤집히지 않고 오른쪽에서 왼쪽을 바라보도록 한다.

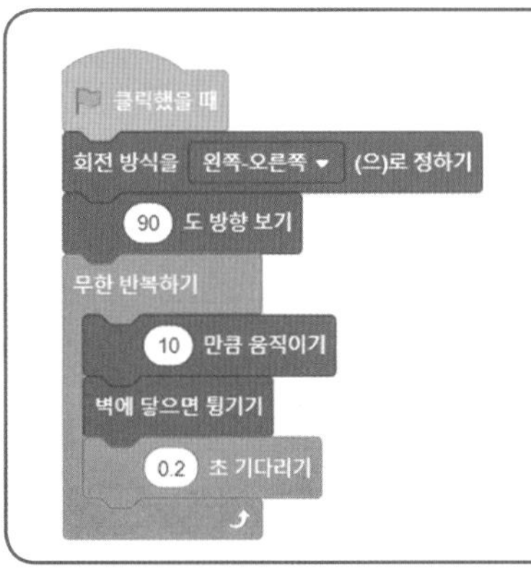

시작하기 버튼을 클릭했을 때
스프라이트의 회전 방식을 설정하는 블록은 동작 영역에 있는 [회전 방식을 왼쪽-오른쪽 ▾ (으)로 정하기] 블록이다. 기본적으로 스프라이트는 회전하기로 되어있기 때문에 벽에 닿으면 튕기기를 수행하여 180도 회전하여 거꾸로 뒤집히는 자세가 된다. 이를 피하기 위해서 왼쪽-오른쪽으로 설정하면 바라보는 방향만 왼쪽에서 오른쪽으로 반대로 바뀐다. 회전하지 않기를 선택하면 바라보는 방향이 바뀌지 않고 움직임만 반대가 된다.

회전 방식에 따라서 벽에 닿으면 튕기기 이후의 모습이 달라지는데 그림 5.35가 그 결과를 보여주고 있다.

a) 왼쪽-오른쪽 설정 결과 튕기기 후의 모습

b) 회전하지 않기 설정 결과 튕기기 후의 모습

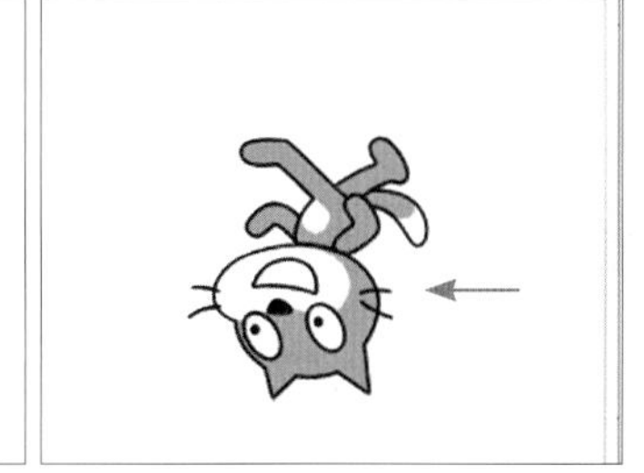

c) 회전하기 설정 결과 튕기기 후의 모습

그림 5.35 회전 방식에 따른 벽에 닿으면 튕기기 이후의 모습

단계 5 멈추기(●) 버튼을 이용하여 프로그램 실행을 멈춘 후에 메뉴 바에 있는 프로젝트 이름을 '좌우로 움직이는 고양이'로 바꾸고, [파일] 메뉴에서 [내 컴퓨터에 저장]을 이용하여 저장한다. 저장된 파일을 다시 불러오기 위해서 파일 메뉴에서 [Load from your computer] 메뉴를 이용하여 해당 파일(좌우로 움직이는 고양이.sb3)을 불러온다. 불러온 파일을 실행해 봄으로써 정상적으로 파일이 저장되었음을 확인한다. 스크래치3.0 프로젝트 파일의 확장자는 *.sb3이다.

연습 [예제 5.1]과 같은 방법으로 고양이 스프라이트를 생성하고 고양이의 움직임을 위에서 아래로 또는 아래에서 위로 움직이도록 하라. 벽에 닿으면 반대 방향으로 움직인다.

5.6 스프라이트의 좌표와 방향

(1) 스프라이트 좌표

스프라이트의 위치를 나타내는 방법은 무대 배경 내에서의 (x, y) 좌표를 이용한다. 무대 배경 전체에 대하여 좌우는 x 좌표를, 상하는 y 좌표를 이용하여 2차원 평면에서의 좌표 표현 방식을 따른다. x 좌표의 범위는 −240에서 240까지이고 y 좌표의 범위는 −180에서 180까지이며 배경의 정 가운데는 (0, 0)이 된다. 스크래치를 처음 열면 기본 스프라이트인 고양이가 배경의 정 가운데 위치해서 나타난다. 따라서 초기화면에서 고양이 스프라이트를 오른쪽으로 10만큼 이동시키면 스프라이트의 좌표 값은 (10, 0)이 된다. 그림 5.36은 실행 화면의 좌표 범위를 나타낸 것이다.

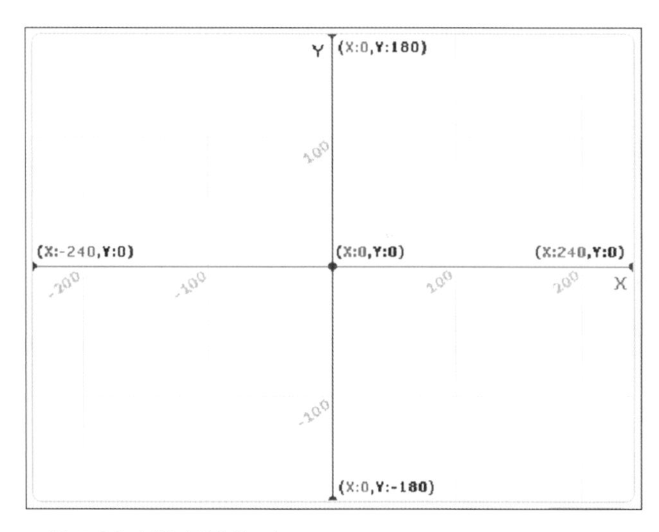

그림 5.36 실행 화면의 좌표

스크립트를 작성할 때 현재 스프라이트의 위치를 알고 싶다면 스프라이트의 좌표 값을 나타내는 변수 [x 좌표] 와 [y 좌표] 블록을 이용한다. 이 블록들은 스크래치 시스템에서 제공하는 변수 블록으로 필요할 때 좌표를 얻을 수 있다. 또한 좌표를 다른 값으로 바꾸고 싶다면, [x 좌표를 171 (으)로 정하기] 와 [y 좌표를 -64 (으)로 정하기] 블록을 이용하여 원하는 위치의 좌표로 바꿀 수 있다. 이와 같이 스프라이트의 동작에서 움직임을 제어할 때 가장 기본이 되는 위치 정보는 x, y 좌표이다. 원하는 x, y 좌표의 위치로 움직이고 싶다면 [x -62 y -37 (으)로 이동하기] 블록을 이용할 수 있다. 그리고 이동과 함께 소요되는 시간을 주고 싶으면 [1 초 동안 무작위 위치 (으)로 이동하기] 를 이용한다.

(2) 스프라이트의 방향

스프라이트가 바라보는 방향은 위쪽을 0도로 기준으로 하고 시계 방향으로 돌아가면서 각도가 증가한다. 이에 따라 오른쪽은 90도, 아래쪽은 180도, 왼쪽은 −90도(또는 270도)이다. 방향 보기 블록을 선택하여 빈 칸에 마우스로 클릭하면 그림 5.37과 같이 시계 형태로 각도를 지정할 수 있는 모양이 나타난다. 화살표 버튼을 클릭하여 돌리면 자신이 원하는 각도를 임의로 정할 수 있다.

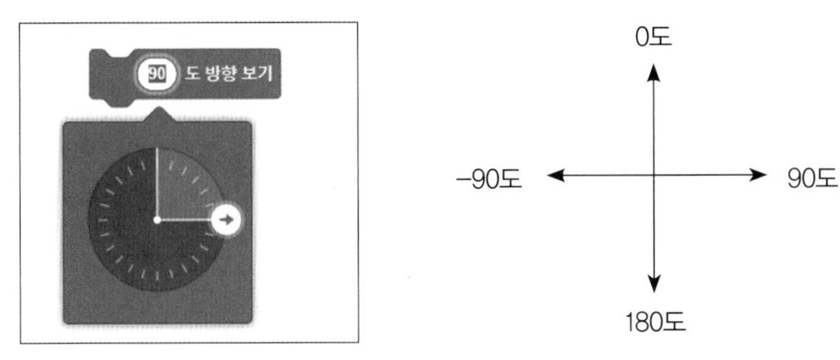

그림 5.37 방향 보기 블록의 각도 정하기

시계 방향으로 회전하기, 반시계 방향으로 회전하기 블록도 방향을 조절하기 위해서 사용할 수 있는 블록이다.

연습 고양이 스프라이트가 화면 가운데에서 무한히 회전하도록 스크립트를 작성하라. 회전을 위해서는 스프라이트의 방향을 바꾸어야 한다.

예제 5.2

정사각형을 따라 움직이는 고양이

고양이 스프라이트가 좌표 (−50, 50), (50, 50), (50, −50), (−50, −50)을 꼭짓점으로 하는 정사각형의 궤적을 따라서 움직이도록 프로그래밍하라. 단 정사각형의 한 변을 이동할 때는 1초 동안에 움직이도록 한다.

단계 1 고양이 스프라이트의 위치를 (−50, 50)으로 바꾼다.

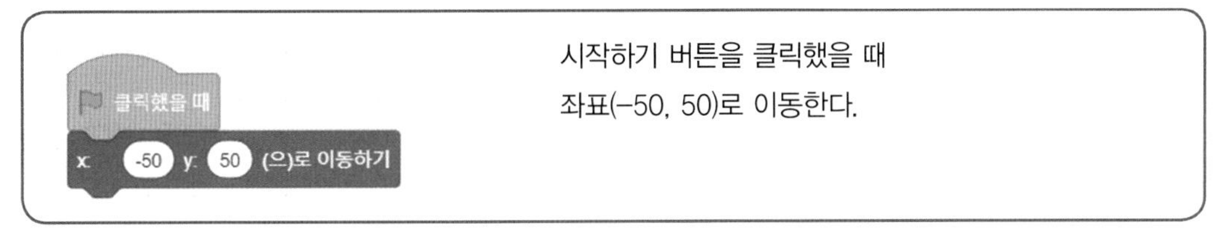

단계 2 방향을 오른쪽으로 한 후, 1초 동안 (50, 50) 위치로 이동한다.

단계 3 방향을 아래쪽으로 한 후, 1초 동안 (50, −50) 위치로 이동한다.

단계 4 방향을 왼쪽으로 한 후, 1초 동안 (−50, −50) 위치로 이동한다.

단계 5 방향을 위쪽으로 한 후, 1초 동안 (−50, 50) 위치로 이동한다.

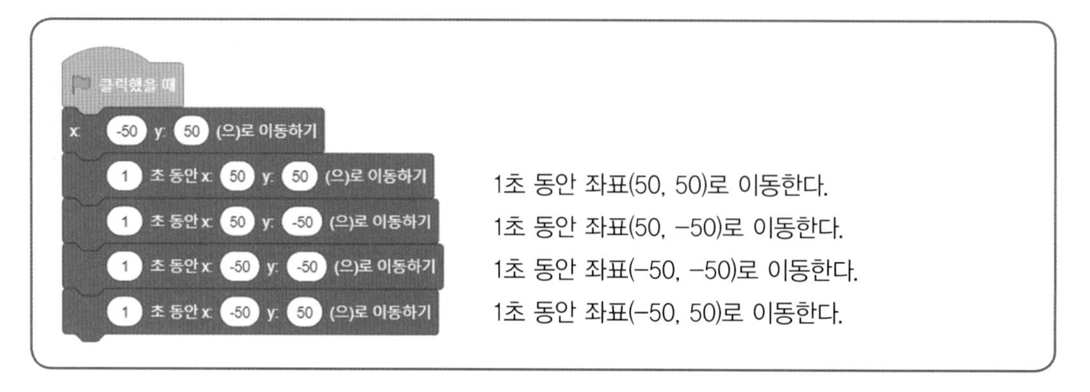

실행 결과 고양이 스프라이트는 좌표에 지정된 위치를 정사각형의 꼭짓점으로 하는 궤적을 따라서 시계 방향으로 움직임을 알 수 있다.

그림 5.38 [예제 5.2]의 실행 화면

연습 고양이 스프라이트가 정사각형의 한 변을 따라 움직일 때 움직이는 방향을 바라보도록 스크립트를 수정하라.

고양이가 움직일 때 걷는 모양이 달라지도록 블록을 이용하면 애니메이션 효과를 얻을 수 있다. 일반적으로 스크래치에서 제공되는 스프라이트는 2개 이상의 모양을 포함하는 경우가 많은데, 이러한 경우는 다음 모양으로 바꾸기 블록을 이용하여 애니메이션 효과를 얻기 위한 목적인 경우가 많다.

다음 모양으로 바꾸기 블록을 스크립트 내에 포함하여 애니메이션을 구현할 수 있지만 일반적으로 다음 모양으로 바꾸기를 무한 반복하는 독립적인 스크립트를 하나 더 만들어서 동시에 병렬적으로 처리하기도 한다. 앞서 만든 움직이는 고양이 예제에 그림 5.39와 같은 스크립트를 추가하면 걷는 모양을 애니메이션으로 구현할 수 있다.

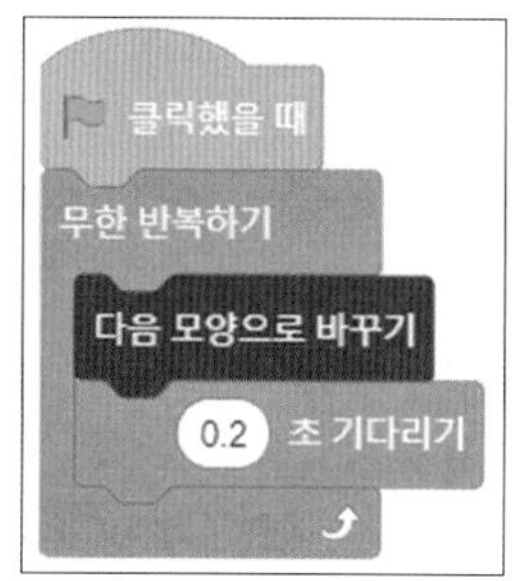

그림 5.39 애니메이션을 위한 스크립트

병렬 처리는 동시에 두 개 이상의 스크립트가 처리되는 것을 의미한다. 동일한 이벤트에 대해서 서로 다른 두 개 이상의 스크립트가 하나의 스프라이트에 적용되는 예가 바로 앞에서 제시된 프로그램이다. 즉, 걷는 모양을 애니메이션 효과로 나타내기 위해서 시작하기 버튼을 클릭했을 때 라는 이벤트에 다음 모양으로 바꾸기를 무한 반복하는 스크립트를 이동하는 스크립트와 병렬로 처리하는 것이다.

5.7 묻고 답하기

주어진 문제가 사용자로부터 데이터를 읽어 들여서 처리해야 하는 경우에, 프로그램이 사용자로부터 데이터를 읽어 들일 수 있는 방법이 있어야 한다. 스크래치는 지향하는 문제들이 주로 게임이나 멀티미디어 응용이기 때문에 문자 중심의 데이터 입력을 처리하는 방법이 단순하다.

What's your name? 라고 묻고 기다리기 블록을 이용하여 사용자에게 말풍선을 이용하여 묻고 화면에 입력 줄을 보여준다. 사용자는 말풍선에서 알려주는데로 입력 줄에 해당 데이터를 입력하고 엔터키를 누르면 입력이 완료된다. 스크래치에서는 사용자가 입력한 데이터를 대답 블록을 이용하여 얻어서 목적에 맞게 처리한다.

예제 5.3

고양이 스프라이트가 사용자의 이름을 묻고 입력을 받아서 이를 출력하는 프로그램을 작성하라.

단계 1 "당신의 이름은 무엇입니까?"라고 묻고 기다리기

단계 2 대답으로 입력된 데이터를 2초 동안 말하기 블록을 이용하여 출력한다.

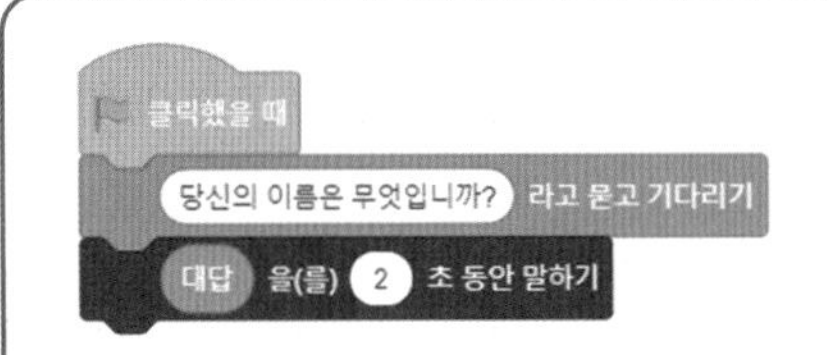

시작하기 버튼을 클릭했을 때
"당신의 이름은 무엇입니까?"를 묻고 기다리기로 대답을 읽어 들인다.
대답을 2초 동안 말하기 블록으로 출력한다.

묻고 기다리기를 실행하면 화면에 말풍선이 나타난다. 그리고 사용자로부터 입력을 받아들이기 위해서 실행 화면 하단에 입력 줄이 나타난다. 사용자가 입력 줄에 입력한 내용은 대답 변수 블록이 가지고 있다. 프로그램을 실행한 화면은 그림 5.40과 같다.

그림 5.40 [예제 5.3]의 묻고 기다리기 화면과 출력 말풍선 화면

연습 묻고 기다리기 블록을 이용하여 학과를 사용자로부터 읽어 들여서 "당신은 OO학과 학생입니다."를 출력하는 프로그램을 작성하라. 스프라이트는 고양이 스프라이트를 이용한다.

힌트 들어온 학과명과 "당신은 ", "학생입니다." 문자열을 붙여서 말하기 블록을 이용해야 한다. 문자열을 붙이기 위해서는 (apple 와(과) banana 결합하기) 블록을 중첩하여 이용해야 한다. 예를 들어서 "당신의 이름은 홍길동입니다."를 출력하기 위해서 문자열 결합하기 블록을 중첩하여 사용하면 다음과 같다.

(당신의 이름은 와(과) (홍길동 결합하기) 와(과) 입니다. 결합하기)

5.8 스프라이트 추가

앞에서는 고양이 스프라이트를 이용해서 스크립트를 작성하는 예제들을 다루었다. 그러나 스크래치에서는 다수의 스프라이트가 동시에 동작하는 프로그래밍이 가능하다. 스크래치에서 만들어지는 스크립트는 한 스프라이트를 위해서 다수의 스크립트가 추가될 수 있을 뿐만 아니라, 다수의 스프라이트 각각이 다수의 스크립트를 가질 수 있다. 그리고 이 모든 스크립트는 해당 이벤트가 발생하면 동시에 병렬적으로 처리된다. 이 절에서는 스프라이트를 추가하는 예제를 다루도록 하자.

예제 5.4

고양이와 개가 서로 인사 나누기

기본적으로 등장하는 고양이 스프라이트 외에 개 스프라이트를 추가하여 고양이가 먼저 "안녕하세요."하고 인사를 건네면 개가 이에 응답 인사를 하는 경우를 프로그램으로 만들어본다.

- 준비 단계

① 무대 배경은 배경 고르기에서 'Blue Sky'를 추가하여 배경을 바꾼다.

② 스프라이트 고르기로 'dog2'를 추가한 다음 이름을 '개'로 바꾼다.

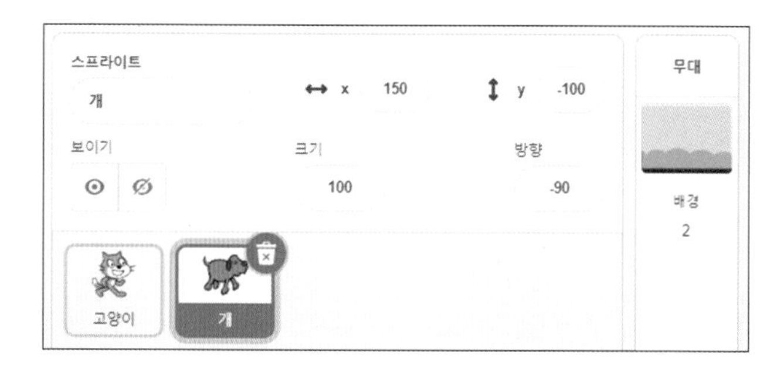

고양이 스프라이트는 (–150, 0) 좌표에 위치시키고 오른쪽을 바라보게 한다. 개 스프라이트는 (150, 0) 좌표에 위치시키고 왼쪽을 바라보게 한다.

단계 1 고양이가 먼저 "안녕! 난 고양이야."라고 2초 동안 말한다.

단계 2 개는 고양이가 인사하고 난 후 응답으로 "안녕! 난 멍멍이라고 해.."라고 2초 동안 인사한다.

단계 3 고양이가 개에게 “우리 사이좋게 같이 놀자”라고 2초 동안 말한다.

단계 4 개가 고양이에게 응답으로 “그래 같이 놀자”를 2초 동안 말한다.

두 스프라이트 사이에 인사를 주고받을 때 말이 겹치지 않게 하기 위해서는 동기를 맞추어야 한다. 이는 말하는 시간과 기다리는 시간을 맞추어서 동기화 할 수 있다.

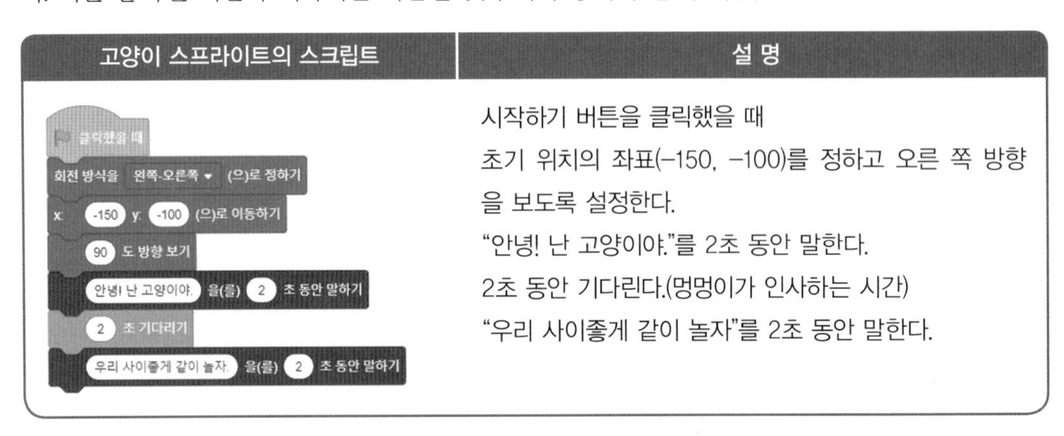

고양이 스프라이트의 스크립트	설 명
클릭했을 때 회전 방식을 왼쪽-오른쪽 (으)로 정하기 x: -150 y: -100 (으)로 이동하기 90 도 방향 보기 안녕! 난 고양이야. 을(를) 2 초 동안 말하기 2 초 기다리기 우리 사이좋게 같이 놀자. 을(를) 2 초 동안 말하기	시작하기 버튼을 클릭했을 때 초기 위치의 좌표(−150, −100)를 정하고 오른 쪽 방향을 보도록 설정한다. “안녕! 난 고양이야.”를 2초 동안 말한다. 2초 동안 기다린다.(멍멍이가 인사하는 시간) “우리 사이좋게 같이 놀자”를 2초 동안 말한다.

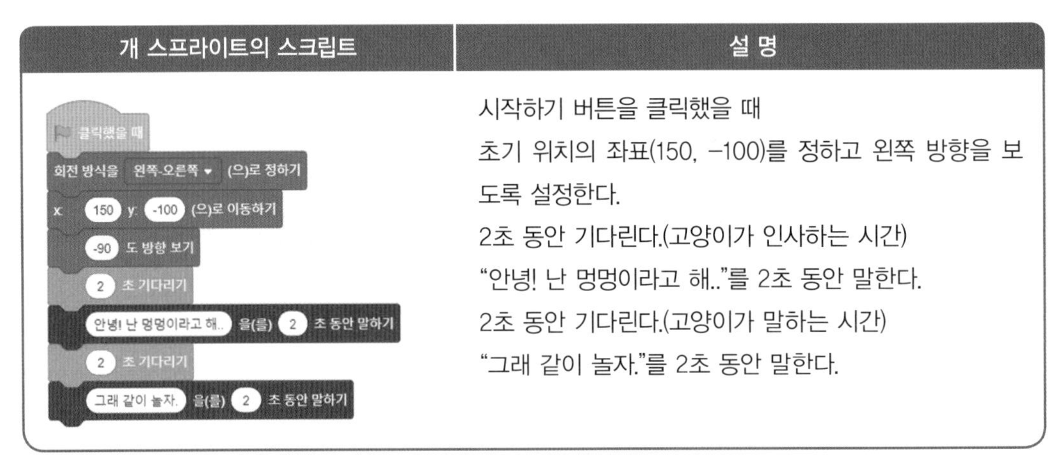

개 스프라이트의 스크립트	설 명
클릭했을 때 회전 방식을 왼쪽-오른쪽 (으)로 정하기 x: 150 y: -100 (으)로 이동하기 -90 도 방향 보기 2 초 기다리기 안녕! 난 멍멍이라고 해.. 을(를) 2 초 동안 말하기 2 초 기다리기 그래 같이 놀자. 을(를) 2 초 동안 말하기	시작하기 버튼을 클릭했을 때 초기 위치의 좌표(150, −100)를 정하고 왼쪽 방향을 보도록 설정한다. 2초 동안 기다린다.(고양이가 인사하는 시간) “안녕! 난 멍멍이라고 해..”를 2초 동안 말한다. 2초 동안 기다린다.(고양이가 말하는 시간) “그래 같이 놀자.”를 2초 동안 말한다.

그림 5.41 [예제 5.4]의 실행 화면

연습 개와 고양이 사이에 추가적인 대화를 만들어서 스크립트를 수정하라.

두 개 이상의 스프라이트를 가지고 프로그래밍을 할 때 한 스프라이트에서 작성한 스크립트를 다른 스프라이트로 복사할 필요가 있는 경우가 흔히 발생한다. 이 경우 해당 스크립트를 마우스로 선택하여 끌기를 한 다음, 복사하고 싶은 스프라이트의 아이콘 위에 마우스 포인터를 위치한 후 마우스 버튼을 놓으면 복사가 이루어진다. 그림 5.42는 고양이 스프라이트의 스크립트를 개 스프라이트로 복사하는 스프라이트 창의 모습을 보여준다.

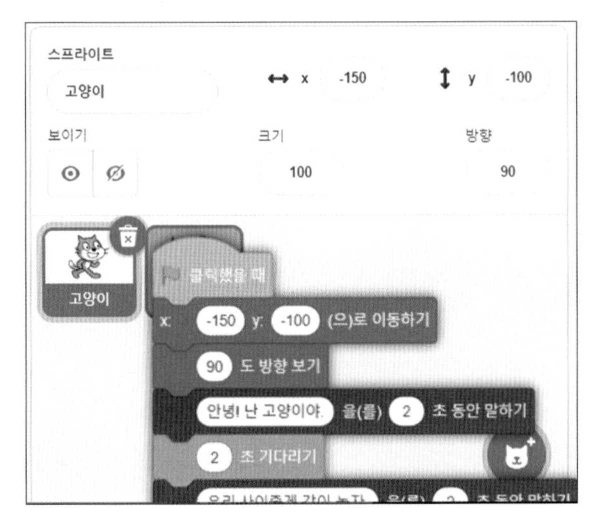

그림 5.42 스프라이트 사이의 스크립트 복사

5.9 영역별 블록

프로그래밍은 결국 프로그래밍 언어에서 제공하는 명령어를 조합하여 구성되므로 프로그래밍 언어가 제공하는 명령어 형식을 알아야만 프로그래밍이 가능하다. 스크래치 프로그래밍을 위해서는 스크래치에서 이용 가능한 명령어에 해당하는 블록(block)이 어떤 기능을 하는 것이 있는가를 알고, 이것을 적절히 구사할 수 있어야 한다. 이 절에서는 스크래치에서 제공하는 기본 블록을 영역별로 표로 나타내었다. 기본 블록 이외에 확장 기능 추가하기를 이용하여 확장 블록들을 추가하여 스크립트를 작성할 수 있다.

(1) 동작 영역의 블록

블록	기능
10 만큼 움직이기	주어진 거리만큼 스프라이트를 움직인다.
↻ 방향으로 15 도 회전하기	주어진 각도만큼 스프라이트를 시계 방향으로 회전시킨다.
↺ 방향으로 15 도 회전하기	주어진 각도만큼 스프라이트를 반시계 방향으로 회전시킨다.
무작위 위치 ▾ (으)로 이동하기	스프라이트를 임의의 위치로 이동시키거나 마우스 포인터의 위치로 이동시킨다.
x: -62 y: -37 (으)로 이동하기	스프라이트의 위치를 x, y 좌표로 이동시킨다.
1 초 동안 무작위 위치 ▾ (으)로 이동하기	주어진 시간동안 스프라이트를 무작위 위치나 마우스포인터 위치로 이동시킨다.
1 초 동안 x: -55 y: -119 (으)로 이동하기	주어진 시간동안 스프라이트를 주어진 x, y 좌표 위치로 이동시킨다.
90 도 방향 보기	스프라이트가 바라보는 방향을 주어진 각도로 정한다.
마우스 포인터 ▾ 쪽 보기	스프라이트가 바라보는 방향을 마우스 포인터 쪽으로 정한다.
x 좌표를 10 만큼 바꾸기	스프라이트의 x 좌표를 주어진 값만큼 증가시킨다.
x 좌표를 0 (으)로 정하기	스프라이트의 x 좌표를 주어진 값으로 정한다.
y 좌표를 10 만큼 바꾸기	스프라이트의 y 좌표를 주어진 값만큼 증가시킨다.
y 좌표를 0 (으)로 정하기	스프라이트의 y 좌표를 주어진 값으로 정한다.
벽에 닿으면 튕기기	스프라이트가 이동하다 무대의 경계에 닿으면 방향을 반대로 바꾼다.
회전 방식을 왼쪽-오른쪽 ▾ (으)로 정하기	벽에 닿아서 튕기기를 할 때 스프라이트의 회전 방식을 정한다. 회전 방식에는 왼쪽-오른쪽, 회전하기, 회전하지 않기 등이 있다.
x 좌표	스프라이트의 x 좌표 값을 갖는 변수이다.
y 좌표	스프라이트의 y 좌표 값을 갖는 변수이다.
방향	스프라이트가 바라보는 방향에 대한 각도 값을 갖는 변수이다.

(2) 형태 영역의 블록

블록	기능
안녕! 을(를) 2 초 동안 말하기	주어진 문장을 주어진 시간(초) 동안 말풍선으로 나타낸다.
안녕! 말하기	주어진 문장을 말풍선으로 계속 나타낸다.
음... 을(를) 2 초 동안 생각하기	주어진 문장을 주어진 시간(초) 동안 생각 풍선으로 나타낸다.
음... 생각하기	주어진 문장을 주어진 생각 풍선으로 계속 나타낸다.
모양을 모양 1 ▾ (으)로 바꾸기	스프라이트의 모양을 주어진 모양으로 바꾼다.
다음 모양으로 바꾸기	스프라이트의 모양을 모양 순서에 따라 다음 모양으로 바꾼다. 마지막 모양 다음에는 처음 모양으로 바꾼다.
배경을 배경 1 ▾ (으)로 바꾸기	무대 배경을 주어진 배경으로 바꾼다.
다음 배경으로 바꾸기	무대 배경을 순서에 따라 다음 배경으로 바꾼다.
크기를 10 만큼 바꾸기	스프라이트의 크기를 주어진 값만큼 변경한다. 주어진 값이 음수이면 크기가 작아진다.
크기를 100 %로 정하기	스프라이트의 크기를 원래 크기에 대한 주어진 % 비율로 정한다.
색깔 ▾ 효과를 25 만큼 바꾸기	스프라이트의 색깔 효과를 주어진 값만큼 바꾼다.
색깔 ▾ 효과를 0 (으)로 정하기	스프라이트의 색깔 효과를 주어진 값으로 정한다.
그래픽 효과 지우기	스프라이트의 원래 모양으로 바꾼다.
보이기	스프라이트를 화면에 나타낸다.
숨기기	스프라이트를 화면에 나타내지 않는다.
맨 앞쪽 ▾ 으로 순서 바꾸기	해당 스프라이트를 맨 앞쪽으로 나타낸다.
뒤로 ▾ 1 단계 보내기	스프라이트를 주어진 단계만큼 앞으로 또는 뒤로 순서를 바꾼다.
모양 번호 ▾	현재 화면에 나타난 스프라이트의 모양 번호 값을 갖는 변수이다.
배경 번호 ▾	현재 화면에 나타난 배경의 번호 값을 갖는 변수이다.
크기	스프라이트의 크기 값을 갖는 변수이다.

(3) 소리 영역의 블록

블록	기능
야옹 ▾ 끝까지 재생하기	주어진 소리를 끝까지 재생한다.
야옹 ▾ 재생하기	주어진 소리를 재생한다.
모든 소리 끄기	모든 소리 재생을 중지한다.
음 높이 ▾ 효과를 10 만큼 바꾸기	음의 높이를 주어진 값만큼 바꾼다.
음 높이 ▾ 효과를 100 로 정하기	음의 높이를 주어진 값으로 정한다.
소리 효과 지우기	소리를 원래 상태로 되돌린다.
음량을 -10 만큼 바꾸기	음량을 주어진 값만큼 바꾼다.
음량을 100 % 로 정하기	음량을 주어진 비율로 정한다.
음량	현재 음량 값을 갖는 변수이다.

(4) 이벤트 영역의 블록

블록	기능
클릭했을 때	시작하기 버튼을 클릭했을 때 해당 스크립트 처리를 시작하게 한다.
스페이스 ▾ 키를 눌렀을 때	지정된 키를 눌렀을 때 해당 스크립트 처리를 시작하게 한다.
이 스프라이트를 클릭했을 때	해당 스프라이트를 클릭했을 때 해당 스크립트 처리를 시작하게 한다.
배경이 배경 1 ▾ (으)로 바뀌었을 때	배경이 주어진 배경으로 바뀌었을 때 해당 스크립트 처리를 시작하게 한다.
음량 ▾ > 10 일 때	음량이나 타이머가 주어진 값보다 커졌을 때 해당 스크립트 처리를 시작하게 한다.
메시지1 ▾ 신호를 받았을 때	주어진 메시지 신호를 받았을 때 해당 스크립트 처리를 시작하게 한다.

메시지1 ▾ 신호 보내기	주어진 메시지 신호를 보낸다.
메시지1 ▾ 신호 보내고 기다리기	주어진 메시지 신호를 보내고 이로 인해 발생한 모든 처리를 마친 후에 다음 동작을 실행한다.

(5) 제어 영역의 블록

블록	기능
1 초 기다리기	주어진 시간(초) 동안 실행을 멈춘다.
10 번 반복하기	주어진 횟수 동안 포함된 블록들을 반복 실행한다.
무한 반복하기	포함된 블록들을 무한 반복한다.
만약 (이)라면	주어진 조건 연산이 참이면 포함된 블록들을 실행하고, 거짓이면 포함된 블록들을 실행하지 않고 다음 블록으로 넘어간다.
만약 (이)라면 / 아니면	주어진 조건 연산 결과가 참이면 위 부분에 내포된 블록들을 실행하고, 거짓이면 아래 부분에 내포된 블록들을 실행한다.
까지 기다리기	주어진 조건 연산이 참이 될 때까지 실행을 기다린다.
까지 반복하기	주어진 조건 연산이 참이 될 때까지 포함된 블록들을 반복 실행한다.
멈추기 모두 ▾	모든 스프라이트의 실행을 멈추거나 현재 처리 중인 스크립트만 멈추거나 해당 스프라이트의 다른 스크립트만 실행을 멈춘다.
복제되었을 때	해당 스프라이트가 복제되었을 때 해당 스크립트를 실행한다.
나 자신 ▾ 복제하기	해당 스프라이트나 다른 스프라이트를 복제한다.
이 복제본 삭제하기	지금 실행 중인 복제된 스프라이트를 삭제한다.

(6) 감지 영역의 블록

블록	기능
마우스 포인터 ▾ 에 닿았는가?	마우스 포인터나 다른 스프라이트에 닿았는가를 감지하여, 닿았으면 참 아니면 거짓을 결과로 알려준다.
● 색에 닿았는가?	배경에서 주어진 색에 닿았는가를 감지하여, 닿았으면 참 아니면 거짓을 결과로 알려준다.
● 색이 ● 색에 닿았는가?	스프라이트의 주어진 색이 다른 색에 닿았는가를 감지하여, 닿았으면 참 아니면 거짓을 결과로 알려준다.
마우스 포인터 ▾ 까지의 거리	해당 스프라이트에서 마우스 포인터나 다른 스프라이트까지 거리를 알려준다.
What's your name? 라고 묻고 기다리기	사용자에게 질문하고 응답이 들어오기를 기다린다. 응답은 대답 변수에 저장된다.
대답	묻고 기다리기 블록에 대한 응답을 저장하는 변수이다.
스페이스 ▾ 키를 눌렀는가?	키보드의 특정 키를 눌렀는가를 감지하여 눌렀으면 참이 되고, 그렇지 않으면 거짓이 된다.
마우스를 클릭했는가?	마우스를 클릭했는가를 감지하여 클릭했으면 참이 되고, 그렇지 않으면 거짓이 된다.
마우스의 x좌표	마우스의 x 좌표 값을 갖는 변수이다.
마우스의 y좌표	마우스의 y 좌표 값을 갖는 변수이다.
드래그 모드를 드래그 할 수 있는 ▾ 상태로 정하기	전체화면 실행에서 스프라이트를 드래그 할 수 있는 상태나 드래그 할 수 없는 상태로 정한다.
음량	소리의 음량 크기 값을 갖는 변수이다.
타이머	타이머 값을 갖는 변수로 1/1000 초 단위로 측정한다.
타이머 초기화	타이머 값을 0으로 초기화한다.
무대 ▾ 의 배경 번호 ▾	무대에 대한 정보(배경 번호, 배경 이름, 음량, 나의 변수)를 얻거나 스프라이트에 대한 정보(x 좌표, y 좌표, 방향, 모양 번호, 모양 이름, 크기, 음량)를 얻는다.
현재 년 ▾	현재의 날짜와 시간 정보(년, 월, 일, 요일, 시, 분, 초)를 얻는다.
2000년 이후 현재까지 날짜 수	2000년 1월 1일부터 지금까지의 날짜 수를 얻는다.
사용자 이름	스크래치 사이트에서의 로그인 사용자 이름을 얻는다.

(7) 연산 영역의 블록

블록	기능
( ) + ( )	주어진 두 피연산자에 대한 더하기 연산 결과를 얻는다.
( ) - ( )	주어진 두 피연산자에 대한 빼기 연산 결과를 얻는다.
( ) x ( )	주어진 두 피연산자에 대한 곱하기 연산 결과를 얻는다.
( ) ÷ ( )	주어진 두 피연산자에 대한 나누기 연산 결과를 얻는다.
(1) 부터 (10) 사이의 난수	주어진 두 수 사이에서 임의의 수(난수)를 얻는다.
( ) > ( )	왼쪽 수가 오른쪽 수보다 크면 참, 그렇지 않으면 거짓의 결과를 얻는다.
( ) < ( )	왼쪽 수가 오른쪽 수보다 작으면 참, 그렇지 않으면 거짓의 결과를 얻는다.
( ) = ( )	입력한 두 수가 같으면 참, 그렇지 않으면 거짓의 결과를 얻는다.
◇ 그리고 ◇	논리 곱 연산의 결과를 얻는다.
◇ 또는 ◇	논리 합 연산의 결과를 얻는다.
◇ 이(가) 아니다	논리 역 연산의 결과를 얻는다.
( ) 와(과) ( ) 결합하기	입력한 두 문자열을 결합한 결과 문자열을 얻는다.
( ) 의 ( ) 번째 글자	입력한 문자열에서 입력한 정수 번째 글자를 얻는다.
( ) 의 길이	입력한 문자열의 길이를 얻는다.
( ) 이(가) ( ) 을(를) 포함하는가?	왼쪽에 입력한 문자열에 오른쪽에 입력한 문자가 포함되어 있으면 참, 그렇지 않으면 거짓을 얻는다.
( ) 나누기 ( ) 의 나머지	왼쪽에 입력한 정수를 오른쪽에 입력한 정수로 나눈 나머지를 얻는다.
( ) 의 반올림	주어진 실수에서 소수점 이하의 수가 0.5 이상이면 반올림하여 정수를 얻는다.
절댓값 ▾ (( ))	입력한 수에 대한 다양한 수학 함수(절대값 , 버림, 올림, 제곱근, sin, cos, tan, asin, acos, atan, ln, log, e^, 10^) 결과를 얻는다.

(8) 변수 영역의 블록

블록	기능
변수 만들기	새로운 변수를 만든다.
나의 변수	스프라이트에 기본적으로 제공되는 일반 변수이다.
나의 변수 ▾ 을(를) 0 로 정하기	변수의 값을 입력한 수로 정한다.
나의 변수 ▾ 을(를) 1 만큼 바꾸기	변수의 값을 입력한 수만큼 증가시킨다.
나의 변수 ▾ 변수 보이기	변수 값을 실행 창에 나타낸다.
나의 변수 ▾ 변수 숨기기	변수 값을 실행 창에서 숨긴다.
리스트 만들기	새로운 리스트를 만든다.
항목 을(를) 리스트예 ▾ 에 추가하기	입력한 자료를 리스트에 추가한다.
1 번째 항목을 리스트예 ▾ 에서 삭제하기	리스트에서 입력한 정수 번째 항목을 삭제한다.
리스트예 ▾ 의 항목을 모두 삭제하기	리스트의 모든 항목을 삭제한다.
항목 을(를) 리스트예 ▾ 리스트의 1 번째에 넣기	입력한 자료를 리스트의 입력한 정수 번째에 넣는다.
리스트예 ▾ 리스트의 1 번째 항목을 항목 으로 바꾸기	리스트에서 입력한 정수 번째 항목을 입력한 자료로 바꾼다.
리스트예 ▾ 리스트의 1 번째 항목	리스트의 입력한 정수 번째 항목을 얻는다.
리스트예 ▾ 리스트에서 항목 항목의 위치	리스트에서 입력한 자료의 위치를 얻는다.
리스트예 ▾ 의 길이	리스트에 포함된 항목의 개수를 얻는다.
리스트예 ▾ 이(가) 항목 을(를) 포함하는가?	리스트 내에 입력한 항목이 있으면 참, 없으면 거짓을 얻는다.
리스트예 ▾ 리스트 보이기	리스트 내용을 실행 창에 나타낸다.
리스트예 ▾ 리스트 숨기기	리스트 내용을 실행 창에서 숨긴다.

(9) 나만의 블록 영역의 기능

블록	기능
블록 만들기	새로운 블록을 만든다.

(10) 무대에 대한 형태 영역의 블록

무대를 위한 [코드] 탭에서는 동작 영역의 블록은 전혀 없다. 다른 영역은 스프라이트와 유사하나 형태 영역의 블록들은 스프라이트 대신 배경을 대상으로 함으로 서로 다르다. 다음 표는 무대에 대한 형태 영역의 블록들을 나타낸다.

블록	기능
배경을 배경1 ▾ (으)로 바꾸기	주어진 이름으로 배경을 바꾼다.
배경을 배경1 ▾ (으)로 바꾸고 기다리기	주어진 이름으로 배경을 바꾸고, 배경이 바뀌었을 때 처리되는 스크립트가 끝나기를 기다린다.
다음 배경으로 바꾸기	무대 배경을 순서에 따라 다음 배경으로 바꾼다.
색깔 ▾ 효과를 25 만큼 바꾸기	배경의 색깔 효과를 주어진 값만큼 바꾼다.
색깔 ▾ 효과를 0 (으)로 정하기	배경의 색깔 효과를 주어진 값으로 정한다.
그래픽 효과 지우기	배경에 주어진 그래픽 효과를 지운다.
배경 번호 ▾	배경의 번호나 이름을 얻는 변수 블록이다.

- 스크래치는 2005년에 미국의 MIT의 미디어랩 소속의 라이프롱 킨더가든 그룹(Lifelong Kindergarten Group)에서 발표한 교육용 프로그래밍 언어이다.
- 스크래치는 레고 블록을 조립하여 장난감을 만드는 것과 같은 개념을 적용하여 프로그래밍도 블록을 조립하여 스크립트를 만들도록 설계되었다.
- 스크래치 시스템은 소프트웨어를 만드는데 필요한 프로그래밍뿐만 아니라 이미지 편집 기능과 소리 편집 기능 등을 통합적으로 제공하고 있다.
- 애니메이션이나 게임, 사운드, 예술 등의 작품을 만들기 위해서 자주 사용되고 있는 이미지나 사운드 등을 기본적으로 제공하고 있다.
- 스크래치에서 프로그래밍한다는 것은 스프라이트의 동작을 결정하는 스크립트를 만드는 작업이다. 즉, 사용자가 원하는 스프라이트들을 설정하고 이에 대한 동작을 프로그래밍 함으로써 원하는 소프트웨어나 멀티미디어 콘텐츠를 작성하는 것이다.
- 스크래치는 웹 브라우저 상에서 스크래치 홈페이지에 접속하여 온라인 상에서 작업할 수 있다. 또는 스크래치 앱을 스크래치 사이트에서 다운로드하여 설치한 후 사용할 수도 있다.
- 스크래치 홈페이지는 https://scratch.mit.edu이다. 홈페이지에서 만들기 메뉴를 이용해서 프로그래밍이 가능하다. 작성한 프로그램은 바로 실행해 볼 수 있으며, 프로젝트 단위로 자신의 컴퓨터에 저장할 수 있다.
- 스프라이트에 관련된 화면으로는 [코드] 탭, [모양] 탭, [소리] 탭 등 세 가지가 제공된다. [코드] 탭에서는 블록으로 스크립트를 작성하는 작업을 한다. [모양] 탭에서는 스프라이트의 모양을 편집하거나 추가하거나 삭제하는 등의 모양에 관련된 작업을 한다. [소리] 탭에서는 스프라이트의 소리를 녹음하거나, 추가하거나, 삭제하는 등의 작업을 한다.
- 무대에 관련된 화면으로는 [코드] 탭, [배경] 탭, [소리] 탭 등 세 가지가 제공된다. 스프라이트와 유사한 기능으로 구성되어 있으나 구체적인 블록은 스프라이트와 차이가 있다.
- 특정 스프라이트를 독립적으로 저장하기 위해서는 내보내기 기능을 이용한다. 내보내기는 스프라이트 창에서 마우스 오른쪽 버튼을 해당 스프라이트에 클릭하여 내보내기 메뉴를 선택함으로써 이용할 수 있다.

- 블록 영역으로는 동작, 형태, 소리, 이벤트, 제어, 감지, 연산, 변수, 나만의 블록 등이 제공된다. 또한 확장 기능에 음악, 펜 등의 기타 기능에 관련된 블록 영역이 추가될 수 있다.
- 스크래치 프로그램은 이벤트 구동(event-driven) 방식으로 시작하기 버튼을 클릭했을 때와 같은 이벤트에 대하여 처리해야 할 동작을 스크립트로 작성하는 방식으로 프로그램이 구성된다.
- 하나의 이벤트에 대하여 다수의 스크립트가 가능하고, 이 경우에 해당 이벤트가 발생하면 병렬 처리 방식에 의하여 다수의 스크립트가 처리된다.

연습문제

01 스크래치에 대한 설명이다. 잘못된 것은 무엇인가?

① MIT의 미디어 랩에서 발표한 상업용 프로그래밍 언어이다.
② 크롬 브라우저를 이용하여 인터넷 상에서 프로젝트 만들기가 가능하다.
③ 블록을 조립해서 프로그램을 작성하는 블록코딩 언어이다.
④ 소리나 이미지 등의 멀티미디어를 활용한 프로그램 제작이 용이하다.

02 스크래치의 스프라이트에 대한 설명이다. 잘못된 것은 무엇인가?

① 무대 배경도 스프라이트의 일종이다.
② 스크래치 프로그램은 하나 이상의 스크래치를 포함한다.
③ 스프라이트의 동작은 스크립트를 작성함으로써 결정된다.
④ 스크래치는 시스템 자체에서 제공하는 다양한 스프라이트들이 있다.

03 다음 중 스크래치의 특징이 아닌 것은 무엇인가?

① 다양한 무대 배경을 제공한다.
② 스크립트에서 사용하는 블록은 스크래치에서 제공되는 것만을 사용해야 한다.
③ 스프라이트의 소리도 스크립트에 의하여 제어된다.
④ 한 스프라이트만 따로 컴퓨터에 저장할 수 있다.

04 스크래치의 [코드] 탭에서 나타나는 블록 영역이 아닌 것은 다음 중 무엇인가?

① 동작　　② 소리　　③ 조건　　④ 변수

05 다음 블록 중에서 이벤트 영역에 포함되는 블록은 무엇인가?

① 클릭했을 때 ② 10 만큼 움직이기

③ 스페이스 ▾ 키를 눌렀는가? ④ 모양 번호 ▾

06 스프라이트 창에 포함된 속성 값이 아닌 것은 무엇인가?

① 스프라이트 x, y 좌표 ② 스프라이트 이름

③ 스프라이트 방향 ④ 스프라이트 색깔

07 스크래치 프로젝트 파일의 확장자는 (　　　) 이다.

08 스프라이트가 선택되었을 때 나타나는 탭이 아닌 것은?

① 코드 ② 모양 ③ 소리 ④ 효과

09 다음 중 스프라이트 고르기의 메뉴가 아닌 것은 무엇인가?

① 스프라이트 복사 ② 그리기

③ 서프라이즈 ④ 스프라이트 업로드하기

10 현재 프로젝트 내에 한 스프라이트만 따로 저장하여 다른 프로젝트에서 불러들여 사용하려고 한다. 무엇을 이용해야 하는가?

① 내 작업실 ② 개인 저장소

③ 컴퓨터에 저장하기 ④ Load form your computer

11 시작하기 버튼을 클릭했을 때를 처리하는 이벤트 블록은 다음 중 무엇인가?

① 클릭했을 때 ② 이 스프라이트를 클릭했을 때

③ 메시지1 ▾ 신호를 받았을 때 ④ 복제되었을 때

12 다음 중에서 확장 기능 고르기에 포함되지 않은 것은 무엇인가?

① 음악 ② 펜 ③ 번역 ④ 연산

13 스프라이트가 회전을 할 때 위와 아래가 반대로 되어 거꾸로 나타나는 현상을 막고 왼쪽과 오른쪽으로만 방향이 바뀌게 할 때 사용하는 블록은 무엇인가?

14 고양이가 계속 화면의 왼쪽에서 오른쪽으로, 오른쪽에서 왼쪽으로 이동하도록 하려고 한다. 벽에 닿으면 반대 방향으로 바꾸도록 한다. 이 때 사용되지 않는 블록은 다음 중 무엇인가?

15 What's your name? 라고 묻고 기다리기 블록을 이용하여 사용자로부터 응답을 읽어 들일 때 사용자의 응답이 저장되는 블록은 다음 중 무엇인가?

16 다음과 같은 스크립트를 실행한 결과를 설명하였다. 잘못된 것은 무엇인가?

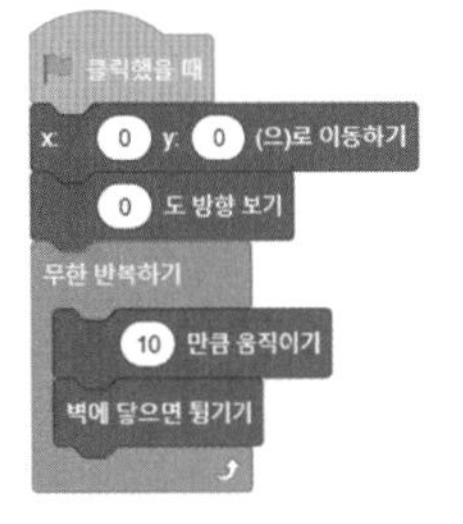

① 화면의 중앙에서 움직이기 시작한다.
② 위쪽 방향을 보고 움직이기 시작한다.
③ 스프라이트는 위에서 아래로, 아래에서 위로 무한 움직인다.
④ 스프라이트는 바로 서있는 모습으로 움직인다.

17 스프라이트 내보내기 기능은 무엇을 의미하며 어떻게 사용해야 하는지 설명하라.

18 카메라로 촬영한 사진을 배경으로 이용하고 싶다. 이때 사용해야 할 절차를 기술하라.

19 고양이가 (−100, 0) 좌표에서 시작해서 1초 동안 (0, 100)로 이동하고, 다음은 1초동안 (100, 0)으로 이동하고, 다시 1초 동안 (0, −100)으로 이동한 후 1초 동안 처음 위치로 되돌아가는 프로그램을 작성하라. 다음의 블록을 사용하라.

20 새(Parrot 스프라이트)가 날갯짓을 하며 나르는 프로그램을 작성하라.

- 새는 화면의 왼쪽에서 오른쪽으로 그리고 벽에 닿으면 오른쪽에서 왼쪽으로 무한 왕복한다.
- 배경은 Blue Sky를 사용한다.
- 사용할 블록은 다음과 같다.

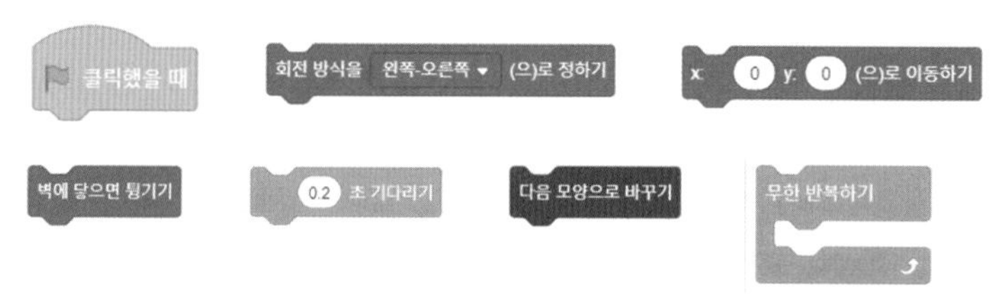

[실행 화면]

21 소녀(Abby 스프라이트)가 '당신의 이름은 무엇입니까?'를 묻고 응답을 읽어 들여서 '당신의 이름은 OOO입니다.'라고 2초 동안 말하는 프로그램을 작성하라. 무대 배경은 Room 1을 이용한다. 사용할 블록은 다음과 같다.

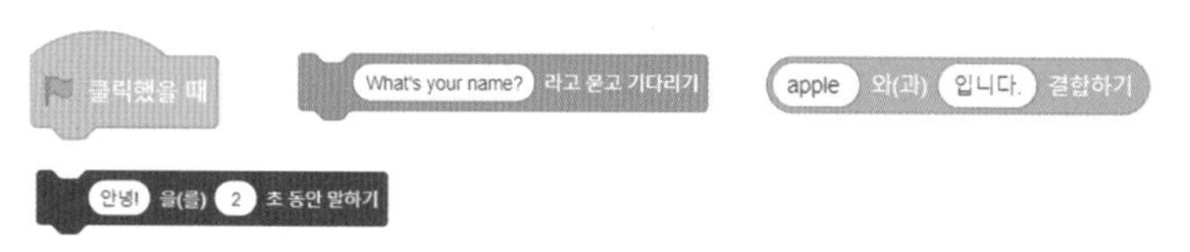

[실행 화면]

Chapter 06

Computational Thinking

제어 구조

학습목표

- 제어 구조를 위한 조건을 이해한다.
- 선택 구조를 배우고 익힌다.
- 반복 구조를 배우고 익힌다.
- 선택 구조와 반복 구조가 중첩된 논리 구조를 연습한다.

일반적으로 프로그램 논리를 설계할 때 사용하는 제어 구조는 순차 구조, 선택 구조, 반복 구조 등 3가지가 있다. 순차 구조란 순서대로 처리하는 가장 기본적인 구조이다. 선택 구조는 조건에 따라 그 결과가 참일 때와 거짓일 때 처리하는 방법을 달리하는 구조를 의미하며, 반복 구조는 동일한 처리를 반복하는 구조를 말한다. 이를 순서도로 나타내면 그림 6.1과 같다.

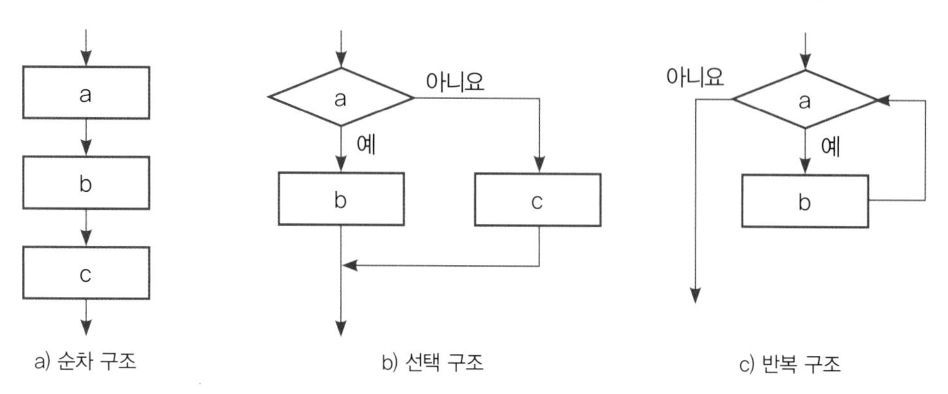

그림 6.1 순차 구조, 선택 구조, 반복 구조의 순서도

그림 6.1에서 a) 순차 구조는 위에서 아래로 순서대로 처리하는 구조로 a, b, c 순서로 처리가 이루어진다. b) 선택 구조는 a의 조건에 따라 조건이 참이면 b를 처리하고 그렇지 않으면 c를 처리한다. 즉, 조건에 따라 두 가지 처리 중 하나를 선택하는 구조이다. c) 반복 구조는 a의 조건이 참이면 b를 처리하고 난 후, 다시 a로 올라가서 조건을 검사하여 참이면 b를 반복적으로 처리하는 구조이다. a의 조건이 거짓이 되면 반복이 끝난다.

컴퓨터 프로그램에서 사용하는 제어 구조는 순차 구조를 기본으로 하며 필요에 따라서 선택 구조와 반복 구조를 조합한다. 많은 경우 선택 구조와 반복 구조가 중첩적으로 사용되면서 프로그램의 다양한 논리가 구성된다. 선택 구조가 중첩적으로 구성될 수도 있고, 반복 구조 내에서 다른 반복 구조가 포함될 수도 있다. 반복 구조가 다른 선택 구조를 포함할 수도 있고, 선택 구조가 다른 반복 구조를 포함하기도 한다.

프로그래밍을 위한 사고를 컴퓨터적 사고라고 볼 때, 선택 구조와 반복 구조를 적절히 조합하여 문제 해결에 필요한 논리를 생각해내는 것이 가장 기본적이면서 중요하다. 이와 같은 사고는 선택 구조와 반복 구조를 정확히 이해하는 것으로부터 시작되며, 다양한 문제를 해결하기 위한 제어 구조를 만드는 경험을 통해서 논리를 구성하는 능력이 향상된다.

6.1 순차 구조

문장이 나열된 순서에 따라서 순서대로 처리하는 구조를 순차 구조라 하고, 이는 프로그래밍의 가장 기본적인 구조이다. 처리 흐름의 변화 없이 처리 순서에 따라 단순히 나열함으로써 생성할 수 있는 구조이다. 나열된 블록의 순서대로 처리되는 예는 모든 프로그램에서 볼 수 있는 형태로 다음에서 몇 가지 예제를 통해서 살펴본다.

예제 6.1

피아노 소리내기

음악에 관련된 블록은 확장 기능의 음악 영역에 있다. 확장 기능을 추가하기 위해서는 [코드] 탭 화면의 왼쪽 아래에 있는 확장 기능 추가하기를 선택해야 한다. 그림 6.2는 음악 영역을 클릭하였을 때 등록되는 블록을 보여준다.

그림 6.2 음악 확장 영역의 블록

표 6.1은 음악 확장 영역에서 제공하는 블록의 기능을 설명한 것이다.

〈표 6.1〉 음악 영역 블록

블록	기능
악기를 (1) 피아노 ▾ (으)로 정하기	연주할 악기를 정한다.
60 번 음을 0.25 박자로 연주하기	주어진 음계에 맞추어 주어진 박자만큼 연주한다.
0.25 박자 쉬기	연주 도중 주어진 박자만큼 쉰다.
(12) 트라이앵글 ▾ 번 타악기를 0.25 박자로 연주하기	타악기를 주어진 박자로 연주한다.
빠르기를 100 (으)로 정하기	연주의 빠르기를 주어진 값으로 정한다.
빠르기를 20 만큼 바꾸기	연주의 빠르기를 주어진 값만큼 증가시킨다.
빠르기	빠르기 값을 얻을 수 있는 변수 블록이다.

블록을 이용하여 연주하는 방법은 먼저 사용할 악기를 정한 후, 음악의 각 음에 해당하는 음계와 박자를 지정한다. 연주할 곡의 각 음에 맞추어 순차적으로 나열함으로써 곡을 연주하는 스크립트를 구성할 수 있다. 연주 속도를 제어할 수 있는 빠르기 변수가 있다. 이 블록을 이용하여 빠르기 정도를 조절한다.

음계와 박자를 고려하여 연주하고 싶은 음악을 들려주는 스크립트를 작성할 수 있다. 크리스마스 캐럴인 노엘(원제 : The First Noel)의 앞부분의 계명과 박자를 고려하여 만든 스크립트는 다음과 같다.

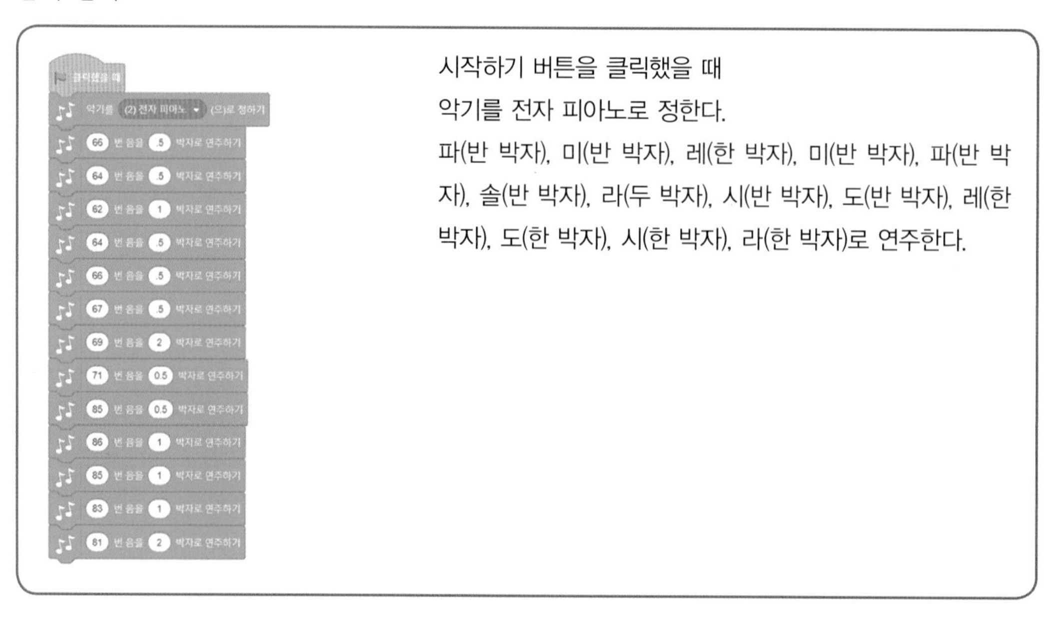

시작하기 버튼을 클릭했을 때
악기를 전자 피아노로 정한다.
파(반 박자), 미(반 박자), 레(한 박자), 미(반 박자), 파(반 박자), 솔(반 박자), 라(두 박자), 시(반 박자), 도(반 박자), 레(한 박자), 도(한 박자), 시(한 박자), 라(한 박자)로 연주한다.

악기를 정하기 위한 블록에서 피아노가 나타나 있는 입력 칸을 선택하면 그림 6.3과 같이 다양한 악기들이 나타난다. 이와 마찬가지로 타악기를 연주하는 블록에서도 그림 6.3의 오른쪽 그림처럼 매우 다양한 타악기가 준비되어 있음을 알 수 있다.

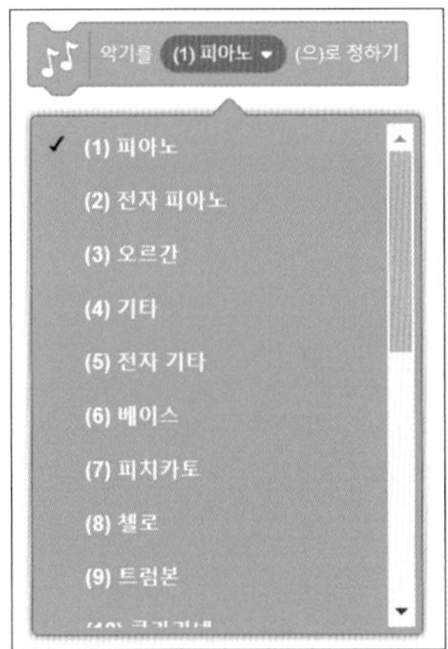

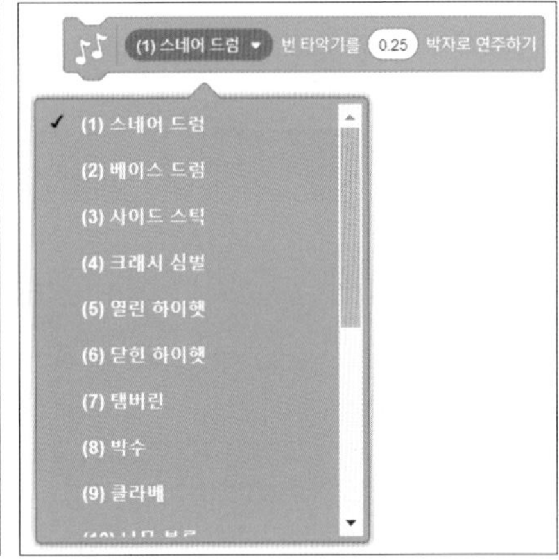

그림 6.3 악기 선택과 타악기 선택 블록

음계를 정할 때에는 블록 내에 번호를 입력하지만 마우스를 이용하여 블록의 빈칸을 클릭하면 그림 6.4와 같이 피아노 건반이 나타난다. 이 건반을 이용해서 번호 값을 모르더라도 쉽게 음계를 입력할 수 있다.

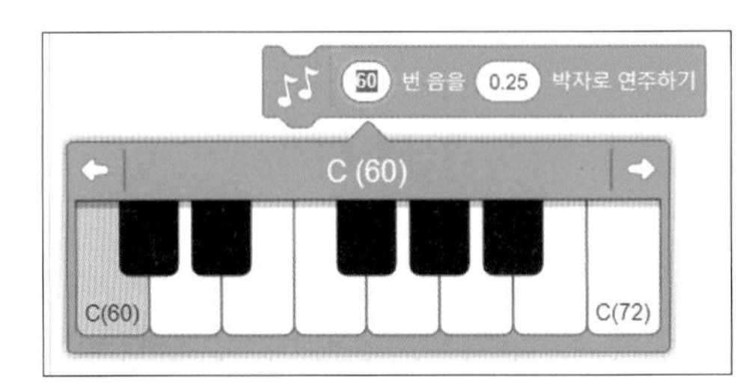

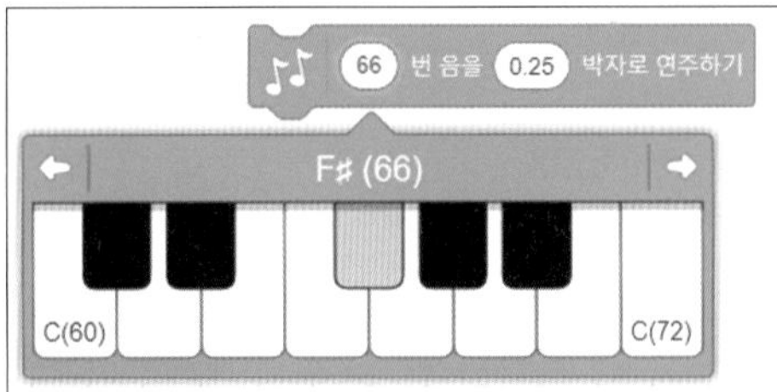

그림 6.4 음계 입력 화면

피아노 건반으로부터 기본 도(C) 음계가 60이고 한 옥타브 높은 도(C)는 72임을 알 수 있다. 또한 검정색 건반의 반음 높은 음계도 연주가 가능하다. 이상에서 살펴본 것처럼 곡의 악보만 있다면 어떤 곡이든 연주할 수 있는 스크립트를 작성할 수 있다.

연습 각자 좋아하는 곡을 정하고, 곡의 음계와 박자를 고려하여 연주하는 스크립트를 작성해 보자.

확장 기능 영역 중에서 펜 영역이 있다. 이 영역에 있는 블록을 이용하면 스프라이트의 움직임에 따라 화면에 선을 그리는 기능을 이용할 수 있다. 그 결과 그림판에서 붓으로 그리기와 유사한 기능을 하는 프로그램을 쉽게 만들 수 있다. 펜으로 그리기 위해서는 먼저 펜 내리기를 해야 하며, 이 상태에서 스프라이트의 움직임에 따라서 배경에 그림을 그릴 수 있다. 모두 그리고 나면 펜 올리기를 이용하여 그리기 기능을 멈추어야 한다. 이때 사용하는 펜의 색깔과 굵기를 조절하는 블록도 함께 제공된다. 표 6.2는 펜 영역의 블록을 나타낸다.

〈표 6.2〉 펜 영역 블록

블록	기능
모두 지우기	이전에 그린 선을 모두 지운다.
도장찍기	스프라이트 모양과 동일한 도장을 찍는다.
펜 내리기	이 블록 실행 이후에 스프라이트의 움직임에 따라 펜으로 선을 그린다.
펜 올리기	펜으로 그리는 기능을 멈춘다.
펜 색깔을 ( ) (으)로 정하기	펜의 색깔을 주어진 색으로 정한다.
펜 색깔 ▾ 을(를) 10 만큼 바꾸기	펜의 색깔을 주어진 값만큼 증가시킨다.
펜 색깔 ▾ 을(를) 50 (으)로 정하기	펜 색깔을 주어진 값으로 정한다.
펜 굵기를 1 만큼 바꾸기	펜의 굵기를 주어진 값만큼 증가시킨다.
펜 굵기를 1 (으)로 정하기	펜 굵기를 주어진 값으로 정한다.

예제 6.2

정삼각형 그리기

임의의 스프라이트를 정하고 펜을 내린 후 정삼각형 궤적으로 움직이도록 스크립트를 작성한다.

단계 1　모두 지우기 블록으로 이전에 그려진 그림을 모두 지운다.

단계 2　펜 내리기를 한다.

단계 3　30도 방향 보기를 한 후, 정삼각형의 한 변의 길이만큼 움직인다.

단계 4　방향을 시계방향으로 120도 회전한 후, 다시 같은 길이만큼 움직인다.

단계 5　방향을 120도 회전한 후 다시 같은 길이만큼 움직인다.

단계 6　펜 올리기를 하여 그림 그리기를 멈춘다.

시작하기 버튼을 클릭했을 때
스프라이트의 크기를 50%로 줄이고 회전 방식을 회전하지 않기로 정한 후, 이전의 그림을 지운다.
그리기 위해서 펜을 내린다.
정삼각형의 변의 방향으로 30도 방향 보기를 한다.
변의 길이에 해당하는 100만큼 움직인다. 그린 선을 시각적으로 확인하기 위해서 1초간의 시간 지연을 둔다.
120도 회전한 후 100만큼 움직인다.
1초 동안의 시간 지연을 둔다.
120도 회전한 후 100만큼 움직인다.
그리기를 마치기 위해 펜 올리기를 한다.

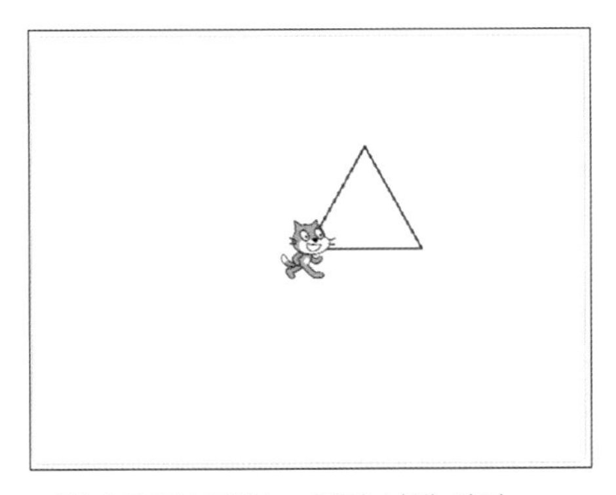

그림 6.5 정삼각형 그리기 실행 화면

연습 pencil 스프라이트를 고르고 그림 6.6과 같이 정사각형을 그려라.

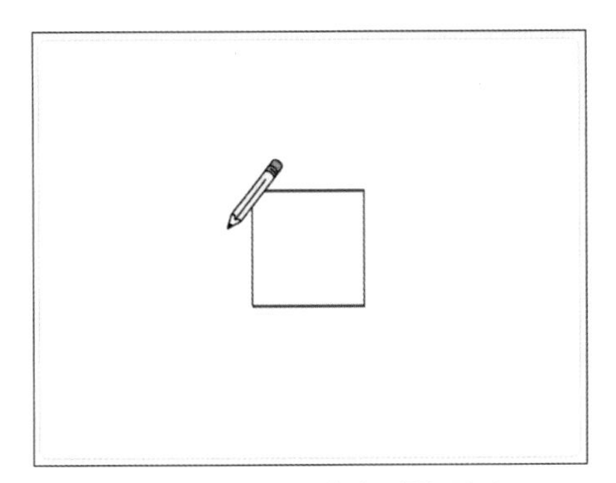

그림 6.6 정사각형 그리기 실행 화면

앞의 연습에서 연필의 몸통 중간에 선이 그려지는 것을 볼 수 있다. 연필의 촉에 선이 그려지도록 하기 위해서는 스프라이트의 [모양] 탭에서 모양의 중심에 연필의 촉이 위치하도록 연필 이미지를 마우스를 이용하여 선택하여 이동시켜야 한다. 그림 6.7은 연필 이미지를 모양의 중심으로 이동하는 모습을 보여준다.

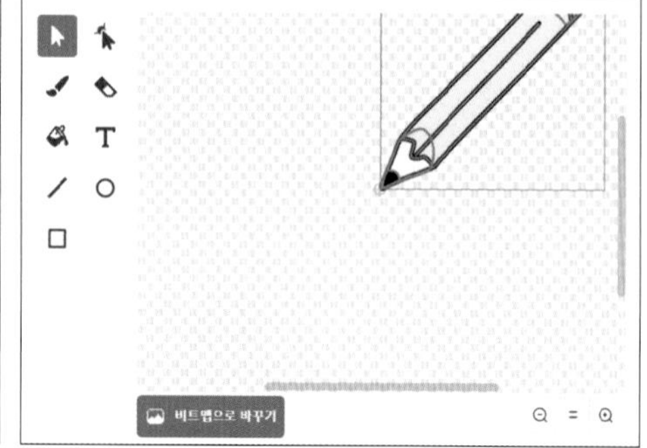

그림 6.7 연필 스프라이트 모양의 중심 이동

스프라이트 모양을 이동할 때 주의해야 할 점은 선택 버튼을 선택하고 이미지 영역을 포함하도록 마우스로 이미지 전체를 선택한 후에, 연필의 모양 내에 마우스를 클릭한 후 끌기를 해야 한다는 점이다. 참고로 모양의 중심을 나타내는 점이 바탕화면 가운데에 식별할 수 있도록 표시되어 있다.

6.2 조건

선택 구조나 반복 구조에서는 조건에 따라 처리 절차를 선택하거나 반복하게 된다. 조건이라는 것은 변수를 포함하는 식이나 문장으로 변수 값에 따라서 참이 되거나 거짓이 된다.
예를 들어서 $X > 10$와 같은 식은 X의 값에 따라서 만약 $X = 10$이면 거짓이 되며, $X = 20$이면 참이 되는 조건식이 된다. 또한 "X는 홀수이다"라는 문장은 $X = 3$이면 참이 되고, $X = 10$이면 거짓이 되는 조건 문장이다.

예 다음 중에서 조건인 것을 고르시오.

① 하늘은 맑다. ② X는 3의 배수이다.

③ $5 < 3$이다. ④ $X < Y$

답) ②, ④

조건을 만들 때에는 논리 연산과 관계 연산을 사용한다.

(1) 관계 연산

명제나 조건식이 > (~ 보다 크다), < (~보다 작다), = (같다) 등의 관계 연산자로 연결된 식을 관계식이라 한다. 스크래치에서도 이와 같은 관계 연산 블록이 제공된다.

〈표 6.3〉 관계 연산 블록

관계 연산 블록	기능
A > B	A가 B보다 크면 참, 아니면 거짓이 되는 연산
A < B	A가 B보다 작으면 참, 아니면 거짓이 되는 연산
A = B	A가 B와 같으면 참, 아니면 거짓이 되는 연산

(2) 논리 연산

논리 연산자로는 논리합(OR), 논리곱(AND), 논리역(NOT) 등이 있으며, 흔히 사용하는 기호로는 각각 ∨, ∧, ~ 등이다. 각 논리 연산의 결과는 표 6.4와 같다.

〈표 6.4〉 논리 연산

P	Q	P OR Q	P AND Q	NOT P
참	참	참	참	거짓
참	거짓	참	거짓	거짓
거짓	참	참	거짓	참
거짓	거짓	거짓	거짓	참

논리합 연산은 입력이 모두 거짓일 때만 거짓이 되고 나머지는 모두 참이 된다. 논리곱은 입력이 모두 참일 때만 참이 되고 나머지 경우는 모두 거짓이 된다. 논리역 연산은 입력이 참이면 거짓이 되고, 거짓이면 참이 된다.

스크래치에서 제공하는 논리 연산 블록은 표 6.5와 같다.

〈표 6.5〉 논리 연산 블록

논리 연산 블록	기능
그리고	논리곱 연산. 두 입력이 모두 참일 때만 참이 되는 연산
또는	논리합. 두 입력이 모두 거짓일 때만 거짓이 되고 나머지는 참이 되는 연산
이(가) 아니다	논리역. 입력이 참이면 거짓. 입력이 거짓이면 참이 되는 연산

[논리 연산의 예]

1) $(4 < 10)$ OR $(X > 0)$: $4 < 10$은 참이고 $X > 0$은 X 값에 따라 참 또는 거짓이므로 두 조건식을 논리합 연산을 하면 결과는 참이다.
2) NOT$(10 > 5)$: $10 > 5$는 참이므로 그 역은 거짓이 된다.
3) $(X < 10)$ AND $(X > 0)$: X의 값이 0보다 크고 10보다 작을 때 참이며, 그 외는 거짓이 된다.
4) $(X > 10)$ OR $(X < 0)$: X의 값이 10보다 크거나 또는 0보다 작으면 참이며, 그 외는 거짓이 된다.
5) NOT$(X \leq 5)$: X가 5보다 크면 참이며, 그 외는 거짓이 된다.

6.3 선택 구조

선택 구조란 조건에 따라 두 가지 중에서 한 가지를 선택하여 처리하는 논리를 의미한다. 조건은 변수의 값에 따라서 참이나 거짓이 되기 때문에 스크래치에서도 감지 블록을 사용하여 참과 거짓을 판결하는 경우가 아니면, 변수를 주로 이용하여 선택 구조를 만든다. 예를 들어서 절대값을 구하는 프로그램에서 변수 X의 값이 0보다 작으면 X의 값은 음수이므로 그 값에 -부호를 붙이고, 그렇지 않으면 X는 변화가 없도록 처리한다. 이를 C 프로그램으로 나타내면 다음과 같다.

```
if (x < 0)   // x가 음수이면 x의 부호를 반대로 한다.
   x = -x;   // x가 0이나 양수이면 아무것도 하지 않는다.
```

여기에서 if는 선택 구조를 만들 때 사용하는 제어문이고 괄호 안에 있는 $x < 10$이 조건식이 된다. 이 조건이 참일 때 다음에 나오는 문장을 처리하며, 거짓이면 아무것도 하지 않는다. 이와 같

이 조건에 따라 처리를 하기도 하고, 다른 것을 처리하거나 처리하지 않기도 하는 구조가 선택 구조이다.

스크래치에서도 동일한 논리를 구성할 수 있는 블록이 있다. 표 6.6이 선택 구조에 사용되는 블록을 나타내었다.

〈표 6.6〉 선택 구조를 위한 블록

블록	기능
만약 (이)라면	만약 조건이 참이면 포함되어 있는 부분을 처리하고, 거짓이면 아무것도 하지 않는다.
만약 (이)라면 아니면	만약 조건이 참이면 윗부분에 포함되어 있는 부분을 처리하고, 거짓이면 아랫부분에 포함되어 있는 부분을 처리한다.

예 변수 x의 값을 절대값으로 만들기

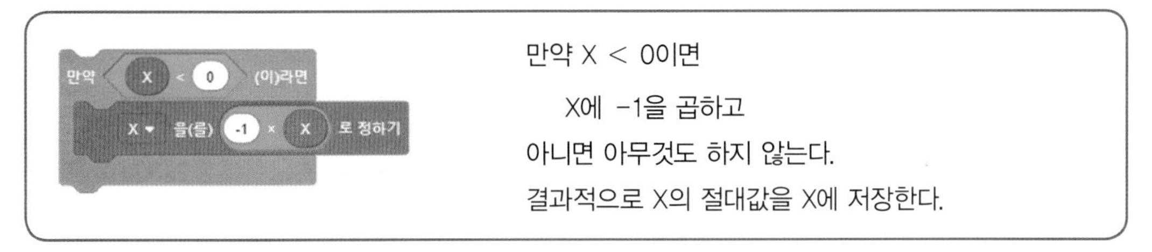

예 스프라이트가 화면의 오른쪽에 있으면 X를 0으로 하고 아니면 X를 1로 한다.

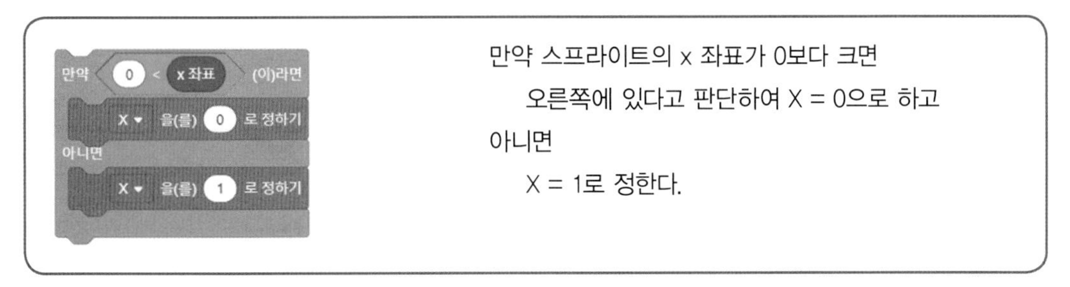

예제 6.3

홀수, 짝수 판별 문제

임의의 수를 사용자로부터 읽어 들여서 그 수가 홀수인지 짝수인지를 알려주는 스크립트를 만든다.

단계 1 묻고 기다리기 블록을 이용하여 사용자로부터 임의의 수를 읽어 들인다.
단계 2 대답 변수로 들어온 값을 2로 나눈 나머지가 1이면 홀수 아니면 짝수로 판별한다.
단계 3 판별 결과를 말한다.

정수로 나눈 나머지를 구하기 위해서 연산 영역에 있는 블록을 이용한다. 자연수를 2로 나누면 나머지는 0, 1 중에 하나를 갖는다. 결과가 1이면 홀수이며 0이면 짝수이다.

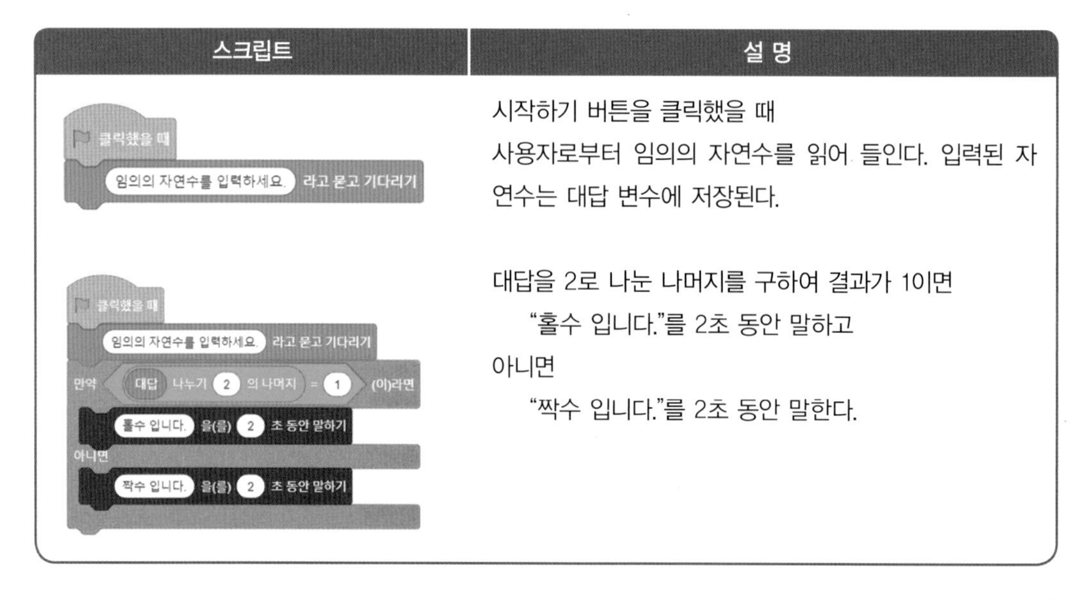

스크립트	설 명
클릭했을 때 임의의 자연수를 입력하세요. 라고 묻고 기다리기	시작하기 버튼을 클릭했을 때 사용자로부터 임의의 자연수를 읽어 들인다. 입력된 자연수는 대답 변수에 저장된다.
클릭했을 때 임의의 자연수를 입력하세요. 라고 묻고 기다리기 만약 대답 나누기 2 의 나머지 = 1 (이)라면 홀수 입니다. 을(를) 2 초 동안 말하기 아니면 짝수 입니다. 을(를) 2 초 동안 말하기	대답을 2로 나눈 나머지를 구하여 결과가 1이면 "홀수 입니다."를 2초 동안 말하고 아니면 "짝수 입니다."를 2초 동안 말한다.

연습 임의의 자연수를 읽어 들여서 그 수가 3의 배수인지를 판별하는 스크립트를 작성하라.

힌트 자연수가 3의 배수인 경우는 3으로 나누었을 때 나머지가 0이 된다는 점을 이용한다.

예제 6.4

체질량지수(Body Mass Index : BMI) 계산기

체질량지수는 키와 체중을 이용하여 계산되며 비만도를 판단할 때 이용되는 지수이다. 체질량지수를 계산하는 방법은 체중(kg) ÷ 키^2(m)이다. 계산 결과가 18.5 미만이면 체중 미달, 18.5 이상이고 23 미만이면 정상, 23 이상이고 25 미만이면 과체중, 25 이상이면 비만으로 판정한다.

■ 준비 단계

체중, 키, BMI 변수를 생성한다.

단계 1 묻고 기다리기 블록을 이용하여 키를 사용자로부터 읽어 들여서 키 변수에 저장한다.

단계 2 묻고 기다리기 블록을 이용하여 체중을 사용자로부터 읽어 들여서 체중 변수에 저장한다.

단계 3 BMI 변수에 체중 ÷ (키 × 키) 연산결과를 저장한다.

단계 4 만약 BMI < 18.5이면 체중 미달로 판정하고

  단계 5 아니면 만약 BMI < 23이면 정상으로 판정한다.

    단계 6 아니면 만약 BMI < 25이면 과체중으로 판정하고

    단계 7 아니면 비만이라고 판정한다.

먼저 체중, 키, BMI 변수를 생성해야 한다. 변수 생성 방법은 [코드] 탭의 변수 영역에 변수 만들기 버튼을 이용해야 한다. 변수 만들기 버튼을 선택하면 그림 6.8과 같은 변수 만들기 창이 나타난다.

그림 6.8 변수 만들기 버튼과 창

변수의 이름을 입력하면 해당하는 이름의 변수가 생성된다. "체중"이라는 이름을 입력하고 [확인]을 누르면 체중 변수가 만들어진 것을 확인할 수 있다. 그림 6.9는 생성된 변수와 변수 블록에서 변수 이름을 선택하는 방법을 보여준다.

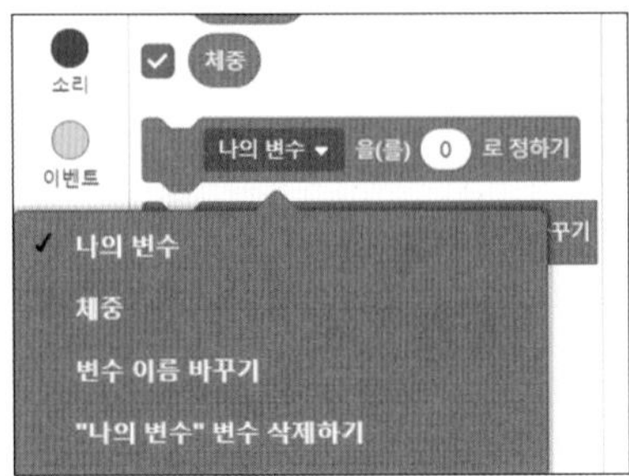

그림 6.9 생성된 변수와 변수 이름 선택 방법

변수 블록에서 변수 이름 부분을 마우스로 클릭하면 만들어진 변수 이름을 확인할 수 있으며, 그 변수를 선택하면 선택된 변수에 대한 블록이 된다. 생성된 변수 블록 앞에 마우스로 체크를 할 수 있는데, 체크가 되면 실행 화면에 변수 값이 나타난다. 이것은 프로그램이 처리되는 도중에 디버깅을 위해서 변수의 변화를 확인할 때 주로 사용하는 기능이다. 이 기능이 필요 없을 때는 체크를 해제하면 실행 화면에서 사라진다. 동일한 절차로 키, BMI 변수를 생성할 수 있다.

단계 1에서 7까지의 절차에 따라 스크립트를 작성하면 다음과 같다.

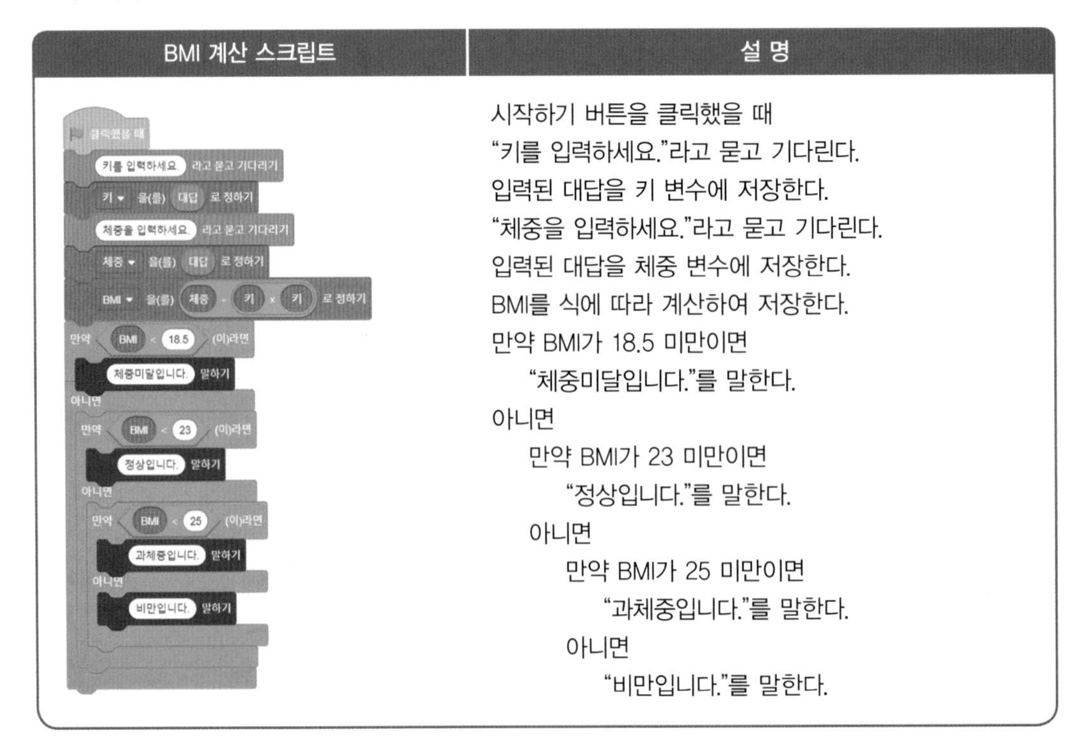

BMI 계산 스크립트	설 명
클릭했을 때 키를 입력하세요. 라고 묻고 기다리기 키 ▾ 을(를) 대답 로 정하기 체중을 입력하세요. 라고 묻고 기다리기 체중 ▾ 을(를) 대답 로 정하기 BMI ▾ 을(를) 체중 ÷ 키 × 키 로 정하기 만약 BMI < 18.5 (이)라면 체중미달입니다. 말하기 아니면 만약 BMI < 23 (이)라면 정상입니다. 말하기 아니면 만약 BMI < 25 (이)라면 과체중입니다. 말하기 아니면 비만입니다. 말하기	시작하기 버튼을 클릭했을 때 "키를 입력하세요."라고 묻고 기다린다. 입력된 대답을 키 변수에 저장한다. "체중을 입력하세요."라고 묻고 기다린다. 입력된 대답을 체중 변수에 저장한다. BMI를 식에 따라 계산하여 저장한다. 만약 BMI가 18.5 미만이면 "체중미달입니다."를 말한다. 아니면 만약 BMI가 23 미만이면 "정상입니다."를 말한다. 아니면 만약 BMI가 25 미만이면 "과체중입니다."를 말한다. 아니면 "비만입니다."를 말한다.

6.4 반복 구조

동일한 처리를 반복할 때 사용하는 구조로 횟수를 지정한 반복, 또는 주어진 조건 하에서의 반복, 또는 무한 반복 등 다양한 반복 구조가 존재할 수 있다. 스크래치에서도 표 6.7과 같은 반복 구조를 위한 블록이 제공된다.

〈표 6.7〉 반복 구조 관련 블록

블록	기능
10 번 반복하기	반복할 횟수를 지정하여 반복한다.
무한 반복하기	무한 반복한다. 프로그램을 종료하기 위해서는 내부에서 멈추기 블록을 이용하거나 다른 스크립트에서 모두 멈추기 블록을 이용해야 한다.
까지 반복하기	반복을 멈출 수 있는 조건을 지정하여 조건이 만족될 때에 반복이 멈춘다.

(1) 횟수를 지정한 반복

반복할 횟수가 명확할 때 사용할 수 있다. 예를 들면 10만큼 움직이기 블록을 10번 반복하여 100만큼 움직일 수 있다. 이를 프로그래밍하면 스크립트는 다음과 같다.

스크립트 예	설 명
클릭했을 때 10 번 반복하기 10 만큼 움직이기 0.5 초 기다리기	시작하기 버튼을 클릭했을 때 '10번 반복하기' 블록을 이용하여 반복 구조를 만든다. 정해진 횟수만큼 반복될 부분은 '10만큼 움직이기', '0.5초 기다리기'이다. 0.5초 기다리기를 하는 이유는 시각적으로 움직이는 것을 볼 수 있도록 하기 위해서다.

(2) 무한 반복

스크립트가 멈출 때까지 무한 반복하는 구조이다. 앞 장에서 좌우로 움직이는 고양이 예제에서 이미 그 예를 살펴보았지만, 다시 스크립트 예를 살펴보자.

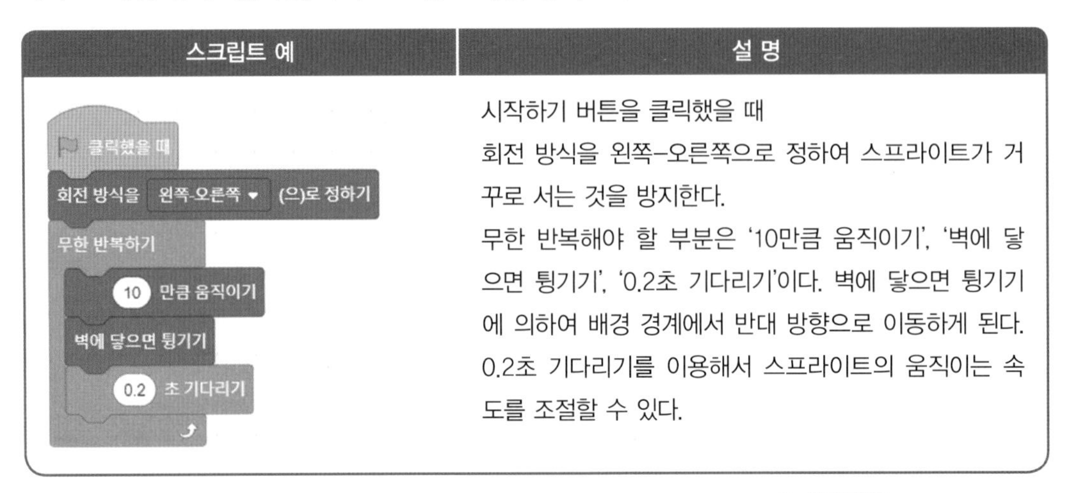

스크립트 예	설 명
클릭했을 때 회전 방식을 왼쪽-오른쪽 ▾ (으)로 정하기 무한 반복하기 10 만큼 움직이기 벽에 닿으면 튕기기 0.2 초 기다리기	시작하기 버튼을 클릭했을 때 회전 방식을 왼쪽–오른쪽으로 정하여 스프라이트가 거꾸로 서는 것을 방지한다. 무한 반복해야 할 부분은 '10만큼 움직이기', '벽에 닿으면 튕기기', '0.2초 기다리기'이다. 벽에 닿으면 튕기기에 의하여 배경 경계에서 반대 방향으로 이동하게 된다. 0.2초 기다리기를 이용해서 스프라이트의 움직이는 속도를 조절할 수 있다.

무한 반복을 멈추기 위해서는 다른 스크립트에서 모두 멈추기 블록(멈추기 모두 ▾)을 이용하거나 실행 화면 위에 있는 종료 버튼(●)을 선택해야 한다.

(3) 조건이 참이 되기까지 반복하기

조건을 검사하여 결과가 참이 되면 반복을 멈추는 구조이다. 예를 들어서 감지 영역 블록 중에서 마우스를 클릭했는가를 감지하는 블록이 있다. 이 블록을 이용하여 마우스를 클릭할 때까지 고양이 스프라이트를 움직이도록 하는 스크립트를 작성할 수 있다.

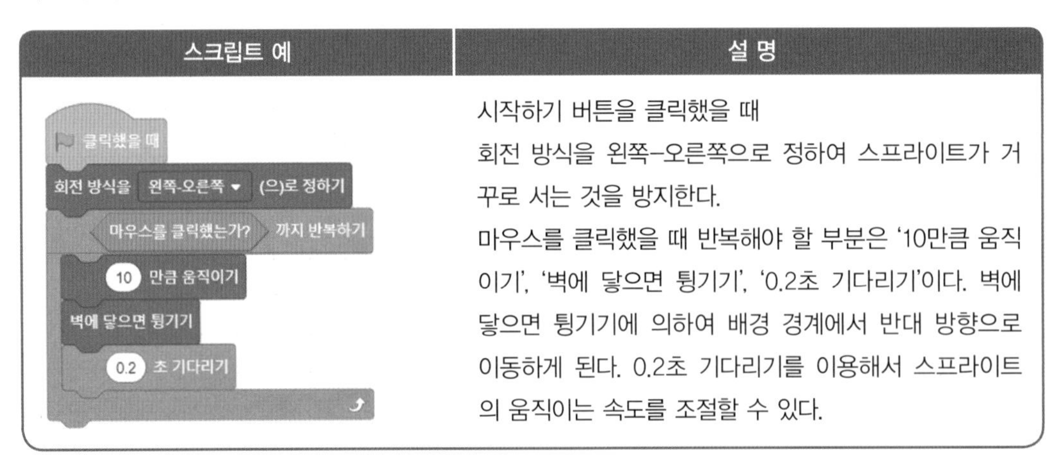

스크립트 예	설 명
클릭했을 때 회전 방식을 왼쪽-오른쪽 ▾ (으)로 정하기 마우스를 클릭했는가? 까지 반복하기 10 만큼 움직이기 벽에 닿으면 튕기기 0.2 초 기다리기	시작하기 버튼을 클릭했을 때 회전 방식을 왼쪽–오른쪽으로 정하여 스프라이트가 거꾸로 서는 것을 방지한다. 마우스를 클릭했을 때 반복해야 할 부분은 '10만큼 움직이기', '벽에 닿으면 튕기기', '0.2초 기다리기'이다. 벽에 닿으면 튕기기에 의하여 배경 경계에서 반대 방향으로 이동하게 된다. 0.2초 기다리기를 이용해서 스프라이트의 움직이는 속도를 조절할 수 있다.

조건은 연산 결과가 참 또는 거짓으로 나타나는 식이나 감지 블록을 이용할 수 있다. 대답 > 50 블록이나 스페이스 ▾ 키를 눌렀는가? 블록이 조건에 대한 식이나 감지 블록의 예가 될 수

있다. 블록의 모양이 육각형 형태인 블록은 모두 결과가 참 또는 거짓을 갖는다. 만약에 조건의 결과가 항상 거짓이면 참이 불가능하므로 무한 반복에 빠질 수 있음에 주의해야 한다. 만약 무한 반복에 빠지면 프로그램은 영원히 종료되지 못한다.

예제 6.5

1부터 10까지 세는 고양이

변수 영역에서 기본적으로 제공되는 나의 변수 블록을 이용하여 1에서 10까지 세는 고양이 스프라이트 프로그램을 작성한다. 기본 스프라이트인 고양이 스프라이트를 이용한다.

단계 1 나의 변수를 1로 정한다.

단계 2 나의 변수가 11보다 작으면 다음 단계 3, 4를 반복한다.

  단계 3 고양이 스프라이트는 말풍선을 이용하여 나의 변수를 2초 동안 말한다.

  단계 4 나의 변수를 1 증가시킨다.

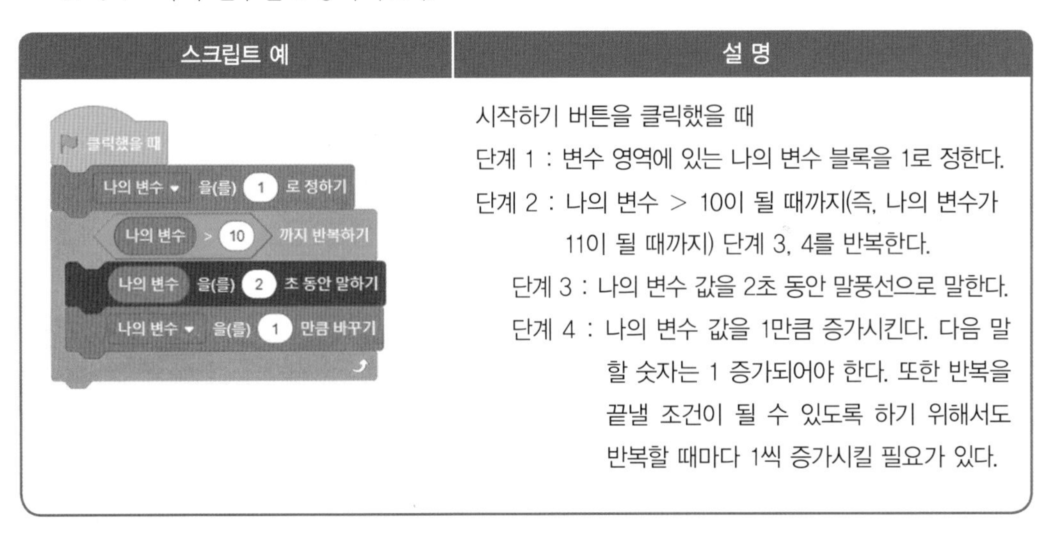

스크립트 예	설 명
클릭했을 때 나의 변수 ▾ 을(를) 1 로 정하기 나의 변수 > 10 까지 반복하기 나의 변수 을(를) 2 초 동안 말하기 나의 변수 ▾ 을(를) 1 만큼 바꾸기	시작하기 버튼을 클릭했을 때 단계 1 : 변수 영역에 있는 나의 변수 블록을 1로 정한다. 단계 2 : 나의 변수 > 10이 될 때까지(즉, 나의 변수가 11이 될 때까지) 단계 3, 4를 반복한다. 단계 3 : 나의 변수 값을 2초 동안 말풍선으로 말한다. 단계 4 : 나의 변수 값을 1만큼 증가시킨다. 다음 말할 숫자는 1 증가되어야 한다. 또한 반복을 끝낼 조건이 될 수 있도록 하기 위해서도 반복할 때마다 1씩 증가시킬 필요가 있다.

앞의 스크립트를 반복 횟수 10번을 정하여 반복하는 구조로 변경할 수 있다. 초기화에서 나의 변수를 0으로 정하고, 매번 반복할 때마다 나의 변수 값을 1씩 증가시킨 후에 말하게 하면 된다.

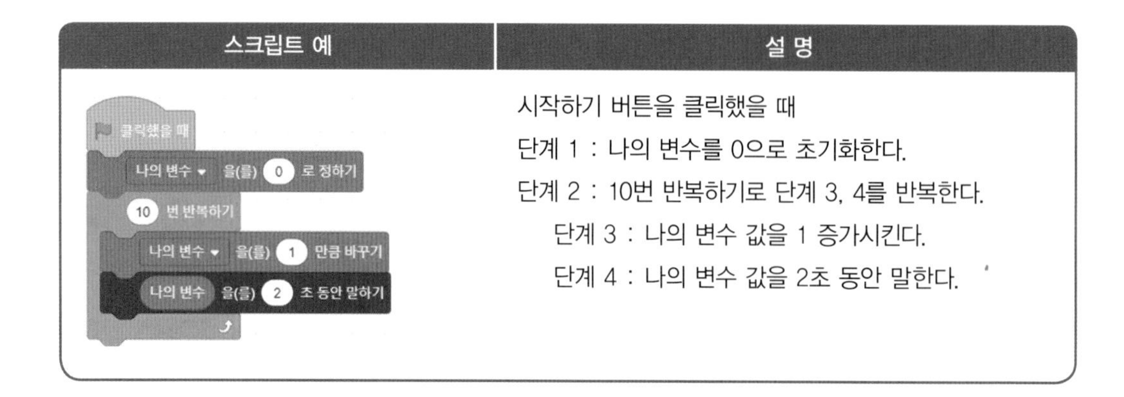

스크립트 예	설 명
	시작하기 버튼을 클릭했을 때 단계 1 : 나의 변수를 0으로 초기화한다. 단계 2 : 10번 반복하기로 단계 3, 4를 반복한다. 단계 3 : 나의 변수 값을 1 증가시킨다. 단계 4 : 나의 변수 값을 2초 동안 말한다.

예제 6.6

반복적으로 단어를 묻고 응답을 받아서 말하기

조건이 참이 될 때까지 반복하기를 이용하고, 응답한 단어가 "종료"이면 프로그램을 멈춘다.

■ 준비 단계

① 묻고 말하는 소녀를 위해서는 Avery 스프라이트를 고른다.

② 무대 배경은 Room 2를 고른다.

단계 1 묻고 기다리기 블록을 이용하여 응답을 얻는다.

단계 2 응답이 "종료"가 될 때까지 다음 단계 3, 4를 반복한다.

단계 3 응답을 2초 동안 말한다.

단계 4 묻고 기다리기 블록을 이용하여 응답을 얻는다.

단계 5 "안녕!"을 2초 동안 말한다.

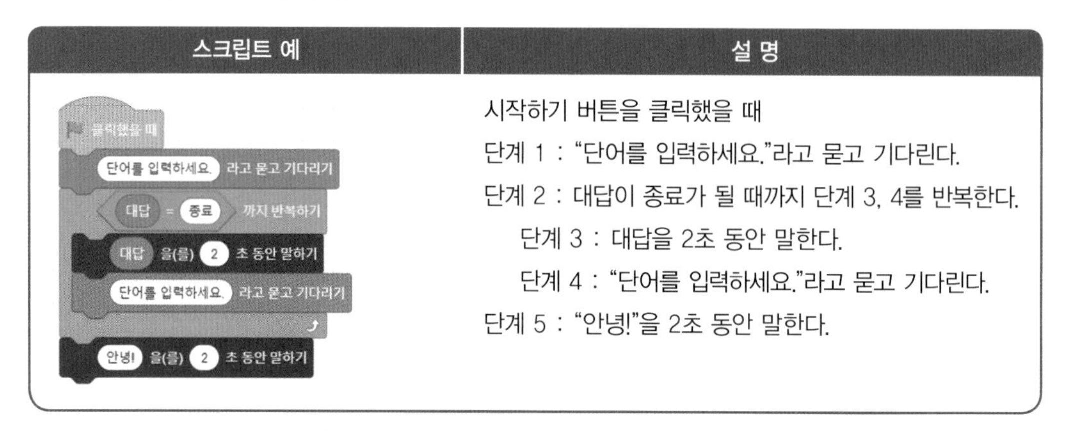

스크립트 예	설 명
	시작하기 버튼을 클릭했을 때 단계 1 : "단어를 입력하세요."라고 묻고 기다린다. 단계 2 : 대답이 종료가 될 때까지 단계 3, 4를 반복한다. 단계 3 : 대답을 2초 동안 말한다. 단계 4 : "단어를 입력하세요."라고 묻고 기다린다. 단계 5 : "안녕!"을 2초 동안 말한다.

그림 6.10 [예제 6.6]의 실행 화면

연습 고양이 스프라이트가 (0, 0) 좌표에서 (100, 0) 좌표까지 2초 동안 왕복하는 동작을 5번 반복하는 스크립트를 작성하라.

예제 6.7

1에서 10까지 더하기

변수 영역의 변수 만들기를 이용하여 합계 변수를 만들어서 나의 변수를 누적시킨다. 나의 변수는 처음에 1로 정한 후 반복할 때마다 1씩 증가시킨다. 반복의 조건은 나의 변수가 10보다 커지면 반복을 끝내도록 한다. 반복 처리될 부분은 합계 변수에 나의 변수를 더하는 부분이다.

■ 준비 단계

① 고양이 스프라이트를 이용한다.

② 새로운 합계 변수를 생성한다.

단계 1 합계 변수를 0으로 정하고, 나의 변수를 1로 정한다.

단계 2 나의 변수 > 10까지 다음 단계 3, 4를 반복하도록 한다.

  단계 3 합계 값에 나의 변수 값을 더한다.

  단계 4 나의 변수 값을 1 증가 시킨다.

단계 5 최종 합계 값을 2초 동안 말한다.

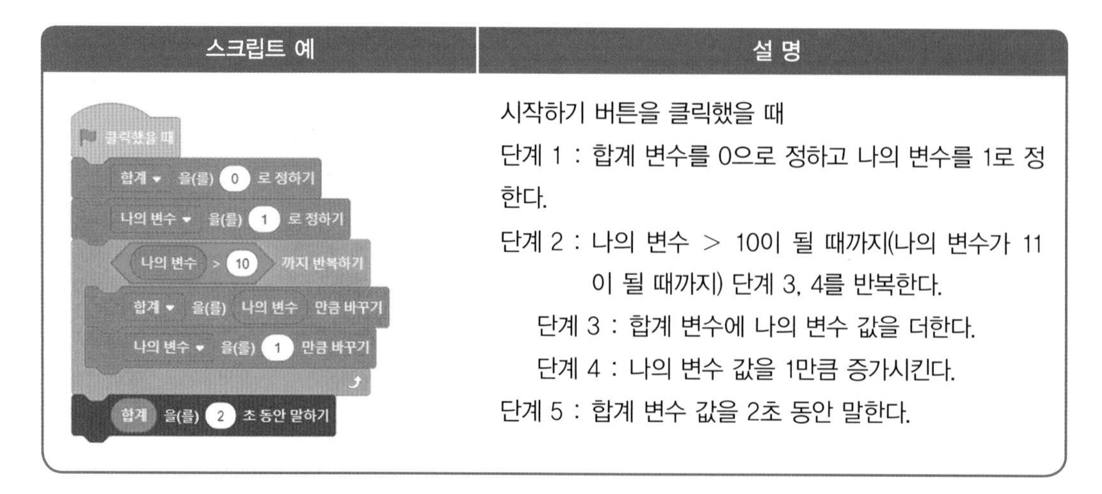

스크립트 예	설 명
클릭했을 때 합계 ▾ 을(를) 0 로 정하기 나의 변수 ▾ 을(를) 1 로 정하기 나의 변수 > 10 까지 반복하기 합계 ▾ 을(를) 나의 변수 만큼 바꾸기 나의 변수 ▾ 을(를) 1 만큼 바꾸기 합계 을(를) 2 초 동안 말하기	시작하기 버튼을 클릭했을 때 단계 1 : 합계 변수를 0으로 정하고 나의 변수를 1로 정한다. 단계 2 : 나의 변수 > 10이 될 때까지(나의 변수가 11이 될 때까지) 단계 3, 4를 반복한다. 단계 3 : 합계 변수에 나의 변수 값을 더한다. 단계 4 : 나의 변수 값을 1만큼 증가시킨다. 단계 5 : 합계 변수 값을 2초 동안 말한다.

스크립트 실행결과 화면은 그림 6.11과 같다.

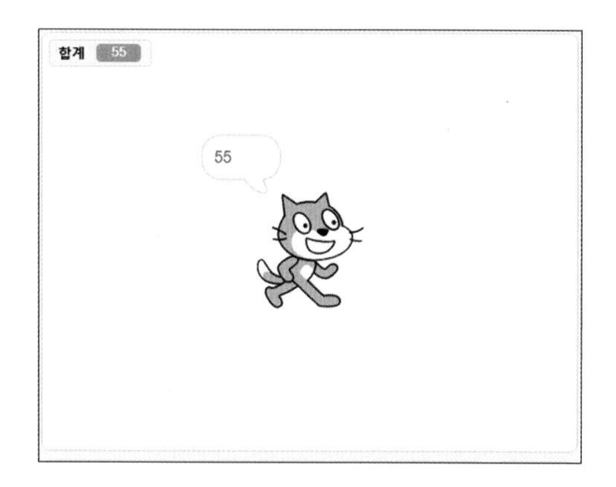

그림 6.11 [예제 6.7]의 실행 화면

유사한 문제로 사용자로부터 n을 읽어 들여서, 1에서 n까지 더하는 프로그램을 생각해보자. 더하는 부분은 동일한 절차로 만들 수 있고, 다만 사용자로부터 n을 읽어 들여서 n 값을 반복의 한계 값으로 수정하면 될 것이다.

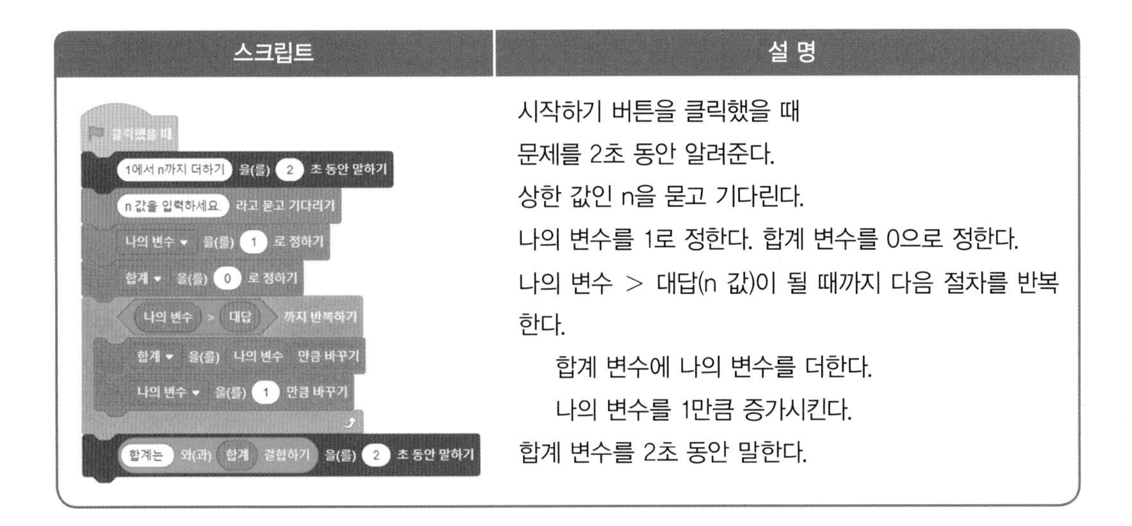

스크립트	설 명
	시작하기 버튼을 클릭했을 때 문제를 2초 동안 알려준다. 상한 값인 n을 묻고 기다린다. 나의 변수를 1로 정한다. 합계 변수를 0으로 정한다. 나의 변수 > 대답(n 값)이 될 때까지 다음 절차를 반복한다. 　합계 변수에 나의 변수를 더한다. 　나의 변수를 1만큼 증가시킨다. 합계 변수를 2초 동안 말한다.

예제 6.8

구구단 말하기

사용자에게 말할 단수를 읽어 들여서 해당하는 단을 말하는 스크립트를 작성한다.

■ 준비 단계

① 고양이 스프라이트를 사용한다.

② 단수를 저장하기 위한 단수 변수와 구구단출력 변수를 생성한다.

단계 1　묻고 기다리기 블록을 이용하여 사용자로부터 말할 단수를 읽어 들인다.

단계 2　나의 변수 블록을 1로 정한다.

단계 3　나의 변수 > 9까지 다음 단계 3, 4를 반복한다.

　단계 4　"단수 × 나의 변수 = (단수 × 나의 변수) 결과"를 2초 동안 말한다.

　단계 5　나의 변수를 1 증가시킨다.

구구단의 결과를 출력하기 위해서는 문자열을 결합해야 한다. 예를 들어서 "2 × 4 = 8"을 출력하기 위해서는 단수(2)와 "×"를 먼저 결합하고 그 결과와 나의 변수(4)를 결합한 후, 다시 그 결과에 "="을 결합한다. 마지막에 단수와 나의 변수를 곱하기 연산한 결과를 다시 결합하여 최종 문자열을 만들 수 있다. 이를 순서대로 나타내면 다음과 같다.

1)  단수 와(과) X 결합하기

2)  단수 와(과) X 결합하기 와(과) 나의 변수 결합하기

3)  단수 와(과) X 결합하기 와(과) 나의 변수 결합하기 와(과) = 결합하기

4)  단수 와(과) X 결합하기 와(과) 나의 변수 결합하기 와(과) = 결합하기 와(과) 단수 × 나의 변수 결합하기

결합된 블록이 너무 커지는 것을 피하기 위해서 구구단출력 변수를 생성하여 중간 결합 결과를 저장하고 최종 결과 출력에는 구구단 출력 변수를 이용하도록 한다.

구구단출력 ▾ 을(를) 단수 와(과) X 결합하기 와(과) 나의 변수 결합하기 와(과) = 결합하기 로 정하기

완성된 스크립트는 다음과 같다.

스크립트

```
클릭했을 때
말할 단수를 입력하세요. 라고 묻고 기다리기
단수 ▾ 을(를) 대답 로 정하기
나의 변수 ▾ 을(를) 1 로 정하기
나의 변수 > 9 까지 반복하기
    구구단출력 ▾ 을(를) 단수 와(과) X 결합하기 와(과) 나의 변수 결합하기 와(과) = 결합하기 로 정하기
    구구단출력 와(과) 단수 × 나의 변수 결합하기 을(를) 2 초 동안 말하기
    나의 변수 ▾ 을(를) 1 만큼 바꾸기
```

설 명

시작하기 버튼을 클릭했을 때

사용자로부터 말할 구구단 수를 읽어 들인다. 입력된 숫자를 단수 변수에 저장한다.

나의 변수를 1로 정한다.

나의 변수 > 9가 될 때까지 다음 절차를 반복한다.

  "단수 × 나의 변수 = 곱하기 결과"를 출력하기 위해서 문자열 결합하기 블록을 4번 중복적으로 이용한다. 블록이 복잡해지는 것을 피하기 위해서 구구단 출력 변수를 이용하여 문자열 내용을 미리 저장하였다.

  나의 변수를 1 증가시킨다.

그림 6.12 [예제 6.8]의 실행 화면

6.5 선택 구조와 반복 구조의 중첩 

선택 구조와 반복 구조를 조합하면 프로그램에서 요구되는 다양한 논리적인 구조를 구성할 수 있다.

예제 6.9

반복적으로 홀수, 짝수를 구분하는 프로그램

-1 값이 입력될 때까지 자연수를 반복적으로 읽어 들여서 그 수가 홀수인지 짝수인지를 판별하여 결과를 말한다.

단계 1 묻고 기다리기 블록을 이용하여 임의의 자연수를 읽어 들인다.

단계 2 만약 읽어 들인 자연수가 -1이면 종료하고 그렇지 않으면 다음 단계 3, 4를 반복한다.

　단계 3 그렇지 않은 경우에는 2로 나눈 나머지를 구하여 나머지가 1이면 홀수 아니면 짝수로 판별하여 말한다.

　단계 4 다음 반복을 위해서 다시 묻고 기다리기 블록을 이용하여 임의의 자연수를 읽어 들인다.

스크립트	설 명
클릭했을 때 임의의 자연수를 입력하세요.(종료는 -1) 라고 묻고 기다리기	시작하기 버튼을 클릭했을 때 사용자로부터 임의의 자연수를 읽어 들인다. 입력된 자연수는 대답 변수에 저장된다.

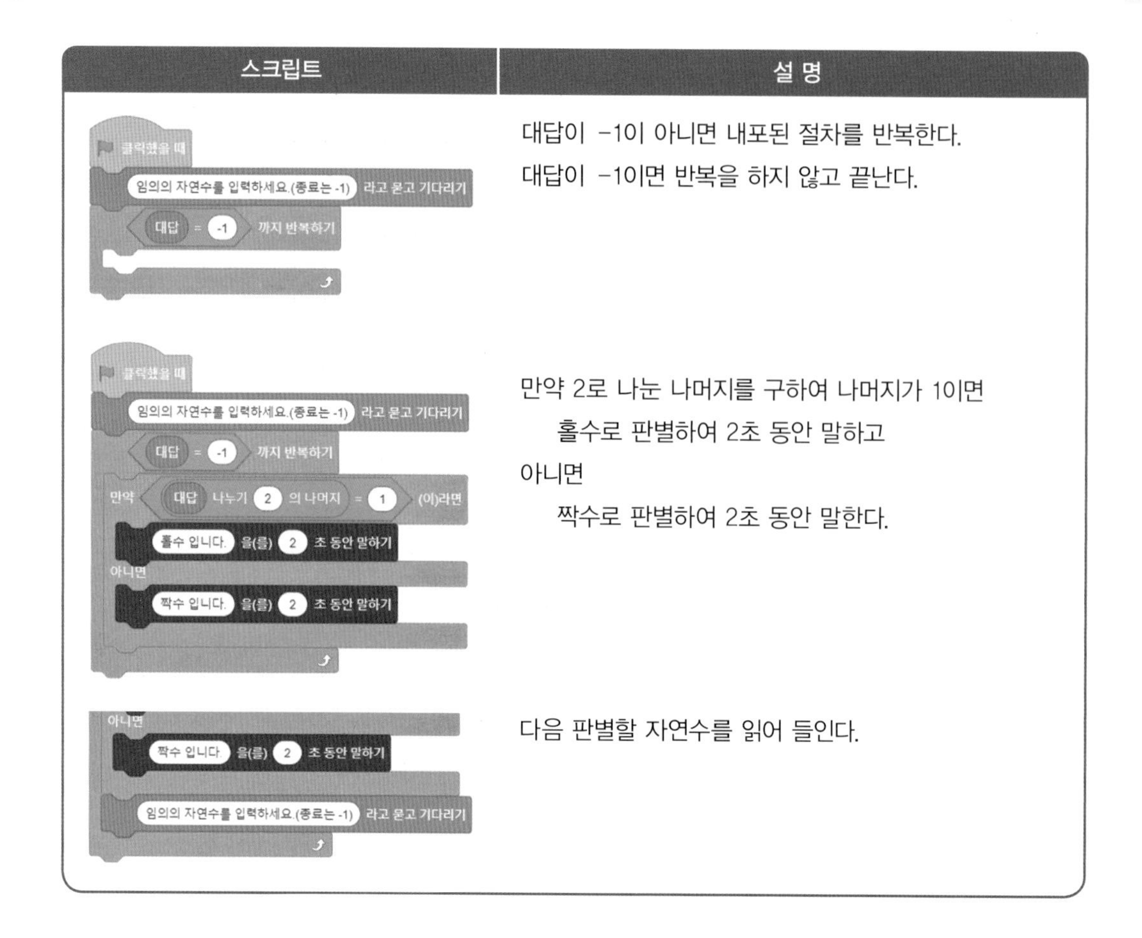

스크립트	설 명
클릭했을 때 임의의 자연수를 입력하세요.(종료는 -1) 라고 묻고 기다리기 대답 = -1 까지 반복하기	대답이 -1이 아니면 내포된 절차를 반복한다. 대답이 -1이면 반복을 하지 않고 끝난다.
클릭했을 때 임의의 자연수를 입력하세요.(종료는 -1) 라고 묻고 기다리기 대답 = -1 까지 반복하기 만약 대답 나누기 2 의 나머지 = 1 (이)라면 홀수 입니다. 을(를) 2 초 동안 말하기 아니면 짝수 입니다. 을(를) 2 초 동안 말하기	만약 2로 나눈 나머지를 구하여 나머지가 1이면 홀수로 판별하여 2초 동안 말하고 아니면 짝수로 판별하여 2초 동안 말한다.
아니면 짝수 입니다. 을(를) 2 초 동안 말하기 임의의 자연수를 입력하세요.(종료는 -1) 라고 묻고 기다리기	다음 판별할 자연수를 읽어 들인다.

예제 6.10

방향키로 고양이 움직임 제어하기

위, 아래, 좌, 우 방향을 나타내는 방향키를 이용하여 고양이의 움직임을 제어한다. 고양이는 방향 키가 눌리지 않은 경우에도 진행 방향으로 계속 움직인다.

단계 1 시작하기 버튼을 누르면 고양이는 오른쪽 방향을 본다.

단계 2 다음 단계 3, 4를 무한 반복한다.

  단계 3 만약 위쪽 방향키를 눌렀으면 고양이 방향을 위쪽으로 변경한다.
  만약 아래쪽 방향키를 눌렀으면 고양이 방향을 아래쪽으로 변경한다.
  만약 왼쪽 방향키를 눌렀으면 고양이 방향을 왼쪽으로 변경한다.
  만약 오른쪽 방향키를 눌렀으면 고양이 방향을 오른쪽으로 변경한다.

  단계 4 고양이는 오른쪽으로 10만큼 움직인다. 그리고 0.2초 동안 기다린다.

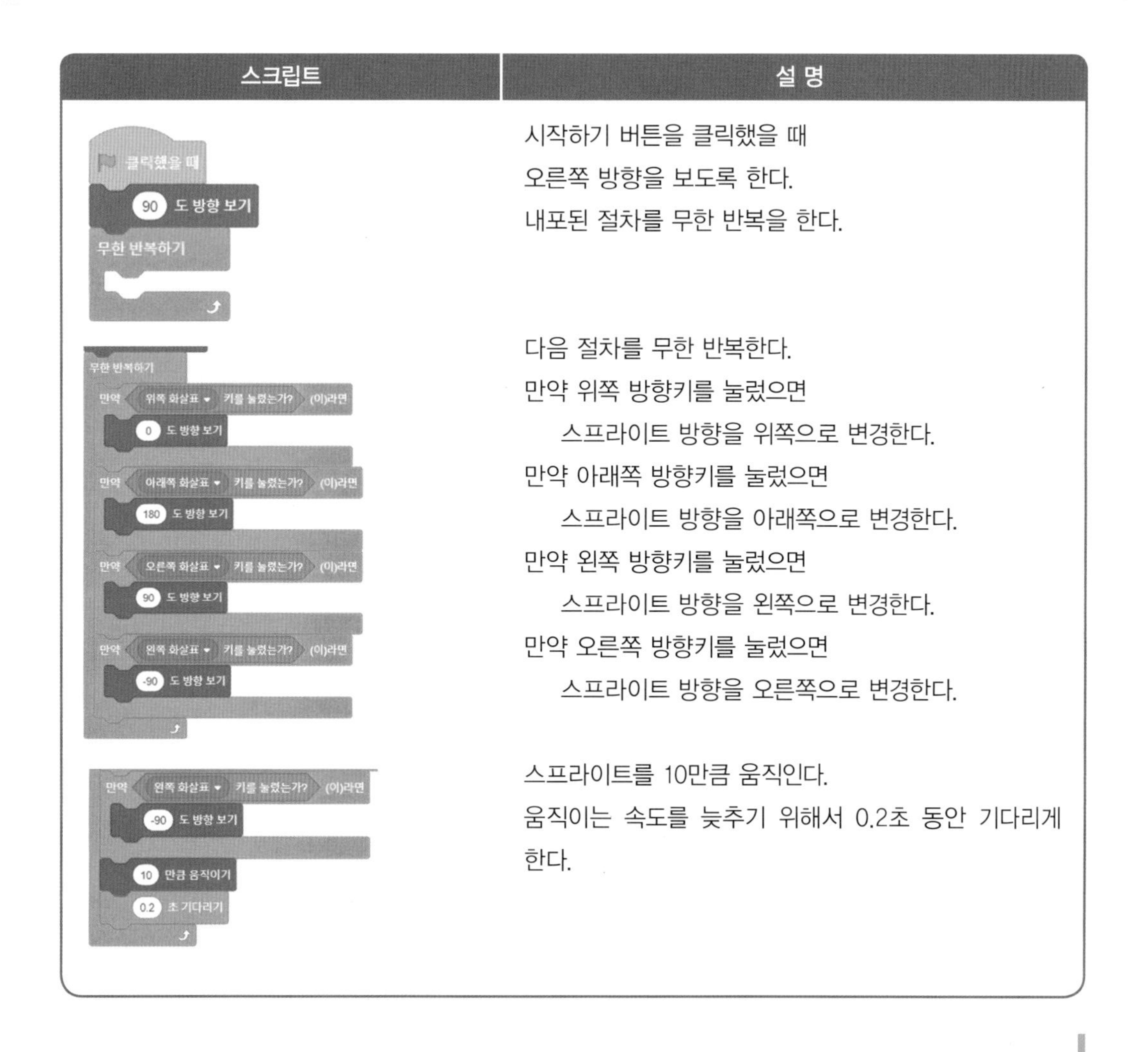

스크립트	설 명
클릭했을 때 90 도 방향 보기 무한 반복하기	시작하기 버튼을 클릭했을 때 오른쪽 방향을 보도록 한다. 내포된 절차를 무한 반복을 한다.
무한 반복하기 만약 위쪽 화살표 키를 눌렀는가? (이)라면 0 도 방향 보기 만약 아래쪽 화살표 키를 눌렀는가? (이)라면 180 도 방향 보기 만약 오른쪽 화살표 키를 눌렀는가? (이)라면 90 도 방향 보기 만약 왼쪽 화살표 키를 눌렀는가? (이)라면 -90 도 방향 보기	다음 절차를 무한 반복한다. 만약 위쪽 방향키를 눌렀으면 스프라이트 방향을 위쪽으로 변경한다. 만약 아래쪽 방향키를 눌렀으면 스프라이트 방향을 아래쪽으로 변경한다. 만약 왼쪽 방향키를 눌렀으면 스프라이트 방향을 왼쪽으로 변경한다. 만약 오른쪽 방향키를 눌렀으면 스프라이트 방향을 오른쪽으로 변경한다.
만약 왼쪽 화살표 키를 눌렀는가? (이)라면 -90 도 방향 보기 10 만큼 움직이기 0.2 초 기다리기	스프라이트를 10만큼 움직인다. 움직이는 속도를 늦추기 위해서 0.2초 동안 기다리게 한다.

연습 앞의 예제에서 방향키를 누를 때만 스프라이트가 움직이게 프로그램을 수정하시오.

예제 6.11

점수에 따른 학점 부여하기

반복적으로 0 이상 100 이하의 점수를 읽어 들여서 90점 이상이면 A 학점, 80점 이상 90점 미만이면 B 학점, 70점 이상 80점 미만이면 C 학점, 60점 이상 70점 미만이면 D 학점, 60점 미만이면 F 학점을 말하는 프로그램을 작성한다. -1이 입력되면 종료한다.

점수로부터 학점을 정하는 선택 구조를 순서도로 나타내면 그림 6.13과 같다.

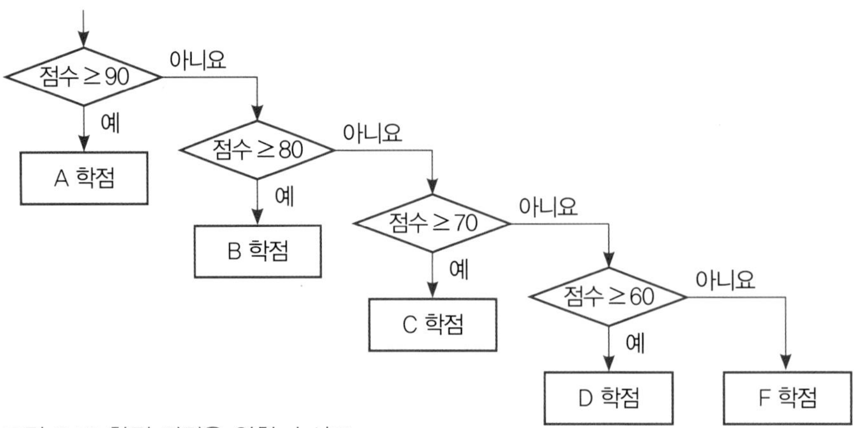

그림 6.13 학점 결정을 위한 순서도

그림 6.13에서 학점을 결정하기 위해서 다수의 선택 구조가 중첩되어 있음을 알 수 있다. 이러한 흐름을 고려하여 단계별 절차를 나타내면 다음과 같다.

단계 1 묻고 기다리기를 이용하여 점수를 읽어 들인다.
단계 2 대답이 -1이 될 때까지 다음 단계 3, 4를 반복한다.
  단계 3 만약 대답이 90점 이상이면 학점은 A이다.
    아니면 만약 대답이 80점 이상이면 학점은 B이다.
     아니면 만약 대답이 70점 이상이면 학점은 C이다.
      아니면 만약 대답이 60점 이상이면 학점은 D이다.
       아니면 학점은 F이다.
  단계 4 묻고 기다리기를 이용하여 다음 점수를 읽어 들인다.

점수가 90점 이상인가를 판단하기 위한 조건은 다음과 같이 논리합 블록을 이용하여 프로그래밍할 수 있다.

이와 같은 논리합 블록을 이용하여 A 학점과 B 학점을 결정하는 선택 구조를 중첩 시키면 다음과 같은 스크립트 형태가 된다.

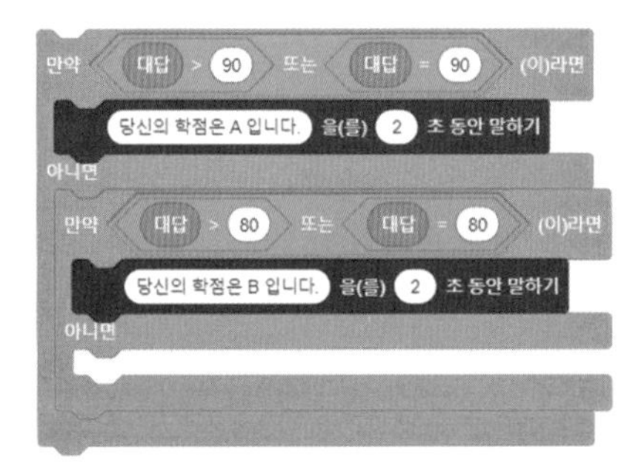

앞의 중첩된 선택 구조를 확장하면 나머지 C, D, F 학점을 결정하는 프로그램을 모두 만들 수 있다.

연습 점수를 읽어 들여서 80점 이상은 “우수”, 60점 이상 80점 이하는 “보통”, 60점 미만은 “저조”로 판정하는 프로그램을 작성하라.

예제 6.12

윤년 판별 프로그램

윤년을 판별하는 방법은 연도가 4의 배수이고 100의 배수가 아니거나 400의 배수이면 윤년이다.

단계 1 묻고 기다리기로 사용자로부터 연도를 읽어 들인다.

단계 2 대답이 -1이 될 때까지 다음 단계 3, 4를 반복한다.

단계 3 대답을 4로 나누어 나머지가 0이고 100으로 나누어 나머지가 0이 아니거나 400으로 나누어 떨어지면 윤년으로 판정한다.

단계 4 묻고 기다리기로 다음 판별할 년도를 사용자로부터 읽어 들인다.

연도가 윤년인가를 판별하기 위한 순서도는 그림 6.14와 같다.

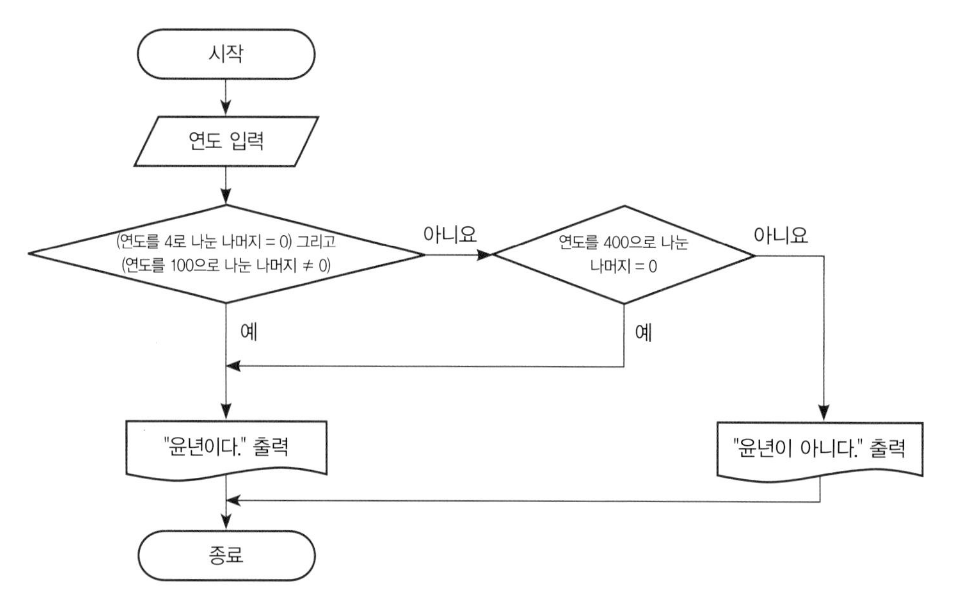

그림 6.14 윤년 판별을 위한 순서도

단계 3의 윤년 판별 조건은 논리곱과 논리합이 조합된 형태를 이용해야 한다. 4로 나누어 떨어지는 조건과 100으로 나누어 떨어지지 않는 조건을 논리곱으로 연결하고, 다시 400으로 나누어 떨어지는 조건을 논리합으로 연결한다.

[대답 나누기 4 의 나머지 = 0 그리고 대답 나누기 100 의 나머지 = 0 이(가) 아니다] 와 [대답 나누기 400 의 나머지 = 0] 를 논리합(OR)으로 연결하여 조건을 구성한다.

```
클릭했을 때
윤년을 판정하겠습니다. 을(를) 2 초 동안 말하기
년도를 입력하세요.(종료는 -1) 라고 묻고 기다리기
대답 = -1 까지 반복하기
    만약 대답 나누기 4 의 나머지 = 0 그리고 대답 나누기 100 의 나머지 = 0 이(가) 아니다 또는 대답 나누기 400 의 나머지 = 0 (이)라면
        대답 와(과) 년은 윤년입니다. 결합하기 을(를) 2 초 동안 말하기
    아니면
        대답 와(과) 년은 윤년이 아닙니다. 결합하기 을(를) 2 초 동안 말하기
    년도를 입력하세요.(종료는 -1) 라고 묻고 기다리기
감사합니다. 을(를) 2 초 동안 말하기
```

연습 윤년을 판별하기 위한 조건이 너무 길어서 보기에 복잡하고 블록을 만들기도 쉽지 않으므로 선택 구조의 조건을 단순화시키고 대신 선택 구조를 중첩적으로 사용할 수 있다. 이와 같이 스크립트를 수정해보자.

예제 6.13

국어, 영어, 수학 점수를 기준으로 하는 합격 판정 프로그램

국어, 수학, 영어 점수를 읽어 들여서 과목의 평균이 60점이면 합격이다. 단 한 과목이라도 40점 미만이 되면 불합격이 된다.

그림 6.15 [예제 6.13]의 실행 화면

- 준비 단계

① 점수를 묻고 판정을 하는 스프라이트를 위해서 소녀(Abby) 스프라이트를 고른다.

② 무대 배경을 위해서 학교(School) 배경을 고른다.

③ 점수를 저장하기 위해서 국어, 수학, 영어 변수를 생성한다.

한 사람에 대한 판정 절차는 다음과 같다.

단계 1 국어, 수학, 영어 점수를 각각 읽어서 국어, 수학, 영어 변수에 저장한다.

단계 2 만약 (국어+수학+영어)/3 < 60이면 불합격으로 판정한다.
그렇지 않으면 만약 국어나 수학이나 영어 중에 하나라도 40점 미만이면 불합격으로 판정한다.
그렇지 않으면 합격으로 판정한다.

국어, 수학, 영어 점수를 읽어 들여서 해당 변수에 저장하는 것은 묻고 기다리기 블록을 이용하여 다음과 같이 만들 수 있다.

```
국어성적을 입력하세요. 라고 묻고 기다리기
국어 ▾ 을(를) 대답 로 정하기
수학성적을 입력하세요. 라고 묻고 기다리기
수학 ▾ 을(를) 대답 로 정하기
영어성적을 입력하세요. 라고 묻고 기다리기
영어 ▾ 을(를) 대답 로 정하기
```

"국어 성적을 입력하세요."라고 묻고 기다리기 블록을 실행한다. 입력된 대답 값을 국어 변수에 저장한다. 수학, 영어 점수도 동일한 방식으로 처리한다.

한 사람에 대한 판정 절차를 여러 사람에게 적용하기 위해서 반복 구조를 이용한다. 국어 성적이 음수가 입력되면 종료하도록 한다. 이를 위해서 옆의 블록과 같이 조건을 이용한 반복을 사용한다.

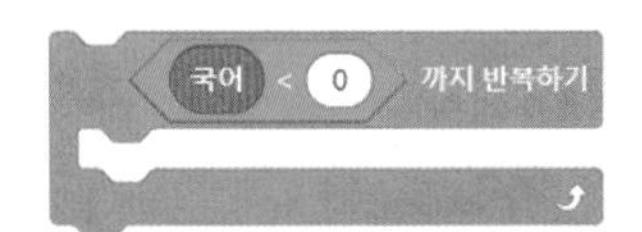

평균을 구하기 위해 국어, 수학, 영어 점수를 모두 더해서 3으로 나눈 결과를 얻는다. 평균이 60보다 작다를 조건식으로 한 선택 구조를 이용하여 판정한다. 이 판정이 참인 경우는 불합격이고 거짓인 경우는 국어 < 40 또는 수학 < 40 또는 영어 < 40이라는 조건이 참이면 불합격이고 그렇지 않은 경우는 합격이 된다. 이를 스크립트로 나타내면 다음과 같다.

```
만약 (국어 + 수학 + 영어) / 3 < 60 (이)라면
    불합격입니다. 을(를) 2 초 동안 말하기
아니면
    만약 국어 < 40 또는 수학 < 40 또는 영어 < 40 (이)라면
        불합격입니다. 을(를) 2 초 동안 말하기
    아니면
        합격입니다. 을(를) 2 초 동안 말하기
```

여러 번 반복적으로 판정하기 위해서는 합격과 불합격을 판정하는 부분이 조건에 따른 반복하기 내에 포함되어야 한다. 앞에서 설명한 스크립트 부분들을 모두 합치면 다음과 같은 전체 프로그램이 된다.

```
클릭했을 때
x: -60 y: -70 (으)로 이동하기
국어성적을 입력하세요. 라고 묻고 기다리기
국어 ▾ 을(를) 대답 로 정하기
수학성적을 입력하세요. 라고 묻고 기다리기
수학 ▾ 을(를) 대답 로 정하기
영어성적을 입력하세요. 라고 묻고 기다리기
영어 ▾ 을(를) 대답 로 정하기
국어 < 0 까지 반복하기
    만약 국어 + 수학 + 영어 ÷ 3 < 60 (이)라면
        불합격입니다. 을(를) 2 초 동안 말하기
    아니면
        만약 국어 < 40 또는 수학 < 40 또는 영어 < 40 (이)라면
            불합격입니다. 을(를) 2 초 동안 말하기
        아니면
            합격입니다. 을(를) 2 초 동안 말하기
    국어성적을 입력하세요. 라고 묻고 기다리기
    국어 ▾ 을(를) 대답 로 정하기
    수학성적을 입력하세요. 라고 묻고 기다리기
    수학 ▾ 을(를) 대답 로 정하기
    영어성적을 입력하세요. 라고 묻고 기다리기
    영어 ▾ 을(를) 대답 로 정하기
안녕! 을(를) 2 초 동안 말하기
```

- 프로그램의 처리 순서를 제어하는 구조는 순차 구조, 선택 구조, 반복 구조 등 3가지가 있다.
- 선택 구조나 반복 구조에서 선택의 기준 또는 반복의 기준으로 조건을 이용한다. 조건은 변수의 값에 따라서 참이나 거짓이 되는 식을 의미한다.
- 선택 구조는 조건에 따라서 두 가지 처리를 선택적으로 수행하는 구조이다. 선택 구조를 중첩적으로 적용하면 여러 가지 중에서 한 가지를 선택하는 구조를 만들 수 있다.
- 반복 구조는 동일한 처리 과정을 반복하는 구조이다. 스크래치에서는 무한 반복하기, 반복 횟수를 정해서 반복하기, 조건이 참이 될 때까지 반복하기 등 세 가지 방식이 제공된다.
- 선택 구조와 반복 구조에서 필요한 조건식을 만들기 위해서는 관계 연산 블록과 논리 연산 블록을 조합해야 한다.
- 관계 연산에는 부등호(>와 <)와 등호(=) 기호를 이용하여 두 값의 크기 관계를 비교하는 연산이다. 스크래치는 관계 연산을 위한 블록을 제공한다.
- 논리 연산에는 논리합(OR, 또는), 논리곱(AND, 그리고), 논리역(NOT) 등의 블록이 있다. 스크래치는 논리 연산을 위한 블록을 제공한다.
- 선택 구조와 반복 구조를 중첩적으로 사용하면 다양한 프로그램의 논리를 구성할 수 있다. 이와 같은 논리를 구성할 수 있는 사고가 컴퓨터적 사고에서 기본적인 논리를 구성하는 능력이다.

연습문제

01 다음 중 프로그램의 처리 순서를 제어하는 제어 구조가 아닌 것은?

① 순차 구조 ② 선택 구조 ③ 반복 구조 ④ 혼합 구조

02 다음 중 서로 다른 두 처리 중에서 하나를 선택하는 구조를 위한 블록은 무엇인가?

① 

② 

③ 

④ 

03 다음 중 어떤 처리를 할 것인지 하지 않을 것인지에 대한 여부를 선택하는 구조에서 사용되는 블록은 무엇인가?

① 

② 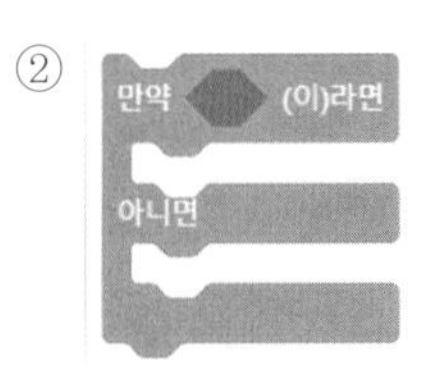

③ 

④ 

04 묻고 기다리기 블록을 이용하여 입력을 받아서 사용자의 응답이 -1이 될 때까지 반복처리하려고 한다. 어떤 반복 구조를 사용해야 하는가?

① 

② 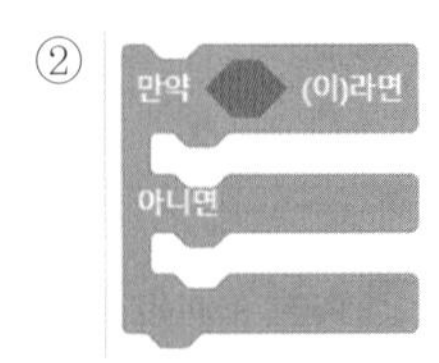

③ 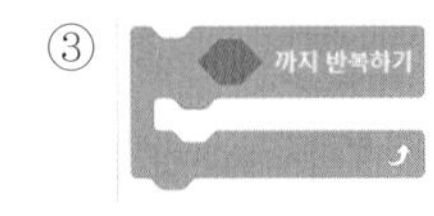

④ 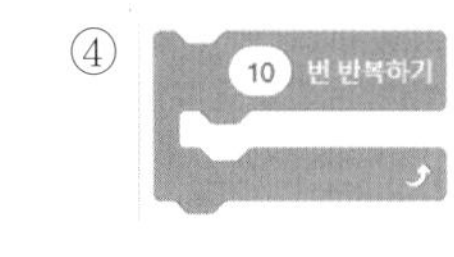

05 다음 데이터의 대소 관계를 나타내는 관계 연산 블록의 결과가 거짓인 것은 무엇인가?

① 

② 

③ 

④  

06 다음 중 n 값이 60 이상이면 참이 되는 조건을 바르게 만든 것은?

① 

② n > 60 또는 n = 60

③ n = 60 이(가) 아니다

④ n > 60

07 다음 스크립트가 처리되면 n 값은 얼마가 되는가?

① 6
② 8
③ 10
④ 12

08 다음 스크립트가 처리되면 i와 n은 얼마가 되는가?

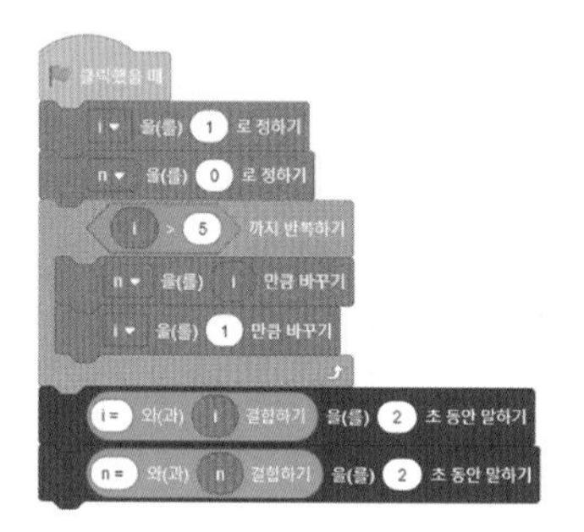

① 5, 15
② 5, 16
③ 6, 15
④ 6, 16

09 다음 스크립트가 처리되면 n 값은 얼마가 되는가?

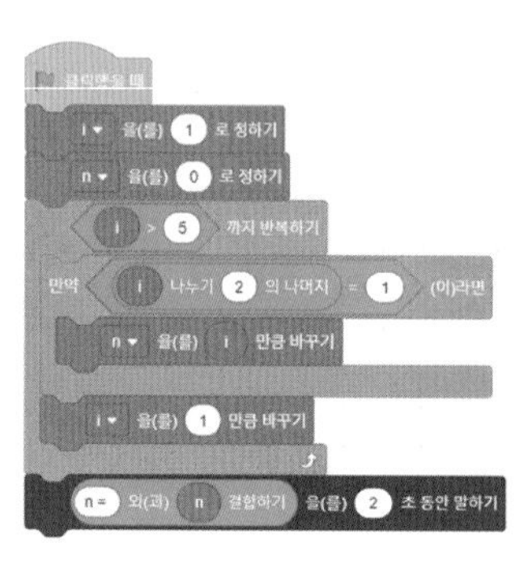

① 7
② 8
③ 9
④ 10

10 1 + 2 + 3 + ⋯ + n이 100을 초과하는 최소 n을 구하는 스크립트를 작성하라.

11 신입사원의 토익점수와 전공점수, 면접점수를 읽어 들여서 합격, 불합격을 판정을 하는 프로그램을 작성하자.

- 토익 700 이상이고 전공점수 80 이상이면 1차 합격을 한다.
- 1차 합격자 중에서 면접점수가 80 이상인 사람은 합격이며 그렇지 않으면 불합격된다.
- 사용할 스프라이트는 소녀(Abby)이며, 배경은 홀(Hall)을 고르기에서 추가한다.

12 반복적으로 사용자로부터 n을 읽어 들여서, 이 값이 홀수인지 짝수인지를 판별하는 스크립트를 작성하라. 단, −1이 입력되면 반복을 끝낸다.

힌트 ( ) 나누기 ( ) 의 나머지 블록을 이용한다. 2로 나눈 결과가 1이면 홀수, 0이면 짝수이다.

사용할 스프라이트는 소녀(Abby)이며 무대 배경은 보드워크(Boardwalk)을 이용한다.

[실행 화면]

Chapter 07

Computational Thinking

변수와 리스트

학습목표

- 변수의 의미를 이해하고 사용법을 익힌다.
- 지역 변수와 전역 변수의 의미를 이해한다.
- 변수를 이용하는 응용 프로그램을 연습한다.
- 리스트의 의미를 이해하고 사용법을 익힌다.
- 리스트를 이용한 정렬과 탐색 프로그램을 연습한다.

7.1 변수

(1) 변수의 의미

변수(variable)는 수학에서 변하는 수를 의미하고, 반대로 변하지 않는 수는 상수(constant)라고 한다. 프로그램에서도 변수는 수학에서와 유사하게 변하는 값을 갖는다. 그리고 프로그램의 변수는 처리할 데이터를 저장하는 저장소의 역할을 한다. 프로그램의 핵심적인 기능이 데이터를 처리하는 것으로 볼 때 변수는 처리할 데이터를 저장하는 필수적인 요소로 매우 중요한 개념이다.

C/C++, Java 같은 언어들은 데이터 처리에서 오류 발생을 피하기 위해서 사용하는 변수에 대입되는 데이터 형태를 고려해서 변수의 자료형을 엄격하게 정한다. 그 결과 변수의 형과 동일한 데이터를 처리하도록 강제화한다. 그러나 스크래치에서는 변수에 저장되는 데이터형에 대한 명시적인 제한이 없다. 저장되어야 할 값이 정수인지 실수인지 또는 문자열인지에 대한 엄격한 구분을 하지 않는다. 이는 데이터를 보다 추상화시켜서 사용자들이 직관적으로 편하게 프로그램을 작성할 수 있도록 하기 위함이다.

(2) 기본 변수

스크래치에서는 시스템에서 기본적으로 제공하는 변수들이 있다. 기본 변수들은 모두 타원과 유사한 모양의 블록으로 코드 탭에 나타난다. 표 7.1은 스크래치에서 제공하는 기본 변수 블록들을 정리한 것이다.

〈표 7.1〉 스크래치의 기본 변수 블록

블록 영역	변수 블록	기능
동작	x 좌표	스프라이트의 x 좌표 값을 갖는 변수
	y 좌표	스프라이트의 y 좌표 값을 갖는 변수
	방향	스프라이트가 바라보는 방향에 대한 각도 값을 갖는 변수
모양	모양 번호 ▾	현재 화면에 나타난 스프라이트의 모양 번호 값을 갖는 변수
	배경 번호 ▾	현재 화면에 나타난 배경의 번호 값을 갖는 변수
	크기	스프라이트의 크기 값을 갖는 변수

소리	음량	음량 값을 갖는 변수
감지	대답	묻고 기다리기 블록에 대한 응답을 저장하는 변수
	마우스의 x좌표	마우스의 x 좌표 값을 갖는 변수
	마우스의 y좌표	마우스의 y 좌표 값을 갖는 변수
	음량	소리의 음량 크기 값을 갖는 변수
	타이머	실행 타이머 값을 갖는 변수. 1/1000 초 단위로 측정한다.
	무대 ▾ 의 배경 번호 ▾	무대에 대한 정보(배경 번호, 배경 이름, 음량, 나의 변수)를 얻거나 스프라이트에 대한 정보(x 좌표, y 좌표, 방향, 모양 번호, 모양 이름, 크기, 음량)를 얻는다.
	현재 년 ▾	현재의 날짜와 시간 정보(년, 월, 일, 요일, 시, 분, 초)를 얻는다.
	2000년 이후 현재까지 날짜 수	2000년 1월 1일부터 지금까지의 날짜 수를 얻는다.
	사용자 이름	스크래치 사이트에서의 로그인 사용자 이름을 얻는다.
변수	나의 변수	스프라이트에 기본적으로 제공되는 일반 변수

기본 변수들은 스크래치 시스템에서 제공하는 것으로 사용자들이 임의로 생성하거나 제거할 수 없고, 프로젝트가 실행되면 기본 변수는 상황에 따라 그 값이 변한다. 기본 변수는 값을 변경할 때 사용할 블록이 제공되는데, 변경 블록이 없는 변수들은 그 값을 읽기만 할 수 있다.

(3) 변수의 생성

기본 변수 블록 이외에 사용자가 필요에 의하여 변수를 생성해서 사용할 수 있다. 다양한 목적으로 사용할 수 있는 일반 변수는 나의 변수 블록 하나만을 기본적으로 제공한다. 일반 변수가 더 필요한 경우에는 변수 만들기를 이용하여 변수를 생성할 수 있다. 변수 영역에 변수 만들기 버튼이 제공되고 이를 선택하면 그림 7.1과 같은 새로운 변수 대화창이 나타난다.

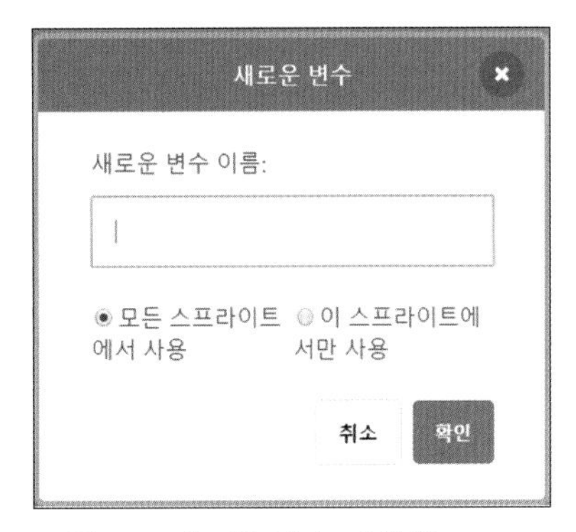

그림 7.1 새로운 변수 대화창

(4) 지역 변수와 전역 변수

새로운 변수를 만들 때 이름을 정해서 입력하고, 속성으로 '모든 스프라이트에서 사용'과 '이 스프라이트에서만 사용' 중에서 하나를 선택해야 한다. 기본적으로는 모든 스프라이트에서 사용으로 선택되어 있다. 모든 스프라이트에서 사용을 선택하면 현재 프로젝트 내에 포함되어 있는 모든 스프라이트들과 무대에서 사용 가능하게 된다. 그러나 이 스프라이트에서만 사용을 선택하면 현재 선택되어 있는 스프라이트에서만 사용 가능하다. 이는 마치 C/C++나 Java 언어에서 변수를 만들면 변수가 선언되는 위치에 따라서 지역 변수(local variable) 또는 전역 변수(global variable) 속성이 정해지는데, 이에 대응되는 개념이다.

C 언어에서 지역 변수는 변수가 선언된 해당 함수 내에서만 사용되고 전역 변수는 단위 프로그램 내의 모든 함수들이 다 사용할 수 있다. 경우에 따라서 전역 변수를 만들어서 서로 다른 함수들 사이에 정보를 공유할 수 있는 것처럼 스크래치에서도 모든 스프라이트들이 사용가능한 변수를 생성해서 스프라이트들이 정보를 공유할 수 있다는 장점이 있다. 그러나 전역 변수를 사용하면 변수에 문제가 발생했을 때 모든 스프라이트와 관련되기 때문에 문제 발생의 원인을 찾기가 어렵다는 단점이 있다. 반면 지역 변수는 해당 함수 내에서만 사용 가능하기 때문에 문제가 발생했을 때 그 책임이 함수 내에 국한된다는 장점이 있다. 따라서 꼭 다른 스프라이트와 정보를 공유할 필요가 없는 경우에는 이 스프라이트에서만 사용 가능하도록 변수를 설정하는 것이 좋다. 스크래치에서 지역 변수와 전역 변수를 그림으로 나타내면 그림 7.2와 같다.

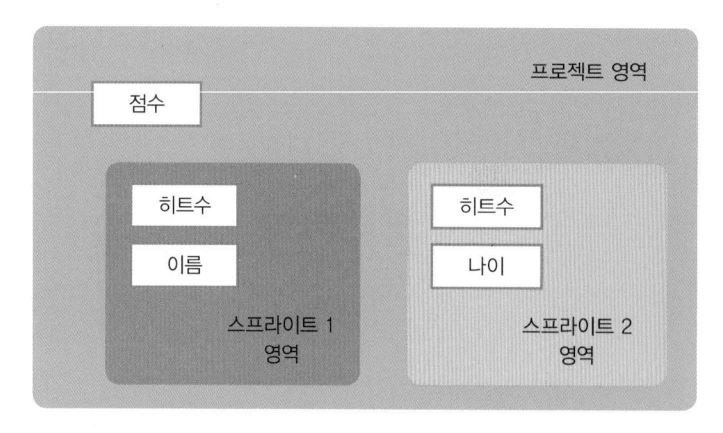

그림 7.2 지역 변수와 전역 변수

그림 7.2에서 점수는 모든 스프라이트가 사용가능한 전역 변수이며, 스프라이트 영역에 포함된 히트수, 이름, 나이 변수는 모두 지역 변수이다. 히트수는 두 스프라이트 영역에서 같은 이름으로 정의되어 있지만, 영역이 다르기 때문에 구분 가능하다. 그러나 한 영역에서 같은 이름의 변수

는 중복적으로 사용될 수 없다. 또한 전역 변수와 동일한 이름의 지역 변수를 사용해서도 안 된다.

(5) 변수 처리 블록

새로운 변수를 생성하면 그 변수를 처리할 때 사용할 블록들이 생성된다. 예를 들어 "나이"라는 이름으로 '모든 스프라이트에서 사용' 속성으로 생성하면 변수 영역에 그림 7.3과 같이 블록이 새로 생겨나는 것을 볼 수 있다.

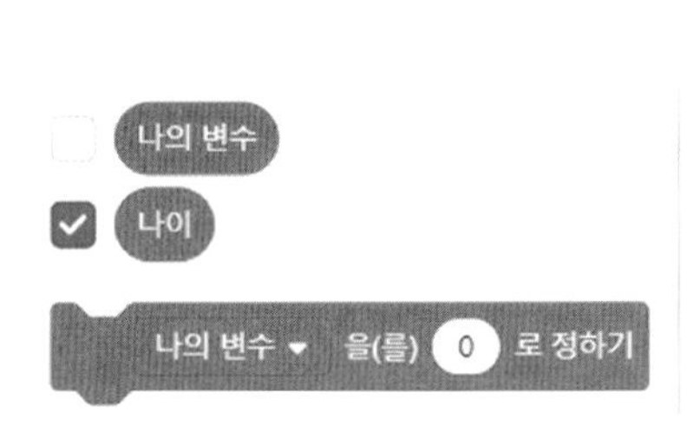

그림 7.3 새로운 변수 생성과 실행 화면 출력

새로운 변수는 체크되어 있는데, 변수를 체크하면 변수 내용이 실행 화면 창의 왼쪽 위 부분에 나타난다. 이는 프로그램이 실행되면서 변수 값이 변해가는 것을 살펴볼 수 있기 때문에 주로 디버깅(debugging) 목적으로 사용되지만, 게임의 경우 점수나 수명 등을 화면에 보여주기 위한 목적으로도 사용된다.

변수를 처리하기 위해서 사용되는 블록은 표 7.2에 나타나 있다.

〈표 7.2〉 변수 처리 블록

블록	기능
나의 변수 ▾ 을(를) 0 로 정하기	변수의 값을 입력한 수로 정한다.
나의 변수 ▾ 을(를) 1 만큼 바꾸기	변수의 값을 입력한 수만큼 증가시킨다.
나의 변수 ▾ 변수 보이기	변수의 값을 실행 창에 나타낸다.
나의 변수 ▾ 변수 숨기기	변수의 값을 실행 창에서 숨긴다.

변수를 특정 값으로 정하는 블록과 변수를 주어진 값만큼 증가시키는 블록이 주로 사용된다. 이는 기존 C 언어 문법으로 나타내면 다음과 같은 문장이 된다.

```
num = 0;  // num 변수의 값을 0으로 정한다.
num = num + 1;  // num 변수의 값을 1만큼 증가시킨다.
```

그리고 변수를 실행 화면에 보이게 하거나 숨기게 하는 블록이 제공된다. 새로운 변수가 만들어지면 변수를 처리할 수 있는 블록은 따로 생기지 않고 나의 변수 처리 블록에서 변수 이름을 선택하여 사용할 수 있다. 그림 7.4는 나이 변수를 생성하고 난 후, 변수 처리 블록의 변수 이름을 선택했을 때 나이 변수가 나타나는 모습을 보여준다.

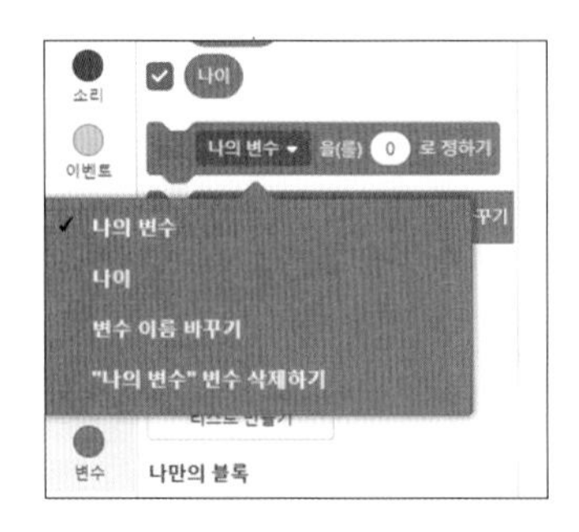

그림 7.4 변수 이름 변경

6장에서 반복 구조를 다루면서 이미 변수 이용의 예를 살펴보았는데, 여기에서 보다 자세히 공부한다. 1 + 2 + 3 + … + 10처럼 규칙성을 가지고 반복하면서 데이터를 처리하는 경우에 변수를 이용한 반복 구조를 사용한다. 이와 같은 스크립트는 다음과 같다.

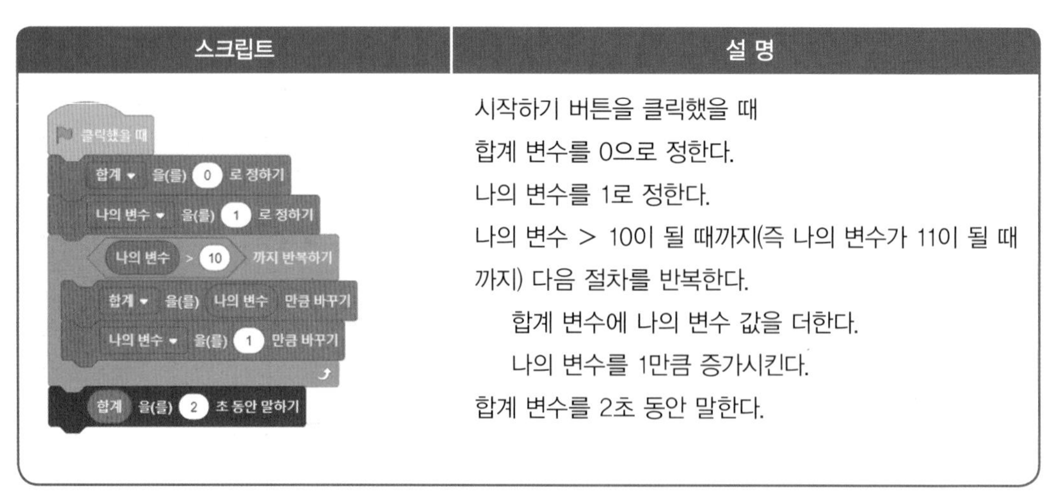

스크립트	설 명
클릭했을 때 합계 을(를) 0 로 정하기 나의 변수 을(를) 1 로 정하기 나의 변수 > 10 까지 반복하기 합계 을(를) 나의 변수 만큼 바꾸기 나의 변수 을(를) 1 만큼 바꾸기 합계 을(를) 2 초 동안 말하기	시작하기 버튼을 클릭했을 때 합계 변수를 0으로 정한다. 나의 변수를 1로 정한다. 나의 변수 > 10이 될 때까지(즉 나의 변수가 11이 될 때까지) 다음 절차를 반복한다. 합계 변수에 나의 변수 값을 더한다. 나의 변수를 1만큼 증가시킨다. 합계 변수를 2초 동안 말한다.

이를 C 언어 코드로 나타내면 다음 반복문으로 나타낼 수 있다.

```
for (나의 변수 = 1; 나의 변수 <= 10; 나의 변수++)
    합계 = 합계 + 나의 변수;
```

즉, 초기화에서 나의 변수를 1로 정하고 나의 변수가 10 이하이면 반복을 한다. 한번 반복하고 나면 나의 변수 값을 1만큼 증가 시킨다. 이 예에서와 같이 변수 값이 처음 값과 마지막 값 그리고 반복할 때 증가하는 값이 일정할 경우에는 이와 같은 구조의 스크립트가 사용되므로 유의해서 익힐 필요가 있다.

만약 1, 3, 5, 7, 9, …와 같이 증가하는 경우에 초기 값은 1이며 증가의 폭이 2가 되므로 나의 변수를 2만큼 증가시키면 될 것이다. 또한 12, 9, 6, 3, 0, -3, …과 같을 경우에는 초기 값이 12이고 증가의 폭이 -3이 된다는 것을 알 수 있다.

예제 7.1

두 정수를 읽어 들여서 각각 a, b 변수에 저장한 후 두 수 사이의 모든 정수 값을 합하여 말하는 스크립트를 작성하라.

■ 준비 단계

a, b, n, sum 변수를 만든다.

단계 1 묻고 기다리기 블록을 두 번 이용하여 읽어 들인 값을 변수 a, b에 저장한다.

단계 2 a 〉 b 인 경우에는 a, b의 값을 서로 맞교환한다.

단계 3 두 변수 n과 sum의 값을 a, 0으로 각각 정한다.

단계 4 반복 구조를 이용하여 a에서 b까지의 모든 정수를 sum 변수에 누적시킨다.

단계 5 sum 값을 말한다.

단계 2에서 두 값을 서로 맞교환하는 방법은 다음과 같다.

1) a 값을 먼저 n에 저장한다.
2) b 값을 a에 저장한다.
3) n 값을 b에 저장한다.

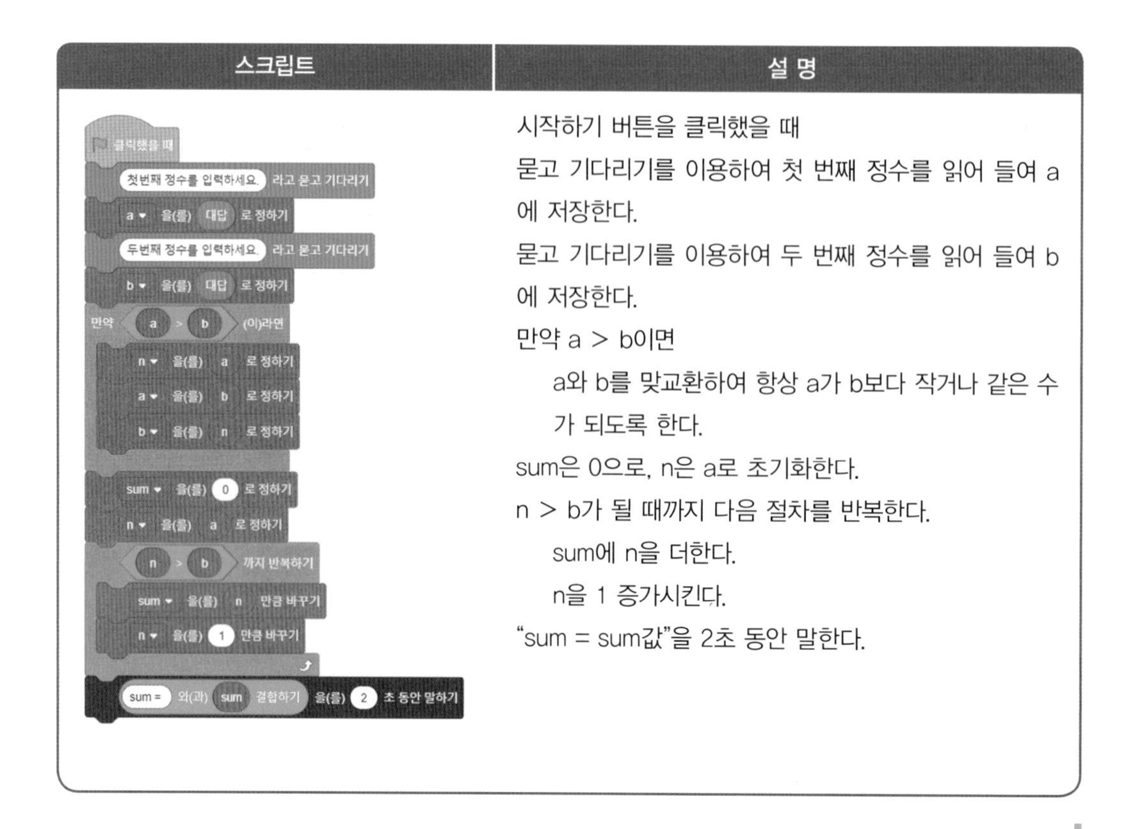

스크립트	설 명
클릭했을 때 첫번째 정수를 입력하세요. 라고 묻고 기다리기 a ▾ 을(를) 대답 로 정하기 두번째 정수를 입력하세요. 라고 묻고 기다리기 b ▾ 을(를) 대답 로 정하기 만약 a > b (이)라면 n ▾ 을(를) a 로 정하기 a ▾ 을(를) b 로 정하기 b ▾ 을(를) n 로 정하기 sum ▾ 을(를) 0 로 정하기 n ▾ 을(를) a 로 정하기 n > b 까지 반복하기 sum ▾ 을(를) n 만큼 바꾸기 n ▾ 을(를) 1 만큼 바꾸기 sum = 와(과) sum 결합하기 을(를) 2 초 동안 말하기	시작하기 버튼을 클릭했을 때 묻고 기다리기를 이용하여 첫 번째 정수를 읽어 들여 a에 저장한다. 묻고 기다리기를 이용하여 두 번째 정수를 읽어 들여 b에 저장한다. 만약 a > b이면 a와 b를 맞교환하여 항상 a가 b보다 작거나 같은 수가 되도록 한다. sum은 0으로, n은 a로 초기화한다. n > b가 될 때까지 다음 절차를 반복한다. sum에 n을 더한다. n을 1 증가시킨다. “sum = sum값”을 2초 동안 말한다.

(6) 무대에서의 변수 생성

앞에서 스프라이트 영역에 속한 변수 생성에 대하여 이미 알아보았다. 스프라이트와 마찬가지로 무대 배경에 속한 변수도 생성할 수 있다. 그림 7.5는 무대 배경이 선택된 상태에서 변수 만들기를 실행했을 때의 대화창 모습이다.

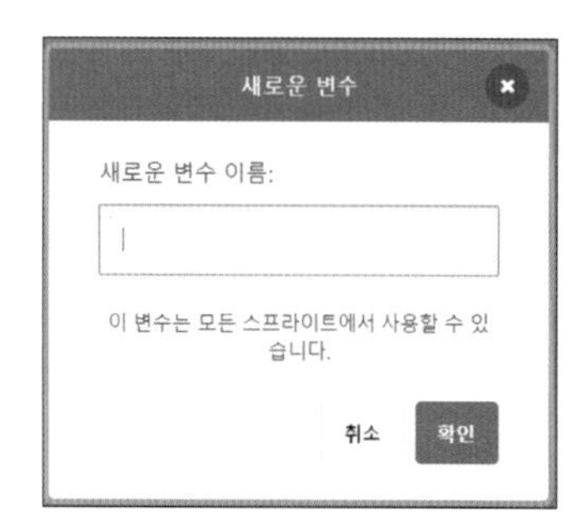

그림 7.5 무대의 새로운 변수 대화창

대화창에서 “이 변수는 모든 스프라이트에서 사용할 수 있습니다.”라고 알려주는 것처럼 무대에 속한 변수는 전역 변수로 모든 스프라이트들이 사용할 수 있다.

예제 7.2

단순한 유령잡기 게임

화면에 유령이 나타났다 사라지기를 반복한다. 유령이 화면에 나타났을 때 마우스로 클릭하면 점수가 1점 올라간다. 유령이 나타나는 횟수는 총 30회로 한다. 화면에 점수가 나타나도록 한다.

■ 준비 단계

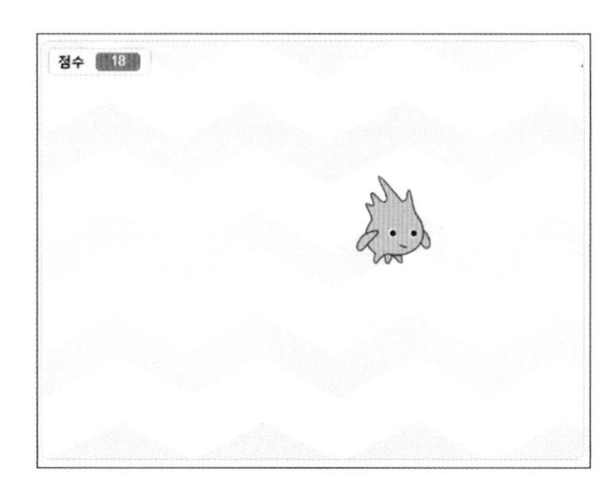

그림 7.6 [예제 7.2]의 실행 화면

① 유령 스프라이트는 스프라이트 고르기에서 Gobo를 선택한다.

② 배경은 배경 고르기에서 Stripes를 선택한다.

③ 무대에서 점수 변수를 만든다.

● 유령의 초기화와 나타났다 사라지기를 반복하는 동작

단계 1 크기를 70%로 줄인다. 점수를 0으로 정한다.

단계 2 다음 단계 3, 4를 30번 반복한다.

　단계 3 숨기기를 한 다음 1초 동안 기다린다.

　단계 4 임의의 위치로 이동한 다음 보이기를 하고 0.8초 기다린다.

● 유령이 마우스로 클릭되었을 때 점수 1 증가시키기

이 스프라이트를 클릭했을 때 블록을 이용하여 이벤트를 잡는다.

점수 변수를 1 증가시킨다.

유령을 숨기기한 후 기다리는 시간을 난수로 정하고 마찬가지로 보이기를 한 후 기다리는 시간도 난수를 이용하면 더 재미있는 게임이 될 수 있다.

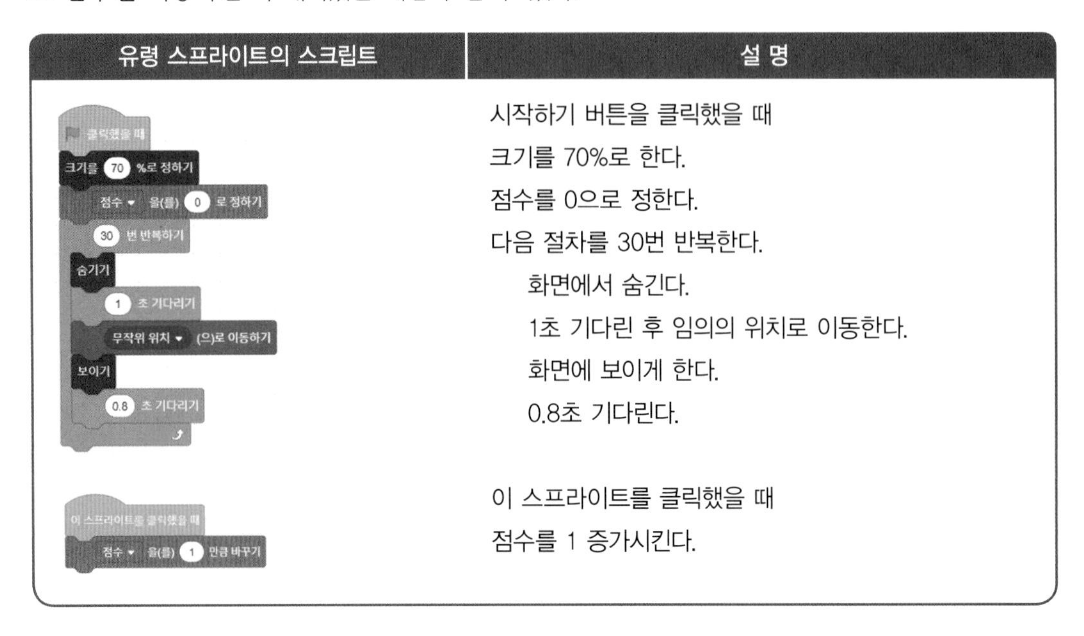

유령 스프라이트의 스크립트	설 명
클릭했을 때 크기를 70 %로 정하기 점수 ▾ 을(를) 0 로 정하기 30 번 반복하기 숨기기 1 초 기다리기 무작위 위치 ▾ (으)로 이동하기 보이기 0.8 초 기다리기	시작하기 버튼을 클릭했을 때 크기를 70%로 한다. 점수를 0으로 정한다. 다음 절차를 30번 반복한다. 화면에서 숨긴다. 1초 기다린 후 임의의 위치로 이동한다. 화면에 보이게 한다. 0.8초 기다린다.
이 스프라이트를 클릭했을 때 점수 ▾ 을(를) 1 만큼 바꾸기	이 스프라이트를 클릭했을 때 점수를 1 증가시킨다.

이 스프라이트를 클릭했을 때에 대한 독립적인 스크립트를 작성해서 병렬 처리를 하도록 하였다. 그 이유는 유령 보이기를 한 상태에서 0.8초간 기다리는 중에 사용자로부터 마우스 클릭이 발생할 수 있는데, 0.8초를 기다리는 도중에 스프라이트를 클릭하는 이벤트 처리를 동시에 하기 위함이다.

7.2 리스트

(1) 리스트 개념

스크래치의 변수 영역에 리스트 만들기라는 버튼이 있다. 리스트(list)라고 하는 것은 데이터들이 순서대로 나열되어있는 구조를 의미한다. 예를 들어서 한 반의 학생들의 성적 데이터를 처리한다고 가정했을 때, 학생의 수가 40명이라면 40개의 성적 데이터를 저장해야 할 것이다. 이를 위해 각 학생에 대한 변수를 만들어서 처리한다면 40명에 대한 변수가 필요하고, 이는 대단히 번거로운 작업을 해야 할 것이다. 만약 한 국가의 국민을 대상으로 데이터를 처리한다고 한다면 국민의 수만큼의 변수가 필요하게 되고, 이 변수를 정의하는 것은 거의 불가능에 가깝다고 볼 수 있다. 이와 같은 경우에 많은 데이터를 위한 저장공간으로 하나의 변수처럼 생성하고 사용할 수 있게 하는 기능이 리스트이다.

기존의 C/C++, Java 등의 언어에서는 배열(array)이라는 기능을 제공한다. 배열은 동일한 자료형을 갖는 다수의 데이터를 저장할 수 있는 변수로 이해할 수 있다. 예를 들어서 C 언어에서 int arr[10]; 이라는 문장으로 정수형 배열을 선언하면 한번에 10개의 정수를 저장할 수 있는 배열을 생성할 수 있다. 이 배열을 그림으로 나타내면 그림 7.7과 같다. 배열의 각 원소는 [ ] 괄호 안에 기입된 첨자로 나타내는데 0에서 9까지로 된다.

arr[0]	arr[1]	arr[2]	arr[3]	arr[4]	arr[5]	arr[6]	arr[7]	arr[8]	arr[9]

그림 7.7 int arr[10]; 배열의 예

배열은 한번 그 크기가 정해지면 배열이 없어질 때까지 크기를 조정할 수 없다. 따라서 필요한 데이터의 최대 개수보다 같거나 더 커야 한다.
스크래치에서는 리스트가 배열과 유사한 기능을 한다. 배열은 크기가 정해지지만 스크래치의 리스트는 크기가 정해지지 않는다. 계속적으로 데이터를 저장하게 되면 이에 따라 리스트의 크기가 증가하게 된다. 정해진 크기가 없기 때문에 사용자 입장에서는 더 편리하게 프로그래밍할 수 있다.

(2) 리스트 생성

리스트를 사용하기 위해서는 먼저 리스트를 생성해야 한다. 리스트의 생성은 변수 영역에 있는 '리스트 만들기' 버튼을 선택함으로써 실행할 수 있다. 그림 7.8은 리스트 만들기를 선택했을 때 생기는 새로운 리스트 창을 보여주고 있다.

그림 7.8 새로운 리스트 대화창

새로운 리스트 대화창에 나타나 있는 것처럼 리스트는 모든 스프라이트에서 사용할 수 있다. 즉 전역 변수의 속성을 갖는다. 예를 들어서 수학성적이라는 이름의 리스트를 생성하면 그림 7.9와 같이 리스트 처리에 필요한 블록이 변수 영역에 나타난다.

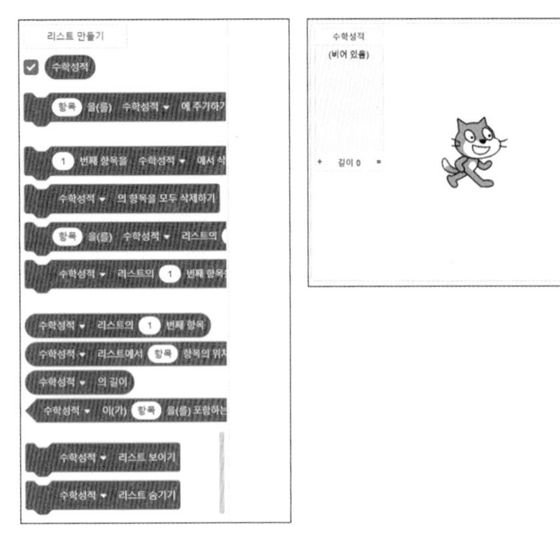

그림 7.9 리스트 블록과 실행 창에 표시된 리스트

'수학성적'이라는 리스트의 체크박스를 클릭하면 앞의 그림에서처럼 실행 화면에 리스트의 내용이 표시되고, 체크를 해제하면 실행 화면에서 리스트는 사라진다.

(3) 리스트 블록

리스트를 처리하기 위한 블록은 표 7.3과 같다.

〈표 7.3〉 리스트 블록

블록	기능
항목 을(를) 리스트예 ▾ 에 추가하기	입력한 자료를 리스트에 추가한다.
1 번째 항목을 리스트예 ▾ 에서 삭제하기	리스트에서 입력한 정수 번째 항목을 삭제한다.
리스트예 ▾ 의 항목을 모두 삭제하기	리스트의 모든 항목을 삭제한다.
항목 을(를) 리스트예 ▾ 리스트의 1 번째에 넣기	입력한 자료를 리스트의 입력한 정수 번째에 넣는다.
리스트예 ▾ 리스트의 1 번째 항목을 항목 으로 바꾸기	리스트에서 입력한 정수 번째 항목을 입력한 자료로 바꾼다.

리스트예 ▾ 리스트의 (1) 번째 항목	리스트의 입력한 정수 번째 항목을 얻는다.
리스트예 ▾ 리스트에서 (항목) 항목의 위치	리스트에서 입력한 항목의 위치를 얻는다.
리스트예 ▾ 의 길이	리스트에 포함된 항목의 개수를 얻는다.
리스트예 ▾ 이(가) (항목) 을(를) 포함하는가?	리스트 내에 입력한 항목이 있으면 참, 없으면 거짓을 얻는다.
리스트예 ▾ 리스트 보이기	리스트 내용을 실행 창에 나타낸다.
리스트예 ▾ 리스트 숨기기	리스트 내용을 실행 창에서 숨긴다.

수학성적 리스트에 하나의 점수를 추가해 보면 그림 7.10과 같이 실행 화면에 수학성적 리스트를 볼 수 있다.

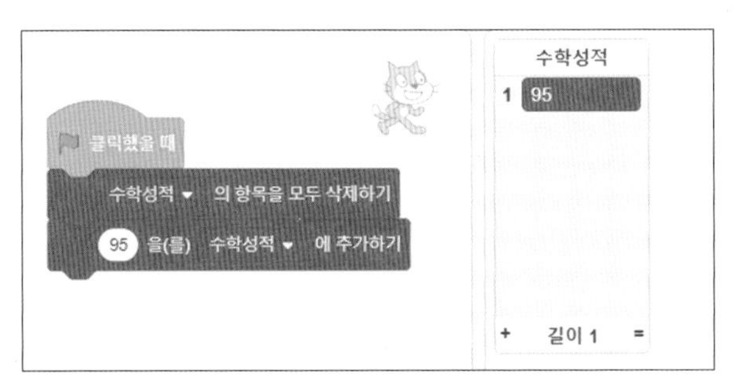

그림 7.10 리스트에 항목 추가하기

다시 하나의 점수를 더 추가하면 추가된 데이터는 리스트의 맨 뒤에 위치하여 수학성적 리스트의 내용은 95, 80이 된다. 이와 같은 방법으로 85, 100, 90을 연속적으로 추가하면 그 결과는 그림 7.11과 같다.

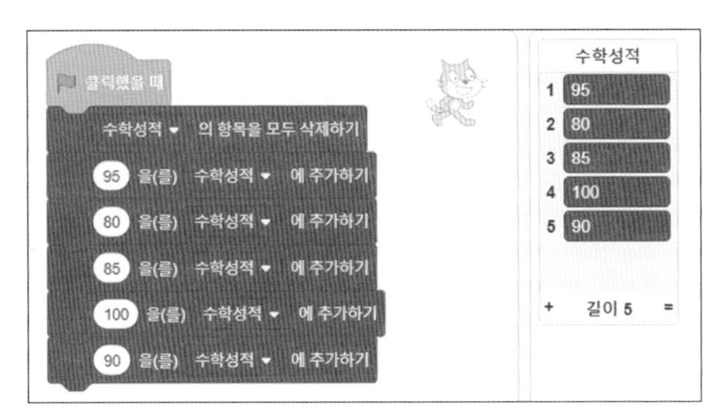

그림 7.11 데이터가 추가된 리스트

스크래치에서 리스트 작업 결과는 프로젝트를 저장하면 함께 저장된다. 따라서 리스트를 비우고 시작하고 싶으면 [리스트에 ▾ 의 항목을 모두 삭제하기] 블록을 이용하여 항목을 모두 삭제해야 한다.

연습 다음은 이름 리스트를 이용한 스크립트이다. 스크립트 처리가 끝난 후 리스트에 저장된 항목들의 내용은 무엇인가?

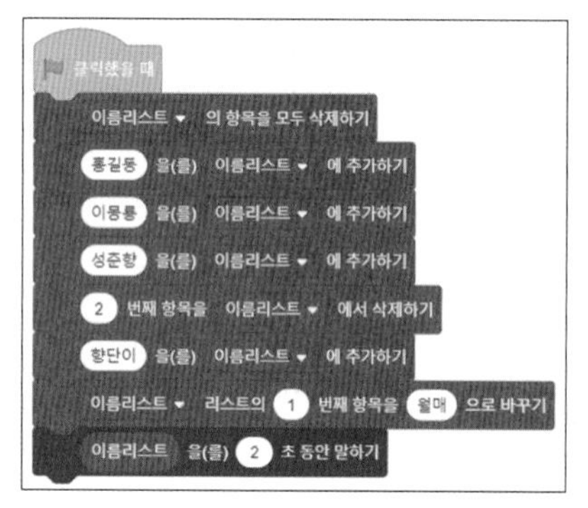

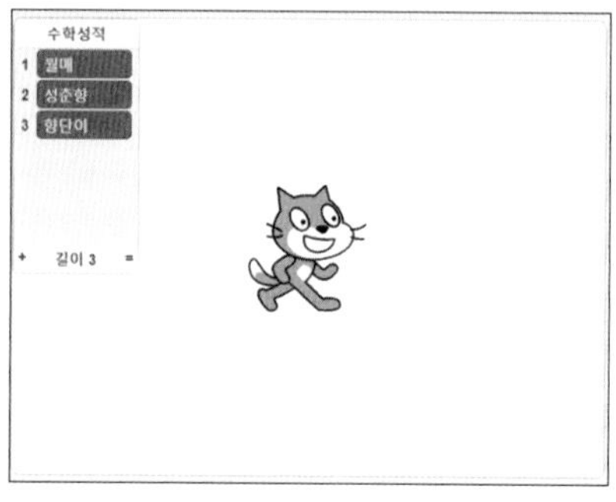

그림 7.12 리스트 처리에 의한 리스트 항목 변화

리스트 항목의 수가 많을 때에는 필요할 때마다 일일이 추가하여 작업하기에 매우 불편하다. 많은 양의 데이터를 저장해 놓고 필요할 때마다 리스트에 읽어 들여서 처리하기 위해서는 파일에 데이터를 저장해 놓고 프로그램에서 읽어 들여서 처리하는 것이 편리하다. 일단 리스트를 만들어 놓고 그림 7.13과 같이 실행 화면에 나타나 있는 리스트를 마우스 오른쪽 버튼으로 클릭하면 [가져오기], [내보내기] 메뉴가 나타나는데 이를 이용하면 파일에서 데이터를 가져오거나 파일로 저장할 수 있다. 가져오기는 항목 내용을 저장하고 있는 *.txt 파일로부터 항목 내용을 리스트로 읽어 들이는 기능이다. 내보내기는 이미 리스트에 저장되어 있는 내용을 외부 *.txt 파일로 저장하는 기능이다. 리스트의 한 항목은 txt 파일의 한 줄에 해당한다.

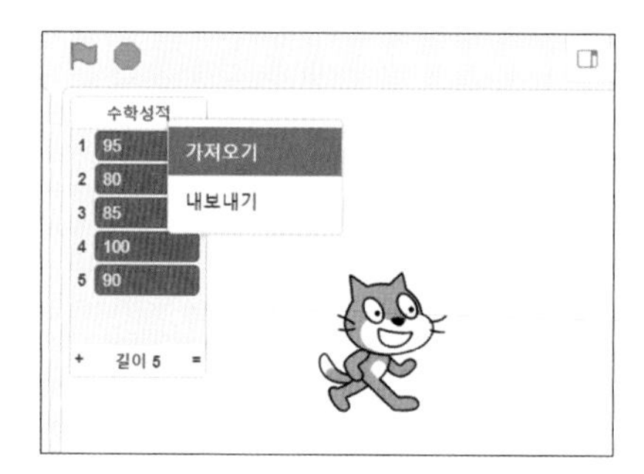

그림 7.13 리스트 가져오기와 내보내기 메뉴

그림 7.14는 메모장에서 수학성적2.txt 이름으로 편집하여 저장한 파일의 내용과 스크래치 실행 화면에서 리스트의 가져오기 메뉴를 실행해서 수학성적2.txt를 선택했을 때의 결과 리스트 내용이다.

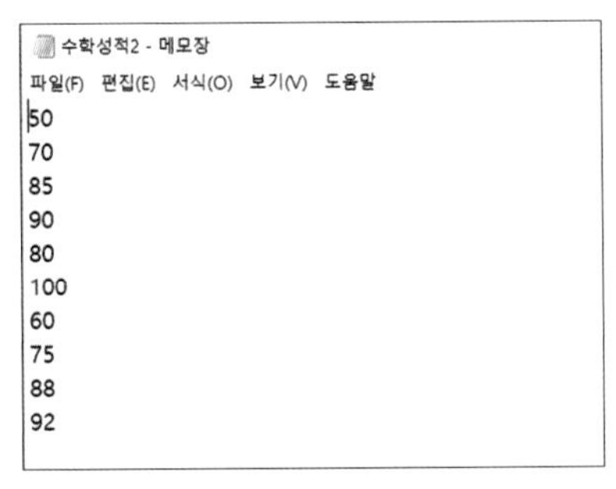

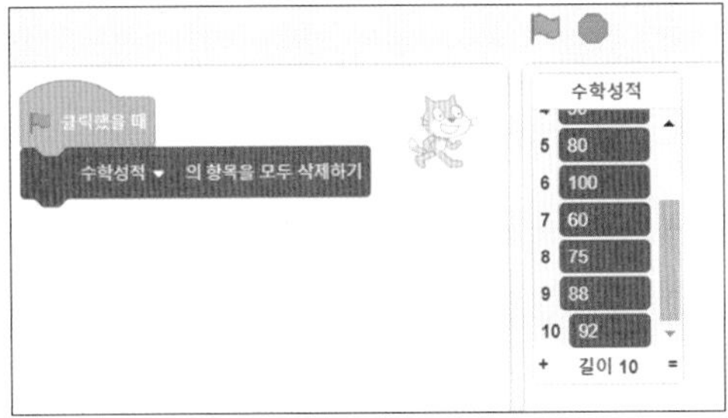

그림 7.14 메모장 파일(txt) 내용과 가져오기 후의 리스트 내용

예제 7.3

수학성적2.txt 파일 내용을 수학성적 리스트로 가져와서 평균을 구하는 스크립트를 작성하라.

반복 구조를 이용하여 리스트의 1번째 항목부터 마지막 항목까지 값을 모두 더하여 전체 항목 개수로 나누면 평균을 구할 수 있다. 이를 위해서는 리스트의 항목 수를 알아야 한다. 리스트 항목 수는 [리스트예 의 길이] 블록을 이용하여 얻을 수 있다. 리스트의 마지막 항목이 몇 번째인가도 리스트의 길이로부터 얻을 수 있다.

■ 준비 단계

합계, 항목첨자, n 변수를 만든다. 합계는 수학성적 합계를 누적하기 위한 변수이며, 항목첨자는 반복 구조에서 리스트의 항목을 지칭하기 위한 변수이다. n 변수는 수학성적 데이터의 개수를 저장하기 위한 변수이다.

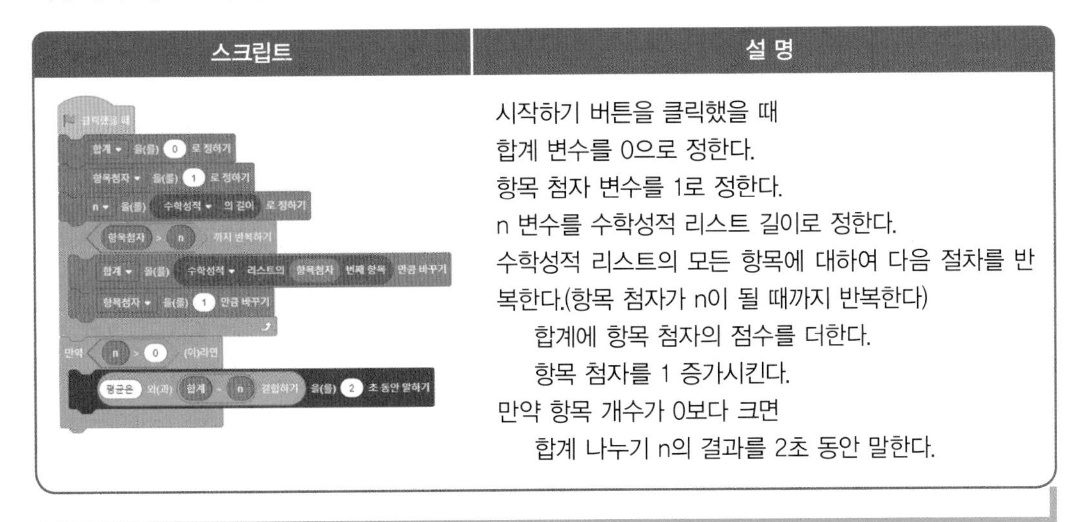

스크립트	설 명
클릭했을 때	시작하기 버튼을 클릭했을 때
합계 을(를) 0 로 정하기	합계 변수를 0으로 정한다.
항목첨자 을(를) 1 로 정하기	항목 첨자 변수를 1로 정한다.
n 을(를) 수학성적 의 길이 로 정하기	n 변수를 수학성적 리스트 길이로 정한다.
항목첨자 > n 까지 반복하기	수학성적 리스트의 모든 항목에 대하여 다음 절차를 반복한다.(항목 첨자가 n이 될 때까지 반복한다)
합계 을(를) 수학성적 리스트의 항목첨자 번째 항목 만큼 바꾸기	합계에 항목 첨자의 점수를 더한다.
항목첨자 을(를) 1 만큼 바꾸기	항목 첨자를 1 증가시킨다.
만약 n > 0 (이)라면	만약 항목 개수가 0보다 크면
평균은 와(과) 합계 ÷ n 결합하기 을(를) 2 초 동안 말하기	합계 나누기 n의 결과를 2초 동안 말한다.

연습 이름 리스트를 생성하여 사람의 이름을 5개 저장하고 사용자로부터 임의의 이름을 읽어 들여서 이 이름이 이름 리스트에 포함되어 있는가를 판별하여 말하는 스크립트를 작성하라.

예제 7.4

성적 리스트에서 최고 점수와 최저 점수 찾기

수학성적 항목 10개를 리스트에 추가하고 이 중에서 최고 점수와 최저 점수를 찾아 말하는 스크립트를 작성하라.

■ 준비 단계

① 수학성적 리스트를 만들고 수학성적2.txt 파일로부터 10개의 점수를 가져온다.

② 최고와 최저 점수를 위한 최고 점수와 최저 점수 변수를 생성하고, n과 항목 첨자 변수를 생성한다.

단계 1 리스트의 첫 번째 항목 값을 최대, 최소 변수에 저장한다.

단계 2 리스트의 두 번째 항목부터 마지막 항목에 대하여 단계 3을 반복한다.

  단계 3 점수를 하나씩 최고 점수, 최저 점수 변수와 비교하여 최고 점수 변수보다 크면 그 점수를 최고 점수 변수에 저장하고, 최저 점수보다 작으면 그 점수를 최저 점수 변수에 저장한다.

단계 4 최고 점수와 최저 점수를 각각 2초 동안 말한다.

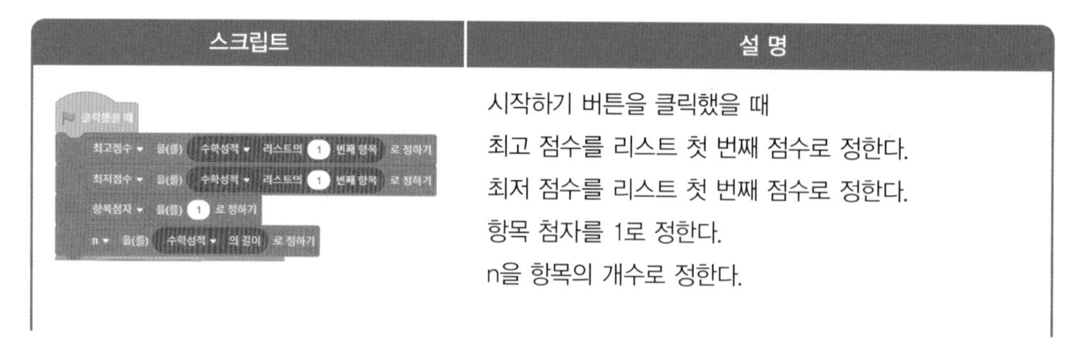

스크립트	설 명
클릭했을 때	시작하기 버튼을 클릭했을 때
최고점수 을(를) 수학성적 리스트의 1 번째 항목 로 정하기	최고 점수를 리스트 첫 번째 점수로 정한다.
최저점수 을(를) 수학성적 리스트의 1 번째 항목 로 정하기	최저 점수를 리스트 첫 번째 점수로 정한다.
항목첨자 을(를) 1 로 정하기	항목 첨자를 1로 정한다.
n 을(를) 수학성적 의 길이 로 정하기	n을 항목의 개수로 정한다.

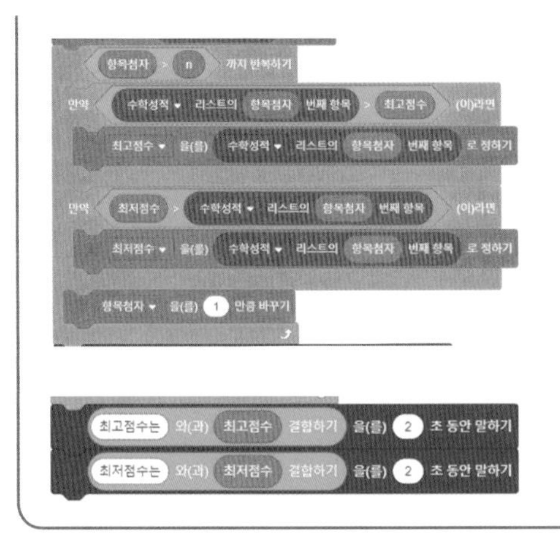

항목 첨자가 n보다 클 때까지 다음 절차를 반복한다.
만약 현재 항목 점수가 최고 점수보다 크면
이 점수를 최고 점수에 저장한다.
만약 현재 항목 점수가 최저 점수보다 작으면
이 점수를 최저 점수에 저장한다.
항목 첨자를 1 증가시킨다.

최고 점수와 최저 점수를 각각 2초 동안 말한다.

7.3 정렬

정렬(sorting)은 데이터를 크기순으로 나열하는 것을 의미한다. 예를 들면 시험 성적에 따라서 정렬을 하여 순위를 매길 수 있다. 일반적으로 그룹의 특성 값은 다수의 데이터로 나타나고, 다수의 데이터를 분석하기 위해서 정렬을 하는 경우가 많다. 이러한 이유로 컴퓨터에서 데이터 배열에 대한 정렬은 필수적인 기능이라 할 수 있다.

예제 7.5

오름차순으로 점수 정렬하기

수학성적 5개를 리스트에 저장한 후 낮은 점수부터 높은 점수로 정렬한다. 정렬 방법은 버블(bubble) 정렬을 이용한다. 버블 정렬 방법은 나열되어 있는 데이터 열에서 서로 이웃한 데이터의 크기를 비교하여 크기 순서에 어긋날 경우에는 두 데이터를 맞교환하는 처리를 반복적으로 시행하게 된다. 예를 들어서 다음과 같이 데이터가 나열되어 있다고 가정하자.

3 6 9 5 1 (크기 순서에 맞음으로 교환하지 않음)

가장 왼쪽에 있는 3과 6을 서로 비교하면 오름차순에 맞으므로 교환하지 않는다.

3 **6 9** 5 1 (교환하지 않음)

다음 오른쪽에 있는 6과 9를 서로 비교하면 오름차순에 맞으므로 교환하지 않는다.

```
3 6 9 5 1 (맞교환) ⇒ 3 6 5 9 1
```

다음 9와 5를 서로 비교하면 오름차순에 어긋나므로 맞교환하여 5와 9가 되도록 한다. 마지막으로 9와 1을 맞교환하여 다음과 같은 처리결과가 된다.

```
3 6 5 9 1 (맞교환) ⇒ 3 6 5 1 9
```

모든 데이터에 대해 이웃한 두수를 비교하여 순서에 어긋나면 맞교환하는 처리를 완료하면 데이터 중에서 가장 큰 수인 9가 맨 오른쪽에 위치하게 된다.

다음은 다시 처음부터 반복하여 동일한 처리를 하는데 마지막 9는 정렬이 완료된 부분이므로 나머지 부분에 대해서만 처리하게 된다.

```
3 6 5 1 (9)
```

3과 6을 서로 비교하면 오름차순에 맞으므로 맞교환하지 않는다.

```
3 6 5 1 (9) (맞교환) ⇒ 3 5 6 1 (9)
```

다음은 6과 5를 서로 비교하면 오름차순에 어긋나므로 맞교환한다.

```
3 5 6 1 (9) (맞교환) ⇒ 3 5 1 6 (9)
```

다음은 6과 1을 서로 비교하면 오름차순에 어긋나므로 맞교환한다.
이로써 나머지 부분 중에서 가장 큰 수인 6을 가장 오른쪽으로 위치시키게 된다.

```
3 5 1 (6 9)
```

다음 남은 부분은 3 5 1이며 이에 대해서도 동일한 처리를 하면 그 중에서 가장 큰 수인 5가 가장 오른쪽에 위치하게 된다.

```
3 1 (5 6 9)
```

이제 남은 부분은 3과 1 밖엔 없고 두 수를 비교하면 오름차순에 어긋나므로 맞교환하면 더 큰 수인 3이 오른쪽으로 이동한다.

```
1 (3 5 6 9)
```

이제 남은 부분은 1 하나뿐이므로 정렬은 필요하지 않고 모든 처리가 종료된다.
이와 같이 정렬하는 것을 버블 정렬(또는 교환 정렬)이라 한다.

상한 변수는 서로 비교하여 맞교환하는 처리를 어느 위치까지 해야 하는가를 나타내는 리스트의 상한 위치를 나타낸다. 리스트의 처음부터 상한 위치까지 처리하고 나면 가장 큰 수가 맨 오른쪽으로 위치하게 된다. 이와 같은 처리를 반복할 때마다 상한 값은 하나씩 줄어든다. 상한이 1일 때까지 반복하면 모든 처리가 완료된다.

```
상한 ▾ 을(를) (정수리스트 ▾ 의 길이) - (1) 로 정하기
<(1) > (상한)> 까지 반복하기
  n ▾ 을(를) (1) 로 정하기
  <(n) > (상한)> 까지 반복하기
```

반복해서 처리되는 부분은 리스트의 n번 항목과 리스트의 n+1번 항목을 서로 비교하여 순서가 반대이면 이를 맞교환한다. 이 부분의 스크립트는 다음과 같다.

```
만약 <(정수리스트 ▾ 리스트의 (n) 번째 항목) > (정수리스트 ▾ 리스트의 ((n) + (1)) 번째 항목)> (이)라면
  tmp ▾ 을(를) (정수리스트 ▾ 리스트의 (n) 번째 항목) 로 정하기
  정수리스트 ▾ 리스트의 (n) 번째 항목을 (정수리스트 ▾ 리스트의 ((n) + (1)) 번째 항목) 으로 바꾸기
  정수리스트 ▾ 리스트의 ((n) + (1)) 번째 항목을 (tmp) 으로 바꾸기
```

다음은 앞의 예를 처리하기 위한 완성된 스크립트를 프로그래밍한 것이다.

```
클릭했을 때
정수리스트 ▾ 의 항목을 모두 삭제하기
(3) 을(를) 정수리스트 ▾ 에 추가하기
(6) 을(를) 정수리스트 ▾ 에 추가하기
(9) 을(를) 정수리스트 ▾ 에 추가하기
(5) 을(를) 정수리스트 ▾ 에 추가하기
(1) 을(를) 정수리스트 ▾ 에 추가하기
상한 ▾ 을(를) (정수리스트 ▾ 의 길이) - (1) 로 정하기
<(1) > (상한)> 까지 반복하기
  n ▾ 을(를) (1) 로 정하기
  <(n) > (상한)> 까지 반복하기
    만약 <(정수리스트 ▾ 리스트의 (n) 번째 항목) > (정수리스트 ▾ 리스트의 ((n) + (1)) 번째 항목)> (이)라면
      tmp ▾ 을(를) (정수리스트 ▾ 리스트의 (n) 번째 항목) 로 정하기
      정수리스트 ▾ 리스트의 (n) 번째 항목을 (정수리스트 ▾ 리스트의 ((n) + (1)) 번째 항목) 으로 바꾸기
      정수리스트 ▾ 리스트의 ((n) + (1)) 번째 항목을 (tmp) 으로 바꾸기
    n ▾ 을(를) (1) 만큼 바꾸기
  상한 ▾ 을(를) (-1) 만큼 바꾸기
```

앞의 프로그램은 이중 반복 구조로 이루어져 있다. 바깥 반복 구조는 상한 변수를 4, 3, 2, 1로 변경하면서 반복하고, 안쪽 반복 구조는 n 변수를 1에서 상한까지 반복한다.

연습 묻고 기다리기 블록을 이용하여 사용자로부터 0 이상의 정수를 읽어 들여서 -1이 들어올 때까지 반복하면서 리스트에 추가한 후, 내림차순(큰 수에서 작은 수 순서)으로 버블 정렬하라.

연습 앞의 예제에서 리스트에 추가되는 값이 이름이라면 버블 정렬이 가능할지 생각해 보자. 가능하다면 어떤 결과가 될 것인지 설명하라.

7.4 탐색

탐색(search)은 리스트 내에서 특정 데이터가 있는가를 알아내는 기능을 의미한다. 탐색에 관련된 블록으로는 특정 데이터의 포함 유무를 알려주는 [리스트에 ▾ 이(가) 항목 을(를) 포함하는가?] 와 리스트 내에 포함된 데이터의 위치를 얻을 수 있는 [리스트에 ▾ 리스트에서 항목 항목의 위치] 가 있다.

예제 7.6

전화번호부 기능 스크립트

5명의 이름과 전화번호(예 : 홍길동 010-3321-2413)를 이름 리스트와 전화번호 리스트에 각각 추가한 후, 사용자로부터 5명 중 한 명의 이름을 읽어 들여서 그 사람의 전화번호를 말하는 스크립트를 작성하라.

■ 준비 단계

이름 리스트와 전화번호 리스트를 생성한다.

단계 1 5명의 이름과 전화번호를 이름 리스트와 전화번호 리스트에 저장한다.

단계 2 묻고 기다리기 블록을 이용하여 사용자로부터 이름을 읽어 들인다.

단계 3 이름이 -1 값이 될 때까지 다음 단계 4, 5를 반복한다.

단계 4　만약 이름 리스트에 이름이 존재하면

리스트 내에서 그 이름의 위치를 얻어서 전화번호 리스트에 동일한 위치의 전화번호를 말한다.

그렇지 않다면 이름이 전화번호부에 없다고 말한다.

단계 5　묻고 기다리기를 이용하여 사용자로부터 다음 이름을 읽어 들인다.

● 리스트초기화 부분 스크립트

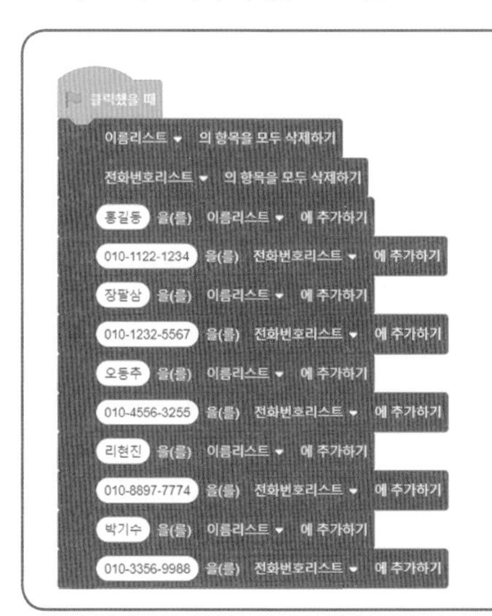

시작하기 버튼을 클릭했을 때

이름 리스트의 항목을 모두 삭제한다.

전화번호 리스트의 항목을 모두 삭제한다.

이름과 전화번호를 쌍으로 각각 이름 리스트와 전화번호 리스트에 추가한다.

● 이름 리스트 검색 스크립트

"이름을 입력하세요."라고 묻고 기다린다.

대답이 −1이 될 때까지 다음 절차를 반복한다.

이름 리스트에 대답이 있으면 그 항목의 위치를 알아내어 전화번호 리스트에 해당 위치의 항목을 2초 동안 말한다. 없으면 "대답은 전화번호부에 없습니다."를 2초 동안 말한다.

"이름을 입력하세요."라고 묻고 기다린다.

연습 영어 단어와 대응되는 한글 단어를 각각 10개씩 영어 단어 리스트와 한글 단어 리스트에 저장한 후, 영어 단어를 읽어 들여서 이에 대응되는 한글 단어를 말하는 스크립트를 작성하라.

- 프로그램에서 변수는 수학에서와 개념적으로 유사하게 변하는 값을 갖는다. 그리고 프로그램의 변수는 처리할 데이터를 저장하는 저장소의 역할을 한다.
- 스크래치에서는 변수에 대입되는 데이터형에 대한 엄격한 제한이 없다. 이는 데이터를 보다 추상화시켜서 사용자가 자료형을 엄격히 고려하지 않고도 프로그램을 작성할 수 있도록 하기 위함이다.
- 스크래치에서는 시스템에서 기본적으로 제공하는 변수들이 있다. 변수들은 모두 블록으로 코드 탭에 나타난다. 그 외 프로그램에서 필요한 변수들이 있는 경우에는 변수 만들기를 이용하여 새로운 변수를 만들고 사용할 수 있다.
- 변수는 사용 가능 영역에 따라 한 스프라이트 내에서만 사용할 수 있는 변수와 모든 스프라이트와 무대에서 사용 가능한 변수 두 가지로 나눌 수 있다. 스프라이트 내에서만 사용할 수 있는 변수는 지역 변수에 대응되고 모든 스프라이트와 무대에서 사용할 수 있는 변수는 전역 변수에 해당한다.
- 무대에서 정의한 변수는 모든 스프라이트와 무대에서 사용 가능한 변수이다.
- 전역 변수를 활용하면 스프라이트 사이에 데이터를 공유할 수 있는 장점이 있으나, 논리적인 오류가 발생했을 때 공유하는 모든 스프라이트를 다 살펴야 하기 때문에 디버깅이 어려워지는 단점이 있다.
- 다수의 데이터를 저장할 수 있는 변수로 기존 C 언어에서는 배열을 제공하는데, 이와 유사한 개념으로 스크래치에서는 리스트를 제공한다. 배열은 생성할 때 크기를 정하지만 리스트는 크기가 정해지지 않는다.
- 리스트는 변수 영역의 리스트 만들기 버튼을 선택하여 생성한다. 리스트가 생성되면 해당 리스트를 처리할 수 있는 블록이 변수 영역에 나타난다.
- 다수의 데이터를 순서대로 저장할 수 있는 리스트가 제공된다. 임의의 n번째 데이터를 읽거나 추가하거나 삭제하거나 다른 값으로 바꿀 수 있다. 또한 리스트의 크기나 리스트 내에 특정 데이터가 있는가를 알려주는 블록도 제공된다. 리스트의 크기는 고정되지 않으며, 계속적으로 데이터를 추가할 수 있다.
- 리스트에 데이터를 추가할 경우 데이터의 수가 많으면 스크립트 내에서 블록으로 일일이 저장하기가 어렵다. 이 경우 실행 화면에 리스트를 보이게 한 후 마우스 오른쪽 버튼을 클릭하여 가져오기, 내보내기 메뉴를 이용하면 메모장 파일로 부터 많은 데이

터를 가져오거나 저장할 수 있다.

- 다수의 데이터를 대상으로 크기 순서대로 나열하는 것을 정렬(sorting)이라 한다. 데이터 정렬은 순위를 정하기 위해서 필수적이며, 탐색을 할 경우에도 이진 탐색을 할 수 있기 때문에 매우 빠른 탐색이 가능해진다.
- 다수의 데이터를 대상으로 특정 데이터가 포함되어 있는가를 찾는 것을 탐색(search)이라 한다.

연습문제

01 다음 변수에 대한 설명 중에서 올바르지 않은 것은 무엇인가?

① 변수는 변하는 수를 나타내기 위해서 사용한다.

② 프로그램에서 변수는 데이터를 저장하는 저장 공간으로 사용된다.

③ 스크래치에서 모든 변수는 변수 만들기를 이용해서 생성한 후 사용한다.

④ 변수에 저장되는 데이터로는 정수, 실수, 문자열 등이 가능하다.

02 스크래치의 변수에 대한 설명 중 잘못된 것은 다음 중 무엇인가?

① 변수는 생성할 때 저장할 데이터 형은 정하지 않는다.

② 무대에서는 모든 스프라이트와 무대에서 사용할 수 있는 변수만 생성한다.

③ 정수, 실수 이외의 값은 변수에 저장할 수 없다.

④ 변수에 임의의 값을 저장할 수 있는 블록이 제공된다.

03 변수의 사용 가능 영역에 대한 설명이다. 잘못된 것은 다음 중 무엇인가?

① 나의 변수는 모든 스프라이트가 사용할 수 있다.

② 무대에서는 모든 스프라이트와 무대에서 사용할 수 있는 변수만 생성한다.

③ 모든 스프라이트가 사용할 수 있는 변수도 무대에서는 사용할 수 없다.

④ '이 스프라이트에서만 사용' 변수는 여러 스프라이트에서 동일한 이름으로 각각 만들 수 있다.

04 스크래치 자체에서 제공하는 변수가 아닌 것은 다음 중 무엇인가?

① 스프라이트의 x, y 좌표 ② 스프라이트의 방향

③ 배경의 이름 ④ 변수의 개수

05 리스트에 대한 설명 중에서 잘못된 것은 다음 중 무엇인가?

① 리스트는 다수의 데이터를 저장할 수 있다.

② 데이터를 추가하면 리스트의 맨 앞에 추가된다.

③ 리스트 내에 특정 데이터가 있는가를 알려주는 블록이 있다.

④ 리스트는 정수, 실수, 문자열 등을 저장할 수 있다.

06 리스트가 제공하는 기능이 아닌 것은 다음 중 무엇인가?

① 리스트 내에서 특정 값이 있는 위치를 얻는다.

② 임의의 위치에 있는 데이터를 다른 값으로 바꾼다.

③ 리스트의 길이를 얻는다.

④ 리스트의 데이터를 순서대로 정렬한다.

07 다음 스크립트를 실행했을 때 안녕을 몇 번 말하는가?

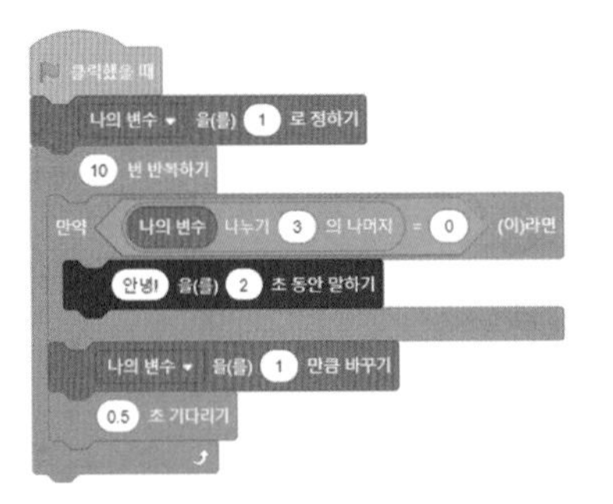

① 1번

② 2번

③ 3번

④ 4번

08 다음 스크립트를 처리했을 때 교과목 리스트의 내용을 올바른 순서로 나열한 것은?

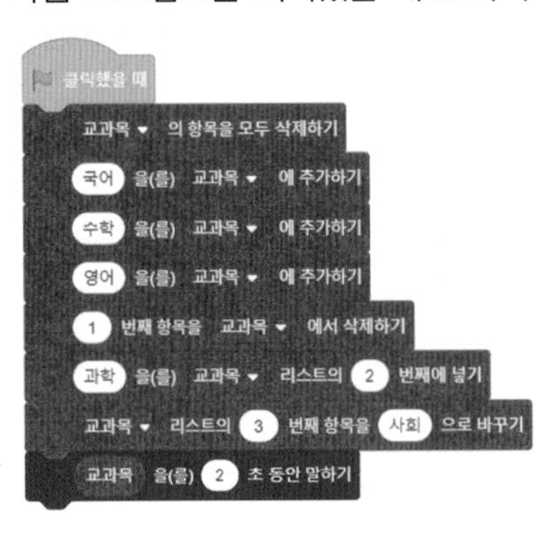

① 국어-수학-과학

② 사회-과학-영어

③ 수학-과학-사회

④ 수학-과학-영어

09 정수 1, 2, 3, 4, 5, 6을 임의의 순서대로 나열하여 말하는 스크립트를 작성하라.

힌트 난수 블록, 리스트를 이용한다.

10 리스트의 가져오기, 내보내기를 이용하여 학생의 이름을 리스트에 저장해 놓고, 학생의 이름을 읽어 들인 다음, 해당 학생이 리스트에 있는가를 판별하는 스크립트를 작성하라.
사용할 스프라이트 : Dani, 무대 배경 : School

11 5명의 학생의 이름을 리스트에 저장한 후 버블 정렬하여 리스트를 말하는 프로그램을 작성하라.

12 5명의 학생의 이름을 리스트에 저장한 후 사용자로부터 학생의 이름을 읽어 들여서 해당 학생이 리스트에 포함되는지 안되는지 그리고 포함되면 그 위치를 알려주는 프로그램을 작성하라.

13 리스트를 이용하여 5개의 문자를 읽어 들인 다음, 입력된 문자의 역순으로 리스트 내의 데이터 순서를 바꾸는 프로그램을 작성하라.

힌트 첫 번째 항목과 마지막 항목을 서로 맞교환한다. 그 다음 두 번째 항목과 마지막-1 번째 항목을 서로 맞교환한다. 이런 식으로 모든 항목에 대하여 맞교환을 반복한다.

Chapter 08

Computational Thinking

연산 기능 블록

학습목표

- 스크래치에서 제공하는 연산 블록에 대하여 공부한다.
- 난수 블록을 활용한 스크립트를 살펴보고 연습한다.
- 문자열 처리 블록의 활용 예를 공부한다.
- 다양한 수학 함수 연산 블록을 이용하여 프로그래밍을 연습하고 그래프를 그려본다.

8.1 연산 블록

프로그램을 작성할 때 변수를 계산하기 위해서는 연산 기능을 이용해야 한다. 실제로 C/C++, Java, Python 등의 언어에서는 일반적으로 프로그램에 필요한 산술논리 연산자를 가지고 있다. 가장 흔히 사용하는 산술 연산인 더하기, 빼기, 곱하기, 나누기 등이 그 예이다. C 언어에서 더하기는 +, 빼기는 -, 곱하기는 *, 나누기는 / 기호를 이용하여 연산자를 나타낸다. 만약 두 변수 a, b의 값을 더하여 c 변수에 대입하는 문장은 c = a + b;와 같이 표현된다.

스크래치에서도 기존 언어들과 유사한 연산 기능을 제공하는 블록이 제공된다. 표 8.1은 스크래치에서 코드 탭의 연산 영역에서 제공하는 연산 블록들을 보여준다.

〈표 8.1〉 연산 블록

블록	기능
( ) + ( )	주어진 두 피연산자에 대한 더하기 연산 결과를 얻는다.
( ) - ( )	주어진 두 피연산자에 대한 빼기 연산 결과를 얻는다.
( ) x ( )	주어진 두 피연산자에 대한 곱하기 연산 결과를 얻는다.
( ) ÷ ( )	주어진 두 피연산자에 대한 나누기 연산 결과를 얻는다.
(1) 부터 (10) 사이의 난수	주어진 두 수 사이에서 임의의 수(난수)를 얻는다.
( ) > ( )	왼쪽 수가 오른쪽 수보다 크면 참, 그렇지 않으면 거짓의 결과를 얻는다.
( ) < ( )	왼쪽 수가 오른쪽 수보다 작으면 참, 그렇지 않으면 거짓의 결과를 얻는다.
( ) = ( )	입력한 두 수가 같으면 참, 그렇지 않으면 거짓의 결과를 얻는다.
〈 〉 그리고 〈 〉	논리곱 연산의 결과를 얻는다.
〈 〉 또는 〈 〉	논리합 연산의 결과를 얻는다.
〈 〉 이(가) 아니다	논리역 연산의 결과를 얻는다.
( ) 와(과) ( ) 결합하기	입력한 두 문자열을 결합한 결과 문자열을 얻는다.
( ) 의 ( ) 번째 글자	입력한 문자열에서 입력한 정수 번째 글자를 얻는다.
( ) 의 길이	입력한 문자열의 길이를 얻는다.

( ) 이(가) ( ) 을(를) 포함하는가?	왼쪽에 입력한 문자열에 오른쪽에 입력한 문자열이 포함되어 있으면 참, 그렇지 않으면 거짓을 얻는다.
( ) 나누기 ( ) 의 나머지	왼쪽에 입력한 정수를 오른쪽에 입력한 정수로 나눈 나머지를 얻는다.
( ) 의 반올림	주어진 실수에서 소숫점 이하의 수가 0.5 이상이면 반올림하여 정수를 얻는다.
절댓값 ▾ (( ))	입력한 수에 대한 다양한 수학 함수(절대값, 버림, 올림, 제곱근, sin, cos, tan, asin, acos, atan, ln, log, e^, 10^) 계산 결과를 얻는다.

예제 8.1

입력한 연산 종류와 두 피연산자에 대한 사칙 연산하기

덧셈, 뺄셈, 곱셈, 나눗셈 중에서 연산을 선택하고, 연산에 이용될 두 피연산자 값을 읽어 들여 연산을 수행하고 그 결과를 알려준다.

■ 준비 단계

① 연산 변수와 피연산자를 저장하기 위한 변수 a, b를 생성한다.

② 스프라이트는 Devin을 이용하고 배경은 Light를 사용한다.

단계 1 묻고 기다리기를 이용하여 사용자로부터 덧셈, 뺄셈, 곱셈, 나눗셈 중 하나를 읽어 들이고, 역시 묻고 기다리기를 2번 이용하여 두 피연산자를 읽어 들인다.

단계 2 만약 연산이 덧셈이면 두 피연산자를 더하여 말한다.
아니면 만약 연산이 뺄셈이면 두 피연산자를 빼서 결과를 말한다.
아니면 만약 연산이 곱셈이면 두 피연산자를 곱해서 결과를 말한다.
아니면 만약 연산이 나눗셈이면 두 피연산자를 나누어 결과를 말한다.
아니면 "연산 종류가 잘못되었습니다."라고 말한다.

스크립트	설 명
클릭했을 때 덧셈, 뺄셈, 곱셈, 나눗셈 중에서 연산을 선택하세요. 라고 묻고 기다리기 연산 ▾ 을(를) 대답 로 정하기 첫번 째 피연산자를 입력하세요. 라고 묻고 기다리기 a ▾ 을(를) 대답 로 정하기 두번 째 피연산자를 입력하세요. 라고 묻고 기다리기 b ▾ 을(를) 대답 로 정하기	시작하기 버튼을 클릭했을 때 묻기 기다리기를 이용하여 사용자로부터 덧셈, 뺄셈, 곱셈, 나눗셈 중 하나를 읽어 들여 연산 변수에 저장한다. 역시 묻고 기다리기를 2번 이용하여 두 피연산자를 읽어 들여서 a, b 변수에 저장한다.

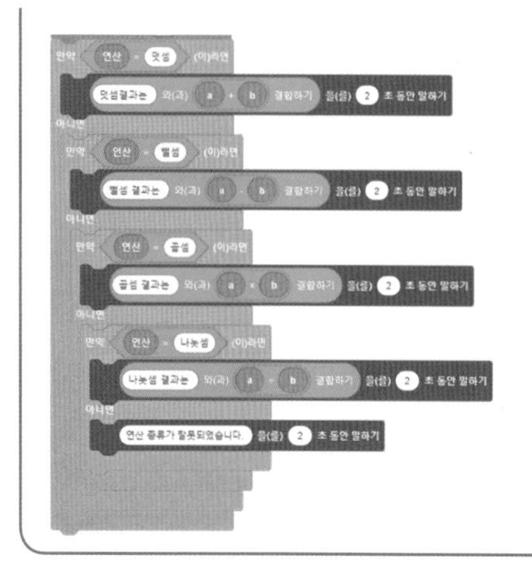

중첩된 선택 구조를 이용하여(만약 〈 〉 라면 ~ 아니면 ~ 블록을 중첩해서 사용) 연산이 덧셈이면 두 피연산자를 더하여 결과를 2초 동안 말한다. 만약 연산이 뺄셈이면 두 피연산자를 빼서 결과를 2초 동안 말한다. 만약 연산이 곱셈이면 두 피연산자를 곱해서 결과를 2초 동안 말한다. 만약 연산이 나눗셈이면 두 피연산자를 나눠서 결과를 2초 동안 말한다. 아니면 연산 종류가 잘못 선택되었음을 말한다.

그림 8.1 [예제 8.1]의 실행 화면

연습 이차 방정식 $ax^2 + bx + c$의 실근의 개수를 구하는 스크립트를 작성하라.

힌트 판별식 $D=b^2-4ac$, $D>0$이면 2개 실근, $D=0$이면 1개의 중근, $D<0$이면 허근(실근 0개)

8.2 난수 생성 블록 

난수(random number)는 다양한 프로그램에서 활용되는데 특히 게임을 만들 때 개체가 화면에 나타나는 위치나 시간 등을 임의로 정하고 싶을 때 많이 사용된다. 스크래치에서도 같은 이유로 난수를 이용하여 게임을 만드는 경우가 많다. 스크래치에서는 [1 부터 10 사이의 난수] 블록을 이용하여 난수를 생성한다. 이 때 주어진 상한과 하한이 정수이면 정수 값을 생성하며, 하나라도 실수를 입력하면 실수 값을 얻을 수 있다. 예를 들어서 1부터 3 사이의 난수를 얻으면 1, 2, 3 중에서 임의의 정수를 얻을 수 있다. 만약 1부터 10.0 사이의 난수를 얻으면 1.0부터 10.0 사이의 무수히 많은 실수 중에서 임의의 값을 얻는다. 실제 블록을 클릭하여 실행하면 그림 8.2와 같은 결과를 볼 수 있다.

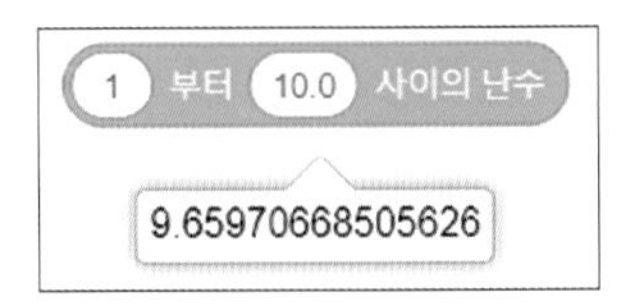

그림 8.2 정수와 실수를 입력으로 준 난수 블록 실행 결과

예제 8.2

주사위 던지기 시뮬레이션

주사위를 100번 던져서 3이 몇 번 나오는가를 실험하는 시뮬레이션 스크립트를 작성한다.

■ 준비 단계

① 발생 횟수 변수를 생성한다.

② 스프라이트는 Dani를 고르고 배경은 Room 2를 이용한다.

단계 1　발생 횟수를 0으로 정한다.

단계 2　단계 3을 100번 반복한다.

　단계 3　주사위 값을 얻기 위해서는 1에서 6 사이의 난수를 생성하면 된다.
　　　　이때 얻어진 값이 3이면 발생 횟수 변수를 1 증가시킨다.

단계 4　발생 횟수를 10초 동안 말한다.

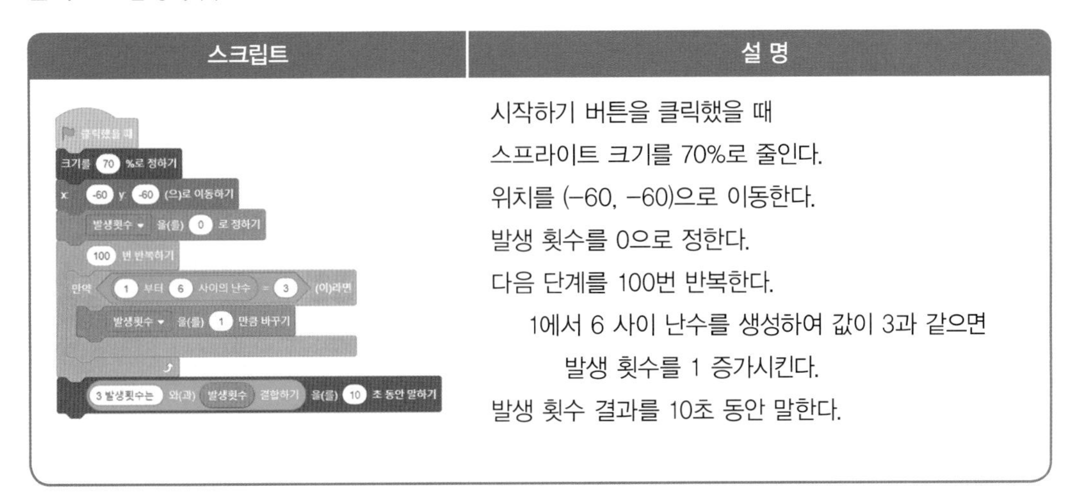

스크립트	설 명
	시작하기 버튼을 클릭했을 때 스프라이트 크기를 70%로 줄인다. 위치를 (−60, −60)으로 이동한다. 발생 횟수를 0으로 정한다. 다음 단계를 100번 반복한다. 1에서 6 사이 난수를 생성하여 값이 3과 같으면 발생 횟수를 1 증가시킨다. 발생 횟수 결과를 10초 동안 말한다.

실행결과는 매번 실행할 때마다 발생 횟수 값이 다르게 나타난다. 확률적으로는 100/6회를 평균으로 정규분포에 따라 발생할 것이다.

그림 8.3 [예제 8.2]의 실행 화면

연습 주사위 던지기를 시뮬레이션하여 100번 시행 중에 3 또는 6이 발생하는 빈도가 몇 퍼센트인가를 말하는 스크립트를 작성하라.

예제 8.3

임의의 크기를 갖는 별 50개 만들기

실행 화면의 임의의 위치에 10에서 100 사이의 퍼센트(%) 크기의 별이 0.5초 간격으로 하나씩 총 50개 생성되는 프로그램이다.

■ 준비 단계

① 스프라이트 고르기에서 star를 선택한다.

② 확장 기능 고르기에서 펜 기능을 선택한다. 펜 기능에 있는 도장 찍기 블록을 사용하면 스프라이트의 모양을 화면에 나타낼 수 있다.

star 스프라이트를 임의의 위치에 출력하기 위해서는 무작위 위치로 이동하기 블록을 이용하여 이동시킨 다음, 10에서 100 사이의 난수를 얻어서 크기를 난수 값 %로 정한 다음 도장 찍기 블록을 사용하면 된다.

스크립트	설 명
클릭했을 때 모두 지우기 50 번 반복하기 무작위 위치 (으)로 이동하기 크기를 10 부터 100 사이의 난수 %로 정하기 도장찍기 0.5 초 기다리기	시작하기 버튼을 클릭했을 때 모두 지우기 블록으로 화면을 지운다. 다음 절차를 50회 반복한다. 무작위 위치로 이동한다. 난수를 발생시켜 별 크기를 난수 % 크기로 정한다. 도장 찍기를 한다. 0.5초 동안 기다린다.

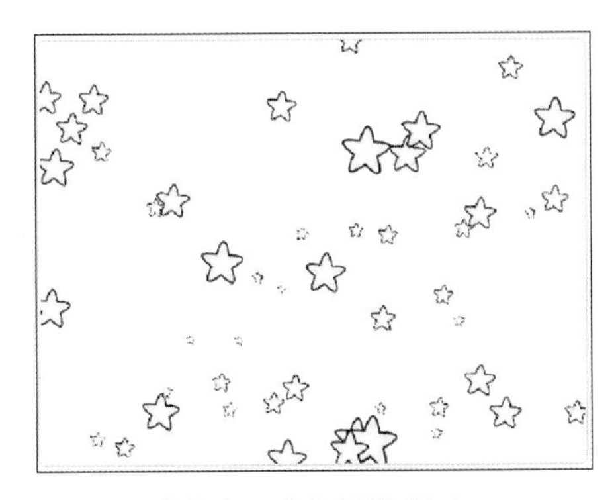

그림 8.4 [예제 8.3]의 실행 화면

연습 앞의 예제에서 별의 색깔을 계속 변화시키면서 화면에 나타나도록 스크립트를 수정하라.

예제 8.4

가위바위보 게임

컴퓨터와 사용자가 가위바위보 게임을 한다. 컴퓨터는 내부적으로 난수를 발생시켜 가위바위보를 결정한다. 사용자는 가위, 바위, 보 중에서 하나를 선택한다. 컴퓨터의 선택과 사용자의 선택을 비교하여 누가 이겼는가를 판정하여 말한다.

■ 준비 단계

① 가위바위보 리스트를 생성한다.

② 컴퓨터선택과 사용자선택 변수를 생성한다.

단계 1

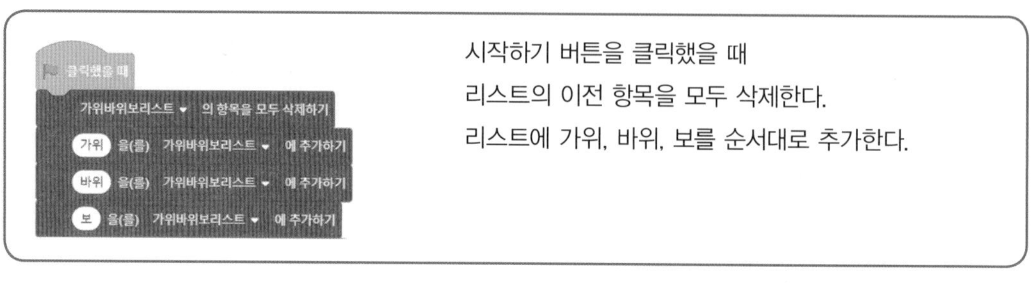

시작하기 버튼을 클릭했을 때
리스트의 이전 항목을 모두 삭제한다.
리스트에 가위, 바위, 보를 순서대로 추가한다.

단계 2

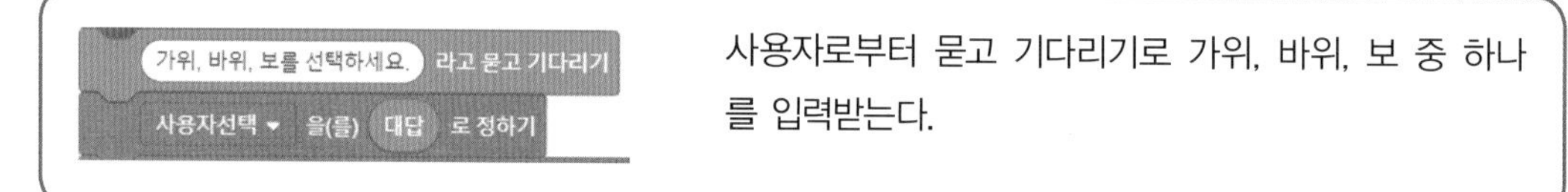

사용자로부터 묻고 기다리기로 가위, 바위, 보 중 하나를 입력받는다.

단계 3

컴퓨터선택 ▾ 을(를) 가위바위보리스트 ▾ 리스트의 1 부터 3 사이의 난수 번째 항목 로 정하기
컴퓨터 : 와(과) 컴퓨터선택 결합하기 을(를) 2 초 동안 말하기

1에서 3 사이의 난수를 발생시켜서 그 수에 해당하는 가위바위보 리스트의 항목을 컴퓨터선택으로 정한다.
컴퓨터선택을 먼저 2초 동안 말한다.

단계 4

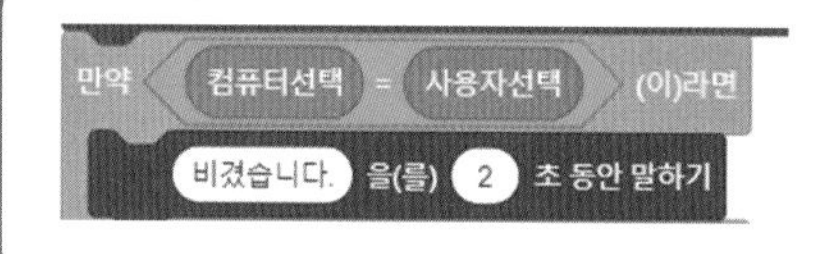

컴퓨터선택과 사용자선택이 같으면 "비겼습니다."를 2초 동안 말한다.

단계 5

컴퓨터선택과 사용자선택이 다른 모든 경우.

1) 컴퓨터선택 = 가위, 사용자선택 = 바위: 결과는 "이겼습니다."
2) 컴퓨터선택 = 가위, 사용자선택 = 보: 결과는 "졌습니다."
3) 컴퓨터선택 = 바위, 사용자선택 = 가위: 결과는 "졌습니다."
4) 컴퓨터선택 = 바위, 사용자선택 = 보: 결과는 "이겼습니다."
5) 컴퓨터선택 = 보, 사용자선택 = 바위: 결과는 "졌습니다."
6) 컴퓨터선택 = 보, 사용자선택 = 가위: 결과는 "이겼습니다."

연습 컴퓨터와 사용자가 할 수 있는 홀짝 게임 스크립트를 작성하라.

예제 8.5

임의로 움직이는 쥐

쥐 스프라이트가 임의의 방향으로 임의의 속도로 움직이도록 한다. 끊임없이 움직이도록 하기 위해서 무한 반복을 이용한다. 반복 처리되는 절차는 먼저 방향을 변경하고, 임의의 거리만큼 움직인 다음, 임의의 시간만큼 기다린다. 이를 위해서 난수를 생성해서 바라보는 방향을 난수 생성 값으로 변경하고, 움직이는 거리도 난수 생성 값으로 준다. 그리고 기다리는 시간(초 단위)도 난수 생성 값으로 정한다.

■ 준비 단계

① 스프라이트 고르기에서 mouse1 스프라이트를 추가한다.

② 무대 배경은 Forest로 바꾼다.

단계 1　스프라이트의 크기를 50%로 줄이고 위치는 무대 중앙으로 이동한다.

단계 2　다음 단계 3, 4, 5를 무한 반복한다.

　단계 3　현재 방향에 −90에서 90 사이의 난수를 생성하여 더한다.

　단계 4　움직이는 거리를 1에서 50 사이의 난수만큼 움직인다.

　단계 5　0.2에서 1 사이의 난수만큼 기다린다.

```
클릭했을 때
크기를 50 %로 정하기
x: 0 y: 0 (으)로 이동하기
무한 반복하기
    방향 + -90 부터 90 사이의 난수 도 방향 보기
    1 부터 50 사이의 난수 만큼 움직이기
    0.2 부터 1 사이의 난수 초 기다리기
    벽에 닿으면 튕기기
```

그림 8.5 [예제 8.5]의 스크립트와 실행 화면

8.3 논리 연산 블록

논리 연산자에는 논리곱(AND), 논리합(OR), 논리역(NOT)이 있는데 스크래치에서는 각각에 대응되는 블록을 제공한다. 논리곱은 〈그리고〉, 논리합은 〈또는〉, 논리역은 〈이(가) 아니다〉 이다. 참고로 논리 연산의 결과는 표 8.2와 같다.

〈표 8.2〉 논리 연산

P	Q	P OR Q	P AND Q	NOT P
참	참	참	참	거짓
참	거짓	참	거짓	거짓
거짓	참	참	거짓	참
거짓	거짓	거짓	거짓	참

논리 연산 블록의 형태가 육각형 형태인데 이러한 모양의 블록은 참(true) 아니면 거짓(false) 값을 갖는다. 그리고 논리 연산 블록 괄호에 들어갈 수 있는 블록도 육각형 형태이다. 즉 관계 연산이나 논리 연산이 들어가야 한다는 의미이다.

관계 연산이란 두 값이 같은가를 판단하거나 대소 관계를 판단하는 연산을 의미한다. 예를 들어서 3 < 4 관계 연산의 결과는 참이 되며, 2 > 5 관계 연산은 거짓이 될 것이다. 또 7 = 3은 거짓이 된다. 이를 스크래치 블록으로 나타내면 다음과 같다.

3 < 4 , 2 > 5 , 7 = 3

그러나 변수를 포함하는 관계 연산의 경우에는 변수에 따라 참이 되기도 하고 거짓이 되기도 하는 조건이 된다. 예를 들어서 x 변수가 1에서 10 사이인가를 판별하기 위해서는 x ≥ 1 AND x ≤ 10이 조건이 된다. 이 조건에 대한 블록은 다음과 같다.

x > 1 또는 x = 1 그리고 x < 10 또는 x = 10

이와 같은 조건을 이용해서 선택 구조를 만든다면 다음과 같은 블록 형태가 될 것이다.

이상과 같이 관계 연산자와 논리 연산자를 복합적으로 사용하여 다양한 조건에 대한 논리식을 구성할 수 있다. 예를 들어서 나이가 18세 이상이며 성별이 남자인 사람에 대하여 어떤 작업을 처리하려고 할 때는 다음과 같은 선택 구조가 될 것이다.

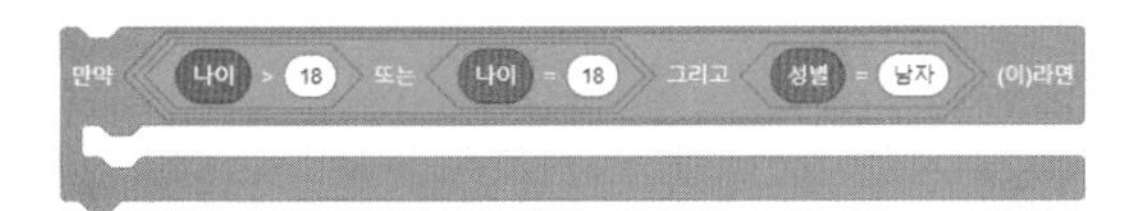

예제 8.6

성적에 의한 합격 판정

어느 회사에서 입사 시험 성적을 기반으로 합격 판정을 내리려고 한다. 컴퓨터 성적이 90점 이상이면 합격, 컴퓨터 성적이 70점 이상 90점 미만인 경우는 토익 성적이 700점 이상일 때만 합격으로 처리하려고 한다. 컴퓨터 성적과 토익 성적을 기반으로 합격과 불합격을 판단하는 스크립트를 작성한다.

■ 준비 단계

① 컴퓨터 성적과 토익 성적 변수를 생성한다.

② 스프라이트는 Dee, 배경은 Room2를 사용한다.

단계 1 묻고 기다리기를 2번 이용하여 컴퓨터 성적과 토익 성적을 각각 읽어 들여서 해당 변수에 저장한다.

단계 2 선택 구조를 이용하여 만약 컴퓨터 성적 ≥ 90 또는 (컴퓨터 성적 ≥ 70 그리고 토익 성적 ≥ 700)이면 합격 그렇지 않으면 불합격으로 판정한다.

선택 구조를 작성함에 있어서 컴퓨터 성적 ≥ 90은 논리의 합(OR, 또는)을 이용하여(컴퓨터 성적 > 90 또는 컴퓨터 성적 = 90)으로 표현할 수 있다.

컴퓨터성적 > 90 또는 컴퓨터성적 = 90

컴퓨터 성적 ≥ 70과 토익 성적 ≥ 700도 같은 방법을 이용하여 블록으로 나타낸다. 두 가지 조건을 동시에 만족하는 조건은 논리의 곱(AND, 그리고)을 이용하여 다음과 같이 나타낸다.

컴퓨터성적 > 70 또는 컴퓨터성적 = 70 그리고 토익성적 > 700 또는 토익성적 = 700

한편 선택 구조를 작성할 때 컴퓨터 성적 ≥ 90과 (컴퓨터 성적 ≥ 70 그리고 토익 성적 ≥ 700)의 두 조건을 논리합(OR)으로 연결하여 하나의 조건으로 만들 수 있지만 블록 표현이 너무 복잡해서 이를 선택 구조를 2중으로 중첩시켜서 스크립트를 작성하였다. 스크립트는 다음과 같다.

```
클릭했을 때
x: -50 y: -50 (으)로 이동하기
컴퓨터성적을 입력하세요 라고 묻고 기다리기
컴퓨터성적 을(를) 대답 로 정하기
토익성적을 입력하세요 라고 묻고 기다리기
토익성적 을(를) 대답 로 정하기
만약 컴퓨터성적 > 90 또는 컴퓨터성적 = 90 (이)라면
    합격하였습니다. 을(를) 2 초 동안 말하기
아니면
    만약 컴퓨터성적 > 70 또는 컴퓨터성적 = 70 그리고 토익성적 > 700 또는 토익성적 = 700 (이)라면
        합격하였습니다. 을(를) 2 초 동안 말하기
    아니면
        불합격하였습니다. 을(를) 2 초 동안 말하기
```

그림 8.6 [예제 8.6]의 실행 화면

중첩된 선택 구조에서 내부는 다음과 같이 중첩된 선택 구조로 변경할 수 있다.

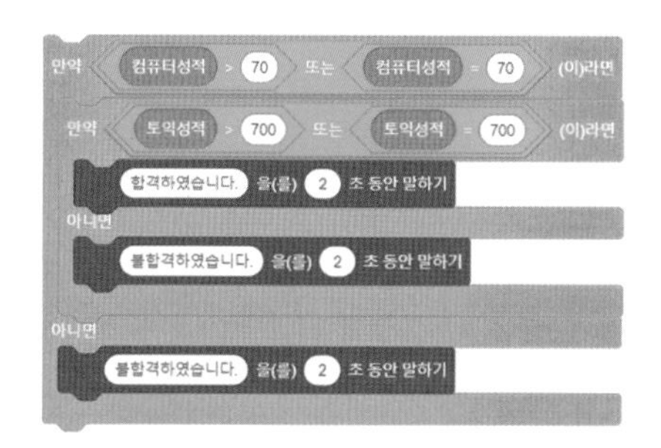

8.4 문자열 처리 

스크래치 프로그래밍은 주로 스프라이트를 기반으로 한 게임이나 애니메이션, 멀티미디어 콘텐츠 등에 알맞게 설계되어 있지만, 묻고 기다리기 블록을 이용하여 문자열을 읽어 들여서 처리할 수 있다. 이제 읽어 들인 문자열을 처리하는 방법에 대하여 알아보자.

두 문자열을 결합하여 하나의 문자열로 만들 때에는 (apple 와(과) banana 결합하기) 블록을 이용하여 작성할 수 있다. 예를 들어서 x 변수의 값을 말하기 할 때 "x = " 문자열과 x 변수 값을 문자열 결합하기 블록을 이용하면 다음과 같다.

(x = 와(과) x 결합하기) 을(를) 2 초 동안 말하기

문자열 결합하기 블록을 중첩적으로 사용하면 다수의 문자열을 하나로 결합할 수 있다. 예를 들면 다음과 같은 블록 조합이 가능하다.

예제 8.7

학교 학과 학번 이름을 읽어 들여서 하나의 문자열로 통합하기

그림 8.7 [예제 8.7]의 실행 화면

■ 준비 단계

① 학교명, 학과명, 학번, 이름 출력 문자열 변수를 생성한다.

② 소년 스프라이트를 위해서 Devin을 스프라이트 고르기에서 선택한다.

③ 배경은 학교(School)를 이용한다.

단계 1 묻고 기다리기 블록을 이용하여 학교명을 읽어 들인다.

단계 2 묻고 기다리기 블록을 이용하여 학과명을 읽어 들인다.

단계 3 묻고 기다리기 블록을 이용하여 학번을 읽어 들인다.

단계 4 묻고 기다리기 블록을 이용하여 이름을 읽어 들인다.

단계 5 출력 문자열에 학교명과 학과명을 결합하여 저장하고 출력 문자열에 학번, 이름을 차례대로 결합한다.

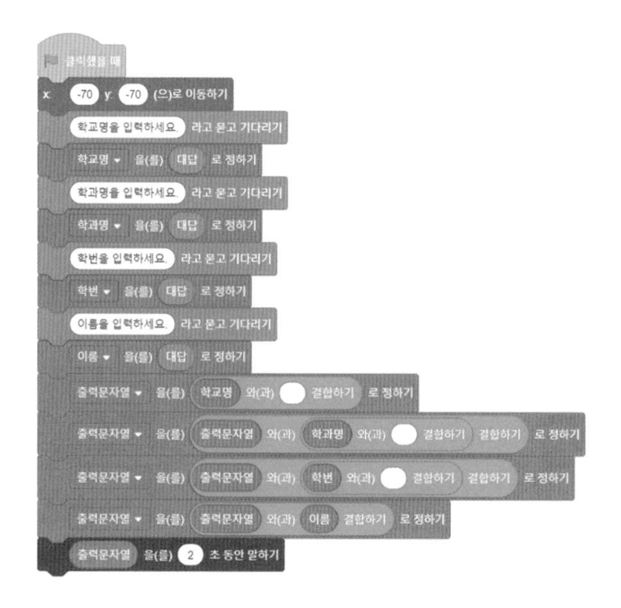

연습 이름과 전화번호, 주소를 읽어 들여서 하나의 출력 문자열로 결합한 다음 말하는 스크립트를 작성하라.

예제 8.8

단어의 역순으로 출력 단어 만들기

하나의 단어를 묻고 기다리기로 읽어 들여서 문자를 역순으로 말하는 스크립트를 작성하라.

■ 준비 단계

① 출력 문자열, n 변수를 생성한다.

② 스프라이트는 Dani를 선택하고, 배경은 Light를 이용한다.

단계 1 출력 문자열을 공백으로 정한다.

단계 2 묻고 기다리기 블록으로 단어를 읽어 들인다.

단계 3 n을 대답의 길이로 정한다. 이는 대답의 마지막 문자의 위치값이 된다.

단계 4 n이 0이 될 때까지 다음 단계 5, 6을 반복한다.

  단계 5 n 위치에 있는 문자를 출력 문자열에 결합시킨다.

단계 6 n을 1 감소시킨다.

단계 7 출력 문자열을 2초 동안 말한다.

"대한민국" 단어를 입력하면 대답의 내용은 다음과 같다.

단어 :	대	한	민	국
위치 :	1	2	3	4

그리고 대답의 길이는 4가 될 것이다. n에 4를 넣고 대답의 n 위치 문자를 출력 문자열에 결합하면 출력 문자열은 "국"이 될 것이다. 이어서 n을 1 감소시키면 3이 되고, 대답의 n 위치 문자 '민'을 결합하면 출력 문자열은 "국민"이 된다. 이와 같이 반복 구조에서 n을 1 감소해가면서 n이 0이 될 때까지 대답의 n 위치에 있는 모든 문자를 역순으로 출력 문자열에 결합하면 "국민한대"라는 출력 문자열이 된다.

```
클릭했을 때
크기를 (70) %로 정하기
출력 문자열 ▾ 을(를) ( ) 로 정하기
(단어를 입력하세요.) 라고 묻고 기다리기
n ▾ 을(를) ((대답) 의 길이) 로 정하기
<(n) < (1)> 까지 반복하기
    출력 문자열 ▾ 을(를) ((출력 문자열) 와(과) ((대답) 의 (n) 번째 글자) 결합하기) 로 정하기
    n ▾ 을(를) (-1) 만큼 바꾸기
(((대답) 와(과) (의 역순은) 결합하기) 와(과) (출력 문자열) 결합하기) 을(를) (5) 초 동안 말하기
```

그림 8.8 [예제 8.8]의 실행 화면

연습 다음은 문장 중에 특정 단어가 포함되어 있는가를 알아내어 포함되어 있으면 그 문장을 말하게 하는 스크립트를 살펴보자. 문장에 특정 문자나 문자열이 포함되어 있는지를 알려주는 apple 이(가) a 을(를) 포함하는가? 블록을 이용한다.
먼저 메모장을 열어서 간단한 편지글을 예로 작성하였다. 주의할 점은 한글 문서인 경우에는 저장할 때 유니코드로 저장해야 한다는 점이다. 메모장에서 기본적으로는 ANSI로 저장하도록 되어 있다. 그림 8.9는 메모장에서 편집된 글이다.

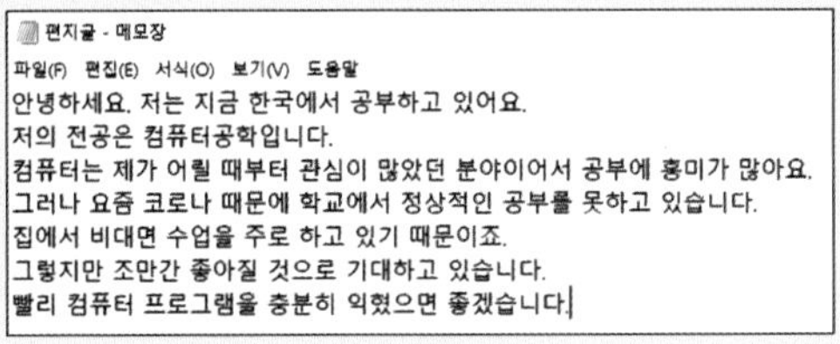

편지글 - 메모장
파일(F) 편집(E) 서식(O) 보기(V) 도움말
안녕하세요. 저는 지금 한국에서 공부하고 있어요.
저의 전공은 컴퓨터공학입니다.
컴퓨터는 제가 어릴 때부터 관심이 많았던 분야이어서 공부에 흥미가 많아요.
그러나 요즘 코로나 때문에 학교에서 정상적인 공부를 못하고 있습니다.
집에서 비대면 수업을 주로 하고 있기 때문이죠.
그렇지만 조만간 좋아질 것으로 기대하고 있습니다.
빨리 컴퓨터 프로그램을 충분히 익혔으면 좋겠습니다.

그림 8.9 메모장 문서의 예

위의 문서 내용에서 "컴퓨터"가 포함된 문장만 뽑아서 말하게 하는 스크립트의 절차는 다음과 같다.

■ 준비 단계

① 편지글을 읽어 들여서 저장할 편지 리스트를 먼저 만든다.
② 실행 화면에서 편지 리스트에 마우스 오른쪽 버튼을 클릭하여 '불러오기'를 실행하여 해당 편지글.txt 문서를 읽어 들인다. 그러면 문서 내용에서 한 줄씩 리스트의 한 항목에 추가된다.
③ i 변수를 생성한다.

단계 1 i를 1로 정한다.
단계 2 편지 리스트의 길이만큼 다음 단계 3, 4, 5를 반복한다.
  단계 3 만약 편지 리스트의 i 번째 항목에 "컴퓨터"가 포함되어 있다면
  단계 4 편지 리스트의 항목을 2초 동안 말한다.
  단계 5 i 변수를 1 증가시킨다.

8.5 수학 함수 연산 블록

연산 블록 중에는 여러 가지 수학 함수(절대값, 버림, 올림, 제곱근, sin, cos, tan, asin, acos, atan, In, log, e^, 10^)를 계산하는데 사용할 수 있는 그림 8.10과 같은 블록이 있다.

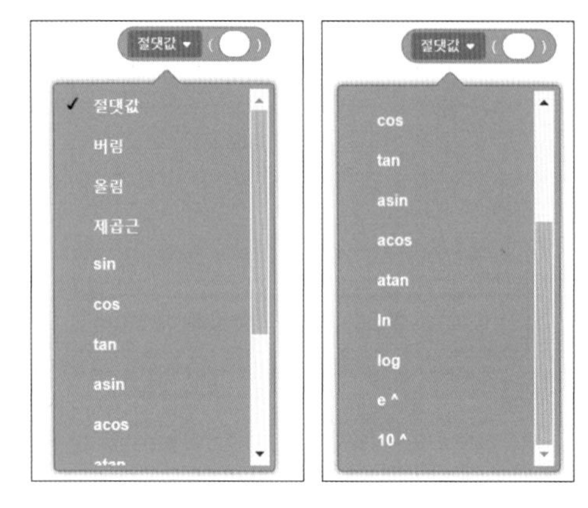

그림 8.10 수학 함수 연산 블록

예제 8.9

직각 삼각형의 밑변과 높이를 읽어 들여서 삼각형의 면적과 빗변의 길이를 구하는 프로그램

삼각형의 면적 = 0.5 × 밑변 × 높이, 빗변의 길이 = $\sqrt{(\text{밑변}^2 + \text{높이}^2)}$ 공식을 이용하여 계산한다.

■ 준비 단계

밑변, 높이 변수를 생성한다.

단계 1 묻고 기다리기 블록을 2번 이용하여 밑변과 높이를 읽어 들인다.

단계 2 면적 공식을 이용하여 계산한 결과를 말한다.

단계 3 빗변의 길이 공식을 이용하여 계산한 결과를 말한다.

```
클릭했을 때
삼각형의 밑변을 입력하세요. 라고 묻고 기다리기
밑변 ▾ 을(를) 대답 로 정하기
삼각형의 높이를 입력하세요. 라고 묻고 기다리기
높이 ▾ 을(를) 대답 로 정하기
삼각형 면적은 와(과) 0.5 x 밑변 x 높이 결합하기 을(를) 2 초 동안 말하기
삼각형 빗변은 와(과) 제곱근 ▾ ( 밑변 x 밑변 + 높이 x 높이 ) 결합하기 을(를) 2 초 동안 말하기
```

예제 8.10

두 정수를 읽어 들여서 나누어 몫과 나머지 구하기

- 준비 단계

a, b, 몫, 나머지 변수를 생성한다.

단계 1 묻고 기다리기를 2번 이용하여 두 정수를 a, b 변수에 읽어 들인다.

단계 2 a를 b로 나눈 후, 버림을 한 다음 그 값을 말한다.(몫만을 구한다.)

단계 3 a를 b로 나눈 나머지를 구하여 말한다.

```
클릭했을 때
첫번 째 정수를 입력하세요. 라고 묻고 기다리기
a ▾ 을(를) 대답 로 정하기
두번 째 정수를 입력하세요. 라고 묻고 기다리기
b ▾ 을(를) 대답 로 정하기
나눈 몫은 와(과) 버림 ▾ ( a ÷ b ) 결합하기 을(를) 2 초 동안 말하기
나눈 나머지는 와(과) a 나누기 b 의 나머지 결합하기 을(를) 2 초 동안 말하기
```

연습 임의의 실수(소수점이 있는 실수)를 읽어 들여서 정수 부분과 소수점 이하의 실수 부분을 나누어서 각각을 말하는 스크립트를 작성하라.

실수에서 정수 부분만 얻기 위해서는 버림 블록을 이용하여 소수점 이하는 없애고 정수만을 얻는다. 소수점 이하 부분의 값은 처음 실수에서 정수를 빼면 얻을 수 있다.

```
클릭했을 때
크기를 70 %로 정하기
실수를 입력하세요. 라고 묻고 기다리기
정수 ▾ 을(를) 버림 ▾ ( 대답 ) 로 정하기
소수점이하 ▾ 을(를) 대답 - 정수 로 정하기
정수 : 와(과) 정수 결합하기 을(를) 2 초 동안 말하기
소수점이하 : 와(과) 소수점이하 결합하기 을(를) 2 초 동안 말하기
```

예제 8.11

$y = \sqrt{x}$ 에 대한 그래프를 그리는 스크립트를 작성하라.

수학 함수 연산중에서 제곱근을 구하는 연산 블록을 이용하고 반복적으로 x의 값은 0에서 12까지 0.2씩 증가시키면서 제곱근 함수식을 계산하여 y 변수에 저장하고 (20x, 20y) 좌표로 이동시킨다. 거리 20을 모눈종이 1에 대응시켜서 그리기 때문에 x 좌표 240은 모눈종이 12에 해당한다.

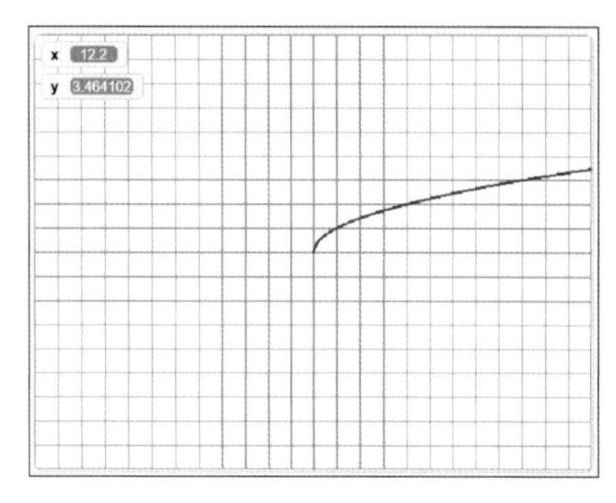

그림 8.11 [예제 8.11]의 실행 화면

■ 준비 단계

① 화면에 스프라이트는 나타나지 않기 때문에 스프라이트는 임의의 것을 사용해도 무방하다.

② 배경은 모눈종이 배경을 고른다. 모눈종이 배경은 배경 고르기에서 Xy-grid, Xy-grid-20px, Xy-grid-30px 등 3가지가 제공된다. 그래프의 해상도를 고려해서 그래프의 거리 20을 정수 1에 대응하기 위해 Xy-grid-20px을 이용한다.

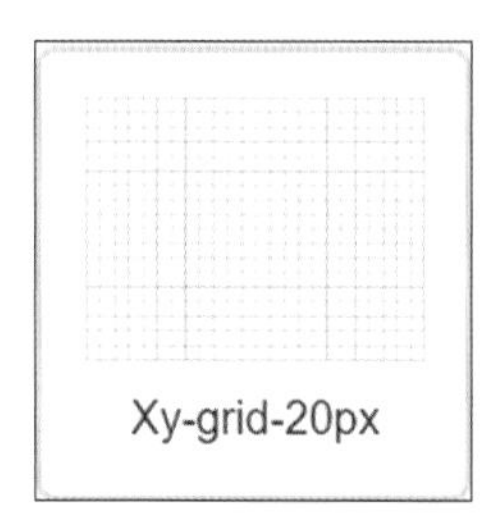

그림 8.12 모눈종이 배경

그래프를 그리는 스프라이트는 배경에 나타날 필요가 없기 때문에 임의의 스프라이트를 이용한다. 그리고 숨기기에 의하여 화면에는 나타나지 않는다.

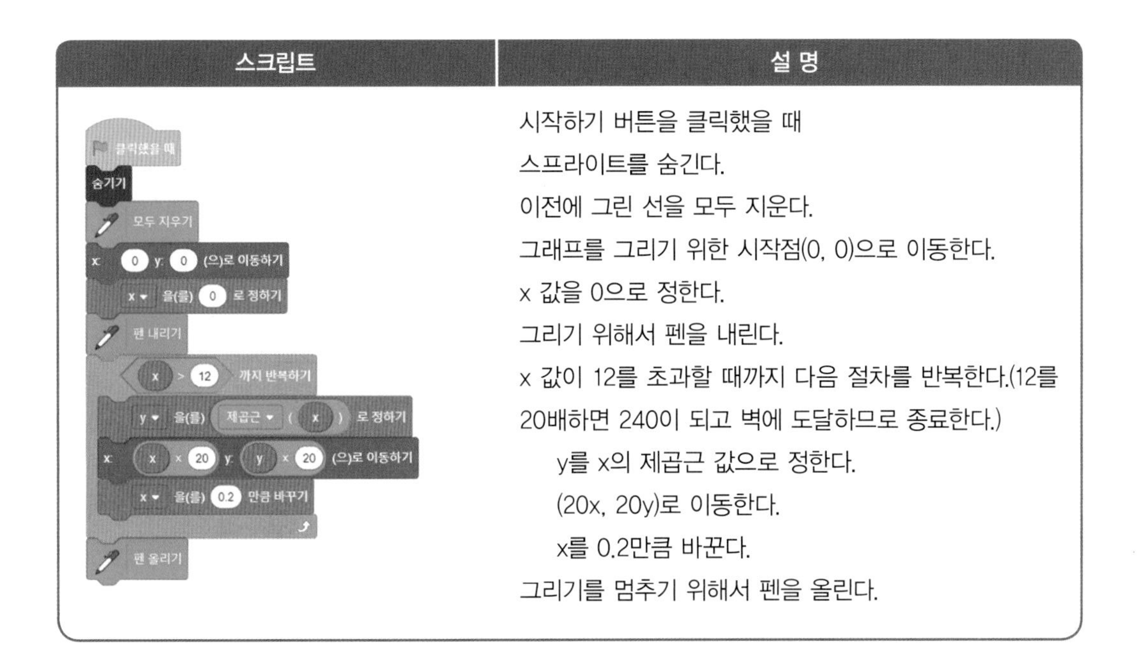

스크립트	설 명
클릭했을 때	시작하기 버튼을 클릭했을 때
숨기기	스프라이트를 숨긴다.
모두 지우기	이전에 그린 선을 모두 지운다.
x: 0 y: 0 (으)로 이동하기	그래프를 그리기 위한 시작점(0, 0)으로 이동한다.
x ▾ 을(를) 0 로 정하기	x 값을 0으로 정한다.
펜 내리기	그리기 위해서 펜을 내린다.
x > 12 까지 반복하기	x 값이 12를 초과할 때까지 다음 절차를 반복한다.(12를 20배하면 240이 되고 벽에 도달하므로 종료한다.)
y ▾ 을(를) 제곱근 ▾ (x) 로 정하기	y를 x의 제곱근 값으로 정한다.
x: x × 20 y: y × 20 (으)로 이동하기	(20x, 20y)로 이동한다.
x ▾ 을(를) 0.2 만큼 바꾸기	x를 0.2만큼 바꾼다.
펜 올리기	그리기를 멈추기 위해서 펜을 올린다.

연습 $y=1-e^{-x}$의 그래프를 그려라.

힌트 e^ ▾ ( ), ( ) × ( ), ( ) - ( ) 블록을 이용한다. 모눈종이 배경을 위해서 Xy-grid-20px 배경을 고른다.

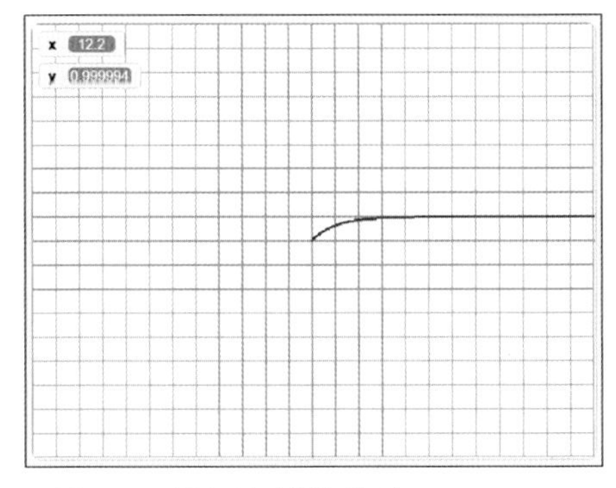

그림 8.13 연습의 실행 화면

- 연산 영역에서는 산술 연산, 논리 연산, 관계 연산, 문자열 결합하기 등의 문자열 연산, 나누어 나머지 구하기 연산, 반올림 연산, 수학 함수 연산 등 스크립트 작성에 필요한 다양한 연산 블록이 제공된다.
- 산술 연산에는 사칙 연산, 나누어 나머지 구하기 연산, 반올림 연산, 수학 함수 연산 등이 포함된다.
- 논리 연산에는 논리합, 논리곱, 논리역 등이 제공된다.
- 난수 발생 연산은 게임이나 시뮬레이션 프로그램에서 필수적으로 활용되는 연산으로 활용도가 매우 높다.
- 문자열에 대한 블록으로 문자열 결합하기, 문자열 내의 각 문자 얻기, 문자열의 길이, 문자열에 특정 문자나 문자열이 포함되어 있는가를 알아내기 블록 등이 있다.
- 다양한 수학 함수(절대값, 버림, 올림, 제곱근, sin, cos, tan, asin, acos, atan, ln, log, e^, 10^)의 결과를 얻는 블록이 제공된다.

01 다음 중 스크래치에서 제공하는 논리 연산이 아닌 것은 무엇인가?

① 논리합 ② 논리곱 ③ 논리역 ④ 논리 대우

02 다음 중 연산중에서 스크래치에서 블록으로 제공하는 것이 아닌 것은 무엇인가?

① 사칙 연산 ② 관계 연산 ③ 논리 연산 ④ 정렬 연산

03 다음 중에서 스크래치에서 제공하는 수학 함수 블록이 아닌 것은 무엇인가?

① 절대값 함수 ② 로그 함수 ③ 지수 함수 ④ 중앙값 함수

04 변수 x는 3, y는 5일 때, 다음 논리 연산의 결과 거짓이 되는 것은 무엇인가? 단, 논리곱은 AND, 논리합은 OR, 논리역은 NOT이다.

① $(x > 0)$ AND $(y > 0)$ ② $(x < 0)$ OR $(y > 3)$

③ NOT$(x < 3)$ ④ $(x > 0)$ AND $(y < 5)$

05 점수가 80 이상 90 미만일 때 학점을 B를 출력한다면 다음 선택 구조의 조건 부분은 무엇인가?

06 묻고 기다리기를 이용하여 자연수를 읽어 들이고 이 수가 5의 배수인가를 판별하는 프로그램을 작성하라.

힌트 (나누기 의 나머지) 블록을 이용한다.

07 이차 방정식의 계수 a, b, c(a≠0)를 읽어 들여서 해를 구하는 프로그램을 작성하라. 우선 근의 개수를 판별하고 해당 근을 구한다.

- 사용할 스프라이트는 Dani이고 배경은 School을 이용한다.
- 묻고 기다리기를 3번 반복하여 a, b, c를 읽어 들여서 a, b, c 변수에 저장한다.
- 판별식을 이용하여 근의 개수를 판별한다.
- 근의 공식으로부터 근을 계산하여 말한다.

08 사용자로부터 하나의 문장을 읽어 들여서, 그 문장 내에 영문자가 몇 개 있는가를 알려주는 프로그램을 작성하라.

09 y = sinx그래프를 그리는 프로그램을 작성하라.

모눈종이 배경은 배경 고르기에서 Xy-grid-20px를 이용한다.

[실행 화면]

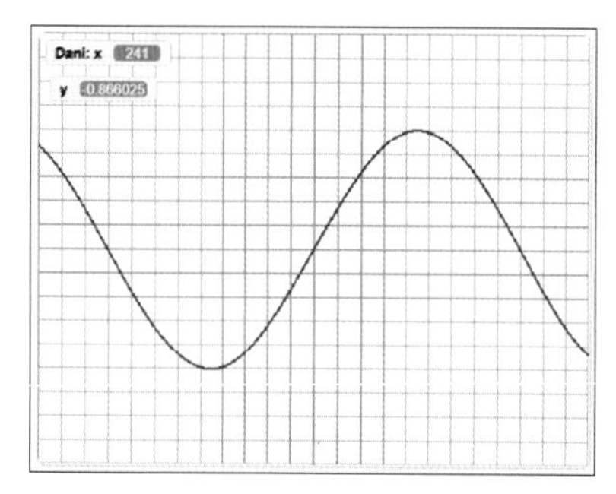

10 놀이동산에서 입장료를 계산하는데 나이가 13세 이하는 1000원, 14세부터 65세는 2000원, 66세 이상이면 무료입장이다. 단 장애인의 경우는 30% 할인한다고 할 때 나이와 장애 유무를 읽어 들여서 입장료를 계산하여 말하는 스크립트를 작성하라.

- 스프라이트는 Dani를 배경은 Colorful City를 이용한다.
- 나이의 입력은 자연수로 입력된다.
- 장애 유무의 입력은 참 또는 거짓으로 입력된다.

[실행 화면]

11 로또 번호 생성기 프로그램을 작성하라. 로또 번호 생성 규칙은 다음과 같다.

- 로또 번호는 모두 6개의 번호로 이루어진다.
- 번호는 1에서 45 사이의 정수이다.
- 6개의 번호는 중복되지 않는다.
- 사용할 스프라이트와 배경

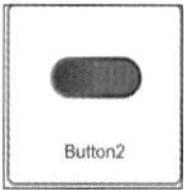

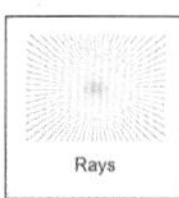

- Button2 스프라이트에서 모양 편집기를 이용하여 버튼에 '추첨' 텍스트를 넣는다.
- 추첨 버튼은 화면의 오른쪽 아래에 위치하며, 클릭할 때 추첨 버튼의 크기가 약간 줄어들었다가 원상태로 돌아온다.
- 원숭이 스프라이트는 화면의 중심에 위치하며 시작하기 버튼을 클릭하면 "로또 번호를 생성합니다. 추점 버튼을 클릭하세요."를 5초 동안 말한다.
- 추첨 버튼을 클릭하면 추첨 결과 번호가 실행 화면의 왼쪽 위에 리스트로 출력된다.

[실행 화면]

Chapter 09

Computational Thinking

이벤트와 감지

학습목표

- 이벤트의 의미를 이해하고 이벤트 구동 프로그램인 스크립트를 연습한다.
- 메시지를 이용하여 스프라이트들의 상호작용 방법을 익힌다.
- 스프라이트 복제하기를 연습한다.
- 감지에 대해서 공부하고 이를 응용한 프로그래밍을 연습한다.

9.1 이벤트

스크래치 프로그램의 구조는 각 스프라이트가 반응해야 하는 이벤트(event)에 대한 처리 절차를 스크립트(script)로 구성하는 형식으로 되어있다. 이벤트는 스크래치 프로그램이 특정 동작이나 처리가 이루어지게 하는 원인이 되는 사건을 의미한다. 예를 들어 시작하기(⚑) 버튼을 클릭하여 프로그램의 처리를 시작하는 경우, 바로 시작하기 버튼을 클릭하는 사건이 이벤트이다. 또는 스페이스 키를 눌렀을 때도 하나의 이벤트로, 이때 처리해야 할 절차를 스크립트로 만들어서 이벤트 블록 아래에 붙여서 작성한다. 이와 같이 스크래치의 모든 스크립트는 이벤트 블록으로 시작된다. 이벤트에 의하여 처리가 이루어지는 방식을 이벤트 구동(event driven) 방식이라 한다. 스크래치에서 제공하는 이벤트 영역의 블록들이 표 9.1에 나타나 있다.

〈표 9.1〉 이벤트 블록

블록	기능
⚑ 클릭했을 때	시작하기 버튼을 클릭했을 때 해당 스크립트 처리를 시작하게 한다.
스페이스 ▾ 키를 눌렀을 때	주어진 키를 눌렀을 때 해당 스크립트 처리를 시작하게 한다.
이 스프라이트를 클릭했을 때	스프라이트를 클릭했을 때 해당 스크립트 처리를 시작하게 한다.
배경이 배경 1 ▾ (으)로 바뀌었을 때	배경이 주어진 배경으로 바뀌었을 때 해당 스크립트 처리를 시작하게 한다.
음량 ▾ > 10 일 때	음량이나 타이머가 주어진 값보다 커졌을 때 해당 스크립트 처리를 시작하게 한다.
메시지1 ▾ 신호를 받았을 때	주어진 메시지 신호를 받았을 때 해당 스크립트 처리를 시작하게 한다.
메시지1 ▾ 신호 보내기	주어진 메시지 신호를 보낸다.
메시지1 ▾ 신호 보내고 기다리기	주어진 메시지 신호를 보내고 이로 인해 발생한 모든 처리를 마친 후에 다음 동작을 실행한다.

시작하기 버튼을 클릭했을 때 이벤트와 스페이스 키를 눌렀을 때 이벤트 외에도 해당 스프라이트가 마우스로 클릭되었을 때를 이벤트로 잡는 [이 스프라이트를 클릭했을 때], 배경이 다른 배경으로 바뀌었을 때를 이벤트로 잡는 [배경이 배경1 ▾ (으)로 바뀌었을 때], 소리의 음량이 특정 값 이상이 되었을 때를 이벤트로 잡

는 [블록 이미지], 메시지 신호를 받았을 때를 이벤트로 잡는 [블록 이미지] 등이 있다.

예제 9.1

고양이가 움직이면서 동시에 야옹 소리를 내는 프로그램

고양이 스프라이트가 좌우로 계속 움직인다. 동작의 애니메이션 효과를 얻기 위해서 다른 모양으로 바꾸기 블록을 이용하며, 동시에 소리를 내도록 한다. 하나의 스프라이트 내에 시작하기 버튼을 클릭했을 때 이벤트를 처리하는 스크립트를 여러 개 이용하여 프로그램을 구성한다. 이것은 스크래치의 병렬 처리 기능을 활용한 것이다.

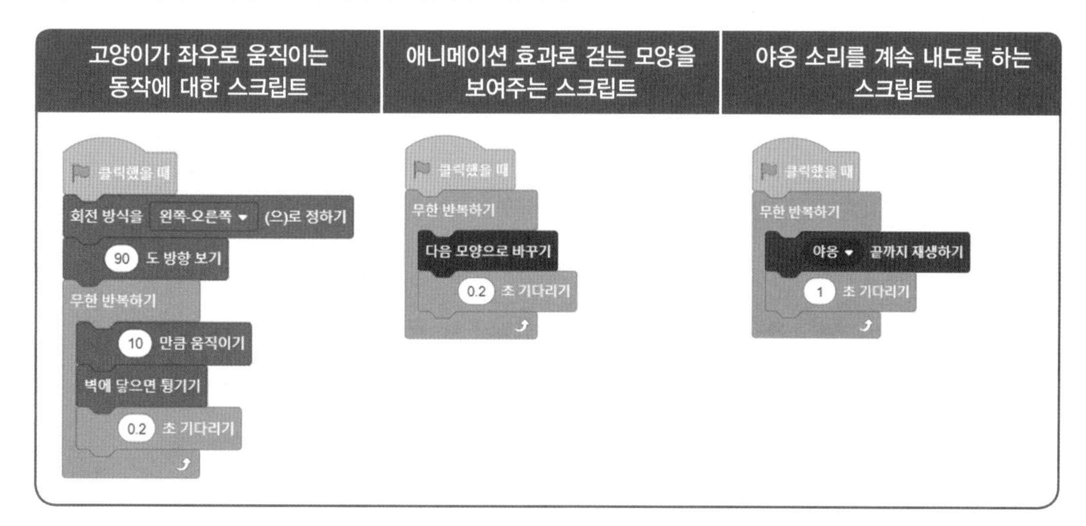

앞의 세 스크립트는 하나의 공통된 이벤트에 대해서 다수의 스크립트가 동시에 병렬적으로 처리되는 프로그램의 예를 보여준다. 이와 같은 구성은 서로 다른 여러 개의 스프라이트 사이에서도 가능하다. 즉, 하나의 프로젝트를 구성하는 다수의 스프라이트가 있을 때 시작하기 버튼을 클릭했을 때 이벤트를 처리하는 스크립트가 다수의 스프라이트에 포함되어 있으면, 해당 스프라이트들은 모두 동시에 스크립트를 처리하게 된다.

예제 9.2

위쪽, 아래쪽, 왼쪽, 오른쪽 방향키를 이용하여 움직이는 고양이의 방향 제어

'시작하기 버튼을 클릭했을 때' 이벤트가 발생하면 스프라이트를 계속 움직이기 위해서 [예제 9.1]에서 사용한 무한 반복하기와 10만큼 움직이기, 벽에 닿으면 튕기기 등의 블록을 이용하여 스크립트를 작성한다. 애니메이션을 위해서 다음 모양으로 바꾸기를 무한 반복한다. 방향을 바꾸기 위해서 '위쪽, 아래쪽, 왼쪽, 오른쪽 방향키를 눌렀을 때' 이벤트가 발생하면 방향 보기 블록을 이용하여 고양이의 방향을 바꾸어준다.

이 프로그램에서 고양이는 무한 반복하기 안에서 10만큼 움직이기 때문에 방향키를 눌렀을 때 방향만 바뀌고, 바뀐 방향으로 계속 움직인다. 만약 방향키를 눌렀을 때만 움직이도록 하려면, 방향키를 눌렀을 때 방향 보기를 한 후에 10만큼 움직이기를 실행하도록 스크립트를 수정해야 한다. 그리고 벽에 닿으면 튕기기를 삭제하여 수정하면 스크립트는 다음과 같다.

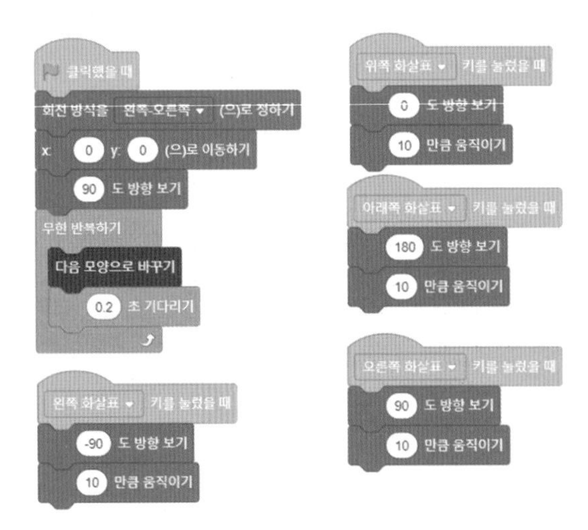

9.2 메시지

스크래치에서는 서로 다른 스프라이트들 사이에 상호작용을 위해서 메시지 송수신 기능을 제공한다. 메시지는 마치 사람들 사이에 의사소통을 위해서 대화를 하는 것과 개념적으로 유사하다. 각 스프라이트는 독립적으로 동작하므로 동작의 시점을 맞추기 위한 기능이 필요하다. 이 경우 메시지 신호를 보내고 받음으로써 동기화(synchronization)를 할 수 있다. 즉, 한 스프라이트가 약속된 메시지를 보내고, 다른 스프라이트들이 해당 메시지를 받음으로써 동시에 약속된 동작을 할 수 있다. 스크래치에서 제공하는 메시지에 관련된 블록은 이벤트 영역에 포함되며, 표 9.2에 메시지 관련 블록을 나타내었다.

〈표 9.2〉 메시지 관련 블록

블록	기능
메시지1 ▾ 신호를 받았을 때	주어진 메시지 신호를 받았을 때 해당 스크립트 처리를 시작하게 한다.
메시지1 ▾ 신호 보내기	주어진 메시지 신호를 보낸다.
메시지1 ▾ 신호 보내고 기다리기	주어진 메시지 신호를 보내고 이로 인해 발생한 모든 처리를 마친 후에 다음 동작을 실행한다.

메시지를 보내기 위해서는 [메시지1 ▾ 신호 보내기] 블록을 이용한다. 이 블록에서 '메시지1'로 되어있는 입력 칸을 클릭하면 메시지 선택 메뉴가 나타나고, 그중에서 새로운 메시지 메뉴를 선택하여 원하는 메시지를 새로 만들어서 보낼 수 있다.

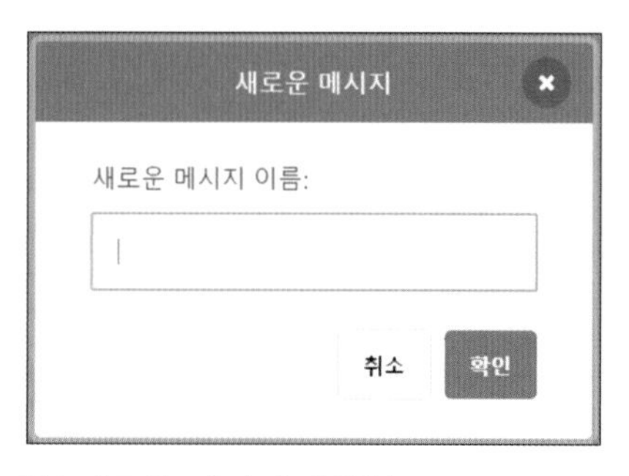

그림 9.1 메시지 신호 보내기와 새로운 메시지 대화창

한 스프라이트가 메시지를 보내면 다른 모든 스프라이트와 무대가 해당 메시지를 받을 수 있다. 이 때 메시지를 받는 것을 이벤트로 처리한다. 메시지 이벤트를 받기 위한 블록은 [메시지1 ▾ 신호를 받았을 때] 블록이다. 해당 메시지 신호를 받았을 때 처리해야 할 프로그램은 스크립트로 작성하여 메시지 신호를 받았을 때 이벤트 블록 아래에 붙인다.

예제 9.3

고양이와 개가 서로 야옹과 멍멍 소리를 주고받는 프로그램

고양이와 개가 임의의 시간이 지난 후에 고양이가 먼저 야옹이라고 소리를 내면 개가 이에 대한 응답으로 멍멍 소리를 내도록 프로그래밍한다. 동기를 맞추기 위해서 메시지 신호를 주고받는다.

■ 준비 단계

① 기본 스프라이트인 고양이 이외에 개(Dog2) 스프라이트를 추가한다.

② 배경은 Boardwalk로 변경한다.

● 고양이 스크립트 절차

단계 1　위치를 (-150, -40) 좌표로 이동한다. 90도 방향 보기를 한다.

단계 2　1에서 3 사이의 난수를 발생시켜서 난수(단위 초) 동안 기다린다.

단계 3　야옹 소리를 끝까지 재생한다.

단계 4　야옹 메시지를 만들어서 보낸다.

단계 5　약간 오른쪽으로 움직이고 다시 야옹 소리를 끝까지 재생한다.

● 개 스크립트 절차

단계 1　위치를 (150, -40) 좌표로 이동한다. 90도 방향 보기를 한다.

단계 2　야옹 메시지 신호를 받았을 때 방향을 고양이 쪽을 바라본다.

단계 3　0.5 초 동안 기다린다.

단계 4　약간 움직인 후 멍멍 소리(Dog1)를 재생한다.

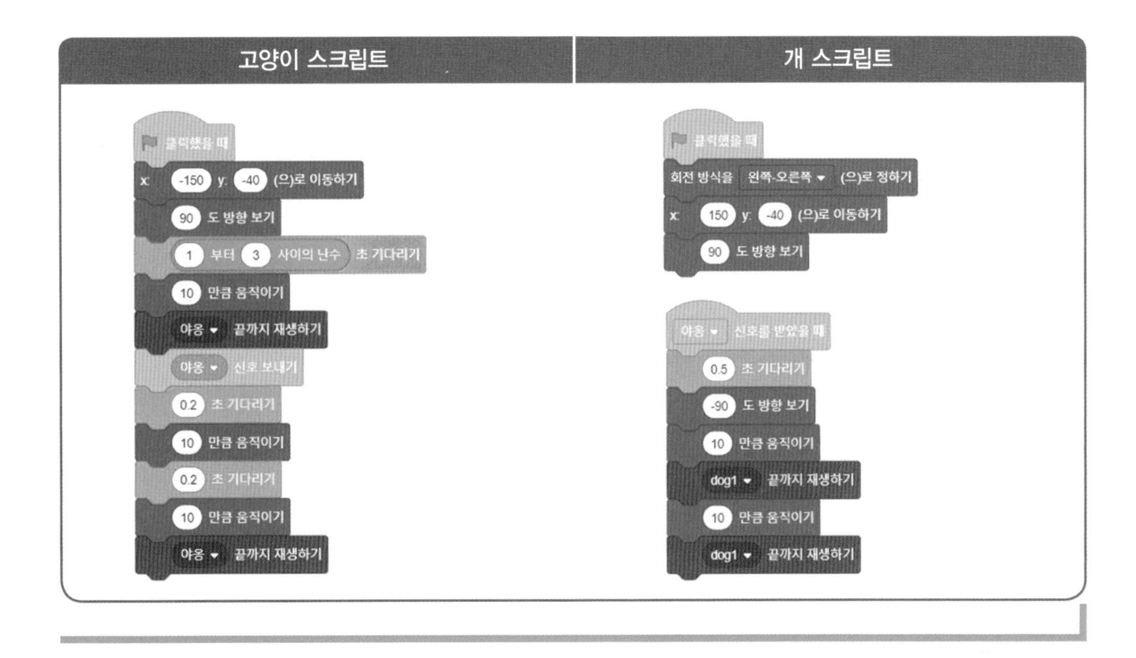

9.3 복제

스프라이트가 자신과 같은 특성을 갖는 스프라이트를 생성할 수 있는데 이를 복제라 한다. 한 스프라이트가 복제를 실행하면 자신과 같은 이미지와 같은 동작을 하는 스프라이트가 생겨난다. 이를 이용하여 손쉽게 똑같은 스프라이트들을 여러 개 만들 수 있다. 예를 들어서 나무에서 떨어지는 무수히 많은 나뭇잎을 나타낼 때 사용할 수 있다. 복제에 관련된 블록은 제어 영역에 포함되는데 표 9.3에 관련 블록을 나타내었다.

〈표 9.3〉 복제 관련 블록

블록	기능
복제되었을 때	해당 스프라이트가 복제되었을 때 아래 붙어있는 블록을 차례로 실행한다.
나 자신 복제하기	해당 스프라이트나 다른 스프라이트를 복제한다.
이 복제본 삭제하기	지금 실행 중인 복제된 스프라이트를 삭제한다.

어떤 스프라이트에서 나 자신 ▾ 복제하기 블록을 실행하면 자신과 동일한 스프라이트가 복제된다. 이때 복제된 스프라이트에서 처리해야 할 스크립트는 복제되었을 때 이벤트 블록 아래에 작성하면 된다. 복제를 한 스프라이트는 복제되었을 때와는 관련이 없이 처리를 계속해 나갈 수 있다. 예를 들어서 고양이 스프라이트가 복제를 하고 난 후 "난 원본이야!"라고 말풍선을 보여주면 복제된 같은 모양의 고양이 스프라이트가 "난 복사본이야!"라고 말풍선을 보여주는 프로그램을 만든다면 다음과 같은 스크립트로 가능하다. 하나의 고양이 스프라이트에 대한 스크립트를 다음과 같이 작성한다.

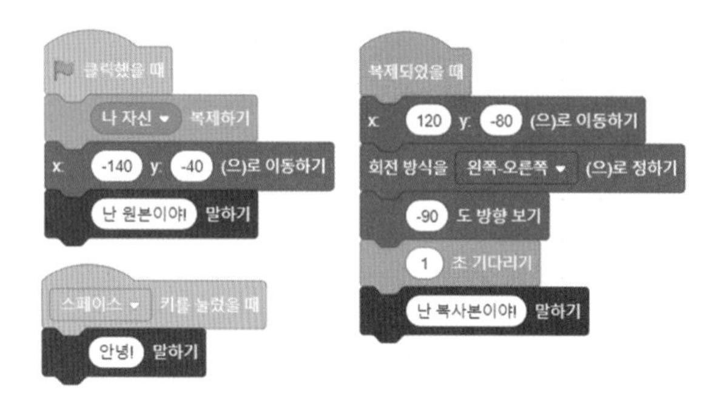

원본 스프라이트는 시작하기 버튼 클릭 이벤트를 잡아서 처리하는 스크립트를 실행한다. 실행하는 도중에 나 자신 복제하기를 실행하면 복제가 이루어지고 복제된 스프라이트는 복제되었을 때 이벤트를 잡아서 해당 스크립트를 처리하게 된다. 원본 스프라이트가 먼저 "난 원본이야!"를 말하고 난 후 1초 뒤에 복사본 스프라이트가 "난 복사본이야!"를 말한다. 스페이스 키를 눌렀을 때 "안녕!" 말하기 스크립트는 원본과 복사본 모두에 작용하는 스크립트이다. 실행 화면은 그림 9.2와 같다.

그림 9.2 복제 실행 화면

예제 9.4

밤하늘에 반짝이는 별들

밤하늘 배경에 별 스프라이트를 복제하여 많은 별을 만들어 낼 수 있다.

그림 9.3 밤하늘의 반짝이는 별들 실행 화면

■ 준비 단계

① 고양이 스프라이트는 삭제하고 스프라이트 고르기에서 별(star) 스프라이트를 추가한다.

② 무대 배경을 밤하늘(stars)로 변경한다.

별은 복제하기 기능을 이용하여 반복적으로 같은 특성을 갖는 별을 생성할 수 있다. 복제되었을 때 해당 별의 크기를 난수에 따라 변경하고 임의의 위치로 이동시킨다. 그리고 별이 반짝이는 시각적 효과를 만들기 위해서 별의 색깔을 반복적으로 변화시키면서 크기를 줄인다.

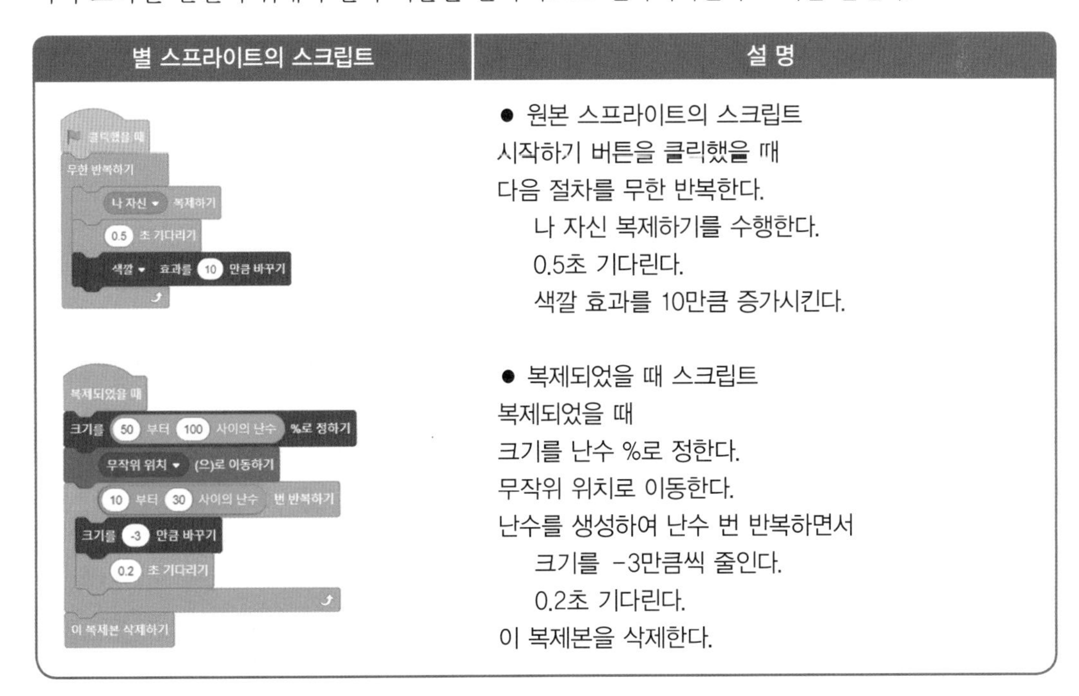

별 스프라이트의 스크립트	설 명
	● 원본 스프라이트의 스크립트 시작하기 버튼을 클릭했을 때 다음 절차를 무한 반복한다. 나 자신 복제하기를 수행한다. 0.5초 기다린다. 색깔 효과를 10만큼 증가시킨다.
	● 복제되었을 때 스크립트 복제되었을 때 크기를 난수 %로 정한다. 무작위 위치로 이동한다. 난수를 생성하여 난수 번 반복하면서 크기를 −3만큼씩 줄인다. 0.2초 기다린다. 이 복제본을 삭제한다.

9.4 감지

감지(sensing)란 프로그램이 어떤 상태가 되었는지 알아내거나 또는 시스템이 제공하는 변수의 값을 알아내는 것을 말한다. 대표적인 예로 어떤 스프라이트에 닿았는가 또는 마우스가 클릭 되었는가, 타이머 값을 얻기 등이 있다. 표 9.4는 스크래치가 제공하는 감지 관련 블록을 보여준다.

〈표 9.4〉 감지 영역의 블록

블록	기능
마우스 포인터 ▾ 에 닿았는가?	마우스 포인터나 다른 스크립트에 닿았는가를 감지하여, 닿았으면 참 아니면 거짓을 결과로 알려준다.
색에 닿았는가?	스프라이트가 주어진 색에 닿았는가를 감지하여, 닿았으면 참 아니면 거짓을 결과로 알려준다.
색이 색에 닿았는가?	스프라이트의 주어진 색이 다른 색에 닿았는가를 감지하여, 닿았으면 참 아니면 거짓을 결과로 알려준다.
마우스 포인터 ▾ 까지의 거리	스프라이트에서 마우스 포인터나 다른 스프라이트까지 거리를 알려준다.
What's your name? 라고 묻고 기다리기	사용자에게 질문하고 응답이 들어오기를 기다린다. 응답은 대답 변수에 저장된다.
대답	묻고 기다리기 블록에 대한 응답을 저장하는 변수
스페이스 ▾ 키를 눌렀는가?	키보드의 특정 키를 눌렀는가를 감지하여 눌렀으면 참이 되고, 그렇지 않으면 거짓이 된다.
마우스를 클릭했는가?	마우스를 클릭했는가를 감지하여 클릭했으면 참이 되고, 그렇지 않으면 거짓이 된다.
마우스의 x좌표	마우스 x 좌표를 갖는 변수
마우스의 y좌표	마우스 y 좌표를 갖는 변수
드래그 모드를 드래그 할 수 있는 ▾ 상태로 정하기	천체 화면 실행 창에서 스프라이트를 드래그할 수 있는 상태나 드래그할 수 없는 상태로 정한다.
음량	소리의 음량 크기 값을 갖는 변수

타이머	타이머 값을 갖는 변수. 1/1000초 단위로 측정한다.
타이머 초기화	타이머를 0으로 초기화한다.
무대 ▾ 의 배경 번호 ▾	무대에 대한 정보(배경 번호, 배경 이름, 음량), 나의 변수를 얻거나 스프라이트에 대한 정보(x 좌표, y 좌표, 방향, 모양 번호, 모양 이름, 크기, 음량)를 얻는다.
현재 년 ▾	현재의 날짜와 시간 정보(년, 월, 일, 요일, 시, 분, 초)를 얻는다.
2000년 이후 현재까지 날짜 수	2000년 1월 1일부터 지금까지 지난 날짜 수를 얻는다.
사용자 이름	스크래치 사이트에서의 로그인 사용자 이름을 얻는다.

예제 9.5

쥐를 잡는 고양이 게임

쥐는 임의의 방향으로 움직이고 고양이는 방향키에 의하여 방향이 조정된다. 고양이가 쥐에 닿으면 "잡았다."를 말하며 점수가 1점 올라간다. 30초 동안 게임이 진행되며, 잡은 쥐의 수에 의하여 점수가 결정된다. 쥐는 잡히면 잠시 색깔이 변했다가 사라지고 임의의 위치에 다시 나타나서 게임이 진행된다.

타이머를 이용하여 시간을 측정하는데 타이머 초기화 블록을 실행하면 타이머가 0부터 시작한다. 고양이가 움직이기 시작할 때부터 타이머 초기화를 이용하여 시간을 측정하고 시간이 30초 이상 되면 모두 멈추기 블록으로 실행을 종료한다.

■ 준비 단계

① 쥐(mouse1) 스프라이트를 추가한다.

② 쥐 스프라이트에 pop 소리를 추가한다.

③ 무대 배경은 Forest로 변경한다.

④ 점수 변수를 만든다.

⑤ 무대 배경의 소리에 Xylo2를 추가하고 게임이 진행되는 동안 Xylo2를 반복하여 재생한다.

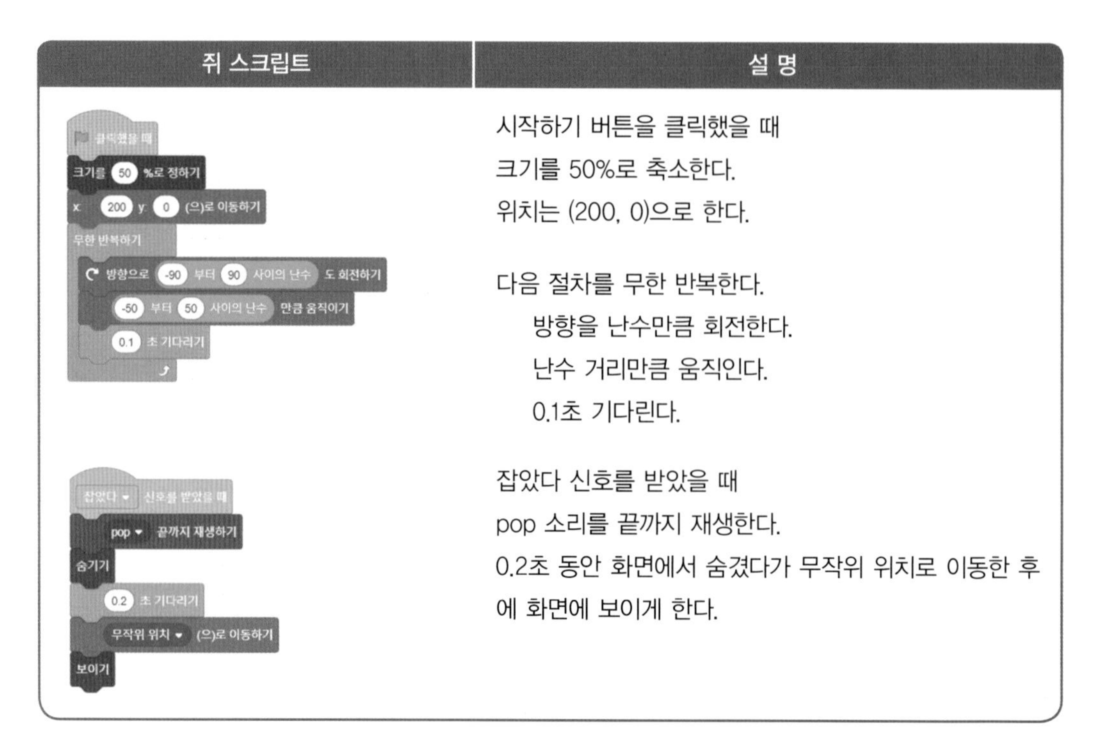

쥐 스크립트	설 명
클릭했을 때 크기를 50 %로 정하기 x: 200 y: 0 (으)로 이동하기 무한 반복하기 방향으로 -90 부터 90 사이의 난수 도 회전하기 -50 부터 50 사이의 난수 만큼 움직이기 0.1 초 기다리기	시작하기 버튼을 클릭했을 때 크기를 50%로 축소한다. 위치는 (200, 0)으로 한다. 다음 절차를 무한 반복한다. 방향을 난수만큼 회전한다. 난수 거리만큼 움직인다. 0.1초 기다린다.
잡았다 신호를 받았을 때 pop 끝까지 재생하기 숨기기 0.2 초 기다리기 무작위 위치 (으)로 이동하기 보이기	잡았다 신호를 받았을 때 pop 소리를 끝까지 재생한다. 0.2초 동안 화면에서 숨겼다가 무작위 위치로 이동한 후에 화면에 보이게 한다.

무대 스크립트	설 명
클릭했을 때 무한 반복하기 Xylo2 끝까지 재생하기	시작하기 버튼을 클릭했을 때 다음 절차를 무한 반복한다. Xylo2 배경 소리를 재생한다.

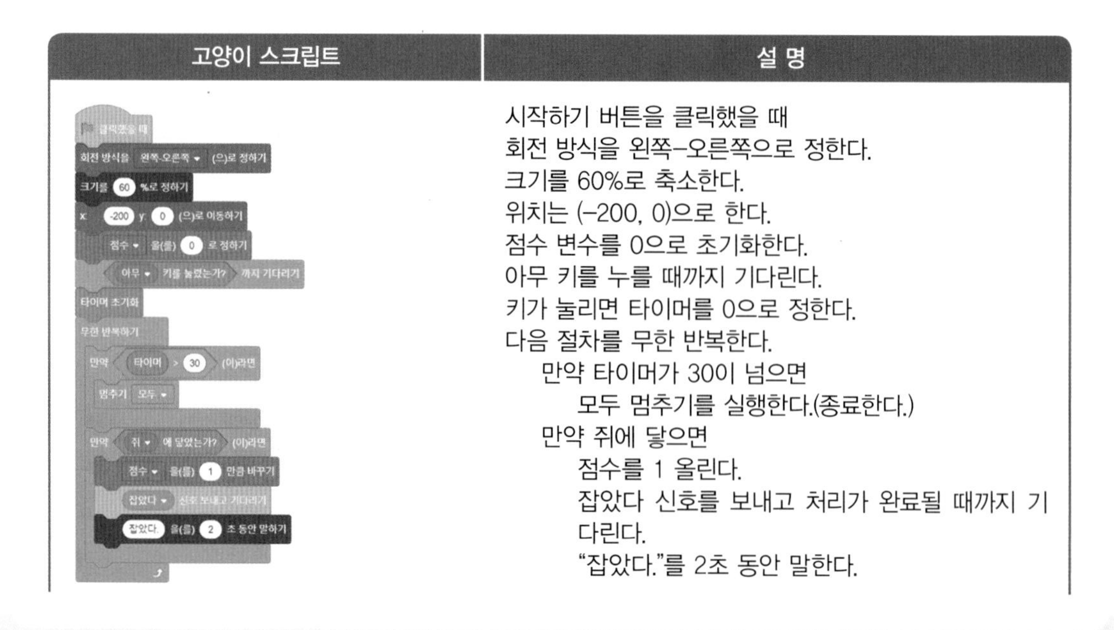

고양이 스크립트	설 명
클릭했을 때 회전 방식을 왼쪽-오른쪽 (으)로 정하기 크기를 60 %로 정하기 x: -200 y: 0 (으)로 이동하기 점수 을(를) 0 로 정하기 아무 키를 눌렀는가? 까지 기다리기 타이머 초기화 무한 반복하기 만약 타이머 > 30 (이)라면 멈추기 모두 만약 쥐 에 닿았는가? (이)라면 점수 을(를) 1 만큼 바꾸기 잡았다 신호 보내고 기다리기 잡았다 을(를) 2 초 동안 말하기	시작하기 버튼을 클릭했을 때 회전 방식을 왼쪽-오른쪽으로 정한다. 크기를 60%로 축소한다. 위치는 (-200, 0)으로 한다. 점수 변수를 0으로 초기화한다. 아무 키를 누를 때까지 기다린다. 키가 눌리면 타이머를 0으로 정한다. 다음 절차를 무한 반복한다. 만약 타이머가 30이 넘으면 모두 멈추기를 실행한다.(종료한다.) 만약 쥐에 닿으면 점수를 1 올린다. 잡았다 신호를 보내고 처리가 완료될 때까지 기다린다. "잡았다."를 2초 동안 말한다.

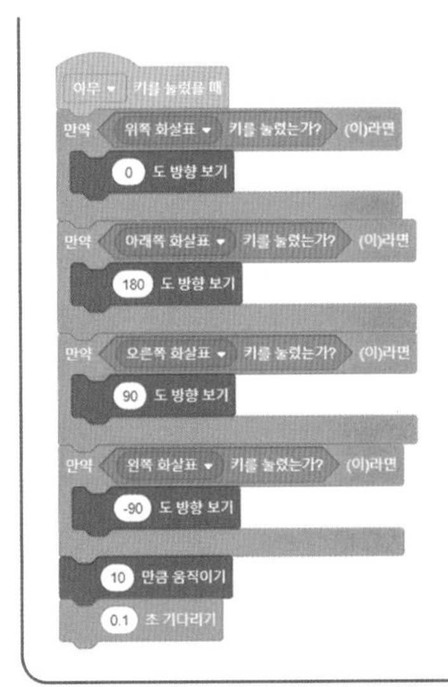

아무 키를 눌렀을 때
만약 위쪽 방향키를 눌렀으면
　위쪽 보기를 한다.
만약 아래쪽 방향키를 눌렀으면
　아래쪽 보기를 한다.
만약 오른쪽 방향키를 눌렀으면
　오른쪽 보기를 한다.
만약 왼쪽 방향키를 눌렀으면
　왼쪽 보기를 한다.
10만큼 움직이고 0.1초 기다린다.

실행 화면은 그림 9.4와 같다.

그림 9.4 [예제 9.5]의 실행 화면

연습 [예제 9.5]에서 쥐를 한 마리 더 추가하여 실행하도록 게임을 수정하라.

예제 9.6

날짜와 시간

현재의 날짜와 시간 정보를 말하는 두 고양이 스프라이트를 만든다. 감지 영역의 (현재 년 ▾) 블록을 이용하여 현재의 년, 월, 일, 요일, 시, 분, 초 등을 모두 얻을 수 있다. 이를 이용하여 날짜와 시간 정보를 문자열로 만든 다음, 말하기 블록으로 화면에 출력한다. 날짜와 시간을 한꺼번에 출력하기에는 블록이 너무 복잡하기 때문에 두 고양이 스프라이트를 이용하여 하나는 날짜를 다른 하나는 시간을 출력하도록 한다.

■ 준비 단계

① 기본 Cat 스프라이트와 Cat Flying 스프라이트를 추가한다.

② 배경은 Light를 골라서 변경한다.

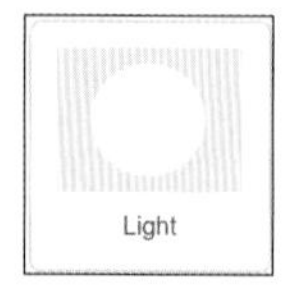

그림 9.5 사용되는 스프라이트와 배경

Cat 스프라이트와 Cat Flying 스프라이트의 모양과 위치는 서로 다르지만, Cat Flying은 날짜 정보를 얻고 이를 말한다. 날짜 정보는 하루 동안에는 변화가 없기 때문에 한 번 말하고 처리를 종료한다. 그러나 Cat은 시간 정보를 얻어서 말하는데 시간은 최소 단위가 초이기 때문에 일 초마다 새로 얻어서 말해야 한다. 이를 위해 반복 구조를 사용한다.

단계 1　말하는 내용이 겹치지 않도록 두 스프라이트의 위치를 정한다.

단계 2　다음 단계 3, 4를 무한 반복한다.

　단계 3　현재의 날짜와 시간 정보를 얻어 말한다.

　단계 4　0.5초 동안 기다린다.

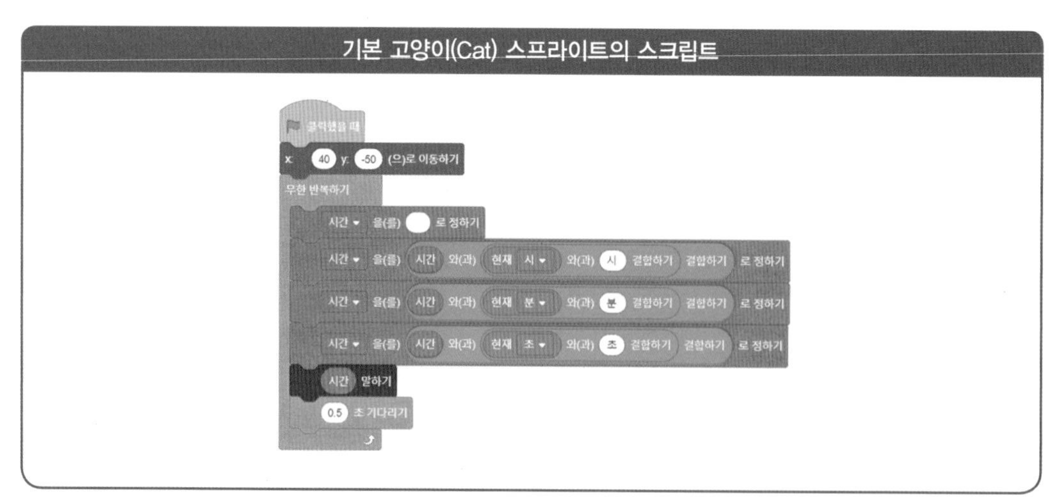

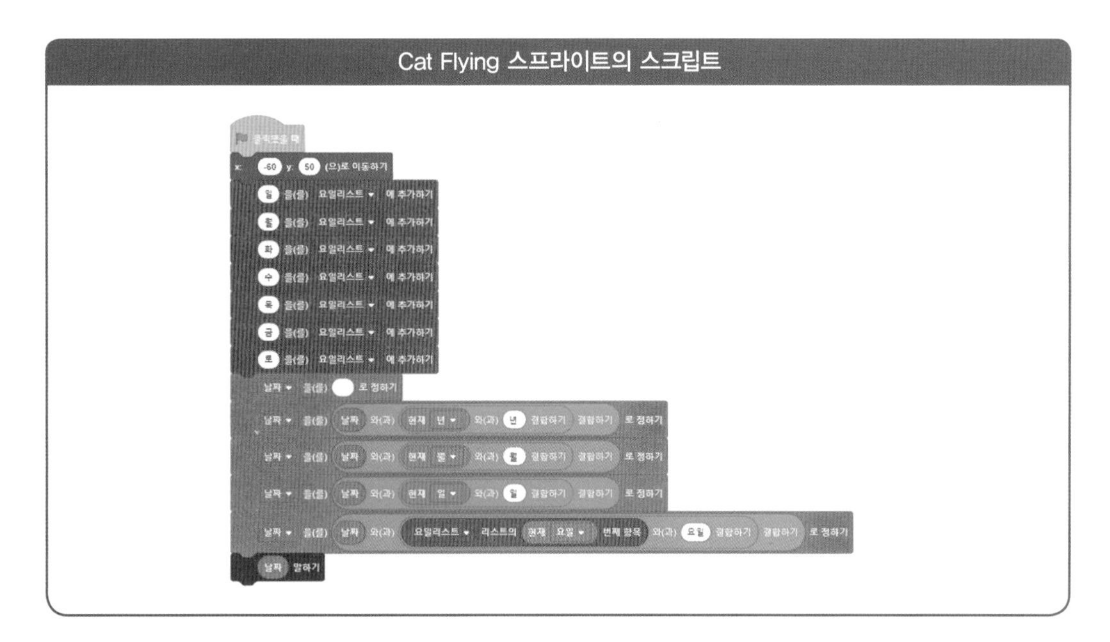

그림 9.6 [예제 9.6]의 실행 화면

날짜와 시간 정보를 문자열로 연결하여 붙이기 위해서 날짜 또는 시간 변수에 문자열들을 계속 이어붙이는 방법을 이용하였다. 예를 들어서 처음에 날짜엔 아무 값도 없다. 두 번째는 날짜 <- (날짜 + (년 +"년 ")) 식의 문자열 이어붙이기를 한다. 세 번째는 날짜 <- (날짜 + (월 + "월 "))을 이어 붙인다. 이런 방식으로 일과 요일까지 모두 문자열을 이어 붙인다.

날짜 정보 문자열에서 요일을 얻으면 숫자 값으로 나타나는데 일요일은 1, 월요일은 2, 화요일은 3, … 순으로 얻는다. 따라서 숫자 값을 요일 명으로 바꾸기 위해서 요일 리스트를 이용하였다. 그리고 요일 리스트에 일, 월, 화, 수, 목, 금, 토로 초기화한 후 요일의 정수를 리스트 항목에 대응하여 요일 명을 얻은 다음 "요일"을 결합하여 붙였다.

그리고 시간을 말하기 위해서 무한 반복에서 0.5초씩 기다리도록 한 것은 필요 이상으로 빈번한 반복을 피하기 위한 목적이다. 시간의 최소 단위가 1초이므로 이보다 작은 0.5초로 정하였다.

예제 9.7

드럼에 맞춰 춤추는 소년

드럼을 마우스로 클릭하면 드럼이 연주되고, 드럼을 다시 마우스로 클릭하면 드럼 연주가 멈춘다. 이처럼 마우스를 클릭할 때마다 드럼은 연주되었다가 멈추었다가를 반복한다. 드럼이 연주되는 동안은 드럼의 모양도 계속 바뀌고 소년은 춤을 춘다.

그림 9.7 [예제 9.7]의 실행 화면

■ 준비 단계

① 춤추는 소년을 위해서 Champ99 스프라이트를 추가한다.

② 드럼을 위해서 Drums Conga 스프라이트를 추가한다.

③ 배경은 Party로 변경한다.

④ 드럼 연주곡을 위해서 Drum jam 소리를 Drums Conga 스프라이트에 추가한다.

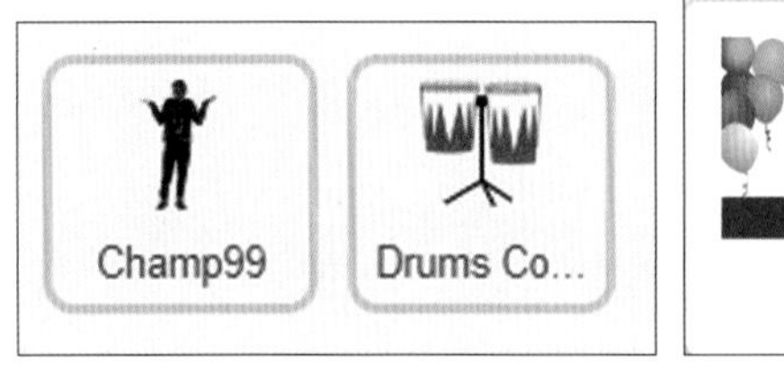

그림 9.8 [예제 9.7]에서 사용되는 스프라이트와 배경

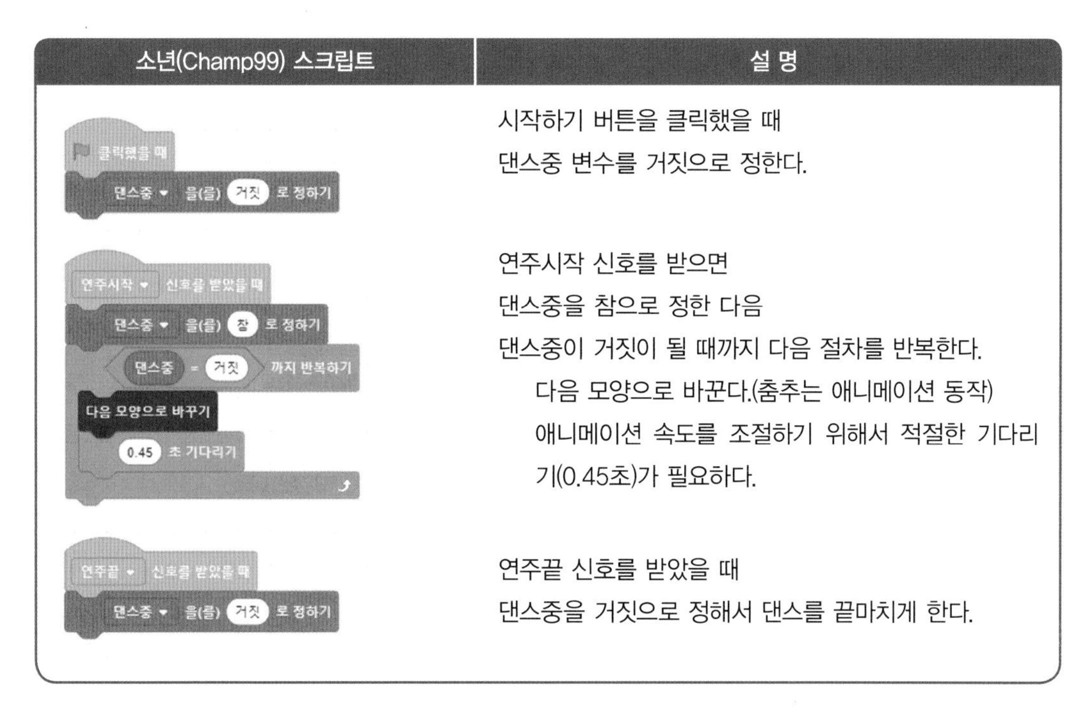

소년(Champ99) 스크립트	설 명
클릭했을 때 댄스중 ▾ 을(를) 거짓 로 정하기	시작하기 버튼을 클릭했을 때 댄스중 변수를 거짓으로 정한다.
연주시작 ▾ 신호를 받았을 때 댄스중 ▾ 을(를) 참 로 정하기 댄스중 = 거짓 까지 반복하기 다음 모양으로 바꾸기 0.45 초 기다리기	연주시작 신호를 받으면 댄스중을 참으로 정한 다음 댄스중이 거짓이 될 때까지 다음 절차를 반복한다. 다음 모양으로 바꾼다.(춤추는 애니메이션 동작) 애니메이션 속도를 조절하기 위해서 적절한 기다리기(0.45초)가 필요하다.
연주끝 ▾ 신호를 받았을 때 댄스중 ▾ 을(를) 거짓 로 정하기	연주끝 신호를 받았을 때 댄스중을 거짓으로 정해서 댄스를 끝마치게 한다.

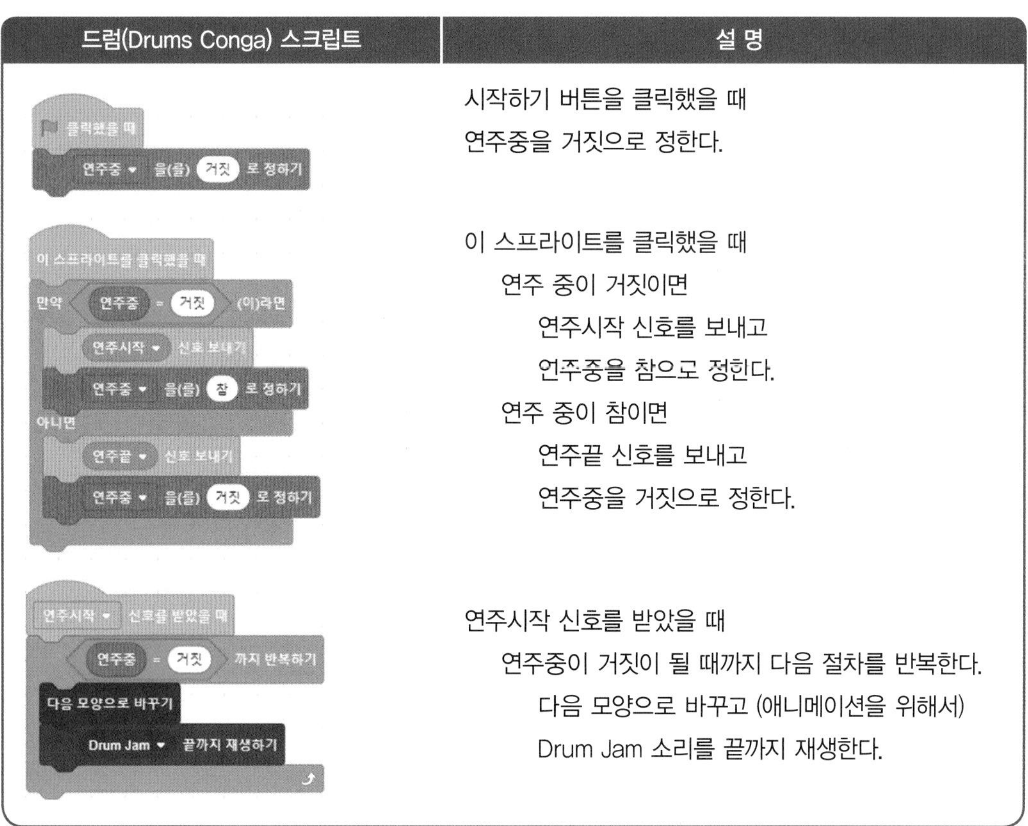

드럼(Drums Conga) 스크립트	설 명
클릭했을 때 연주중 ▾ 을(를) 거짓 로 정하기	시작하기 버튼을 클릭했을 때 연주중을 거짓으로 정한다.
이 스프라이트를 클릭했을 때 만약 연주중 = 거짓 (이)라면 연주시작 ▾ 신호 보내기 연주중 ▾ 을(를) 참 로 정하기 아니면 연주끝 ▾ 신호 보내기 연주중 ▾ 을(를) 거짓 로 정하기	이 스프라이트를 클릭했을 때 연주 중이 거짓이면 연주시작 신호를 보내고 연주중을 참으로 정한다. 연주 중이 참이면 연주끝 신호를 보내고 연주중을 거짓으로 정한다.
연주시작 ▾ 신호를 받았을 때 연주중 = 거짓 까지 반복하기 다음 모양으로 바꾸기 Drum Jam ▾ 끝까지 재생하기	연주시작 신호를 받았을 때 연주중이 거짓이 될 때까지 다음 절차를 반복한다. 다음 모양으로 바꾸고 (애니메이션을 위해서) Drum Jam 소리를 끝까지 재생한다.

드럼 연주와 소년의 춤을 동기화하기 위해서 연주 시작, 연주 끝 메시지 신호를 이용하였다. 마우스 클릭에 따라서 연주 중 변수가 거짓에서 참으로, 또는 참에서 거짓으로 변경하였다. 드럼이 연주되었다가 다음 클릭에서 연주를 멈추기 위해서 드럼이 연주 시작 신호를 받았을 때 연주 중 변수가 거짓이 될 때까지 반복적으로 연주하도록 하였다.

예제 9.8

화살로 풍선 터뜨리기

키보드 방향키를 이용해서 화면 왼쪽 경계 부분에 있는 화살을 상하로 움직이며 스페이스 키를 눌러서 화살을 발사한다. 날아간 화살이 풍선에 맞으면 풍선이 터지면서 점수가 1점 올라간다. 풍선은 오른쪽 아래에서 위로 날아오른다. 위 경계에 부딪히면 풍선은 다시 아래에서 위로 날아오른다.

■ 준비 단계

① 화살과 풍선을 위해서 Arrow1과 Balloon1 스프라이트를 추가한다.

② 배경으로는 Blue Sky 2를 골라서 무대 배경을 변경한다.

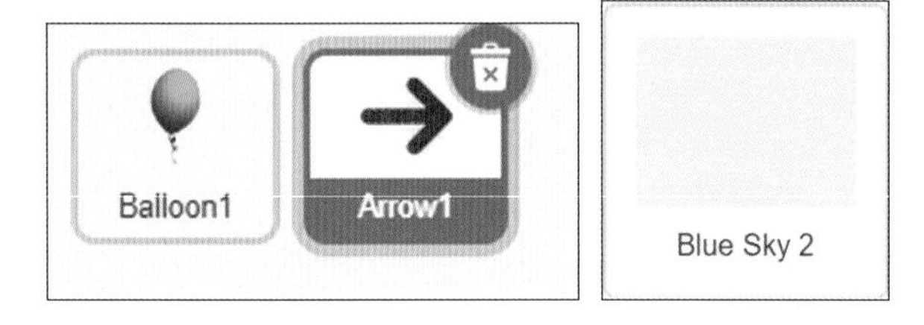

그림 9.9 [예제 9.8]에서 사용된 스프라이트와 배경

화살의 동작은 스페이스 키를 눌렀을 때 발사되어야 한다. 발사 동작을 위해서 화살은 자신을 복제하여 오른쪽으로 이동하도록 한다. 이동하면서 풍선에 닿으면 풍선은 사라지고 점수는 1 증가한다. 오른쪽 벽에 닿으면 화살은 사라진다. 또한, 위 또는 아래 방향키를 눌렀을 때는 해당 방향을 보고 10만큼 이동하도록 한다.

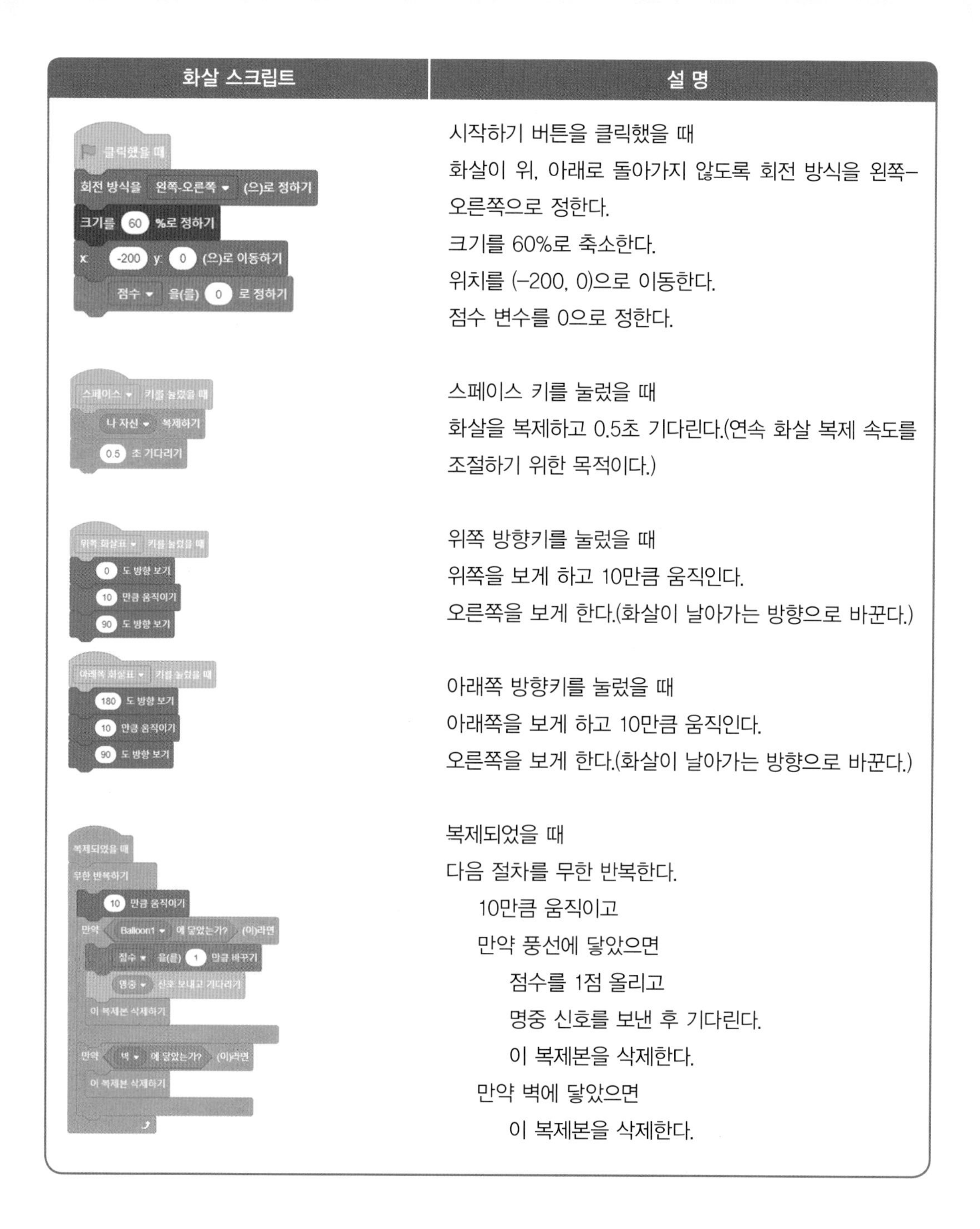

화살 스크립트	설 명
클릭했을 때 회전 방식을 왼쪽-오른쪽 (으)로 정하기 크기를 60 %로 정하기 x: -200 y: 0 (으)로 이동하기 점수 을(를) 0 로 정하기	시작하기 버튼을 클릭했을 때 화살이 위, 아래로 돌아가지 않도록 회전 방식을 왼쪽–오른쪽으로 정한다. 크기를 60%로 축소한다. 위치를 (–200, 0)으로 이동한다. 점수 변수를 0으로 정한다.
스페이스 키를 눌렀을 때 나 자신 복제하기 0.5 초 기다리기	스페이스 키를 눌렀을 때 화살을 복제하고 0.5초 기다린다.(연속 화살 복제 속도를 조절하기 위한 목적이다.)
위쪽 화살표 키를 눌렀을 때 0 도 방향 보기 10 만큼 움직이기 90 도 방향 보기	위쪽 방향키를 눌렀을 때 위쪽을 보게 하고 10만큼 움직인다. 오른쪽을 보게 한다.(화살이 날아가는 방향으로 바꾼다.)
아래쪽 화살표 키를 눌렀을 때 180 도 방향 보기 10 만큼 움직이기 90 도 방향 보기	아래쪽 방향키를 눌렀을 때 아래쪽을 보게 하고 10만큼 움직인다. 오른쪽을 보게 한다.(화살이 날아가는 방향으로 바꾼다.)
복제되었을 때 무한 반복하기 10 만큼 움직이기 만약 Balloon1 에 닿았는가? (이)라면 점수 을(를) 1 만큼 바꾸기 명중 신호 보내고 기다리기 이 복제본 삭제하기 만약 벽 에 닿았는가? (이)라면 이 복제본 삭제하기	복제되었을 때 다음 절차를 무한 반복한다. 10만큼 움직이고 만약 풍선에 닿았으면 점수를 1점 올리고 명중 신호를 보낸 후 기다린다. 이 복제본을 삭제한다. 만약 벽에 닿았으면 이 복제본을 삭제한다.

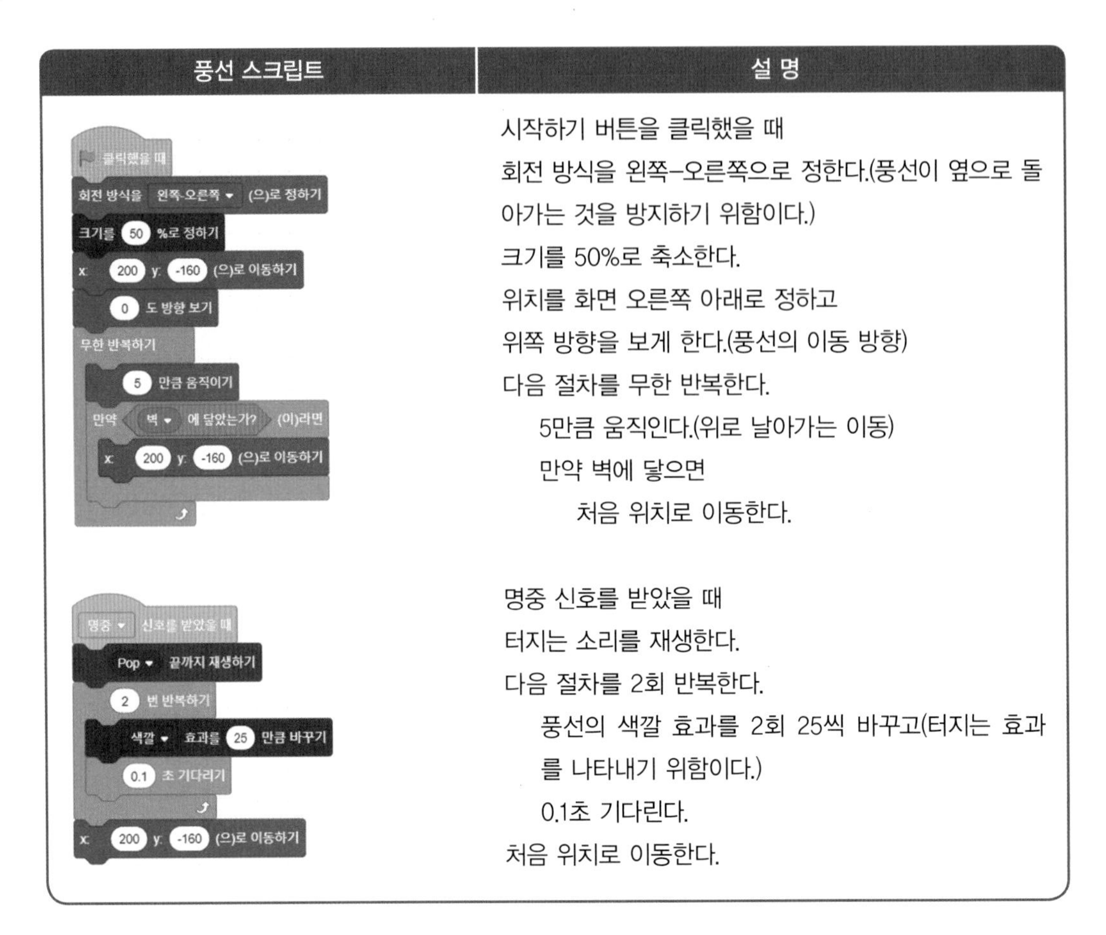

풍선 스크립트	설 명
클릭했을 때 회전 방식을 왼쪽-오른쪽 (으)로 정하기 크기를 50 %로 정하기 x: 200 y: -160 (으)로 이동하기 0 도 방향 보기 무한 반복하기 5 만큼 움직이기 만약 벽 에 닿았는가? (이)라면 x: 200 y: -160 (으)로 이동하기	시작하기 버튼을 클릭했을 때 회전 방식을 왼쪽-오른쪽으로 정한다.(풍선이 옆으로 돌아가는 것을 방지하기 위함이다.) 크기를 50%로 축소한다. 위치를 화면 오른쪽 아래로 정하고 위쪽 방향을 보게 한다.(풍선의 이동 방향) 다음 절차를 무한 반복한다. 5만큼 움직인다.(위로 날아가는 이동) 만약 벽에 닿으면 처음 위치로 이동한다.
명중 신호를 받았을 때 Pop 끝까지 재생하기 2 번 반복하기 색깔 효과를 25 만큼 바꾸기 0.1 초 기다리기 x: 200 y: -160 (으)로 이동하기	명중 신호를 받았을 때 터지는 소리를 재생한다. 다음 절차를 2회 반복한다. 풍선의 색깔 효과를 2회 25씩 바꾸고(터지는 효과를 나타내기 위함이다.) 0.1초 기다린다. 처음 위치로 이동한다.

풍선은 실행 화면 오른쪽 아래에서 나타나서 날아가는 동작을 나타내기 위해 계속 위쪽으로 움직인다. 위쪽 경계에 닿으면 사라진다. 만약 명중 신호를 받게 되면 화살에 닿은 상태이기 때문에 터지는 효과를 위해서 색깔을 변경하고 다시 처음 위치로 이동한다.

그림 9.10 [예제 9.8]의 실행 화면

연습 앞의 예제에서 풍선을 하나 더 추가하여 2개가 날아가도록 하고, 풍선의 크기를 난수를 이용하여 매번 변화시키도록 변경하라.

예제 9.9

퐁(pong) 게임

탁구와 같이 라켓을 가지고 공을 치는 게임을 통칭해서 퐁 게임이라고 한다. 여기서는 화면의 아래에 위치한 페달을 좌우로 움직여서 위에서 아래로 내려오는 공을 친다. 공은 벽에 닿으면 튕기게 되며, 만약 페달이 공을 놓쳐 공이 페달 아래로 내려가면 지는 게임이다.

■ 준비 단계

① 게임에서 사용되는 공과 페달을 위해서 Ball, Peddle 스프라이트를 추가한다.

② 배경을 위해서는 Blue Sky 2를 추가하여 배경을 바꾼다.

③ 수명과 점수를 출력하기 위한 변수를 생성한다.

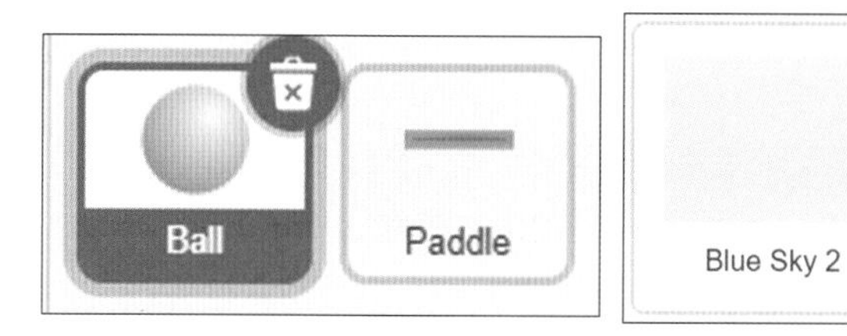

그림 9.11 [예제 9.9]에서 사용되는 스프라이트와 무대 배경

실행 화면은 그림 9.12와 같다.

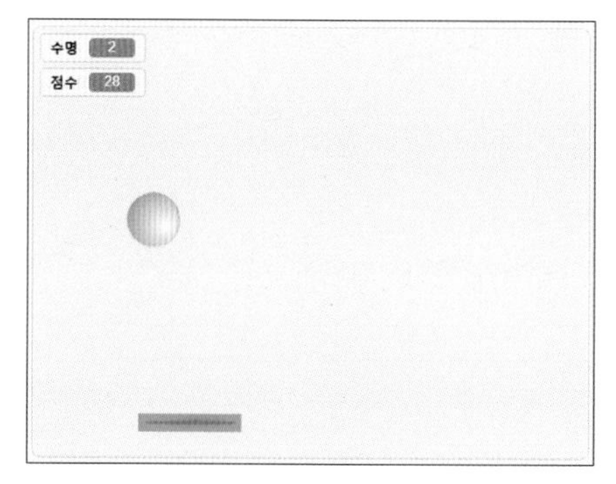

그림 9.12 [예제 9.9]의 실행 화면

볼 스프라이트는 게임을 시작하면 화면 중앙에서 시작하여 위쪽 임의의 방향으로 이동한다. 위나 옆 경계에 닿으면 튕겨서 나온다. 그리고 실행 화면의 아래에 있는 페달에 닿게 되면 다시 튕겨서 위쪽으로 이동한다. 페달에 닿을 때마다 점수는 1 증가한다. 만약 페달이 공에 닿지 못하면 공은 페달 아래로 이동하고 게임을 지게 된다. 수명은 처음에 3으로 정해져서 총 3회의 기회가 주어진다. 이에 따른 공 스프라이트의 스크립트는 다음과 같다.

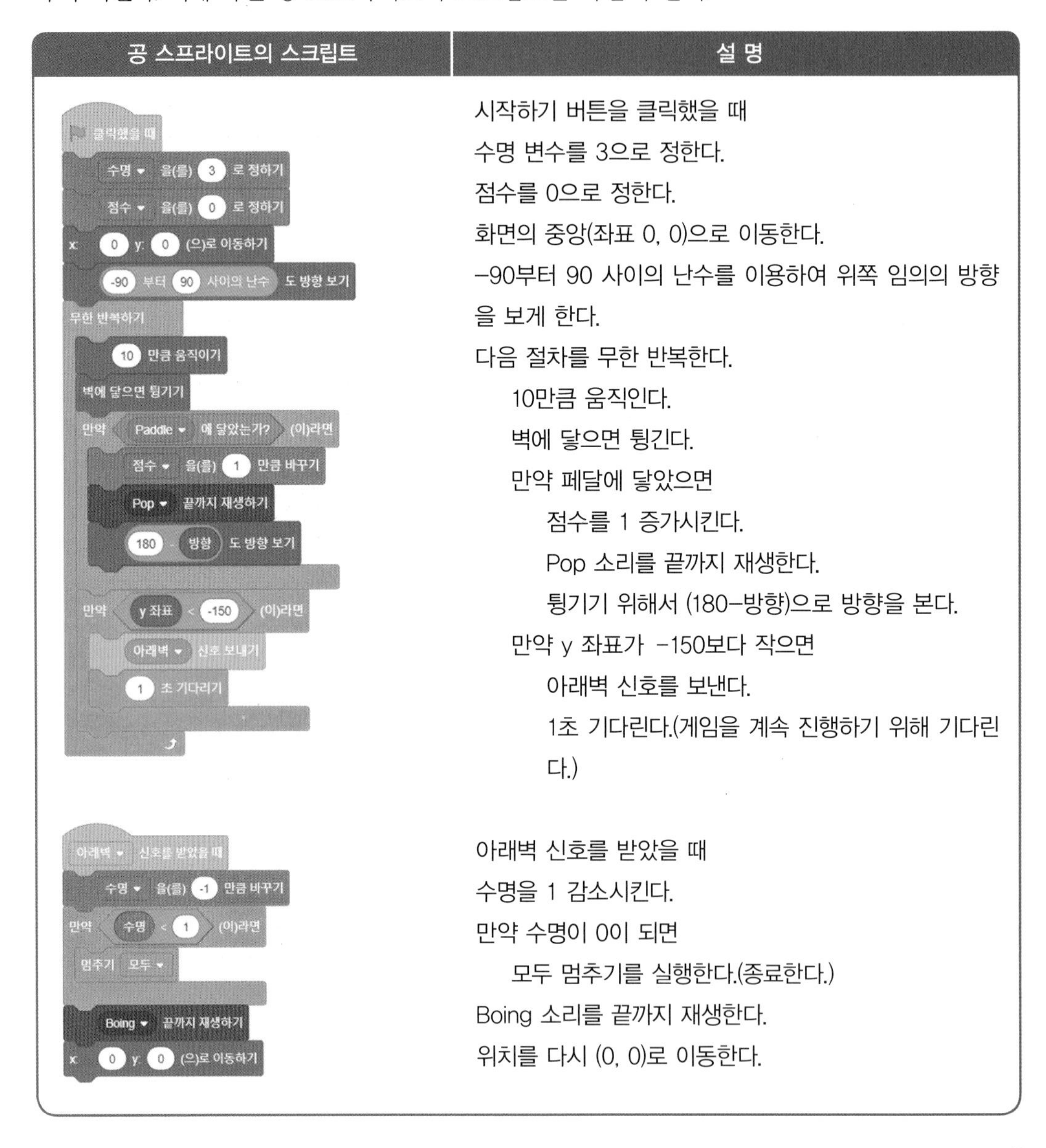

공 스프라이트의 스크립트	설 명
클릭했을 때	시작하기 버튼을 클릭했을 때
수명 ▾ 을(를) 3 로 정하기	수명 변수를 3으로 정한다.
점수 ▾ 을(를) 0 로 정하기	점수를 0으로 정한다.
x: 0 y: 0 (으)로 이동하기	화면의 중앙(좌표 0, 0)으로 이동한다.
-90 부터 90 사이의 난수 도 방향 보기	−90부터 90 사이의 난수를 이용하여 위쪽 임의의 방향을 보게 한다.
무한 반복하기	다음 절차를 무한 반복한다.
10 만큼 움직이기	10만큼 움직인다.
벽에 닿으면 튕기기	벽에 닿으면 튕긴다.
만약 Paddle ▾ 에 닿았는가? (이)라면	만약 페달에 닿았으면
점수 ▾ 을(를) 1 만큼 바꾸기	점수를 1 증가시킨다.
Pop ▾ 끝까지 재생하기	Pop 소리를 끝까지 재생한다.
180 - 방향 도 방향 보기	튕기기 위해서 (180−방향)으로 방향을 본다.
만약 y 좌표 < -150 (이)라면	만약 y 좌표가 −150보다 작으면
아래벽 ▾ 신호 보내기	아래벽 신호를 보낸다.
1 초 기다리기	1초 기다린다.(게임을 계속 진행하기 위해 기다린다.)
아래벽 ▾ 신호를 받았을 때	아래벽 신호를 받았을 때
수명 ▾ 을(를) -1 만큼 바꾸기	수명을 1 감소시킨다.
만약 수명 < 1 (이)라면	만약 수명이 0이 되면
멈추기 모두 ▾	모두 멈추기를 실행한다.(종료한다.)
Boing ▾ 끝까지 재생하기	Boing 소리를 끝까지 재생한다.
x: 0 y: 0 (으)로 이동하기	위치를 다시 (0, 0)로 이동한다.

예제 9.10

미로 찾기

배경으로 미로가 주어지고 고양이는 미로 내에서 길을 찾아서 목표지점까지 이동한다. 고양이는 키보드의 상하좌우 방향키를 이용하여 움직임을 제어한다. 미로의 벽에 닿으면 미로 찾기가 종료되기 때문에 움직일 때 집중해야 하며 중간에 2개의 보석을 잡을 수 있다. 마지막 목표지점은 "끝"으로 표시된 지점이다.

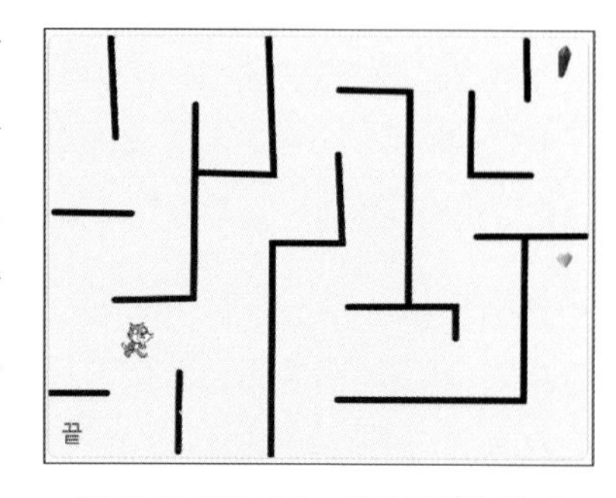

그림 9.13 [예제 9.10]의 실행 화면

● 사용할 스프라이트와 무대 배경

스프라이트 고르기에서 Crystal, Crystal2를 추가하고 끝 스프라이트를 모양 편집기에서 텍스트 기능으로 만든다. 무대 배경으로 Blue Sky2를 추가한 다음, 모양 편집기에서 선 그리기를 이용하여 미로 벽을 추가하여 무대 배경을 수정한다.

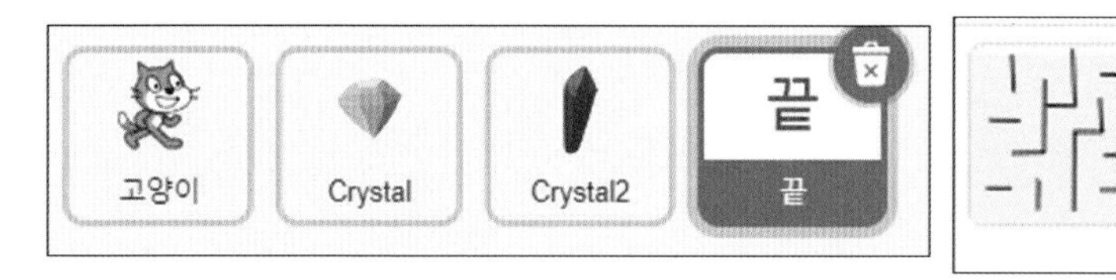

그림 9.14 [예제 9.10]에서 사용된 스프라이트와 무대 배경

그림 9.15는 끝 스프라이트의 모양 탭에서 텍스트 편집과 배경에서 선 그리기 기능으로 미로를 그리는 화면을 보여주고 있다.

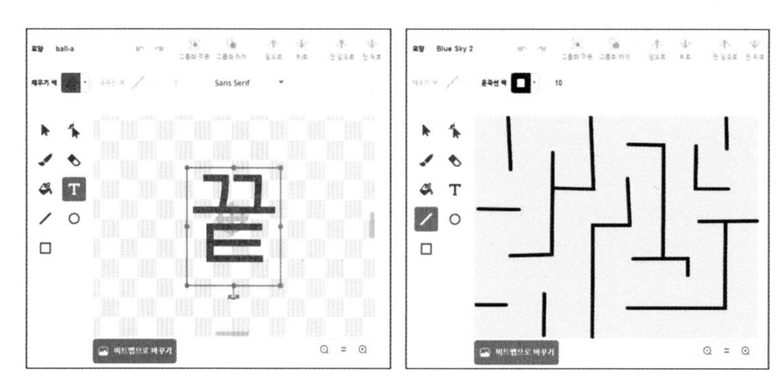

그림 9.15 끝 스프라이트와 배경 편집 화면

끝 스프라이트는 스프라이트 그리기를 선택하여 이름을 끝으로 정하고 모양 탭에서 텍스트 버튼(T)을 클릭한 후 "끝" 문자를 추가한다. 텍스트 개체를 포함하는 사각형의 모서리를 마우스로 끌어서 원하는 크기로 조절할 수 있다. 채우기 색 메뉴(채우기 색)를 이용하여 원하는 색으로 글자의 색깔을 정한다. 글자의 위치는 편집화면의 가운데 위치한 모양의 중심을 기준으로 마우스로 선택하여 끌기를 하면 위치를 조절할 수 있다.

미로 그림으로 배경을 바꾸기 위해서는 무대를 선택한 후 배경을 Blue Sky2로 바꾸고 그 위에 검정 선을 그려서 미로를 만든다. 윤곽선 색(윤곽선 색 10) 버튼을 이용하여 검정 선이 그려지도록 정하고 선의 두께는 10으로 정한다. 선( ) 메뉴를 선택한 후 선을 그릴 수 있다. 검정색 선은 미로에서 벽에 해당하기 때문에 스프라이트가 움직일 수 있는 부분을 고려해서 미로를 그려야 한다.

고양이는 방향키에 따라서 상하좌우를 방향을 바꾸면서 움직인다. 미로 내에서 움직이다가 검정 색에 닿으면 더 이상 움직일 수 없게 된다. 끝 스프라이트에 닿으면 종료된다. 움직이는 도중에 보석에 닿으면 보석을 잡게 된다. 이와 같은 동작을 하기 위해 고양이에 대한 스프라이트는 다음과 같이 프로그래밍되었다.

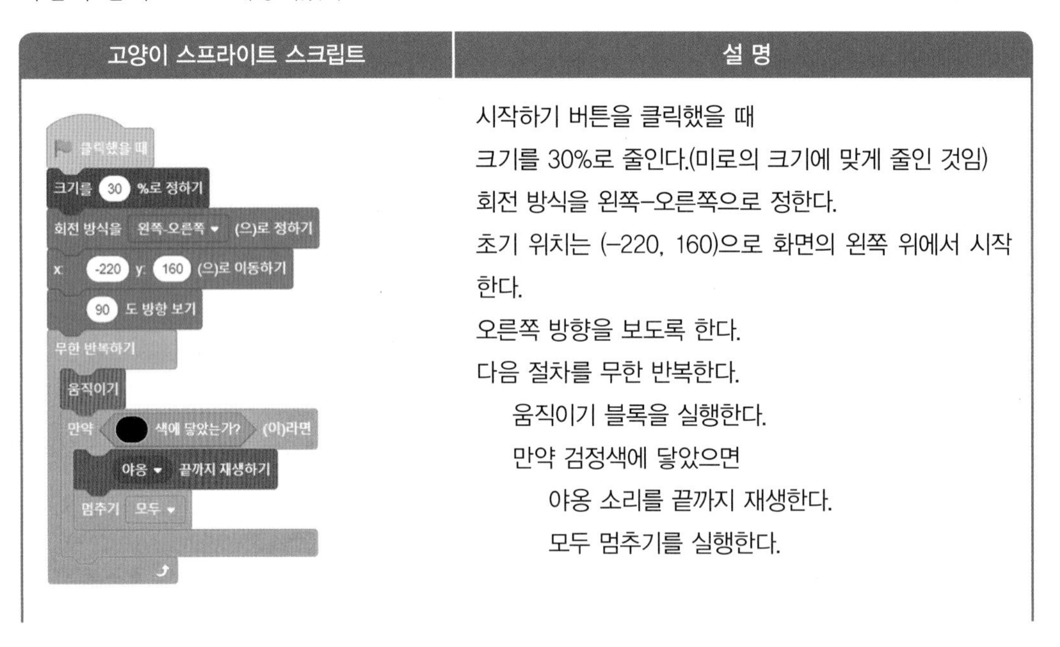

고양이 스프라이트 스크립트	설 명
클릭했을 때 크기를 30 %로 정하기 회전 방식을 왼쪽-오른쪽 ▾ (으)로 정하기 x: -220 y: 160 (으)로 이동하기 90 도 방향 보기 무한 반복하기 움직이기 만약 ● 색에 닿았는가? (이)라면 야옹 ▾ 끝까지 재생하기 멈추기 모두 ▾	시작하기 버튼을 클릭했을 때 크기를 30%로 줄인다.(미로의 크기에 맞게 줄인 것임) 회전 방식을 왼쪽-오른쪽으로 정한다. 초기 위치는 (-220, 160)으로 화면의 왼쪽 위에서 시작한다. 오른쪽 방향을 보도록 한다. 다음 절차를 무한 반복한다. 움직이기 블록을 실행한다. 만약 검정색에 닿았으면 야옹 소리를 끝까지 재생한다. 모두 멈추기를 실행한다.

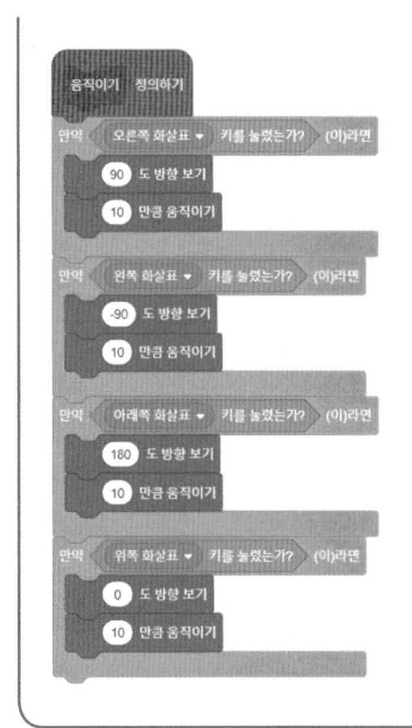

움직이기 블록 정의하기
만약 오른쪽 방향키를 눌렀으면
　오른쪽을 보게 한다.
　10만큼 움직인다.
만약 왼쪽 방향키를 눌렀으면
　왼쪽을 보게 한다.
　10만큼 움직인다.
만약 아래쪽 방향키를 눌렀으면
　아래쪽을 보게 한다.
　10만큼 움직인다.
만약 위쪽 방향키를 눌렀으면
　위쪽을 보게 한다.
　10만큼 움직인다.

끝 스프라이트는 처음 위치에서 움직이지 않으며 다만 고양이가 닿았는가를 감지하여 닿았으면 종료를 알리기 위한 Pop 소리를 내고 모두 멈추기를 실행한다. 이를 위한 스크립트는 다음과 같다.

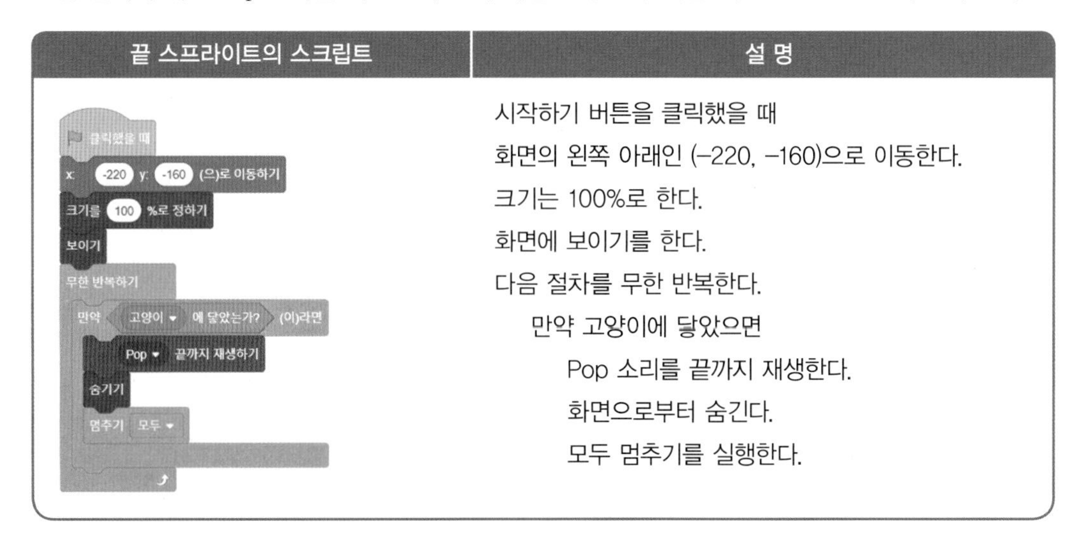

끝 스프라이트의 스크립트	설 명

시작하기 버튼을 클릭했을 때
화면의 왼쪽 아래인 (–220, –160)으로 이동한다.
크기는 100%로 한다.
화면에 보이기를 한다.
다음 절차를 무한 반복한다.
　만약 고양이에 닿았으면
　　Pop 소리를 끝까지 재생한다.
　　화면으로부터 숨긴다.
　　모두 멈추기를 실행한다.

보석 스프라이트는 미로의 정해진 위치에서 움직이지 않으며 고양이에 닿으면 소리를 내고 화면에서 사라진다. 동작은 끝 스프라이트와 매우 유사하다.

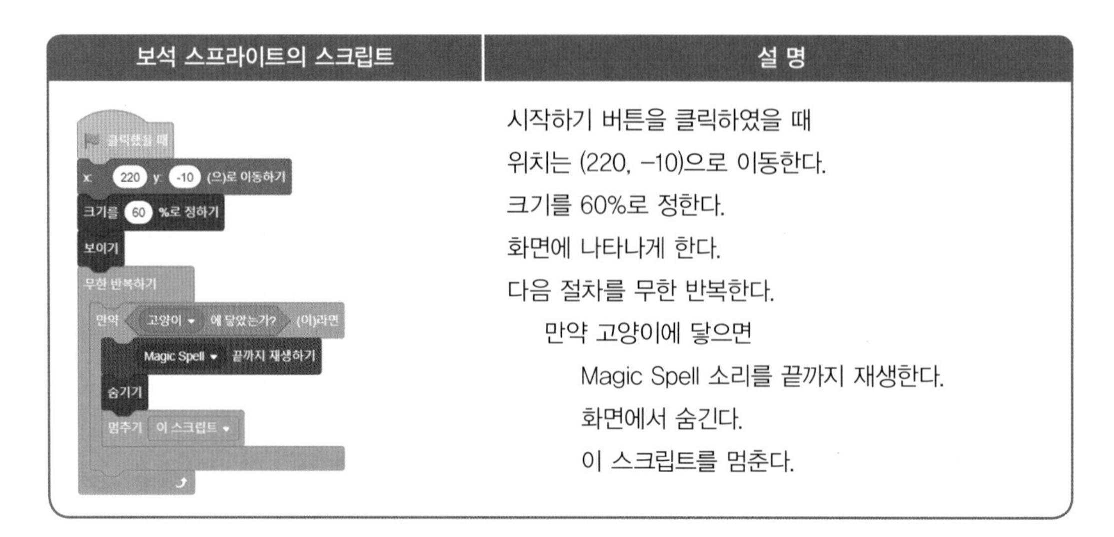

보석 스프라이트의 스크립트	설 명
클릭했을 때	시작하기 버튼을 클릭하였을 때
x: 220 y: -10 (으)로 이동하기	위치는 (220, −10)으로 이동한다.
크기를 60 %로 정하기	크기를 60%로 정한다.
보이기	화면에 나타나게 한다.
무한 반복하기	다음 절차를 무한 반복한다.
만약 고양이 ▾ 에 닿았는가? (이)라면	만약 고양이에 닿으면
Magic Spell ▾ 끝까지 재생하기	Magic Spell 소리를 끝까지 재생한다.
숨기기	화면에서 숨긴다.
멈추기 이 스크립트 ▾	이 스크립트를 멈춘다.

보석2 스프라이트는 보석 스프라이트와 좌표만 (220, 160)으로 다를 뿐, 동작이 같으므로 스크립트도 동일하다. 따라서 스크립트는 생략한다.

- 스크래치 프로그램의 구조는 각 이벤트(event)에 대한 처리 절차를 스크립트(script)로 구성하는 형식으로 프로그래밍된다. 이와 같이 이벤트에 의하여 프로그램 처리가 이루어지는 방식을 이벤트 구동(event driven) 방식이라 한다.
- 하나의 이벤트에 대하여 다수의 스크립트가 가능하다. 즉 하나의 이벤트가 발생하면 이에 따라 수행하게 되는 다수의 동작이 동시에 이루어진다.
- 이벤트에는 시작하기 버튼을 클릭했을 때, 스페이스 키를 눌렀을 때, 이 스프라이트를 클릭했을 때, 배경이 바뀌었을 때, 음량이 주어진 값 이상일 때, 메시지 신호를 받았을 때, 복제되었을 때 등이 있다.
- 감지(sensing)란 어떤 상태나 시스템 변수의 값을 알아내는 것을 말한다. 대표적인 예로 어떤 스프라이트에 닿았는가? 또는 마우스가 클릭되었는가?, 타이머 값을 얻기 등이 있다.

연습문제

01 스크래치의 이벤트에 대한 설명이다. 올바르지 않은 것은 무엇인가?

① 이벤트는 스크립트의 처리를 일으키는 원인이 된다.

② 스프라이트가 다른 스프라이트와 충돌되는 것도 이벤트의 하나이다.

③ 스크래치 프로그램은 이벤트 구동(event driven) 방식으로 구성된다.

④ 하나의 이벤트에 다수의 스크립트가 존재할 수 있다.

02 다음 중 이벤트 블록이 아닌 것은 무엇인가?

03 메시지에 대한 설명이다. 잘못된 것은 무엇인가?

① 메시지는 한 스프라이트가 다른 스프라이트에게 전달하기 위해서 사용한다.

② 메시지를 이용하여 두 개 이상의 스프라이트에게 동일한 메시지를 보낼 수 있다.

③ 메시지를 활용하면 두 개 이상의 스프라이트 동작을 동기화할 수 있다.

④ 메시지를 수신하는 것은 이벤트로 볼 수 없다.

04 다음 중에서 감지(sensing)에 해당하지 않는 것은 무엇인가?

① 스크립트 처리의 원인이 되는 이벤트

② 스프라이트가 벽에 닿았는가를 알아내는 것

③ 현재 마우스의 좌표 값을 알아내는 것

④ 타이머를 이용하여 현재까지 프로그램 처리에 소요된 시간 값을 알아내는 것

05 다음에 제시된 프로그램이 한 스프라이트에 주어졌다고 가정한다. 다음 설명 중에서 잘못된 것은 무엇인가?

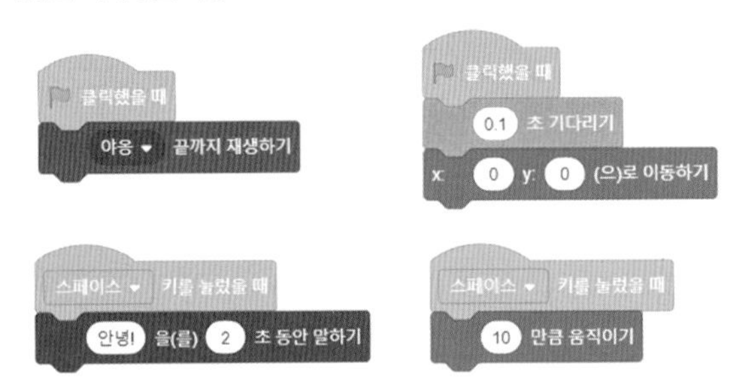

① 시작하기 버튼을 클릭했을 때 화면 중앙으로 이동한다.
② 야옹을 끝까지 재생하기는 중앙으로 이동한 뒤에 시행된다.
③ 스페이스 키를 누르면 10만큼 이동하면서 안녕! 이라고 말하기를 수행한다.
④ 10만큼 이동하기와 안녕! 이라고 말하기 중에 무엇이 더 우선 실행될지는 알 수 없다.

06 다음에 제시된 프로그램이 한 스프라이트에 주어졌다고 가정한다. 다음 설명 중에서 잘못된 것은 무엇인가?

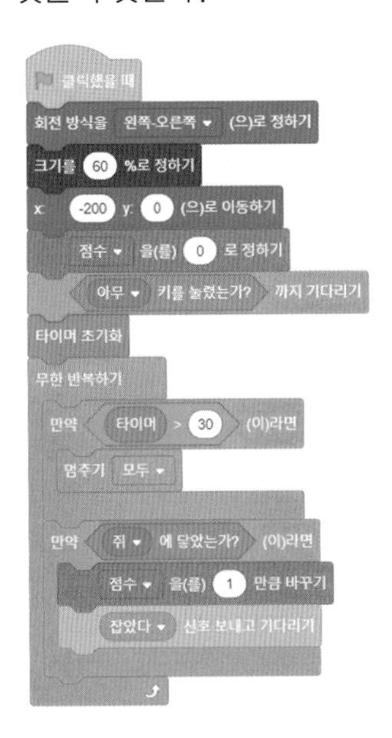

① 임의의 키를 누르면 타이머 값이 0이 된다.
② 시간이 30초가 지나면 모두 멈춘다.
③ 쥐에 닿으면 점수를 1 증가시킨다.
④ 잡았다 신호를 보낸 다음 바로 타이머 값이 30보다 더 큰지 체크한다.

07 다음 프로그램에 대한 설명이다. 잘못된 것을 고르시오.

① 스페이스 키를 누르면 해당 스프라이트와 동일한 모양의 스프라이트가 생긴다.

② 복제된 스프라이트는 벽에 닿으면 화면에서 사라진다.

③ 복제된 스프라이트는 10만큼 이동하기를 반복 수행한다.

④ 원본 스프라이트는 Balloon1에 닿으면 화면에서 사라진다.

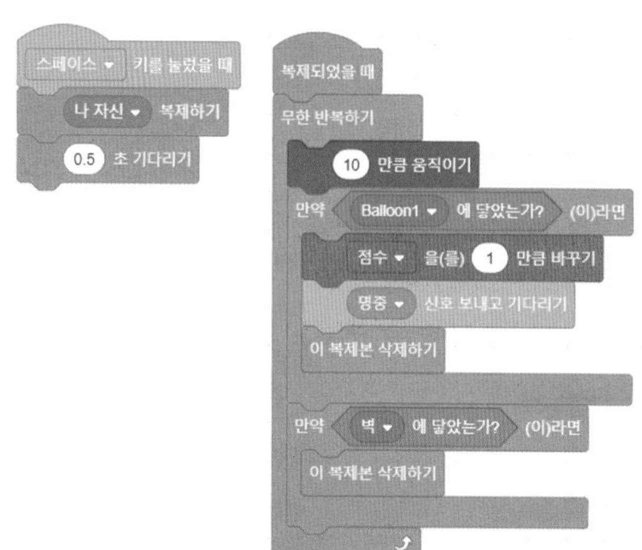

08 본문의 [예제 9.9]에서 공부한 퐁 게임에서 복제하기 기능을 이용하여 공을 1개 추가하여 총 2개의 공으로 진행하는 게임을 만들어라. 점수를 주기 위하여 점수 변수를 생성하여 페달이 공을 한 번 맞출 때마다 점수는 1 증가한다. 내려오는 공을 페달이 놓치면 공은 페달 아래로 내려가고 이에 따라 수명은 1 감소한다. 수명은 초기에 3으로 정하여 시작하고 공을 3번 빠뜨리면 수명은 0이 되고 게임이 종료된다.

[실행 화면]

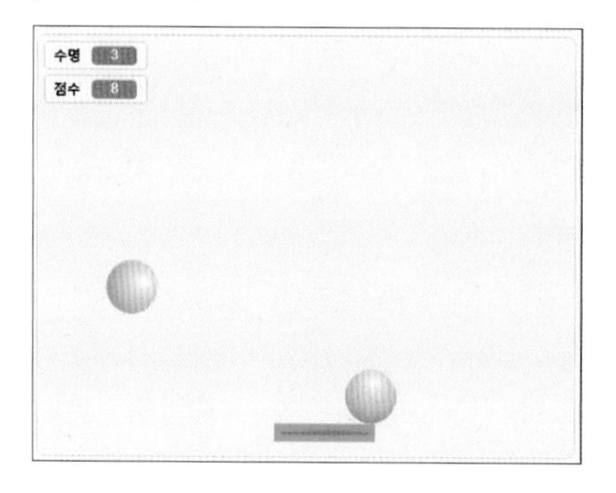

이 문제에서 사용하는 스프라이트는 Paddle, Ball이며, 무대 배경은 Blue Sky이다.

09 총으로 쏘아서 유령을 맞히는 게임을 만든다. 게임의 실행 화면은 다음과 같다.

[실행 화면]

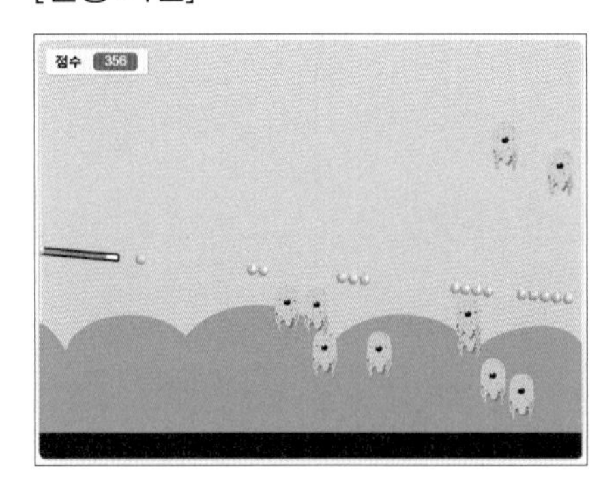

게임의 특징은 다음과 같다.

- 총의 방향은 마우스 포인터 방향을 바라보면서 회전한다.
- 스페이스 키가 눌리면 총알이 발사된다.
- 유령은 오른쪽 벽에서 임의의 위치에서 나타난 뒤, 총을 바라보고 전진한다.
- 유령은 동시에 10개가 화면에서 동작한다. 이를 위해서 복제하기 블록을 이용하여 9개의 유령을 생성한다.
- 총알은 직진하며 유령을 맞추면 사라진다. 또 벽에 닿으면 사라진다.
- 총알이 유령을 맞추면 점수가 1 상승한다. 이를 위해 점수 변수를 생성하여 이용한다.
- 총에 맞아 사라진 유령은 오른쪽 벽 임의의 위치에서 다시 출발한다.
- 유령에 총이 닿으면 게임이 끝난다.

● 사용할 스프라이트와 배경, 소리

① 총 : Magic Wand 스프라이트를 이용한다. 모양 편집기를 이용해서 번개 표시를 제거한다.

② 총알 : Ball 스프라이트를 이용한다. 모양을 20%로 줄여서 사용한다.

③ 유령 : Ghost 스프라이트를 이용한다. 모양은 30%로 줄여서 사용한다.

④ 배경 : Blue Sky 배경을 이용한다.

⑤ 소리 : 배경 음악으로 Xylo1을 끝까지 재생하기를 무한 반복한다.
유령이 총에 맞을 때 Boing 소리를 끝까지 재생한다.

Chapter

10

Computational Thinking

블록 정의와 확장 기능

학습목표

- 재사용 절차와 함수의 의미를 이해한다.
- 스크래치의 나만의 블록을 이용하여 블록 정의를 연습한다.
- 재귀적 호출을 이해하고 나만의 블록을 이용하여 재귀적 호출을 연습한다.
- 확장 기능을 응용한 프로그램을 공부한다.

10.1 재사용 절차

스크래치에서 블록은 프로그램을 구성하는 기본 단위이다. 각 블록은 고유한 기능을 처리한다. 이는 기존 C나 Java 언어와 비교하면 하나의 문장에 해당한다고 볼 수 있다. C 언어의 경우에 자주 사용하는 기능에 해당하는 프로그램 부분은 함수로 정의하여 필요할 때마다 다시 프로그래밍하지 않고 미리 정의된 함수를 호출(call)하여 사용한다. 이렇게 하면 전체 프로그램의 길이도 짧아지고, 함수에 대한 재사용률을 높이기 때문에 프로그램의 생산성이 높아진다.
어느 프로그램을 설계한 결과, 다음과 같은 단계적 절차에 의하여 문제가 해결된다고 가정하자.

A B G **C D E F** T E **C D E F** A B **C D E F** …

이 절차에서 보면 여러 번 발생하는 내부 절차가 있다. 즉 "C D E F" 절차인데 이를 S라 정의하면 절차는 다음과 같이 줄어들게 된다.

A B G **S** T E **S** A B **S** …   **S** : C D E F

수정된 절차는 실행되는 절차가 줄어드는 것은 아니고 단지 절차를 표현하는 코드 길이가 줄어드는 것이라는 것에 유의해야 한다. 결과적으로 프로그램의 작성이 그만큼 줄어드는 것이고 프로그램 표현이 간결해 짐으로써 프로그램을 이해하는데에도 더 효과적이다. 또한 S 기능이 여러 프로그램에서 공통적으로 많이 사용되는 절차라면, 필요할 때 S 기능은 이전에 정의된 기능을 그대로 다시 사용하기만 하면 된다. 따라서 한번 만들어진 기능의 재사용율이 높아지고 결과적으로 프로그램의 생산성이 높아진다.
C 언어의 경우엔 이와 같이 활용도가 높은 많은 기능이 함수(function)로 정의되어 라이브러리(Library) 함수로 제공된다. 라이브러리 함수란 프로그래밍 언어의 컴파일러가 자체적으로 제공하는 함수를 말한다. 라이브러리 함수에 대한 지식이 풍부하면 필요할 때마다 그 기능을 가져다가 사용할 수 있으므로 프로그래밍에 매우 유리하다.

10.2 함수

함수가 다른 함수를 호출할 때 관련 데이터를 넘기기 위해서 인수(argument)를 사용한다. 이때

인수를 넘기는 방식은 프로그래밍 언어마다 다를 수 있는데, C나 Java 언어에서는 call by value라는 방법을 이용한다. call by value란 값을 복사하는 방법으로 인수를 넘긴다는 의미인데, 호출하는 쪽에서의 변수나 상수 값이 호출되는 함수의 지역 변수에 값을 복사하는 방식을 말한다. 호출된 함수의 처리가 다 끝나면 제어가 다시 호출한 함수에게 되돌아오는데 이를 반환(return)이라 한다. 이와 같이 함수와 함수 사이의 상호작용은 함수 호출과 반환에 의하여 이루어진다. 그림 10.1은 이를 나타낸 것이다.

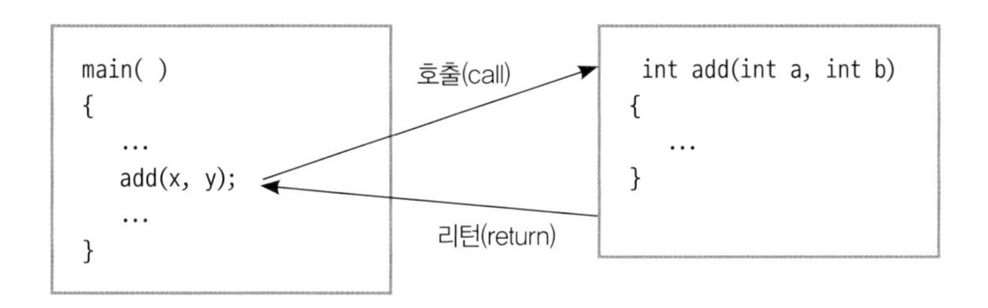

그림 10.1 함수 호출과 리턴(반환)

그림 10.1에서 나타낸 함수 사이의 상호작용에 관련된 실제 프로그램을 살펴보자. add( ) 함수는 두 정수를 인수로 받아서 이를 더하고 그 결과를 반환하는 C 함수이다.

```
int add(int a, int b)  // 정수형 형식 매개변수
{
    return(a + b);    // a와 b의 합을 반환한다.(리턴한다.)
}

int main(void)
{
    int x = 3;
    int y = 4;
    int sum;

    sum = add(x, y);   // x, y는 정수형 실 매개변수, call by value
    printf("sum = %d\n", sum);
    return 0;
}
```

위의 main( ) 함수에서 add(x, y)를 호출할 때 실 매개변수 x, y 값인 3, 4가 각각 형식 매개변수인 a, b로 복사되어 넘어간다. 이 방법을 call by value라 한다.
FORTRAN 언어 같은 경우는 call by reference라는 방식의 인수를 넘기는 방법을 이용한다. 이 방법은 변수의 주소 값을 넘기는 방식이다. 스크래치에서는 call by value 방법으로 인수의 값을 넘긴다.

C 프로그램의 경우는 다수의 함수에 의하여 전체 프로그램이 구성된다. 프로그램을 설계할 때 분해에 의하여 모듈화가 이루어지는데 C 프로그램의 경우는 함수가 모듈에 해당한다. Java 언어에서는 프로그램을 이루는 모듈을 객체(object)로 구성한다. 스크래치의 경우에는 전체 프로그램을 스프라이트로 구성한다. 그리고 각 스프라이트의 동작을 결정하는 다수의 스크립트들이 각 스프라이트에 포함된다. 스크립트는 개념적으로 Java의 객체에 포함되는 메소드(method)에 해당한다고 볼 수 있다.

10.3 블록 만들기

스크래치에서도 C 언어의 함수와 유사한 개념의 기능이 제공되는데 이것이 나만의 블록이다. 이는 새로운 블록을 정의하여 필요할 때 사용할 수 있다는 의미이다. 스크래치의 코드 탭에 열거된 마지막 기본 영역이 나만의 블록 영역이다. 이 영역에는 블록 만들기 버튼만을 포함한다. 블록 만들기 버튼을 클릭하면 그림 10.2와 같은 블록 만들기 대화창이 나타난다.

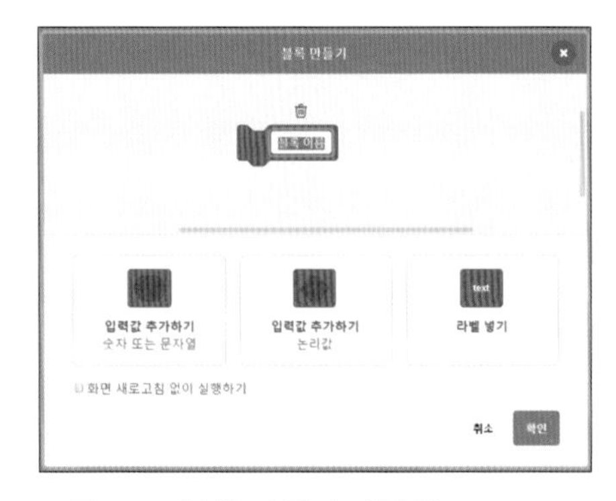

그림 10.2 블록 만들기 대화창

블록 만들기에서는 자신이 만들고자 하는 블록의 이름을 정해주고, 매개변수를 정의할 수 있다. 매개변수는 함수에 값을 넘겨주기 위해서 사용하는 것으로 call by value 방법에 의하여 매개변수에 값이 넘어간다.

예를 들어서 '점프하기'라는 이름으로 나만의 블록을 정의하는데 점프하는 높이를 인수로 넘긴다고 가정한다. 블록 만들기 대화창에서 블록 이름에 "점프하기"를 입력하고 입력값 추가하기(숫자 또는 문자열)를 선택하면 그림 10.3과 같이 될 것이다.

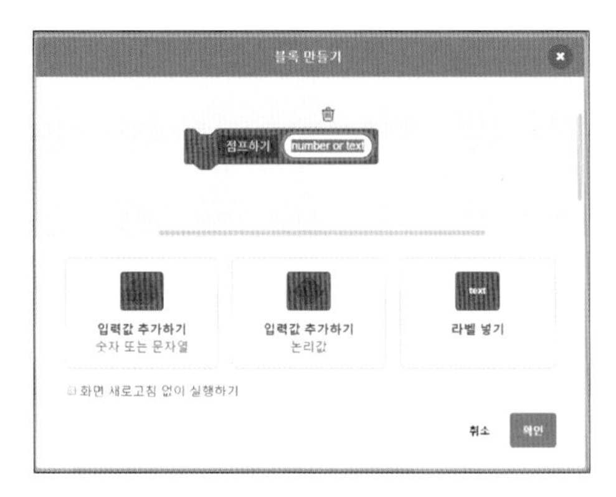

그림 10.3 매개변수 정의

여기에서 number or text에 "높이"라고 입력하면 '높이'라는 블록 내의 지역 변수가 정의된다. 결과적으로 코트 탭의 나만의 블록 영역에 새로 만들어진 '점프하기' 블록이 등록되고, 스크립트 작업 창에 점프하기(높이) 정의하기라는 블록이 만들어진다. 이 블록 밑에 기본 블록을 이용하여 '점프하기'라는 새로운 블록의 기능을 프로그래밍할 수 있다.

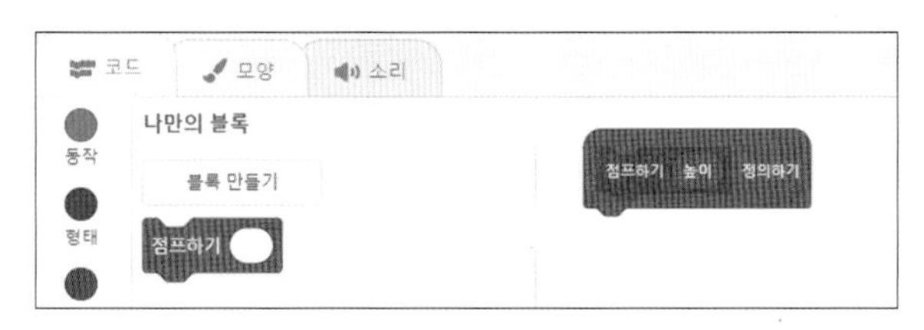

그림 10.4 생성된 블록

입력값 추가하기(논리값) 버튼을 선택하면 인수의 값이 참과 거짓으로 나타나는 논리값을 입력값으로 갖는 인수가 된다.

이어서 점프하기 블록을 프로그래밍하는 예를 살펴보자. 우선 점프할 높이는 인수로 들어오고 그 인수는 높이이므로 스프라이트의 y 좌표가 높이만큼 증가되었다 다시 원 위치로 돌아오기 위해서 증가한 높이만큼 감소되도록 프로그래밍하였다. x 좌표는 동일하다고 가정한다. 이때 점프하기에 의하여 높아졌다가 낮아지는 모습을 시각적으로 느끼게 하기 위해서 각 시간을 0.2초씩 주어서 총 0.4초 만에 점프가 완료되도록 한다면 다음과 같은 프로그램이 된다.

이제 스프라이트가 점프할 필요가 있을 때마다 등록된 이 블록을 사용할 수 있을 것이다. 다음과 같은 스크립트로 스프라이트가 5번 30만큼 점프하는 프로그램을 작성할 수 있다.

점프하기 블록을 실행할 때 괄호 안에 들어간 30은 인수로 점프하기 블록 정의하기에서 추가한 높이 변수에 복사된다. 이에 따라 30 높이만큼 올라갔다가 다시 내려오는 처리가 이루어진다.
이미 정의한 블록을 필요에 따라 수정하고자 할 때에는 블록 편집 메뉴를 이용할 수 있다. 이미 정의된 블록 정의하기 위치에 마우스 오른쪽 버튼을 클릭하면 그림 10.5와 같은 메뉴가 나타난다.

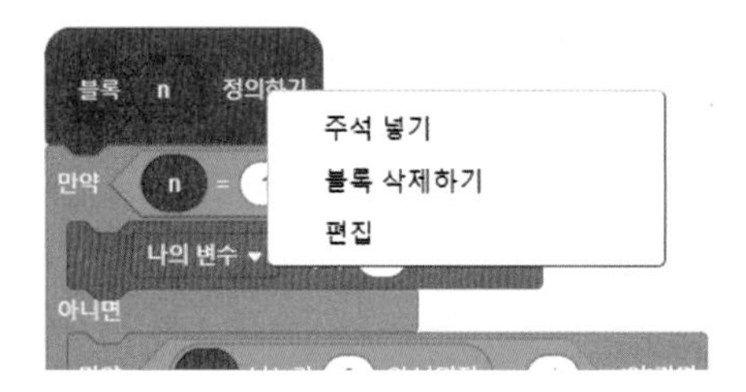

그림 10.5 블록 편집 메뉴

[편집] 메뉴를 선택하면 블록 만들기 화면으로 되돌아가서 블록의 이름을 수정하거나 매개변수를 추가 또는 삭제할 수 있다.
한편 두 개 이상의 블록 정의하기를 이용할 수 있다. 스크립트가 복잡할 경우에 각각의 부분을 구분하기 위해서 각 부분을 블록으로 정의하여 전체 구조를 이해하기 쉽게 나타낼 수 있다. 다음 예는 전체 스크립트를 두 부분으로 나누어 블록으로 정의한 구조를 보여준다.

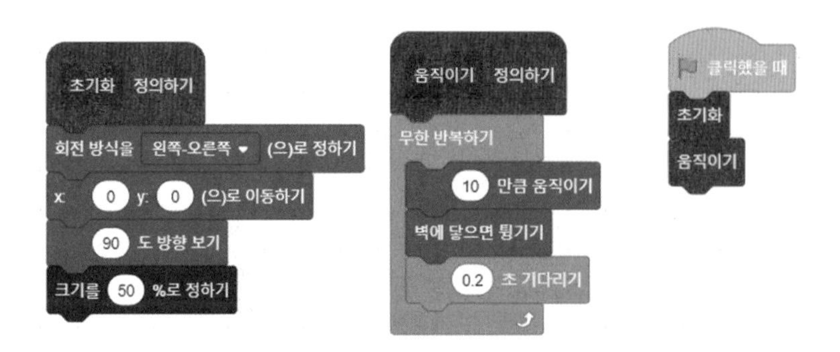

시작하기 버튼을 클릭했을 때 초기화, 움직이기 두 블록을 처리하도록 스크립트가 프로그램되었다. 각 초기화와 움직이기 블록은 왼쪽에 정의되었다. 정의된 블록이 실행되면 스크립트 처리는 초기화 정의하기로 넘어가서 초기화 블록의 스크립트를 처리한다. 처리가 완료되면 블록을 실행한 스크립트로 되돌아와서 다음 블록인 움직이기 블록을 실행한다. 그러면 움직이기 스크립트가 처리되고 처리가 끝나면 되돌아온다.

한편, 블록 만들기에서 인수를 정의할 때 '라벨 넣기'라고 하는 것이 있는데 이것은 블록에 문자열로 설명을 넣어주는 역할을 한다. 예를 들어 ( )만큼 움직이기 블록에서, '만큼 움직이기' 같은 설명이 라벨 넣기로 붙여진 것이다. 라벨 넣기에서 "뛰기"를 입력하고 블록 이름인 "점프하기"를 없애면 블록은 그림 10.6과 같이 변한다.

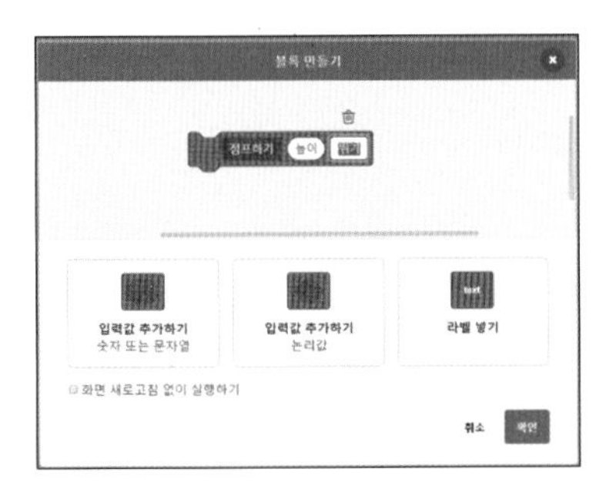

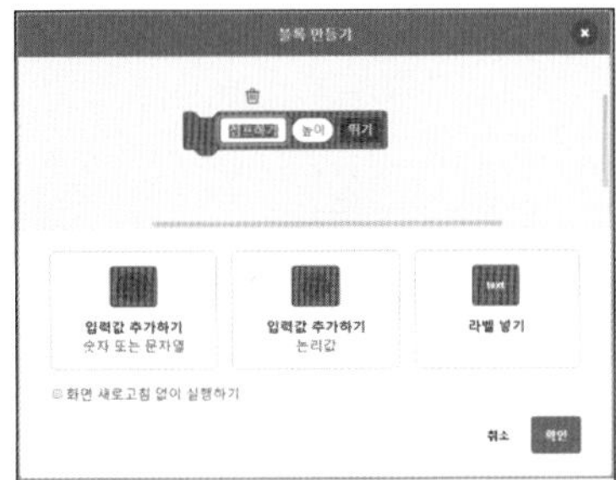

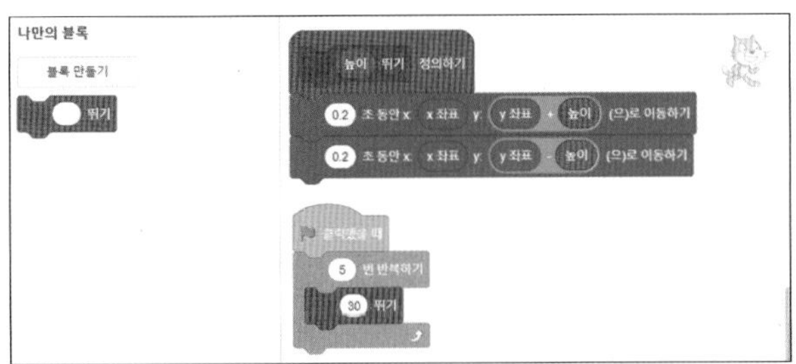

그림 10.6 라벨 넣기 화면과 결과 블록

예제 10.1

나만의 블록을 이용하여 정삼각형을 그리는 블록을 정의하라. 인수는 정삼각형의 한 변의 길이를 입력 값으로 갖도록 한다.

정삼각형을 그리기 위해서는 선분을 그리고 시계방향으로 120도 돌려서 다시 선분을 그리고 다시 120도 돌려서 선분을 그리면 된다.

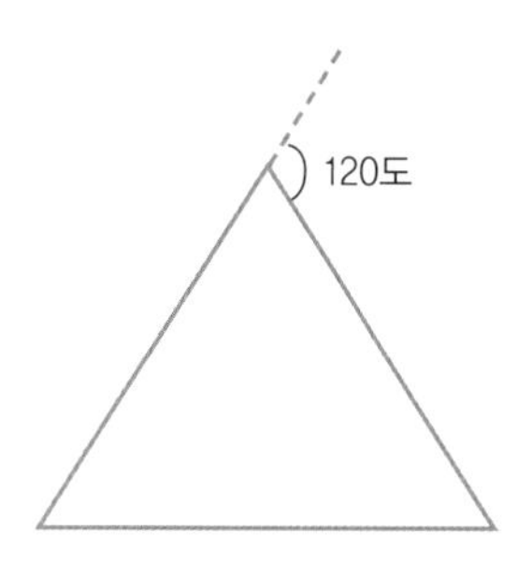

그림 10.7 정삼각형의 외각

● 나만의 블록 스크립트 절차

단계 1　블록 만들기를 이용하여 정삼각형 블록을 정의한다. 이때 인수는 변의 길이로 입력 값을 추가한다.

단계 2　선을 그리기 위해서 펜 내리기를 한다.

단계 3　다음 단계 4, 5를 반복한다.

　단계 4　변의 길이만큼 이동한다.

　단계 5　시계방향으로 120도 회전한다.

단계 6　선 그리기를 마치기 위해서 펜 올리기를 한다.

■ 준비 단계

① 연필 모양을 위해서 pencil 스프라이트를 추가한다.

② 선 그리기를 할 때 선이 그려지는 위치는 스프라이트 모양의 중심이다. 일반적으로 스프라이트 모양의 가운데가 모양 중심이기 때문에 원 모양을 가지고 선을 그리면 연필 모양의 가운데에서 선이 그려진다. 이를 연필 촉에서 그려지게 하기 위해서 연필 촉 끝이 모양의 중심이 되도록 모양 편집기에서 모양을 이동시켜야 한다.

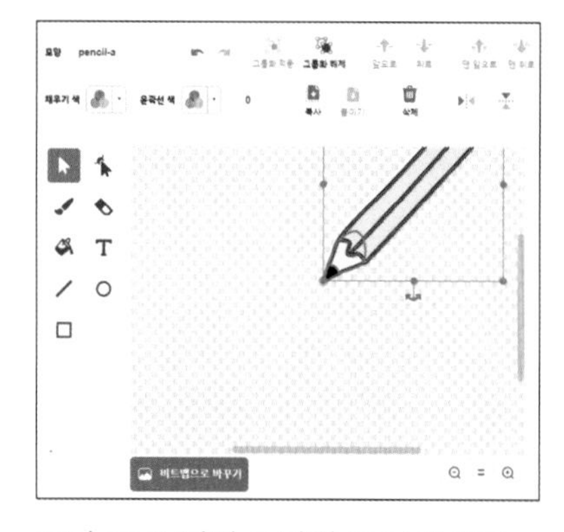

그림 10.8 연필 모양의 중심 바꾸기

나만의 블록을 이용한 정삼각형 스크립트는 다음과 같다.

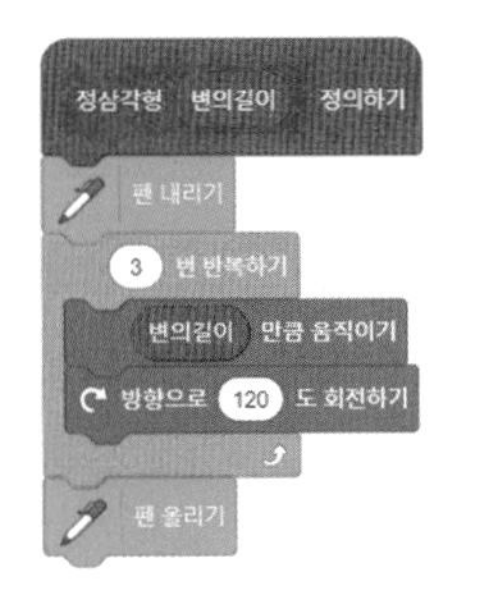

시작하기 버튼을 클릭하면 연필의 위치를 화면의 중앙에 놓고 이전에 그린 선을 모두 지운 다음 한 변의 길이가 100인 정삼각형을 그린다.

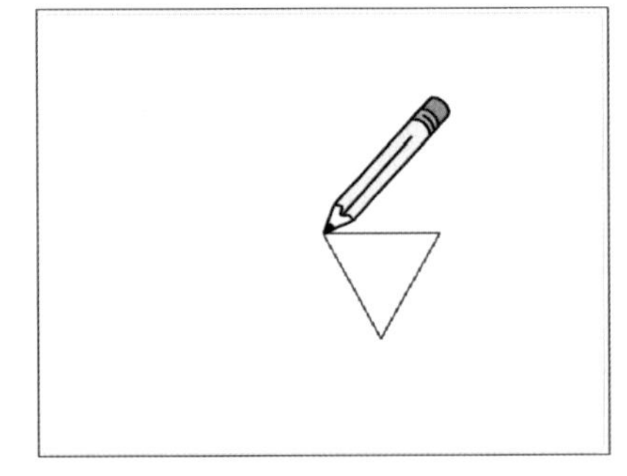

그림 10.9 [예제 10.1]의 실행 화면

연습 [예제 10.1]은 처음에 연필 스프라이트가 오른쪽 보기 상태에서 정삼각형을 그린 것이다. 위쪽, 오른쪽, 아래쪽, 왼쪽 등 네 방향으로 보기를 하여 정삼각형을 네 개 그리는 프로그램을 작성해 보자.

예제 10.2

[예제 10.1]에서와 같은 방식으로 정오각형을 그리는 나만의 블록을 작성하고 이를 이용하여 다음과 같은 도형을 그리는 프로그램을 작성하라.

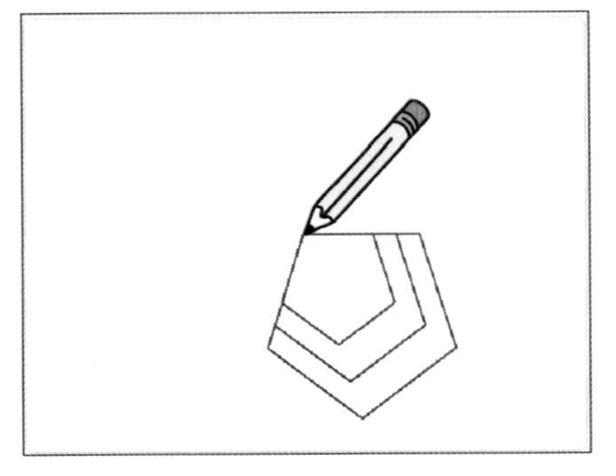

그림 10.10 [예제 10.2]의 실행 화면

정오각형을 3번 반복적으로 그린다. 3개의 정오각형의 시작점은 모두 화면의 중심인 좌표 (0, 0)이다. 정오각형을 그리는 방법은 현재 방향으로 한 선분(변)을 그리고 시계방향으로 72도 회전을 한 후에 다시 선분을 그리고 72도 회전하기를 반복하여 총 5회를 그리면 된다.

■ 준비 단계

Pencil 스프라이트를 이용하며 모양의 중심이 연필 촉 끝이 되도록 이동한다.

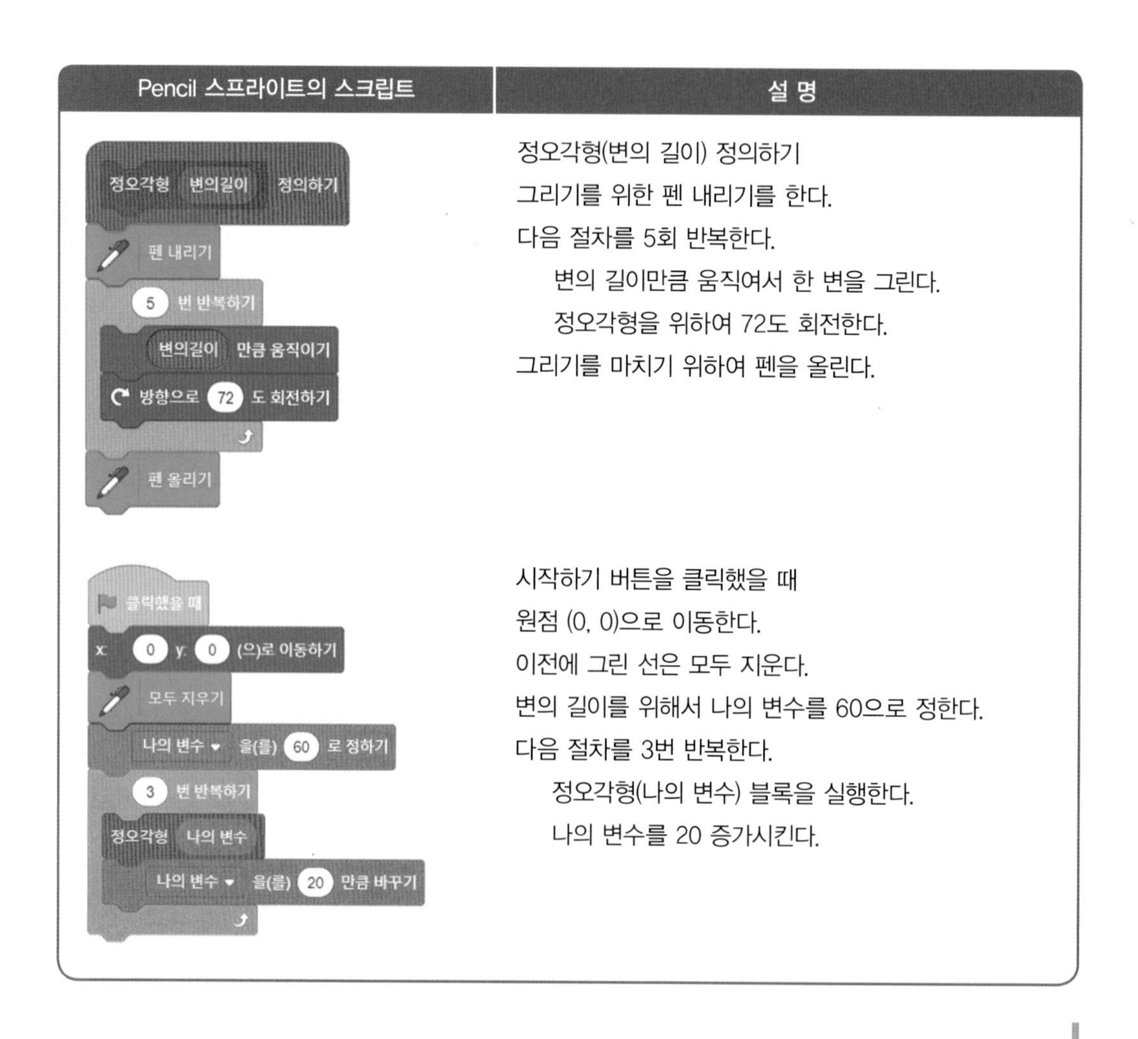

Pencil 스프라이트의 스크립트	설 명

정오각형 (변의길이) 정의하기
펜 내리기
5 번 반복하기
  (변의길이) 만큼 움직이기
  방향으로 72 도 회전하기
펜 올리기
	정오각형(변의 길이) 정의하기
	그리기를 위한 펜 내리기를 한다.
	다음 절차를 5회 반복한다.
	  변의 길이만큼 움직여서 한 변을 그린다.
	  정오각형을 위하여 72도 회전한다.
	그리기를 마치기 위하여 펜을 올린다.

클릭했을 때
x: 0 y: 0 (으)로 이동하기
모두 지우기
나의 변수 ▾ 을(를) 60 로 정하기
3 번 반복하기
  정오각형 (나의 변수)
  나의 변수 ▾ 을(를) 20 만큼 바꾸기
	시작하기 버튼을 클릭했을 때
	원점 (0, 0)으로 이동한다.
	이전에 그린 선은 모두 지운다.
	변의 길이를 위해서 나의 변수를 60으로 정한다.
	다음 절차를 3번 반복한다.
	  정오각형(나의 변수) 블록을 실행한다.
	  나의 변수를 20 증가시킨다.

연습 다음과 같은 도형을 그리도록 스크립트를 작성하시오.

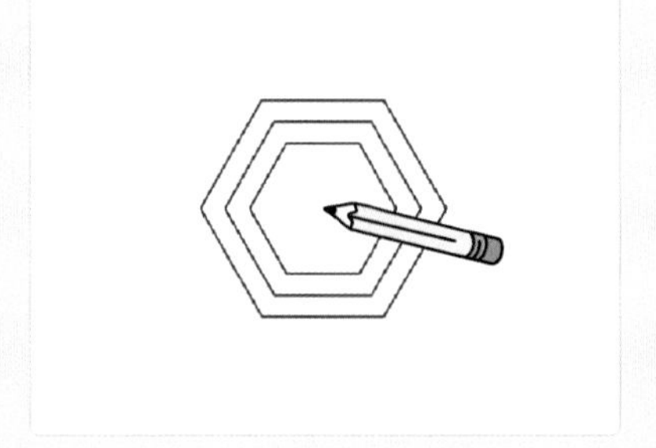

그림 10.11 연습 실행 화면

앞의 예제에서 정삼각형, 정오각형 그리기를 살펴보았다. 여기서 알 수 있는 것처럼 정n각형을 그리기 위한 회전 각도는 360/n이다. 이 특성을 이용하여 정n각형을 그리는 나만의 블록을 작성해보면 다음과 같다.

연습 정n각형을 그리는 블록을 이용하여 정사각형을 그려보자.

연습 다음과 같은 별 모양을 그리는 나만의 블록을 정의해보자.

그림 10.12 별 그리기 실행 화면

예제 10.3

곰을 피해서 점프하는 고양이

시간과 높이를 인수로 갖는 점프하기 블록을 정의한다. 인수로 넘어가는 시간은 점프에서 최고점까지 오르는데 걸리는 시간을 의미한다. 이는 다시 원점으로 돌아올 때 걸리는 시간과 동일하다. 높이는 최고점까지의 거리를 의미한다. 초기에 곰은 화면의 왼쪽 경계 부분에, 고양이는 오른쪽 경계 부분에 위치한다. 곰은 계속 움직이면서 벽에 닿으면 튕긴다. 고양이는 곰과 충돌을 피하기 위해서 스페이스 키에 의하여 점프한다.

■ 준비 단계

① 고양이 스프라이트 외에 곰(Bear-walking) 스프라이트를 추가한다.

② 배경은 Forest로 변경한다.

그림 10.13 [예제 10.3]에서 사용하는 스프라이트와 배경

곰 스프라이트 스크립트	설 명
클릭했을 때	시작하기 버튼을 클릭했을 때
x: -200 y: -50 (으)로 이동하기	초기 위치를 (−200, −50)으로 정한다.
크기를 50 %로 정하기	크기를 50%로 정한다.
90 도 방향 보기	오른쪽 방향 보기를 한다.
무한 반복하기	다음 절차를 무한 반복한다.
다음 모양으로 바꾸기	다음 모양으로 바꾼다.(애니메이션 효과)
10 만큼 움직이기	10만큼 움직인다.
벽에 닿으면 튕기기	벽에 닿으면 튕긴다.
만약 고양이 ▾ 에 닿았는가? (이)라면	만약 고양이에게 닿으면
닿았다 ▾ 신호 보내기	닿았다 신호를 보낸다.

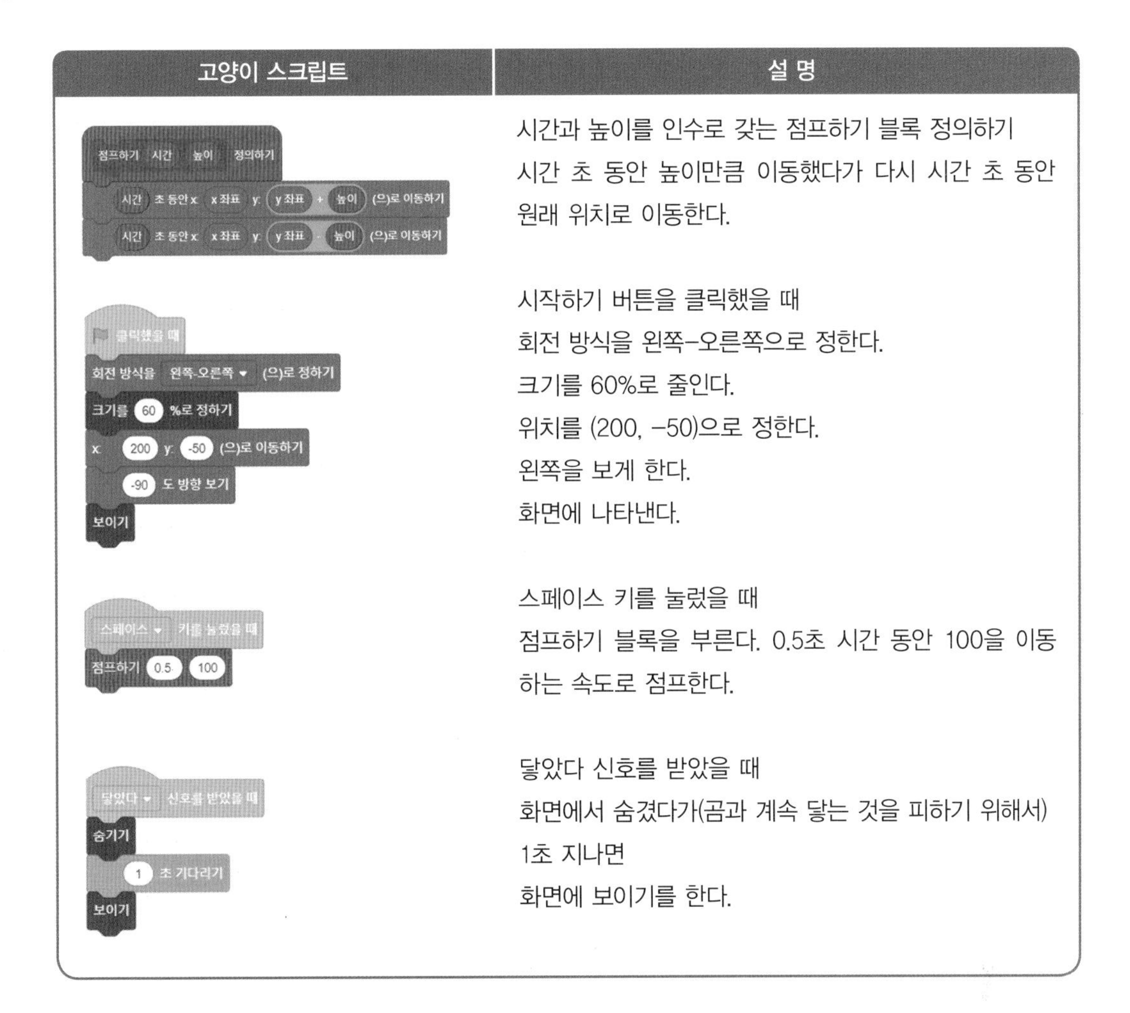

고양이 스크립트	설 명
점프하기 시간 높이 정의하기 시간 초 동안 x: x 좌표 y: y 좌표 + 높이 (으)로 이동하기 시간 초 동안 x: x 좌표 y: y 좌표 - 높이 (으)로 이동하기	시간과 높이를 인수로 갖는 점프하기 블록 정의하기 시간 초 동안 높이만큼 이동했다가 다시 시간 초 동안 원래 위치로 이동한다.
클릭했을 때 회전 방식을 왼쪽-오른쪽 (으)로 정하기 크기를 60 %로 정하기 x: 200 y: -50 (으)로 이동하기 -90 도 방향 보기 보이기	시작하기 버튼을 클릭했을 때 회전 방식을 왼쪽–오른쪽으로 정한다. 크기를 60%로 줄인다. 위치를 (200, –50)으로 정한다. 왼쪽을 보게 한다. 화면에 나타낸다.
스페이스 키를 눌렀을 때 점프하기 0.5 100	스페이스 키를 눌렀을 때 점프하기 블록을 부른다. 0.5초 시간 동안 100을 이동하는 속도로 점프한다.
닿았다 신호를 받았을 때 숨기기 1 초 기다리기 보이기	닿았다 신호를 받았을 때 화면에서 숨겼다가(곰과 계속 닿는 것을 피하기 위해서) 1초 지나면 화면에 보이기를 한다.

그림 10.14 [예제 10.3]의 실행 화면

예제 10.4

이진 탐색

탐색(search)이란 여러 개의 데이터 중에 특정한 데이터가 있는 위치를 알아내는 것을 의미한다. 특정한 데이터가 없을 수도 있다. 탐색할 때 데이터들이 정렬되어 있는지가 중요하다. 데이터가 정렬되어 있지 않으면 모든 데이터를 하나씩 특정 값과 비교해야 찾을 수 있다. 이러한 방식으로 탐색하는 것을 순차 탐색(Sequential Search)이라 한다. 데이터가 크기에 따라 정렬되어 있을 때는 탐색할 때 순차 탐색 대신에 이진 탐색(Binary Search)을 이용할 수 있다.

이진 탐색 과정에서는 first, last, mid, key 등의 변수와 정렬된 데이터를 가지고 있는 리스트를 사용하기 때문에 준비 단계에서 우선 이들을 생성해야 한다.

찾고자 하는 데이터를 key 변수가 가지고 있고 값이 5라 가정했을 때 이진 탐색의 반복 회차에 따른 변수의 변화는 다음과 같다. 정수 리스트의 항목은 2, 4, 5, 8, 10, 11, 14, 18이라고 가정한다.

1회차 first=1, last=8, mid = 버림((first+last)/2) = 버림((1+8)/2) = 4

    4번째 항목의 값 8과 key 값 비교, 5 < 8이므로 last = 4 − 1= 3

2회차 first=1, last=3, mid = 버림((1+3)/2) = 2

    2번째 항목의 값 4와 key 값 비교, 5 > 4이므로 first = 2 + 1 = 3

3회차 first=3, last=3 mid = 버림((3+3)/2) = 3

    3번째 항목의 값 5와 key 값 비교하여 같으므로 3번째에서 찾는다.

이상과 같이 처리하기 위해서 스크립트를 작성하면 다음과 같다.

이진탐색 스크립트	설 명
클릭했을 때 리스트초기화 key 묻기 이진탐색	시작하기 버튼을 클릭했을 때 리스트를 초기화하고 key(찾을 값)를 읽어 들이고 이진탐색을 실행한다.

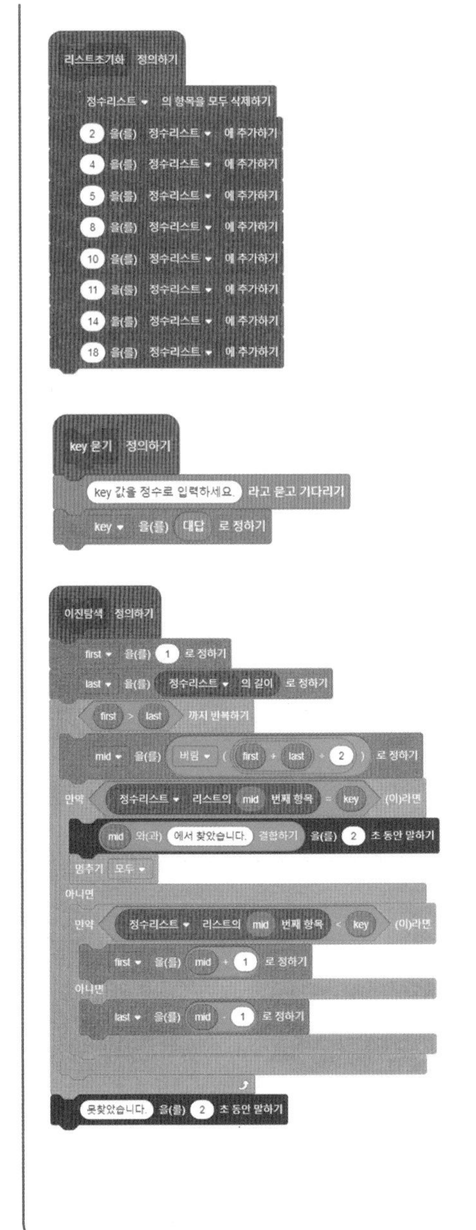

리스트초기화 블록 정의하기
이전 정수리스트 항목을 모두 삭제한다.
새로운 데이터들을 정수리스트에 추가한다. 데이터들은 크기 순서대로 정렬되어 있어야 한다.

key 묻기 블록 정의하기
묻고 기다리기를 이용하여 정수를 읽어 들인다. 읽어 들인 정수를 key 변수에 저장한다.

이진탐색 블록 정의하기
first 변수를 1로 정한다.
last 변수를 정수리스트 크기로 정한다.
first > last가 될 때까지 다음 절차를 반복한다.
    mid = 버림((first + last) / 2)으로 정한다.
    만약 정수리스트의 mid 번째 항목이 key와 같으면
        "mid에서 찾았습니다."를 2초 동안 말하고 모두 멈추기를 실행한다.
    아니면
        만약 정수리스트의 mid 번째 항목이 key보다 작으면
            first = mid + 1로 정한다.
        아니면
            last = mid − 1로 정한다.
"못찾았습니다."를 2초 동안 말한다.

이진 탐색은 반복할 때마다 탐색해야 할 범위(first에서 last까지)가 이전 범위의 절반으로 줄어든다는 것을 알 수 있다. 이는 100개의 데이터가 있을 때 한번 반복하면 약 50개로 다시 반복하면 약 25개로 줄어든다. 반복할 때마다 절반씩 줄어서 7번이면 탐색의 결과를 얻을 수 있는 매우 효율적인 알고리즘이다. 이진 탐색은 데이터들이 정렬되어 있어야만 한다. 만약 데이터들이 정렬되어 있지 않으면 순차 탐색으로 찾을 수밖에 없다.

다음은 순차 탐색에 대한 스크립트이다.

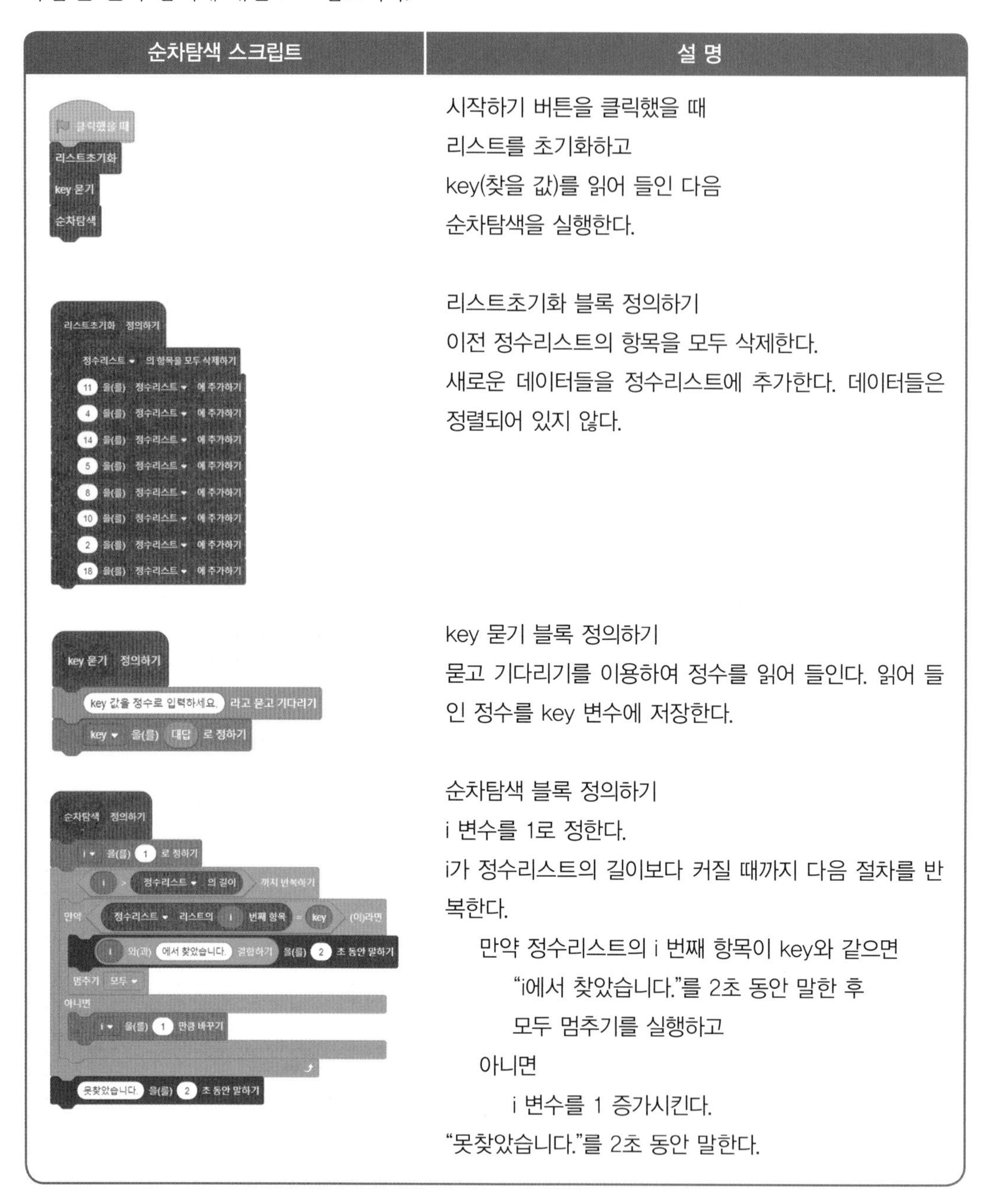

순차탐색 스크립트	설 명
클릭했을 때 리스트초기화 key 묻기 순차탐색	시작하기 버튼을 클릭했을 때 리스트를 초기화하고 key(찾을 값)를 읽어 들인 다음 순차탐색을 실행한다.
리스트초기화 정의하기 정수리스트 의 항목을 모두 삭제하기 11 을(를) 정수리스트 에 추가하기 4 을(를) 정수리스트 에 추가하기 14 을(를) 정수리스트 에 추가하기 5 을(를) 정수리스트 에 추가하기 8 을(를) 정수리스트 에 추가하기 10 을(를) 정수리스트 에 추가하기 2 을(를) 정수리스트 에 추가하기 18 을(를) 정수리스트 에 추가하기	리스트초기화 블록 정의하기 이전 정수리스트의 항목을 모두 삭제한다. 새로운 데이터들을 정수리스트에 추가한다. 데이터들은 정렬되어 있지 않다.
key 묻기 정의하기 key 값을 정수로 입력하세요. 라고 묻고 기다리기 key 을(를) 대답 로 정하기	key 묻기 블록 정의하기 묻고 기다리기를 이용하여 정수를 읽어 들인다. 읽어 들인 정수를 key 변수에 저장한다.
순차탐색 정의하기 i 을(를) 1 로 정하기 i > 정수리스트 의 길이 까지 반복하기 만약 정수리스트 리스트의 i 번째 항목 = key (이)라면 i 와(과) 에서 찾았습니다. 결합하기 을(를) 2 초 동안 말하기 멈추기 모두 아니면 i 을(를) 1 만큼 바꾸기 못찾았습니다. 을(를) 2 초 동안 말하기	순차탐색 블록 정의하기 i 변수를 1로 정한다. i가 정수리스트의 길이보다 커질 때까지 다음 절차를 반복한다. 만약 정수리스트의 i 번째 항목이 key와 같으면 "i에서 찾았습니다."를 2초 동안 말한 후 모두 멈추기를 실행하고 아니면 i 변수를 1 증가시킨다. "못찾았습니다."를 2초 동안 말한다.

예제 10.5

포물선 궤적으로 공 던지기

현실에서 공을 던지면 공의 궤적은 직선이 아니고 포물선의 궤적을 따른다. 이는 지구의 중력이 작용하기 때문이다. 그러므로 공을 던질 때 공이 전진하는 각도와 초기 속도에 따라서 포물선의 형태가 정해지게 된다. 그림 10.15에서처럼 각도가 θ이고 초속이 V_0라면 초속은 수평과 수직으로 나눌 수 있다.

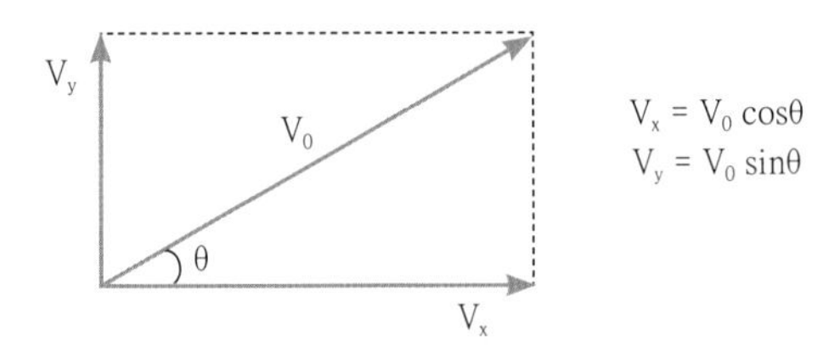

그림 10.15 2차원 평면에서 초속

이외에 중력 가속도 g가 작용하기 때문에 y 축 방향으로 아래쪽으로 g만큼의 중력가속도가 계속 가해져서 시간이 감에 따라 아래쪽으로 gt 만큼의 속도 성분이 존재하게 된다. 이로 인해 y 축 방향으로의 속도 변화는 시간이 가면 $V_y - gt$가 된다. 이에 따른 이동 거리는 앞의 식을 적분하여 $V_y t - 0.5gt^2$이 된다. 여기서 g=9.8이다. 수평 방향의 이동 거리는 단순히 $V_x t$이다. 이와 같은 물리적 성질을 고려하여 포물선 궤적을 따라 공을 던지는 프로그램을 작성하면 다음과 같다.

- 사용할 스프라이트

① 고양이 : 초속과 각도를 사용자로부터 묻고 기다리기 블록을 이용하여 읽어 들여서 공을 던지도록 메시지를 순다.

② 공 : Ball 스프라이트를 이용한다.

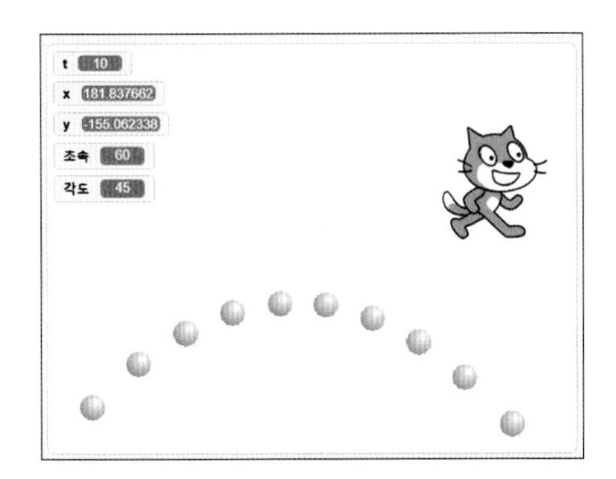

그림 10.16 포물선 궤적으로 공 던지기 실행 화면

■ 준비 단계

초속, 각도 변수를 전역 변수로 생성한다.

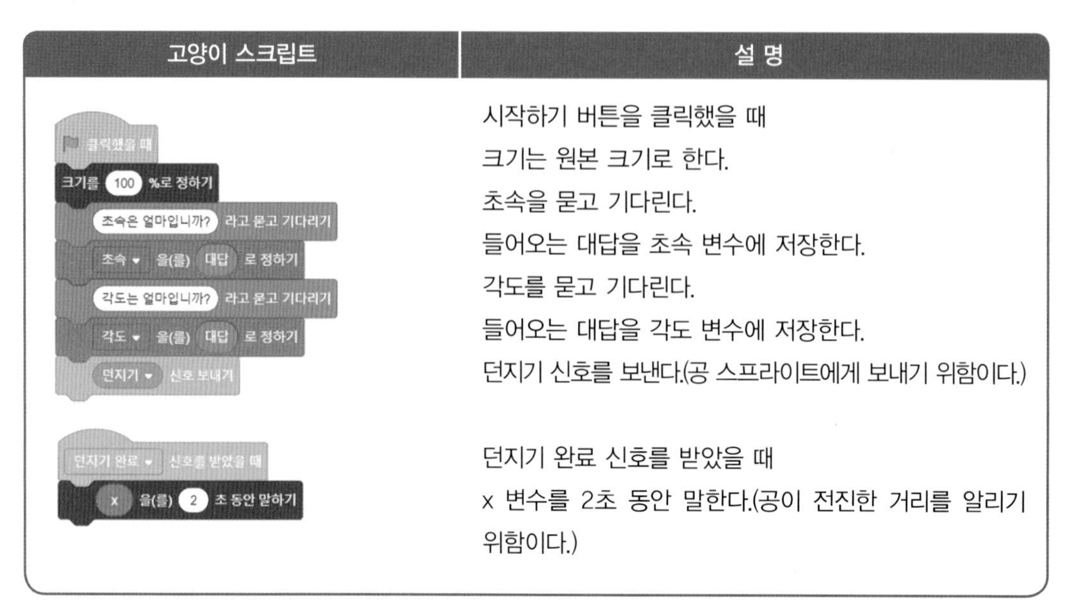

고양이 스크립트	설 명
클릭했을 때 크기를 100 %로 정하기 초속은 얼마입니까? 라고 묻고 기다리기 초속 ▾ 을(를) 대답 로 정하기 각도는 얼마입니까? 라고 묻고 기다리기 각도 ▾ 을(를) 대답 로 정하기 던지기 ▾ 신호 보내기	시작하기 버튼을 클릭했을 때 크기는 원본 크기로 한다. 초속을 묻고 기다린다. 들어오는 대답을 초속 변수에 저장한다. 각도를 묻고 기다린다. 들어오는 대답을 각도 변수에 저장한다. 던지기 신호를 보낸다.(공 스프라이트에게 보내기 위함이다.)
던지기 완료 ▾ 신호를 받았을 때 x 을(를) 2 초 동안 말하기	던지기 완료 신호를 받았을 때 x 변수를 2초 동안 말한다.(공이 전진한 거리를 알리기 위함이다.)

포물선 궤적을 따라서 던져지는 공의 이동을 위한 스크립트는 다음과 같다.

공 스크립트	설 명
던지기 ▾ 신호를 받았을 때 모두 지우기 포물선이동 초속 각도 던지기 완료 ▾ 신호 보내기	던지기 신호를 받았을 때 모두 지우기를 실행한다.(이전에 도장 찍기로 그려진 것을 지우기 위함이다.) 포물선이동(초속, 각도) 블록을 실행한다. 던지기 완료 신호를 보낸다.

공 스크립트2(포물선이동 블록 정의)

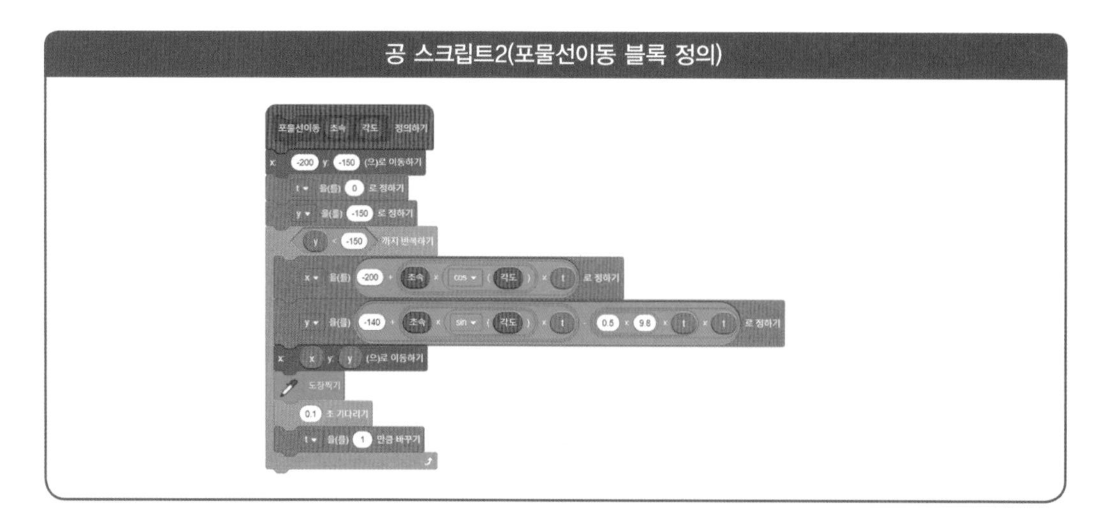

공은 초기에 좌표 (-200, -150)에 위치한다. 시간을 나타내는 t 변수는 처음에 0으로 초기화된다. y 좌표는 처음에 -150에서 시작해서 포물선 궤적으로 움직이기 때문에 다시 y 좌표가 -150 위치 아래로 내려오면 종료하도록 한다.

x, y 변수는 시간 t가 증가함에 따라 움직이는 거리를 계산하여 저장한다. x, y 변수를 공이 이동할 좌표로 정하여 이동한 후 도장 찍기로 화면에서의 위치를 나타내도록 하였다.

연습 특정 스프라이트가 수직 방향으로 점프할 때 시간에 따른 궤적을 찍어 보자.

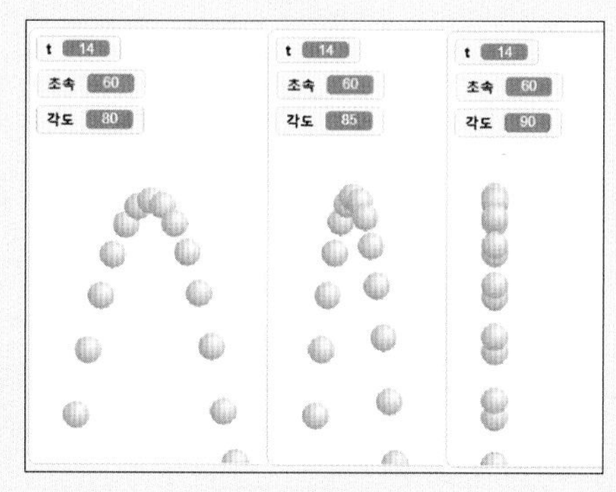

그림 10.17 던지기 초속과 각도에 따른 궤적의 변화

10.4 재귀적 호출 

함수가 자신을 호출하는 것을 재귀적 호출(recursive call)이라 한다. 즉 함수가 동일한 함수를 호출하는 것을 의미하는데, 이 경우 호출된 함수는 또 그 안에서 자기 자신을 호출하기 때문에 무한 반복되는 구조가 될 수 있다. 따라서 무한 반복해서 호출되는 것을 피하기 위해 적절한 조건이 만족 되면 자기 호출을 피하는 논리 구조가 필요하다.

스크래치에서도 재귀적인 블록 호출이 가능하다. 다음의 스크립트 예를 보자.

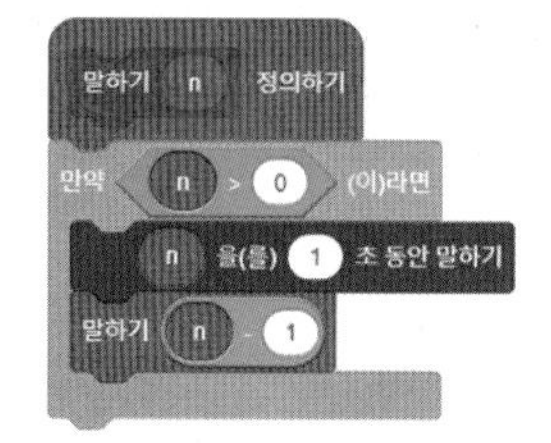

말하기 블록은 인수로 n 값을 읽어 들여서 n 값이 0보다 크면 n 값을 1초 동안 말한다. 그다음 다시 자기 자신을 호출한다. 이때 인수로 n-1을 넘겨준다. 즉 현재 인수를 1 감소시켜서 자신을 호출하는 것이다. 이렇게 되면 반복적으로 자신을 호출하면서 인수의 값은 1씩 감소하게 되고 언젠가는 n이 0 이하가 되게 된다. 이때 반복은 멈춘다. 앞의 스크립트는 3부터 역순으로 1까지 말하는 프로그램이 된다.
일반적으로 재귀적 호출로 이루어진 프로그램은 반복 구조를 이용해서 프로그램을 수정할 수 있다. 다음 스크립트가 앞의 재귀적 호출과 동일한 기능을 하는 스크립트이다.

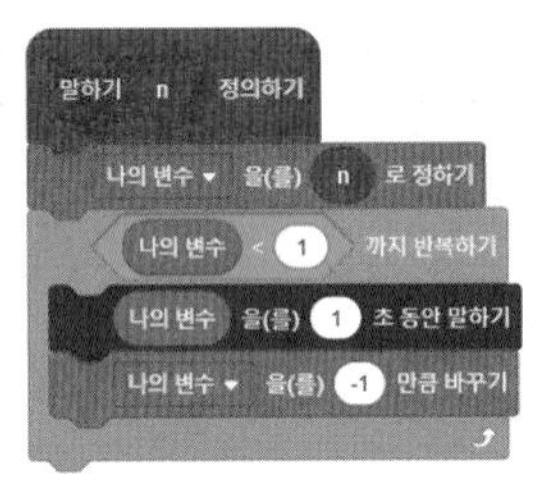

예제 10.6

n!(factorial)을 계산하는 재귀적인 블록을 정의하고 이를 이용하는 예를 스크립트로 작성하라.

n! = 1 × 2 × 3 × ⋯ × (n−1) × n = (n−1)! × n이다. 이 식으로부터 n!을 구하기 위해서 (n−1)!을 이용한다는 점에 착안하여 재귀적인 블록을 만든다. 예를 들어서 4! = 4 × 3! = 4 × (3 × 2!) = 4 × (3 × 2 × 1!) 이 된다. 1! = 1이므로 재귀호출이 1!이 되면 결과는 1이고 반복적인 재귀호출을 하지 않는다.

factorial 블록의 인수로 n 값을 넘기고 블록 내에서 다시 재귀적으로 블록을 호출하면서 인수로 n-1을 넘기게 된다. 반복적으로 인수를 1 감소시키다가 n이 1이 되면 반복을 멈추도록 프로그래밍한다.

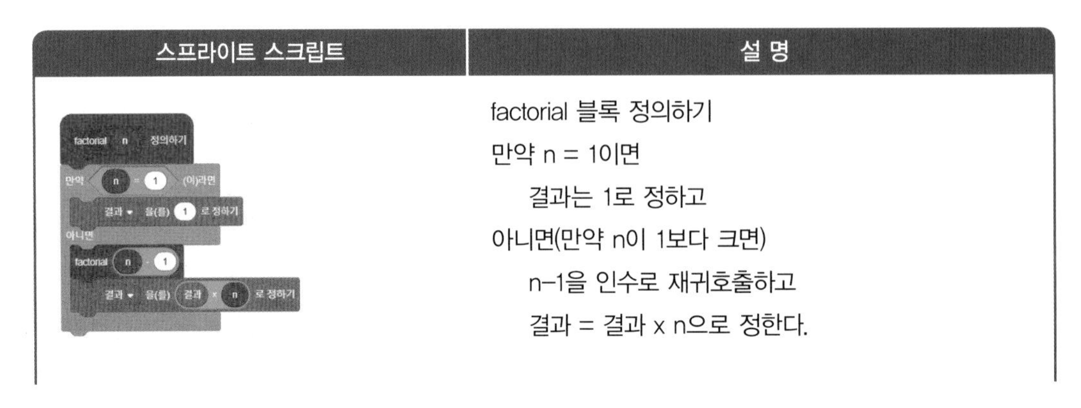

스프라이트 스크립트	설 명
factorial n 정의하기 만약 n = 1 (이)라면 결과 을(를) 1 로 정하기 아니면 factorial n - 1 결과 을(를) 결과 × n 로 정하기	factorial 블록 정의하기 만약 n = 1이면 결과는 1로 정하고 아니면(만약 n이 1보다 크면) n−1을 인수로 재귀호출하고 결과 = 결과 x n으로 정한다.

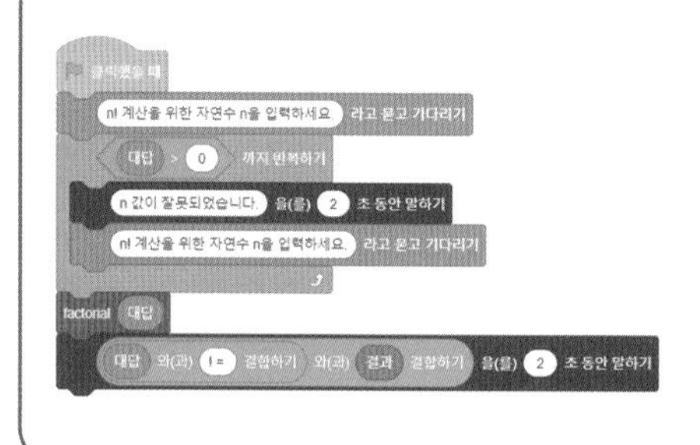

시작하기 버튼을 클릭했을 때
계산할 n을 읽어 들여서
만약 대답이 0 이하가 되면
　잘못된 n이라 알리고 반복적으로 다시 읽어 들인다.
대답을 인수로 하여 정의된 블록을 실행하고
결과 변수를 2초 동안 말한다.

C 함수를 이용한 n! 계산은 함수가 값을 반환할 수 있기 때문에 결과를 저장할 전역 변수는 필요 없다. 그러나 스크래치에서는 블록이 값을 되돌리지 않기 때문에 전역 변수를 이용하여 재귀 호출에 의한 계산 결과를 따로 저장해야 한다. 참고로 C 프로그램으로 나타내면 다음과 같다.

```
int fact(int n)
{
    if (n <= 1)
        return 1;
    else
        return (n * fact(n-1));
}
```

연습 sum(n)은 1부터 자연수 n까지의 합을 구하는 것이다. sum(n)을 위한 재귀 블록을 정의하고 이를 이용하는 스크립트를 작성하라.

```
sum(n) = 1 + 2 + 3 + ... + (n-1) + n = sum(n-1) + n
```

예제 10.7

두 수 x, y를 읽어 들여서 두 수의 최대공약수(GCD : the Greatest Common Denominator)를 구하여라.

힌트 GCD(x, y)는 만약 x < y이면 GCD(y, x)이다. 만약 x를 y로 나눈 나머지가 0이 아니면 GCD(y, x를 y로 나눈 나머지)이다. 만약 x를 y로 나눈 나머지가 0이면 y이다.

예 GCD(16, 24)는 16 < 24이므로 GCD(24, 16)이다.

GCD(24, 16)은 24 나누기 16의 나머지가 8이므로 GCD(16, 8)이다.

GCD(16, 8)은 16 나누기 8의 나머지가 0이므로 8이 된다.

■ 준비 단계

첫 번째 자연수, 두 번째 자연수, 결과를 위한 변수를 생성한다.

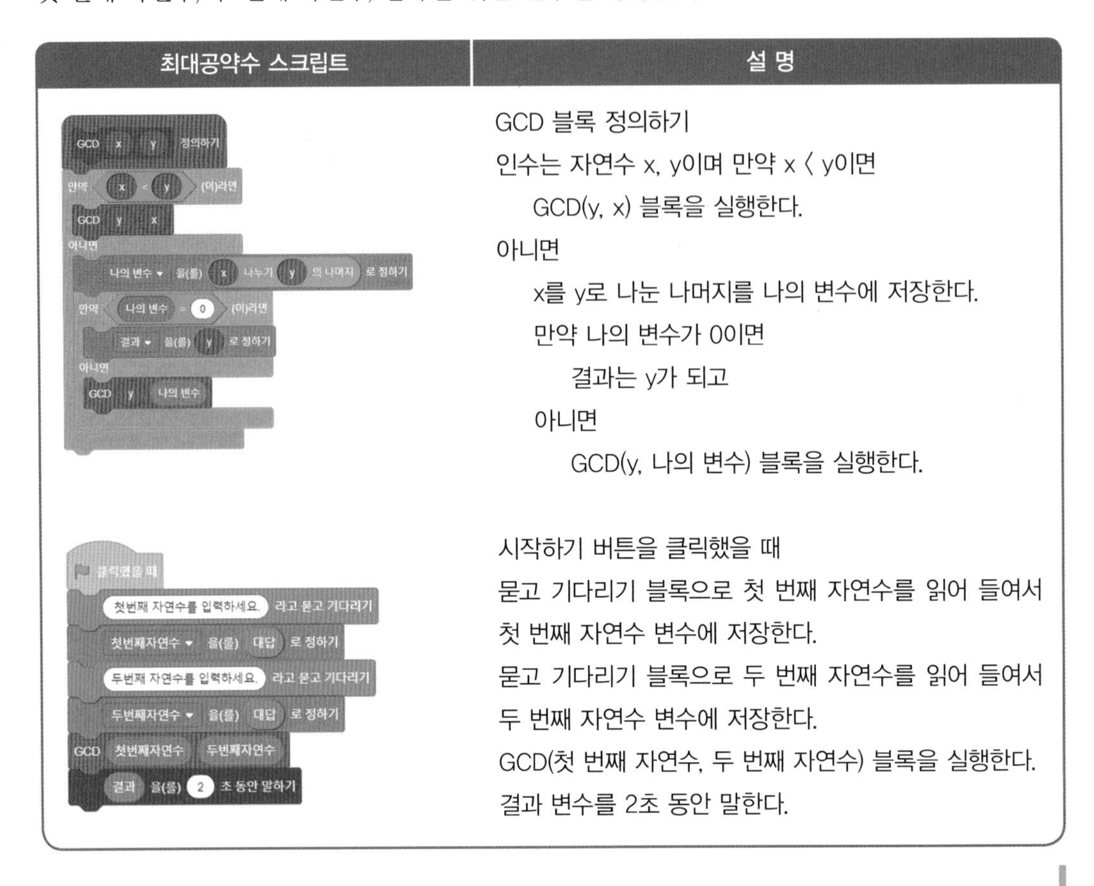

최대공약수 스크립트	설 명
GCD x y 정의하기 만약 x < y (이)라면 GCD y x 아니면 나의 변수 ▾ 을(를) x 나누기 y 의 나머지 로 정하기 만약 나의 변수 = 0 (이)라면 결과 ▾ 을(를) y 로 정하기 아니면 GCD y 나의 변수	GCD 블록 정의하기 인수는 자연수 x, y이며 만약 x 〈 y이면 GCD(y, x) 블록을 실행한다. 아니면 x를 y로 나눈 나머지를 나의 변수에 저장한다. 만약 나의 변수가 0이면 결과는 y가 되고 아니면 GCD(y, 나의 변수) 블록을 실행한다.
클릭했을 때 첫번째 자연수를 입력하세요. 라고 묻고 기다리기 첫번째자연수 ▾ 을(를) 대답 로 정하기 두번째 자연수를 입력하세요. 라고 묻고 기다리기 두번째자연수 ▾ 을(를) 대답 로 정하기 GCD 첫번째자연수 두번째자연수 결과 을(를) 2 초 동안 말하기	시작하기 버튼을 클릭했을 때 묻고 기다리기 블록으로 첫 번째 자연수를 읽어 들여서 첫 번째 자연수 변수에 저장한다. 묻고 기다리기 블록으로 두 번째 자연수를 읽어 들여서 두 번째 자연수 변수에 저장한다. GCD(첫 번째 자연수, 두 번째 자연수) 블록을 실행한다. 결과 변수를 2초 동안 말한다.

연습 멱승 m^n을 구하는 블록을 정의하고 이를 이용하는 프로그램을 작성하라. 인수는 m, n으로 한다.

힌트 $n = 0$이면 $m^n = 1$, $n > 0$이면 $m^n = m \times m^{n-1}$

예제 10.8

피보나치 수열

다음과 같이 앞선 두 수의 합으로 다음 수가 결정되는 규칙을 갖는 수열을 피보나치(Fibonacci) 수열이라 한다. 맨 처음 두 수는 1이다. 이를 나열해보면 다음과 같다. 1, 1, 2, 3, 5, 8, 13, 21, 34, 55, 89, 144, ...

즉, $a_0 = a_1 = 1$, $a_n = a_{n-1} + a_{n-2}$ ($n \geq 2$인 정수)이다.

이상의 수열을 계산하여 스프라이트가 말하기로 보여주면 한 번에 수열을 나타내기 어렵기 때문에 수열을 계산하여 리스트에 넣도록 프로그래밍하였다. 스크립트는 다음과 같다.

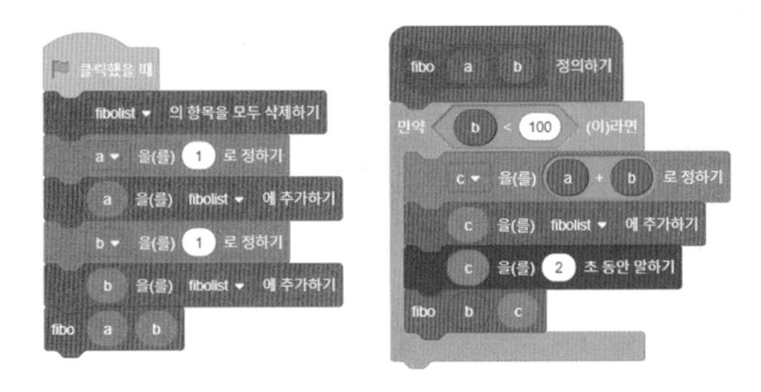

먼저 수열을 저장하기 위해서 fibolist 리스트를 생성한다.

단계 1 이전에 계산된 fibolist를 비우기 위해서 삭제하기를 실행한다.

단계 2 a = 1, b = 1로 정한 후, fibolist에 a, b를 순서대로 추가한다.

단계 3 fibo 블록을 실행한다. 이때 두 인수 a, b를 넘긴다.

fibo 블록(인수 a, b) 스크립트에서의 처리 단계는 다음과 같다.

단계 1 b < 100 이라면

c = a + b를 계산한 다음, 이를 fibolist에 추가한다.

단계 2 그리고 fibo(b, c) 블록을 호출한다.

이와 같은 재귀함수는 반복 구조를 이용해서 프로그래밍 할 수도 있다. 다음 스크립트는 재귀호출을 이용하지 않고 반복 구조를 사용하여 피보나치 수열을 생성하는 스크립트이다. 알고리즘은 동일하기 때문에 설명은 생략한다.

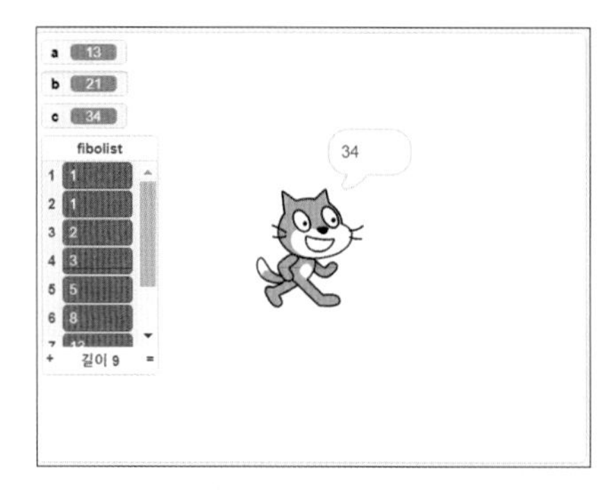

그림 10.18 [예제 10.8]의 실행 화면

10.5 확장 기능

스크래치에서 기본적으로 제공하는 기본 블록 영역 이외에 확장 기능에 포함되는 블록을 추가하여 스크립트를 작성할 수 있다. 이미 6장에서 확장 기능 중, 음악 기능과 펜 기능 등을 이용하여 프로그래밍하는 방법을 알아보았다. 이외에도 많은 추가 기능이 있는데 여기서는 텍스트 음성 변환(TTS : Text to Speech)과 번역 기능을 이용한 프로그래밍에 대하여 살펴보자.
텍스트 음성 변환에서 제공하는 블록은 표 10.1과 같다.

〈표 10.1〉 텍스트 음성 변환 블록

TTS 블록	기능
안녕 말하기	음성으로 주어진 문장을 말한다.
음성을 중고음 ▾ 로 정하기	음성의 높낮이를 고음, 중고음, 중저음, 저음, 고양이 등으로 결정한다.
언어를 Korean ▾ 로 정하기	말하는데 사용하는 언어를 선택한다.

앞의 표 10.1에 나와 있는 블록을 이용하여 언어를 선택하고 문장으로 말하기를 하면 문장에 해당하는 음성을 들을 수 있다.

예제 10.9

메모장 문서를 읽어주는 프로그램

메모장으로 편집한 유니코드로 저장된 한글 문서를 읽어주는 프로그램

■ 준비 단계

① 메모장에서 한글 문서를 입력하고 유니코드로 저장한다.

② 한글 문서를 읽어 들이기 위해서 문서 리스트를 만든다.

단계 1 저장된 한글 문서를 리스트의 가져오기 메뉴를 이용하여 리스트에 읽어 들인다.

단계 2 다음 절차를 문서 리스트의 항목 개수만큼 반복한다.

단계 3 리스트의 한 항목을 말한다.

```
클릭했을 때
음성을 중저음 로 정하기
언어를 Korean 로 정하기
i 을(를) 1 로 정하기
문서 리스트 의 길이 번 반복하기
    문서 리스트 리스트의 i 번째 항목 말하기
    i 을(를) 1 만큼 바꾸기
```

〈표 10.2〉 번역 블록

번역 블록	기능
안녕 을(를) 아일랜드어 로 번역하기	주어진 문장을 선택한 언어로 번역한다.
언어	스크래치 시스템에서 사용자가 선택한 언어를 알려 준다.

번역 블록에서 사용할 수 있는 블록은 주어진 문장을 선택한 언어로 번역하는 것이다.

연습 앞의 [예제 10.9] 스크립트에서 영어로 번역하기 블록으로 처리한 후, 읽어주는 기능으로 바꾸어라.

```
클릭했을 때
음성을 중저음 ▾ 로 정하기
언어를 English ▾ 로 정하기
i ▾ 을(를) 1 로 정하기
문서 리스트 ▾ 의 길이 번 반복하기
    문서 리스트 ▾ 리스트의 i 번째 항목 을(를) 영어 ▾ 로 번역하기 말하기
    문서 리스트 ▾ 리스트의 i 번째 항목 을(를) 영어 ▾ 로 번역하기 말하기
    i ▾ 을(를) 1 만큼 바꾸기
```

실행 화면에 번역한 내용을 말하기로(말풍선으로) 나타내었다. 실행 화면은 그림 10.19와 같다.

그림 10.19 영어 번역 실행 결과

- 프로그램 절차에서 반복적으로 사용되는 절차는 독립적으로 정의하여 필요할 때마다 호출해서 사용함으로써 프로그램의 길이를 줄이고, 프로그램도 더 구조적으로 표현된다.
- 스크래치에서는 재사용을 위한 절차를 나만의 블록으로 정의한다. 정의된 블록은 해당 스프라이트 내에서 사용할 수 있다.
- 블록을 정의할 때 관련 데이터를 전달하는 인수를 정의할 수 있다. 인수는 정수나 실수, 참과 거짓을 나타내는 논리값 등을 전달 할 수 있다.
- 함수가 자신을 호출하는 것을 재귀적 호출(recursive call)이라 한다. 이 경우 호출된 함수는 또 내부에서 자기 자신을 호출하기 때문에 무한 반복되는 구조가 될 수 있다. 무한 반복해서 호출되는 것을 피하기 위해서 적절한 조건이 만족되면 자기 호출을 피하는 논리 구조가 필요하다.
- 스크래치에서도 나만의 블록 정의하기에서 재귀적인 블록 호출이 가능하다. 그러나 C 언어의 함수와는 달리 스크래치는 블록의 리턴 값이 없기 때문에 처리 과정 중에 결과를 저장해야 할 변수를 대신 사용해야 한다.
- 재귀적인 호출은 반복 구조로 프로그램을 작성할 수도 있지만, 프로그램이 더 구조적이고 이해하기도 쉽기 때문에 많이 사용된다.
- 확장 기능에서는 스크래치의 기본 블록 영역 이외의 다양한 기능들을 제공하고 있다. 이 책에서는 TTS와 번역 기능을 알아보았다.

연습문제

01 다음 나만의 블록에 대한 설명 중 틀린 것은 무엇인가?

① 새로운 기능 블록을 정의할 수 있다.
② 반복적으로 사용되는 기능에 대해서 블록을 정의하여 사용하면 효과적이다.
③ 정의된 스프라이트 내에서만 사용할 수 있다.
④ 블록은 값을 반환할 수 있다.

02 다음 블록 정의에 대한 설명이다. 잘못된 것은 무엇인가?

① 블록 정의하기에서 매개변수는 없을 수도 있다.
② 매개변수에 대응되는 값은 정수와 실수만 가능하다.
③ 매개변수의 개수는 3개 이상도 가능하다.
④ 매개변수는 블록 내부에서는 지역 변수처럼 사용된다.

03 블록 만들기에서 추가할 수 없는 것은 무엇인가?

① 블록 이름 ② 정수나 실수 입력값
③ 라벨 넣기 ④ 반환 값

04 다음 스크립트가 실행되었을 때 결과 변수의 값은 얼마인가?

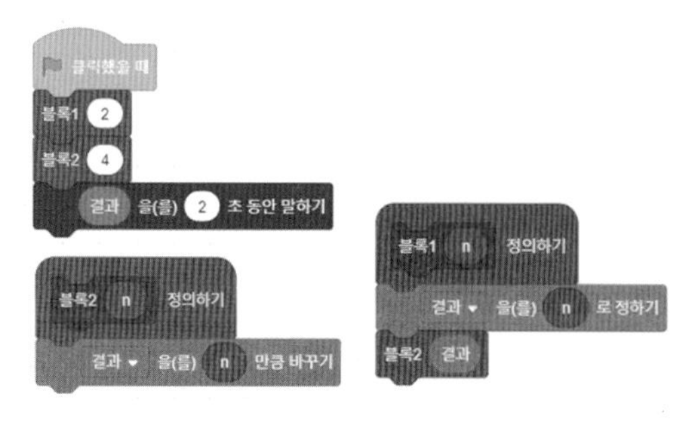

① 4 ② 6 ③ 8 ④ 10

05 다음 스크립트를 실행시켰을 때 실행되는 블록을 순서대로 나열한 것은?

① 블록1-블록2-블록3-블록1-블록2

② 블록1-블록2-블록3-블록1

③ 블록1-블록2-블록3-블록2

④ 블록1-블록3-블록2-블록1-블록2

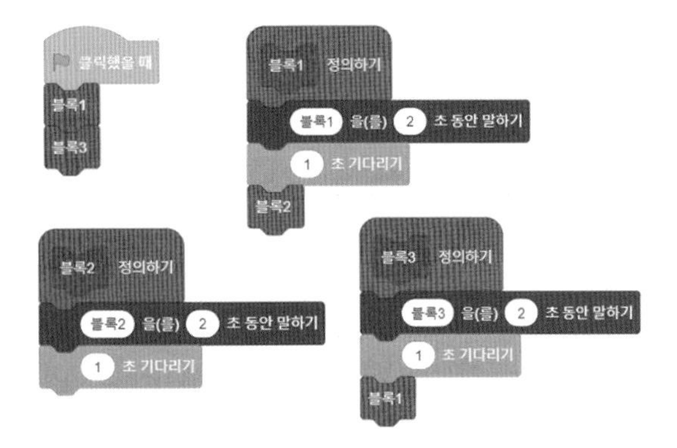

06 다음 스크립트를 실행하면 안녕을 몇 번 말하는가?

① 1

② 2

③ 3

④ 4

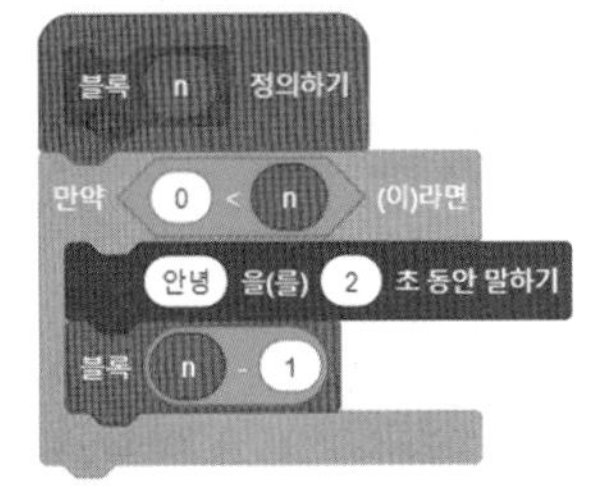

07 다음 스크립트를 실행한 결과는 무엇인가?

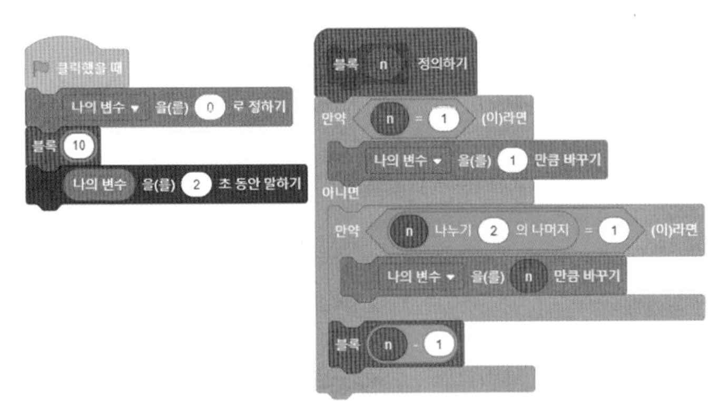

08 다음 스크립트를 실행한 결과는 무엇인가?

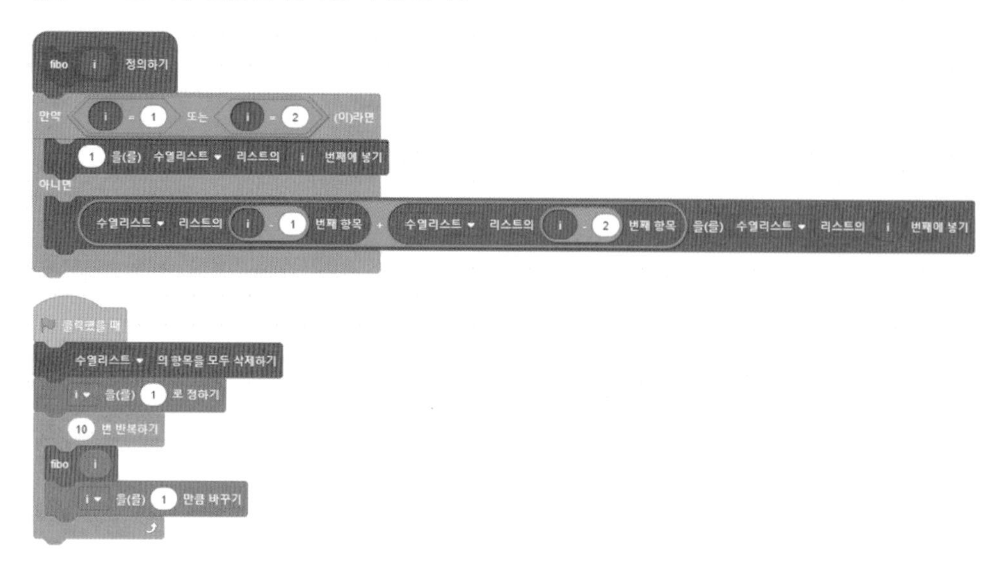

09 정수 리스트와 MAX 변수가 주어졌을 때 정수 리스트에 포함된 항목 중에서 가장 큰 수를 찾아서 이를 MAX에 저장하는 블록을 정의하고, 이를 이용하는 예를 보여라.

10 9번 문제에서 정의된 블록을 이용하여 주어진 정수 리스트를 내림차순으로 정렬하여 그 결과를 정렬 리스트에 저장하는 스크립트를 작성하라.

11 사용자가 입력하는 우리말 문장을 영어로 번역한 후, 영어로 읽어주는 프로그램을 작성하라.

- 음성은 중고음으로 한다.
- 스프라이트는 Avery를 이용한다. 크기는 70%로 한다.
- 무대배경은 Urban으로 한다.
- 문장 입력은 묻고 기다리기 블록을 이용한다.
- 한 문장을 번역하고 이를 읽고 난 후에 임의의 키를 누르면 다음 문장을 읽어 들인다.
- "끝"을 입력하면 "안녕"이라고 말하고 종료된다.

[실행 화면]

1) 사용자에게 번역할 문장을 묻는 실행 화면

2) 번역과 읽어주기를 하는 실행 화면

Chapter 11

Computational Thinking

응용 프로그램 예

학습목표

- 다양한 응용 프로그램의 예를 살펴보고 아이디어와 응용력을 키운다.
- 스크래치를 이용한 응용 프로그램의 가능성을 인식한다.

11.1 벽돌 깨기 게임

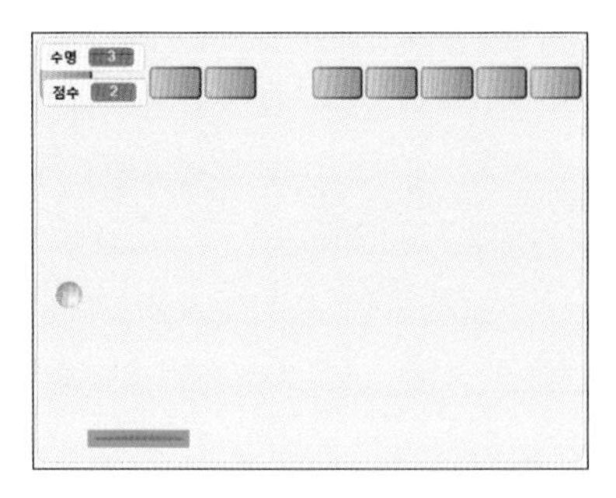

그림 11.1 벽돌 깨기 게임 실행 화면

(1) 개요

- 퐁(Pong) 게임을 기반으로 하여 볼을 페달로 맞추어 튕기면서 게임이 진행된다.
- 화면의 위 경계 부분에 벽돌들이 배치되어 있고, 볼이 벽돌에 닿으면 벽돌이 사라진다. 벽돌이 사라질 때마다 점수는 1 증가한다.
- 벽돌에 닿은 볼은 튕기면서 이동하며, 경계에 닿아도 튕긴다.
- 페달은 화면 하단에 위치하며 마우스를 이동하면 마우스 위치에 따라 좌우로만 이동한다.
- 수명은 초기에 3으로 주어진다. 볼이 페달에 닿지 않아서 페달보다 아래로 내려가면 볼의 동작은 멈추고 수명이 1 감소한다. 1초 후에 볼은 다시 화면 중앙으로 이동하여 게임이 계속된다.

(2) 사용되는 스프라이트, 무대 배경 그리고 소리

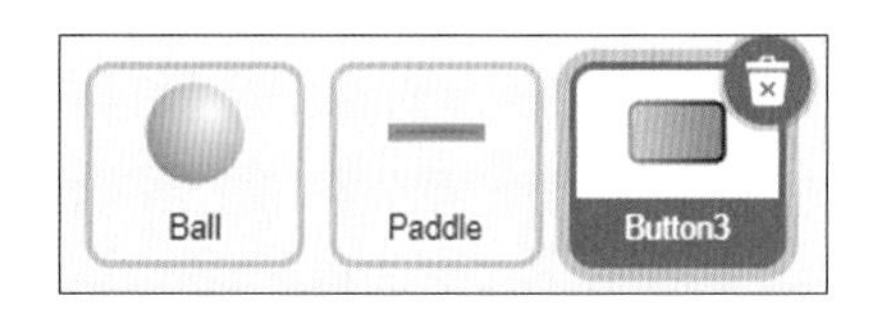

그림 11.2 사용되는 스프라이트와 배경

게임을 구성하는데 필요한 볼(Ball)과 페달(Paddle), 그리고 벽돌을 표현하기 위해서 Button3 스프라이트를 스프라이트 고르기에서 추가한다. 기본 스프라이트인 고양이 스프라이트는 게임에서 사용되지 않으므로 삭제한다. 무대 배경으로는 Blue Sky 2를 무대 배경 고르기에서 선택한다. 볼은 페달에 닿으면 Pop 소리를 내고, 페달보다 더 아래로 내려가면 Boing 소리를 낸다. 벽돌에 볼이 닿으면 Zoop 소리가 난다. 이를 위해 Pop, Boing 소리를 볼에 추가하고 Zoop 소리를 벽돌에 추가한다.

(3) 스크립트

볼 스프라이트는 시작하기 버튼을 클릭하면 화면 중앙에서 시작하여 위쪽으로 향하는 임의의 방향으로 이동을 시작한다. 블록이나 위쪽, 왼쪽, 오른쪽 경계에 닿으면 튕기기를 실행한다. 만약 아래쪽 경계 부분에서 페달에 닿지 않고 페달보다 더 아래로 내려가면 게임을 지는 것으로 하여 수명을 1 감소시킨다. 수명은 총 3으로 주어지며 3번을 지고 0이 되면 게임은 종료된다.

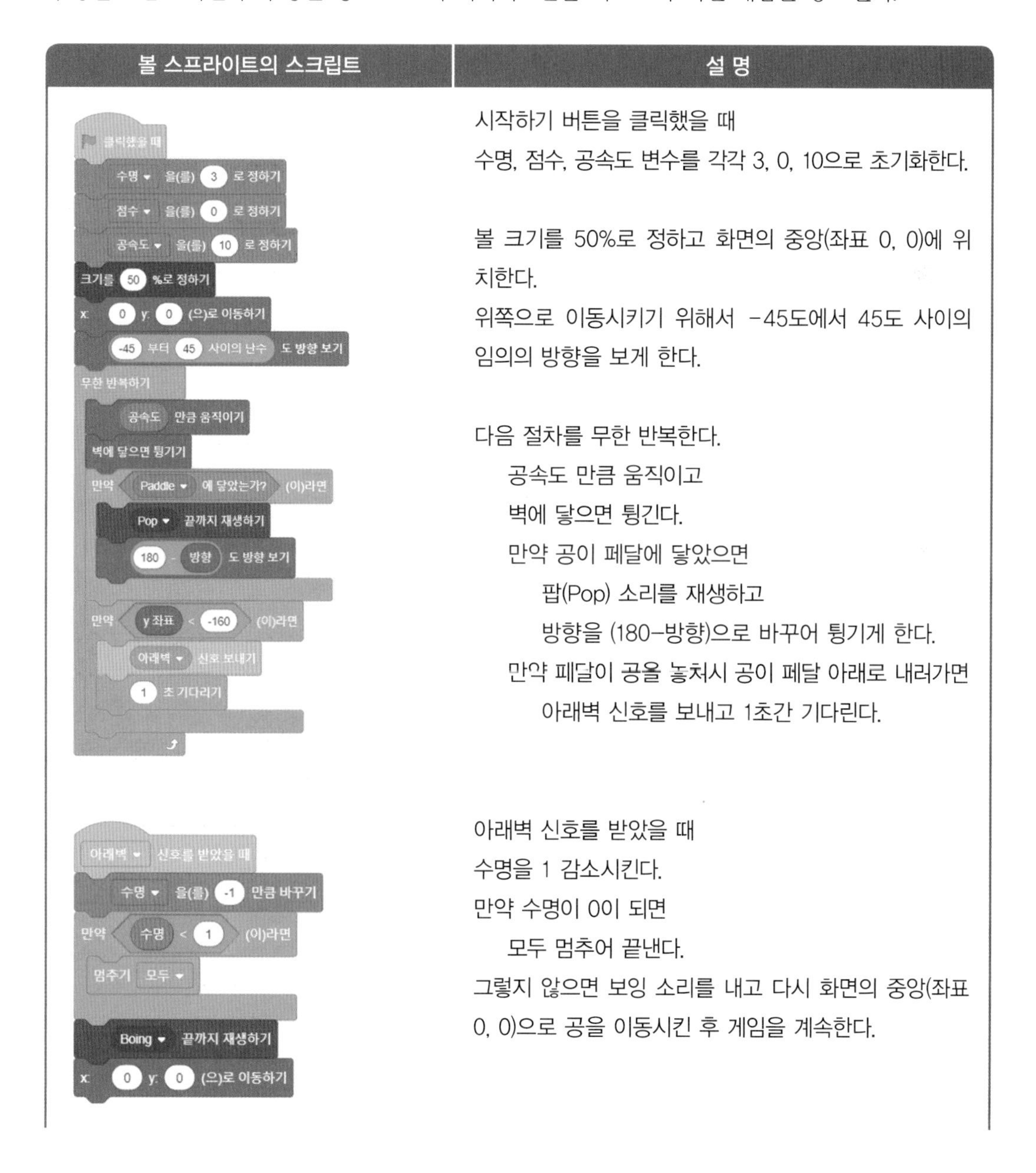

볼 스프라이트의 스크립트	설 명
클릭했을 때 수명 ▾ 을(를) 3 로 정하기 점수 ▾ 을(를) 0 로 정하기 공속도 ▾ 을(를) 10 로 정하기 크기를 50 %로 정하기 x: 0 y: 0 (으)로 이동하기 -45 부터 45 사이의 난수 도 방향 보기 무한 반복하기 공속도 만큼 움직이기 벽에 닿으면 튕기기 만약 Paddle ▾ 에 닿았는가? (이)라면 Pop ▾ 끝까지 재생하기 180 - 방향 도 방향 보기 만약 y 좌표 < -160 (이)라면 아래벽 ▾ 신호 보내기 1 초 기다리기	시작하기 버튼을 클릭했을 때 수명, 점수, 공속도 변수를 각각 3, 0, 10으로 초기화한다. 볼 크기를 50%로 정하고 화면의 중앙(좌표 0, 0)에 위치한다. 위쪽으로 이동시키기 위해서 −45도에서 45도 사이의 임의의 방향을 보게 한다. 다음 절차를 무한 반복한다. 공속도 만큼 움직이고 벽에 닿으면 튕긴다. 만약 공이 페달에 닿았으면 팝(Pop) 소리를 재생하고 방향을 (180−방향)으로 바꾸어 튕기게 한다. 만약 페달이 공을 놓처시 공이 페달 아래로 내려가면 아래벽 신호를 보내고 1초간 기다린다.
아래벽 ▾ 신호를 받았을 때 수명 ▾ 을(를) -1 만큼 바꾸기 만약 수명 < 1 (이)라면 멈추기 모두 ▾ Boing ▾ 끝까지 재생하기 x: 0 y: 0 (으)로 이동하기	아래벽 신호를 받았을 때 수명을 1 감소시킨다. 만약 수명이 0이 되면 모두 멈추어 끝낸다. 그렇지 않으면 보잉 소리를 내고 다시 화면의 중앙(좌표 0, 0)으로 공을 이동시킨 후 게임을 계속한다.

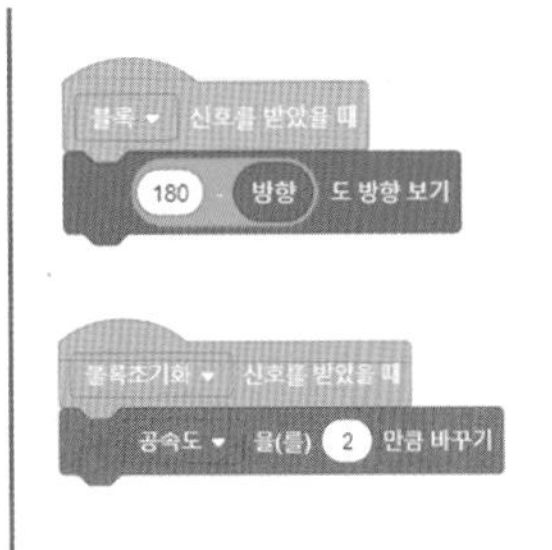

공이 블록에 닿았을 때 블록 신호를 받는데, 이때 공을 튕기기 위해서 방향을 (180−방향)으로 새로 정한다.

10개의 블록이 모두 깨져서 블록초기화 신호를 받았을 때 새로 10개의 블록을 화면에 다시 나타낼 때 마다 공의 속도를 2만큼 증가시킨다.

페달 스프라이트의 동작은 마우스의 위치에 따라 좌우로 움직이며 상하로는 움직이지 않는다. 처음에는 가운데에 위치하기 때문에 x 좌표가 0이고 y 좌표는 −160으로 한다. 마우스의 x 좌표 값을 감지하여 그 값을 페달의 x 좌표로 정하여 움직이도록 한다.

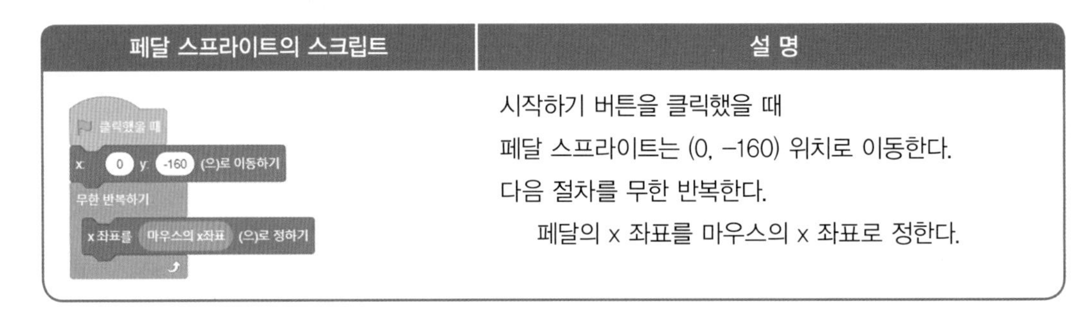

페달 스프라이트의 스크립트	설 명
클릭했을 때 x: 0 y: -160 (으)로 이동하기 무한 반복하기 x 좌표를 마우스의 x좌표 (으)로 정하기	시작하기 버튼을 클릭했을 때 페달 스프라이트는 (0, −160) 위치로 이동한다. 다음 절차를 무한 반복한다. 페달의 x 좌표를 마우스의 x 좌표로 정한다.

벽돌 스프라이트는 화면의 상단에 10개가 좌측에서 우측으로 나란히 정렬한 상태로 게임이 진행된다. 물론 벽돌의 위치를 다양하게 정해서 임의의 형태의 벽돌 전개가 가능하지만, 더 이상의 게임 개선은 독자들에게 맡기고 본서에서는 가장 기본적인 전개만을 사용하도록 한다.

벽돌을 각각 독립된 스프라이트로 10개를 복사해서 사용할 수도 있지만 본 프로그램에서는 스프라이트 복제하기를 이용하였다. 각 스프라이트는 복제되면 각자 자신의 위치 좌표를 계산하여 위치한다. 공에 닿으면 벽돌은 사라지기 때문에 복제본을 삭제하도록 하였다. 10개의 벽돌이 모두 깨지면 다시 같은 위치에 10개의 벽돌을 위치시키고 공 속도를 2만큼 증가하도록 한 후 게임은 계속된다. 벽돌이 깨질 때마다 점수는 1씩 증가한다.

<table>
<tr><th>벽돌 스프라이트의 스크립트</th><th>설 명</th></tr>
<tr><td>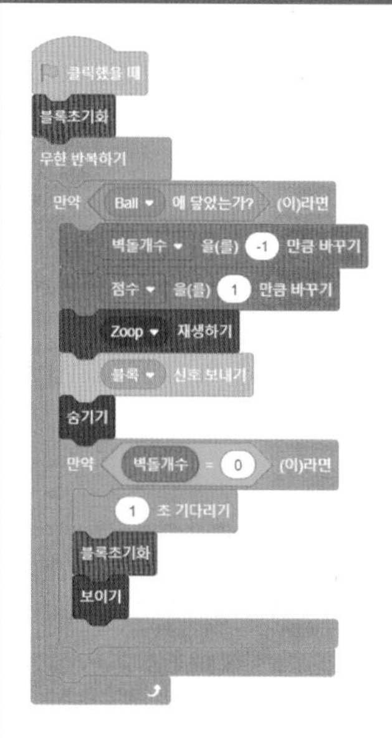
</td>
<td>시작하기 버튼을 클릭했을 때
블록초기화 블록을 호출한다.

다음 절차를 무한 반복한다.
만약 볼에 닿으면
벽돌의 개수를 1 감소시키고
점수를 1 증가시킨다.
Zoop 소리를 재생하고
블록 신호를 보낸다.
자신은 화면에서 사라지게 숨긴다.
만약 벽돌 개수가 0이라면
1초 기다린 후에
블록초기화 블록을 실행하고
자신을 화면에 보이게 한다.</td></tr>
<tr><td>블록초기화 정의하기
나의 변수 을(를) 0 로 정하기
벽돌개수 을(를) 10 로 정하기
크기를 50 %로 정하기
x: -215 y: 140 (으)로 이동하기
보이기
벽돌개수 - 1 번 반복하기
나 자신 복제하기</td>
<td>블록초기화 블록 정의하기
나의 변수를 0으로 정한다.
벽돌 개수는 10으로 정한다.
벽돌의 크기는 50%로 정한다.
벽돌의 위치는 (–215, 140)으로 한다.
벽돌을 화면에 나타낸다.
벽돌 개수–1번(= 9) 다음을 반복한다.
벽돌 스프라이트를 복제한다. 원본 벽돌은 복제되지 않으므로 9개만 복제한다.</td></tr>
<tr><td>복제되었을 때
나의 변수 을(를) 1 만큼 바꾸기
x 좌표를 나의 변수 × 48 만큼 바꾸기
무한 반복하기
만약 Ball 에 닿았는가? (이)라면
점수 을(를) 1 만큼 바꾸기
벽돌개수 을(를) -1 만큼 바꾸기
Zoop 재생하기
블록 신호 보내기
만약 벽돌개수 = 0 (이)라면
블록초기화 신호 보내기
이 복제본 삭제하기</td>
<td>복제되었을 때
생성된 블록의 위치 좌표를 계산하기 위해서 몇 번째 만들어진 블록인가를 나의 변수를 이용하여 확인한 후 x 좌표를 나의 변수 × 48로 결정한다.

다음 절차를 무한 반복한다.
만약 공에 닿았다면 점수를 1 증가시킨다.
벽돌 개수를 1 감소시킨다.
벽돌격파 소리를 재생한다.
벽돌격파를 알리기 위해 블록 신호를 보낸다.
만약 벽돌 개수가 0이면
블록초기화 신호를 보낸다.
이 복제본을 삭제한다.</td></tr>
</table>

블록초기화 신호를 받았을 때
블록초기화 블록을 실행한다.

블록초기화 절차는 스크립트 내에 두 부분에서 사용되기 때문에 블록 정의하기를 이용하여 독립된 나만의 블록으로 정의하고 필요한 부분에서 사용하도록 하였다.

11.2 그림판

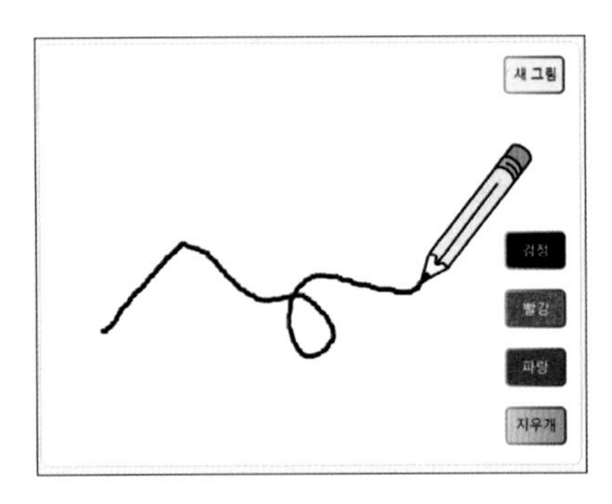

그림 11.3 그림판 실행 화면

(1) 개요

- 스프라이트의 확장 기능인 펜 영역을 추가하여 선 그리기 기능을 이용한다.
- 펜의 색깔은 검정, 빨강, 파랑 등 3가지 색을 선택할 수 있다.
- 이미 그러진 선을 지우기 위한 지우개 기능을 갖는다.
- 현재까지 그려진 그림을 모두 지우는 새 그림 기능이 있다.
- 메뉴선택은 화면의 오른쪽 경계 부분에 버튼 모양으로 나타나며, 새 그림, 검정, 빨강, 파랑, 지우개 등이 있다.
- 그림을 그릴 때는 연필(Pencil) 스프라이트를 이용한다.
- 지우개 메뉴가 선택되면 연필의 맨 위에 붙어있는 지우개 모양으로 스프라이트가 바뀐다.

(2) 사용되는 스프라이트

그림판에서 사용하는 메뉴를 선택할 버튼을 위해서 스프라이트 고르기에서 제공하는 Button3을 추가한다. 그 후, 모양 탭에서 텍스트를 선택하여 문자열을 추가하고 채우기 색 기능을 이용하여 버튼의 색깔을 다른 색으로 바꾼다. 그림 11.4는 기존에 있던 그림판의 그림을 모두 지우고 새로운 그림을 그리기 위한 새 그림 버튼을 만드는 화면을 보여준다.

그림 11.4 새 그림 버튼 편집 화면

동일한 방법으로 검정, 빨강, 파랑, 지우개 버튼도 Button3 스프라이트를 복사하여 작성한다. 프로젝트를 위해서 사용되는 스프라이트는 그림 11.5와 같다.

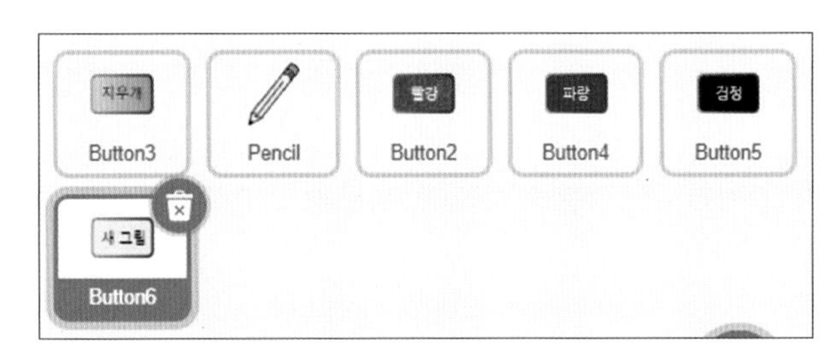

그림 11.5 사용되는 스프라이트

연필 스프라이트를 위해서 스프라이트 고르기에서 Penceil 스프라이트를 추가하여 사용하였다. 나머지 스프라이트는 모두 메뉴 버튼을 위한 것으로 스프라이트 고르기에서 Button3을 추가하였다. 그리고 Button3를 복사하고 이에 텍스트와 다른 색 채우기로 버튼을 변경하였다.
연필 스프라이트에서 선 그리기를 할 때 선이 연필 촉 끝에 닿도록 하기 위해서 스프라이트 모양의 중심을 연필의 촉에 위치하도록 하였다. 모양 탭의 모양 편집기에서 그림 11.6과 같이 연필 촉을 모양의 중심이 되도록 이동한다.

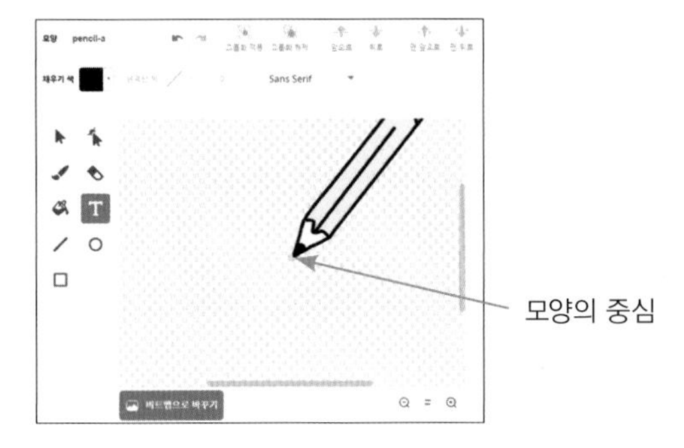

그림 11.6 연필 스프라이트 모양의 중심 이동 화면

(3) 스크립트

연필 스프라이트가 마우스의 움직임에 따라 이동하기 위해서 마우스 포인터로 이동하기 블록을 무한 반복하여 이용한다. 마우스를 클릭한 상태에서 이동하면 선이 그려져야 하기 때문에 펜 내리기를 한 상태에서 이동한다. 마우스를 클릭하지 않은 상태가 되면 펜 올리기를 실행하여 선이 그려지지 않도록 한다.

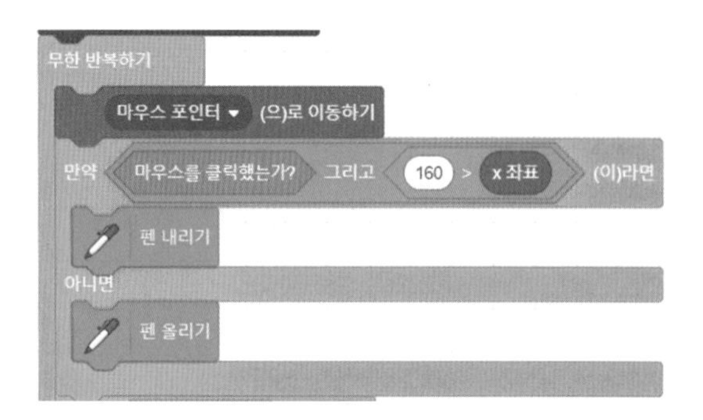

한편 화면에서 오른쪽 경계 부분에는 메뉴 버튼이 위치하기 때문에 그 부분에서는 선이 그려지는 것을 막아야 한다. 이에 따라서 x 좌표가 160보다 더 큰 위치에서는 연필 스프라이트는 화면에서 숨기기를 실행한다. x 좌표가 160 이하가 되면 스프라이트 보이기를 실행하여 다시 화면에 나타나게 한다.

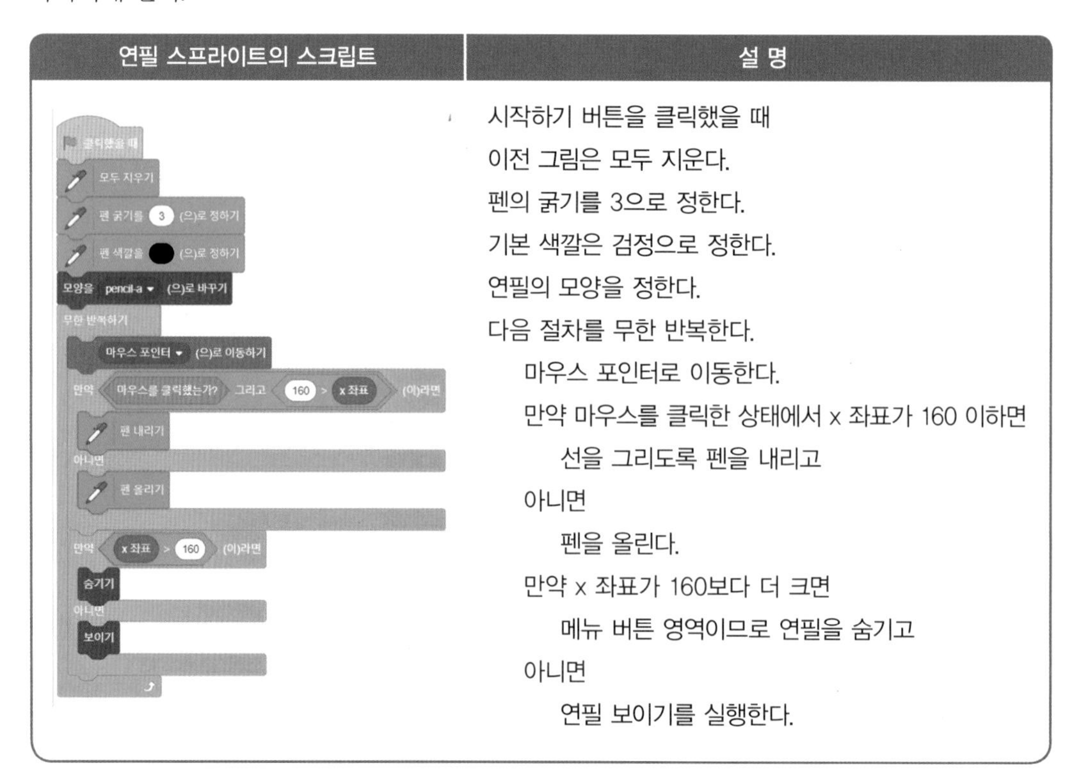

연필 스프라이트의 스크립트	설 명
클릭했을 때	시작하기 버튼을 클릭했을 때
모두 지우기	이전 그림은 모두 지운다.
펜 굵기를 3 (으)로 정하기	펜의 굵기를 3으로 정한다.
펜 색깔을 ● (으)로 정하기	기본 색깔은 검정으로 정한다.
모양을 pencil-a (으)로 바꾸기	연필의 모양을 정한다.
무한 반복하기	다음 절차를 무한 반복한다.
마우스 포인터 (으)로 이동하기	마우스 포인터로 이동한다.
만약 마우스를 클릭했는가? 그리고 160 > x 좌표 (이)라면	만약 마우스를 클릭한 상태에서 x 좌표가 160 이하면
펜 내리기	선을 그리도록 펜을 내리고
아니면	아니면
펜 올리기	펜을 올린다.
만약 x 좌표 > 160 (이)라면	만약 x 좌표가 160보다 더 크면
숨기기	메뉴 버튼 영역이므로 연필을 숨기고
아니면	아니면
보이기	연필 보이기를 실행한다.

한편 메뉴 버튼이 선택되면 해당 기능이 작동하도록 해야 한다. 빨강 버튼이 클릭되면 연필의 색깔이 빨강 색이 되어야 한다. 버튼이 클릭되면 해당 스프라이트에서 이를 감지해서 신호 보내기 블록으로 빨강 신호를 보낸다. 연필 스프라이트에서는 빨강 신호를 받으면 펜의 색깔을 정하는 블록을 이용한다. 검정, 파랑 버튼도 동일한 동작으로 처리한다. 지우개 버튼은 흰색으로 하여 그리는 것으로 처리한다. 다만 지우기가 편리하게 되도록 하기 위해서 선의 굵기를 10으로 키워서 흰색으로 선 그리기를 실행한다. 이상과 같은 동작을 위해서 다음과 같은 스크립트를 작성하였다.

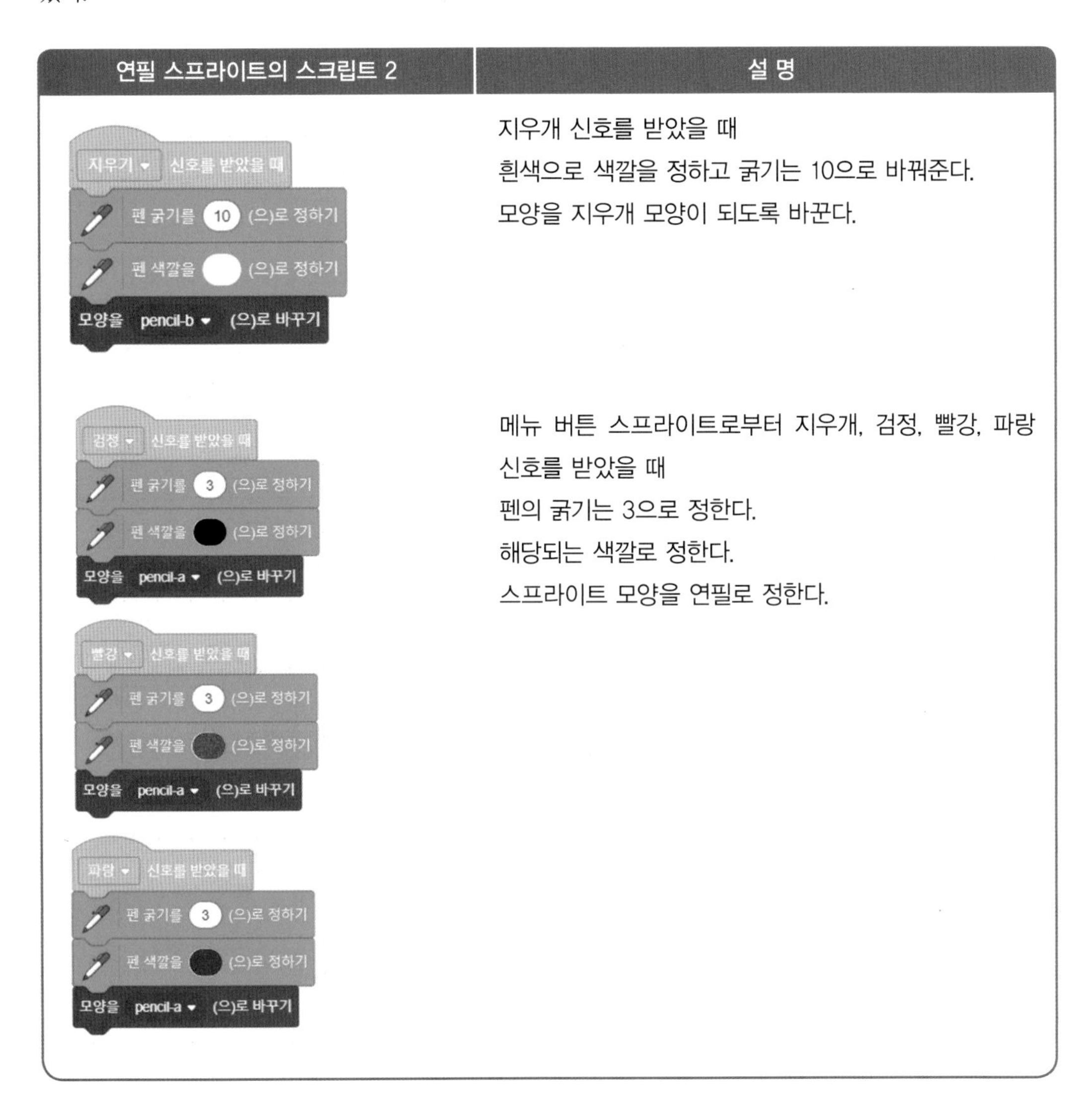

연필 스프라이트의 스크립트 2	설 명
지우기 ▾ 신호를 받았을 때 펜 굵기를 10 (으)로 정하기 펜 색깔을 (으)로 정하기 모양을 pencil-b ▾ (으)로 바꾸기	지우개 신호를 받았을 때 흰색으로 색깔을 정하고 굵기는 10으로 바꿔준다. 모양을 지우개 모양이 되도록 바꾼다.
검정 ▾ 신호를 받았을 때 펜 굵기를 3 (으)로 정하기 펜 색깔을 (으)로 정하기 모양을 pencil-a ▾ (으)로 바꾸기 빨강 ▾ 신호를 받았을 때 펜 굵기를 3 (으)로 정하기 펜 색깔을 (으)로 정하기 모양을 pencil-a ▾ (으)로 바꾸기 파랑 ▾ 신호를 받았을 때 펜 굵기를 3 (으)로 정하기 펜 색깔을 (으)로 정하기 모양을 pencil-a ▾ (으)로 바꾸기	메뉴 버튼 스프라이트로부터 지우개, 검정, 빨강, 파랑 신호를 받았을 때 펜의 굵기는 3으로 정한다. 해당되는 색깔로 정한다. 스프라이트 모양을 연필로 정한다.

지우개 버튼을 클릭하면 해당 스프라이트는 버튼의 크기를 약간 줄였다가 다시 원상태로 되돌림으로써 버튼이 눌린 듯한 효과를 얻는다. 그리고 지우기 신호를 보낸다.

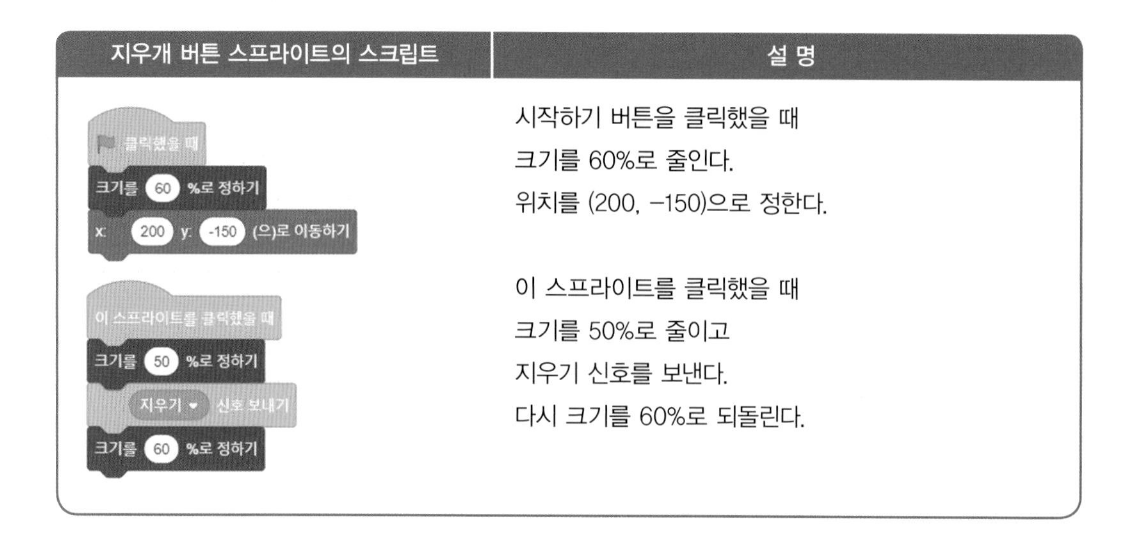

지우개 버튼 스프라이트의 스크립트	설 명
클릭했을 때 크기를 60 %로 정하기 x: 200 y: -150 (으)로 이동하기	시작하기 버튼을 클릭했을 때 크기를 60%로 줄인다. 위치를 (200, −150)으로 정한다.
이 스프라이트를 클릭했을 때 크기를 50 %로 정하기 지우기 ▾ 신호 보내기 크기를 60 %로 정하기	이 스프라이트를 클릭했을 때 크기를 50%로 줄이고 지우기 신호를 보낸다. 다시 크기를 60%로 되돌린다.

검정, 빨강, 파랑 버튼 스프라이트의 동작은 지우개 버튼과 거의 동일하다. 버튼의 위치가 다르고, 해당 스프라이트를 클릭했을 때 보내는 신호가 다를 뿐이다.

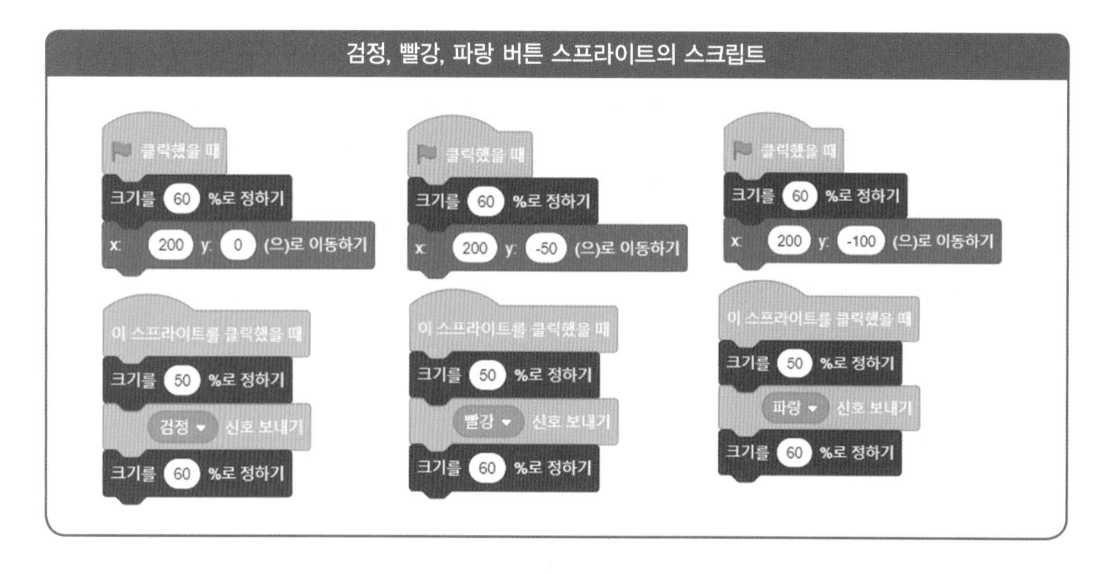

마지막으로 새 그림 버튼을 클릭하면 모두 지우기 블록을 실행하여 화면을 완전히 비운다.

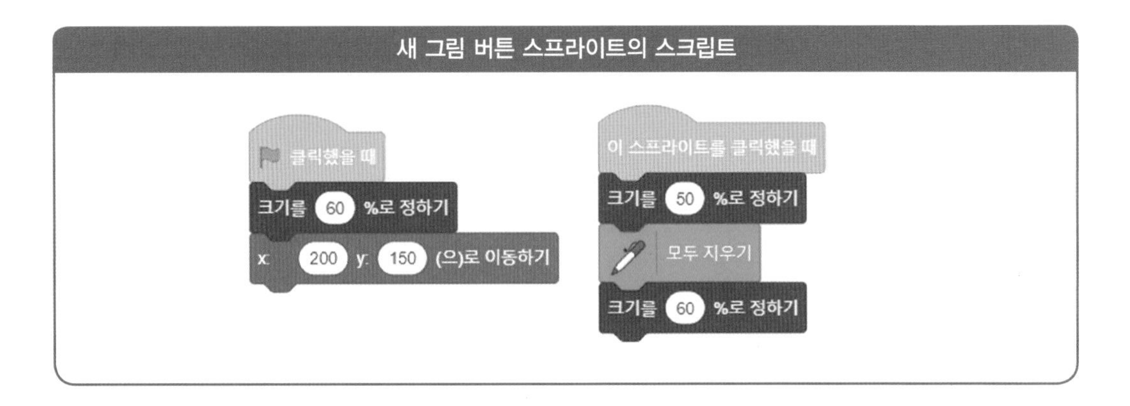

선의 굵기를 조절할 수 있는 메뉴를 더 추가할 수 있다. 색깔 변경을 위한 버튼과 동일한 방식으로 선 굵기에 대한 메뉴 버튼을 추가하고, 버튼을 클릭하면 굵기 변경 요청 신호를 보내도록 스크립트를 작성한다. 연필 스프라이트에서는 신호를 받아 선의 굵기 정하기 블록을 이용하는 스크립트를 추가한다. 이상의 방식으로 독자들은 그림판 기능을 더욱 확장할 수 있을 것이다.

11.3 번개 피하기 게임

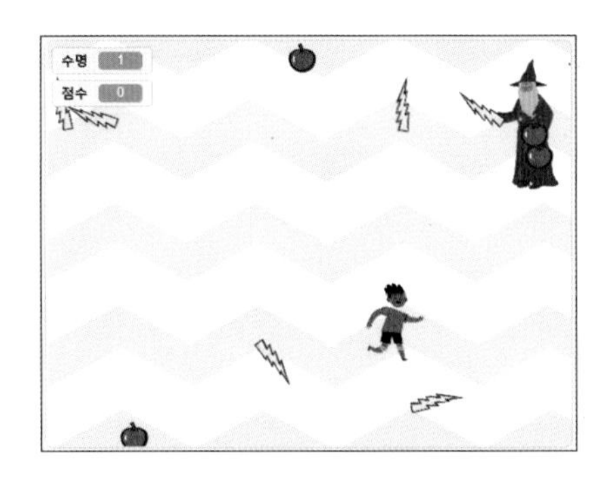

그림 11.7 번개 피하기 게임 실행 화면

(1) 개요

- 마법사의 손으로부터 번개가 임의의 시간에 만들어져서 임의의 방향으로 이동한다. 번개에 닿으면 소년은 죽게 된다.
- 번개는 한번 생성되면 소년에 닿기 전에는 없어지지 않고 계속 화면에서 움직이며 벽에 닿으면 튕긴다.
- 소년은 번개를 피하기 위해서 상하좌우 방향키를 이용하여 움직인다.

- 사과는 임의의 시점에서 임의의 위치에 나타난다.
- 소년이 사과에 닿으면 점수가 1 증가한다.
- 소년의 수명은 3으로 주어지며 수명이 다할 때까지 번개를 피하면서 사과를 잡는다.
- 번개는 시간이 갈수록 계속 늘어나기 때문에 이를 피하기는 점점 더 어려워진다.

(2) 사용된 스프라이트, 무대 배경 그리고 소리

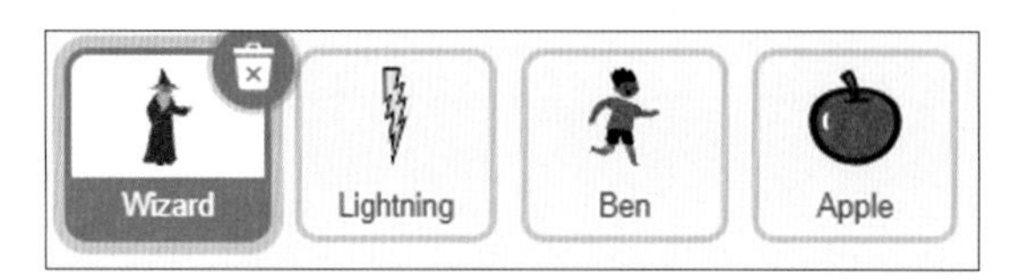

그림 11.8 사용되는 스프라이트와 배경

화면에 등장하는 마법사를 위해서 Wizard 스프라이트를 추가한다. 번개를 나타내기 위해서 Lightning 스프라이트를 사용하였다. 그리고 소년을 위해서 Ben 스프라이트를, 사과를 위해서는 Apple 스프라이트를 추가하였다. 이 스프라이트들은 모두 스프라이트 고르기에서 선택할 수 있다. 한편 배경화면을 위해 배경 고르기에서 Stripes를 선택하였다. 소년의 비명 소리를 위해서 소리 탭의 소리 고르기에서 Scream2를 추가한다. 그림 11.9는 Scream2를 추가하고 소리의 길이를 줄이기 위해서 Fade out을 2번 적용한 소리의 화면을 보여준다.

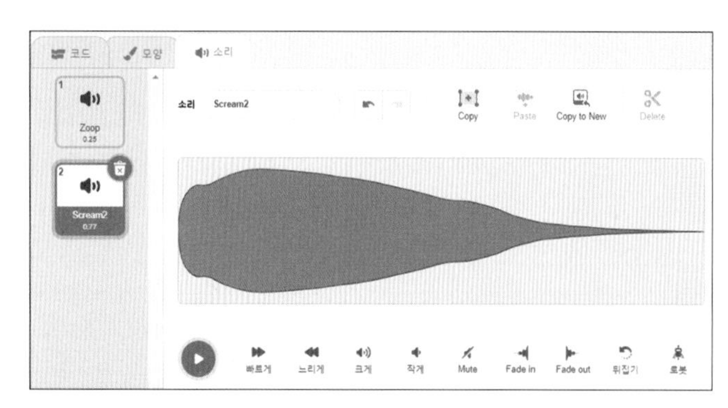

그림 11.9 소리 편집 화면

(3) 스크립트

게임이 시작되면 소년은 화면의 왼쪽 아래 모서리 부분에서부터 이동하기 시작하는데, 키보드의 방향키를 이용하여 위쪽, 아래쪽, 왼쪽, 오른쪽으로 이동한다. 소년은 번개에 닿게 되면 죽기 때문에 번개를 피해야 한다. 게임에서 주어지는 수명은 3이고 번개에 닿을 때마다 수명은 1 감소한다.

소년 스프라이트를 위한 스크립트는 다음과 같다.

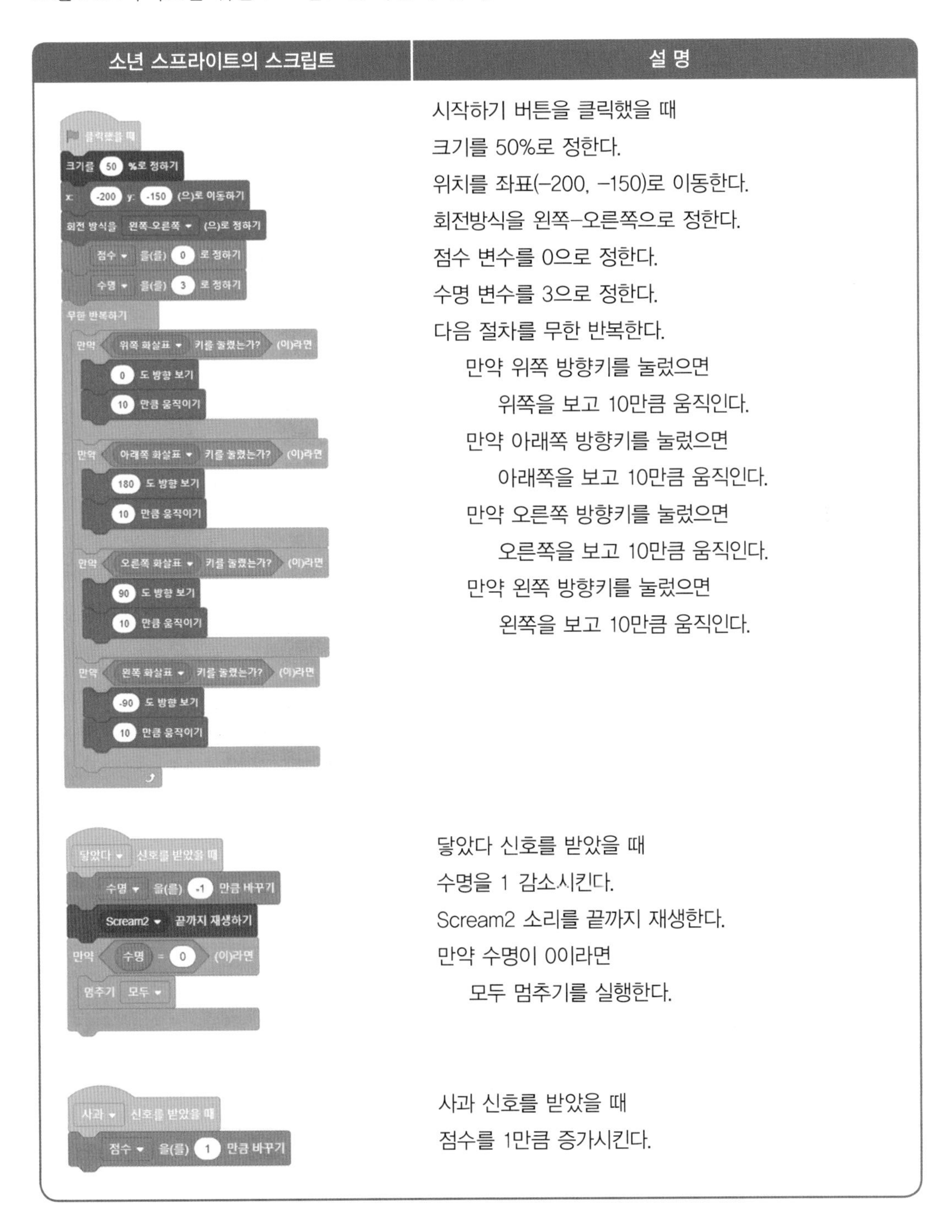

소년 스프라이트의 스크립트	설 명
클릭했을 때 크기를 50 %로 정하기 x: -200 y: -150 (으)로 이동하기 회전 방식을 왼쪽-오른쪽 (으)로 정하기 점수 을(를) 0 로 정하기 수명 을(를) 3 로 정하기 무한 반복하기 만약 위쪽 화살표 키를 눌렀는가? (이)라면 0 도 방향 보기 10 만큼 움직이기 만약 아래쪽 화살표 키를 눌렀는가? (이)라면 180 도 방향 보기 10 만큼 움직이기 만약 오른쪽 화살표 키를 눌렀는가? (이)라면 90 도 방향 보기 10 만큼 움직이기 만약 왼쪽 화살표 키를 눌렀는가? (이)라면 -90 도 방향 보기 10 만큼 움직이기	시작하기 버튼을 클릭했을 때 크기를 50%로 정한다. 위치를 좌표(–200, –150)로 이동한다. 회전방식을 왼쪽–오른쪽으로 정한다. 점수 변수를 0으로 정한다. 수명 변수를 3으로 정한다. 다음 절차를 무한 반복한다. 만약 위쪽 방향키를 눌렀으면 위쪽을 보고 10만큼 움직인다. 만약 아래쪽 방향키를 눌렀으면 아래쪽을 보고 10만큼 움직인다. 만약 오른쪽 방향키를 눌렀으면 오른쪽을 보고 10만큼 움직인다. 만약 왼쪽 방향키를 눌렀으면 왼쪽을 보고 10만큼 움직인다.
닿았다 신호를 받았을 때 수명 을(를) -1 만큼 바꾸기 Scream2 끝까지 재생하기 만약 수명 = 0 (이)라면 멈추기 모두	닿았다 신호를 받았을 때 수명을 1 감소시킨다. Scream2 소리를 끝까지 재생한다. 만약 수명이 0이라면 모두 멈추기를 실행한다.
사과 신호를 받았을 때 점수 을(를) 1 만큼 바꾸기	사과 신호를 받았을 때 점수를 1만큼 증가시킨다.

마법사는 화면의 오른쪽 위 모서리에 위치하며 이동하지 않기 때문에 스크립트는 크기와 위치만 정하면 된다.

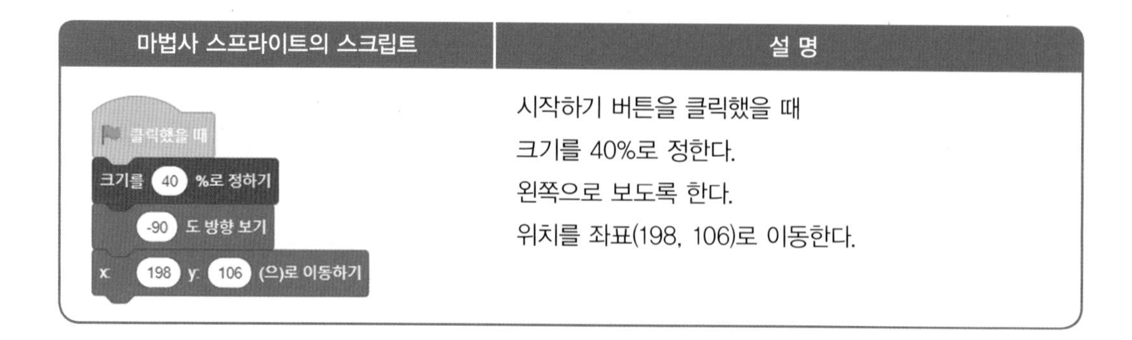

마법사 스프라이트의 스크립트	설 명
클릭했을 때 크기를 40 %로 정하기 -90 도 방향 보기 x: 198 y: 106 (으)로 이동하기	시작하기 버튼을 클릭했을 때 크기를 40%로 정한다. 왼쪽으로 보도록 한다. 위치를 좌표(198, 106)로 이동한다.

번개의 시작 위치는 마법사의 오른손이다. 원본 번개는 움직이지 않지만, 복제 기능에 의하여 생기는 번개들은 임의의 방향으로 이동한다. 이동 중에 벽에 닿으면 튕기기를 하며 계속 이동한다. 번개는 계속 복제되어서 발생한다. 한번 발생 된 번개는 소년에 닿기 전에는 사라지지 않기 때문에 게임이 진행됨에 따라 번개는 계속 늘어나고 그만큼 소년은 피하기 어려워진다. 이와 같은 동작을 위한 번개 스프라이트의 스크립트는 다음과 같다.

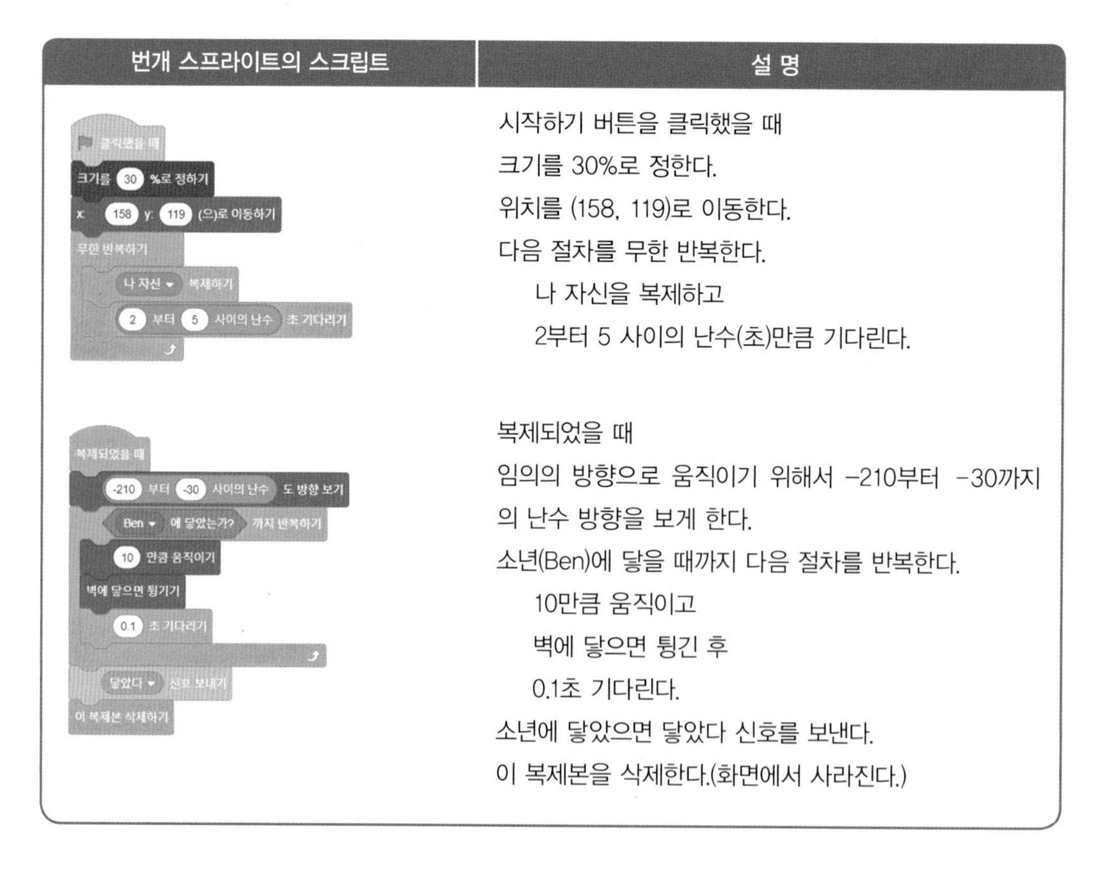

번개 스프라이트의 스크립트	설 명
클릭했을 때 크기를 30 %로 정하기 x: 158 y: 119 (으)로 이동하기 무한 반복하기 나 자신 ▾ 복제하기 2 부터 5 사이의 난수 초 기다리기	시작하기 버튼을 클릭했을 때 크기를 30%로 정한다. 위치를 (158, 119)로 이동한다. 다음 절차를 무한 반복한다. 나 자신을 복제하고 2부터 5 사이의 난수(초)만큼 기다린다.
복제되었을 때 -210 부터 -30 사이의 난수 도 방향 보기 Ben ▾ 에 닿았는가? 까지 반복하기 10 만큼 움직이기 벽에 닿으면 튕기기 0.1 초 기다리기 닿았다 ▾ 신호 보내기 이 복제본 삭제하기	복제되었을 때 임의의 방향으로 움직이기 위해서 −210부터 −30까지의 난수 방향을 보게 한다. 소년(Ben)에 닿을 때까지 다음 절차를 반복한다. 10만큼 움직이고 벽에 닿으면 튕긴 후 0.1초 기다린다. 소년에 닿았으면 닿았다 신호를 보낸다. 이 복제본을 삭제한다.(화면에서 사라진다.)

사과는 마법사의 왼손에 위치한 후, 복제 기능을 이용하여 임의의 시간 간격을 두고 임의의 위치에 계속 나타난다. 그러므로 스프라이트 복제 기능을 이용하여 계속 발생시킨다. 소년에 닿으면

점수가 1 증가하고 사과는 사라진다. 사과에 닿았을 때 소리효과를 위해서 Zoop 소리를 재생한다. 이와 같은 동작을 위한 스크립트는 다음과 같다.

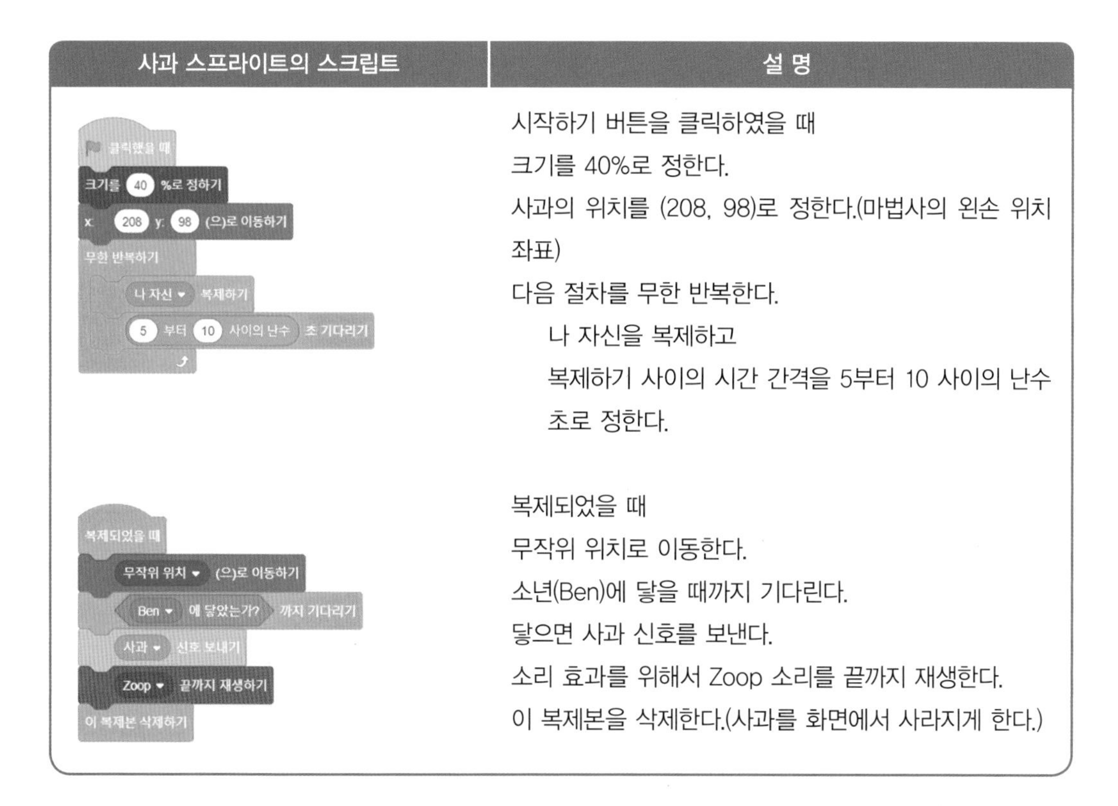

사과 스프라이트의 스크립트	설 명
클릭했을 때 크기를 40 %로 정하기 x: 208 y: 98 (으)로 이동하기 무한 반복하기 나 자신 ▾ 복제하기 5 부터 10 사이의 난수 초 기다리기	시작하기 버튼을 클릭하였을 때 크기를 40%로 정한다. 사과의 위치를 (208, 98)로 정한다.(마법사의 왼손 위치 좌표) 다음 절차를 무한 반복한다. 나 자신을 복제하고 복제하기 사이의 시간 간격을 5부터 10 사이의 난수 초로 정한다.
복제되었을 때 무작위 위치 ▾ (으)로 이동하기 Ben ▾ 에 닿았는가? 까지 기다리기 사과 ▾ 신호 보내기 Zoop ▾ 끝까지 재생하기 이 복제본 삭제하기	복제되었을 때 무작위 위치로 이동한다. 소년(Ben)에 닿을 때까지 기다린다. 닿으면 사과 신호를 보낸다. 소리 효과를 위해서 Zoop 소리를 끝까지 재생한다. 이 복제본을 삭제한다.(사과를 화면에서 사라지게 한다.)

11.4 인어와 친구들

그림 11.10 인어와 친구들 실행 화면

(1) 개요

- 인어가 바닷속 친구들과 축제를 즐기는 장면을 묘사한다.
- 바닷속 물고기들은 계속 좌우로 이동한다.
- 처음에 인어는 왼쪽에서 오른쪽으로 움직이면 점점 커진다.
- 스페이스 키를 누르면 인어가 왼손을 뻗어 보석에 닿을 수 있다.
- 보석에 닿으면 음악이 반복적으로 재생되고 인어의 친구들이 춤을 춘다.
- 위쪽 보석에 닿으면 문어와 게가 춤을 춘다.
- 아래쪽 보석에 닿으면 불가사리와 해파리가 춤을 춘다.
- 배경은 바닷속 이미지를 이용하고 배경 음악이 계속 재생된다.

(2) 사용되는 스프라이트, 무대 배경 그리고 소리

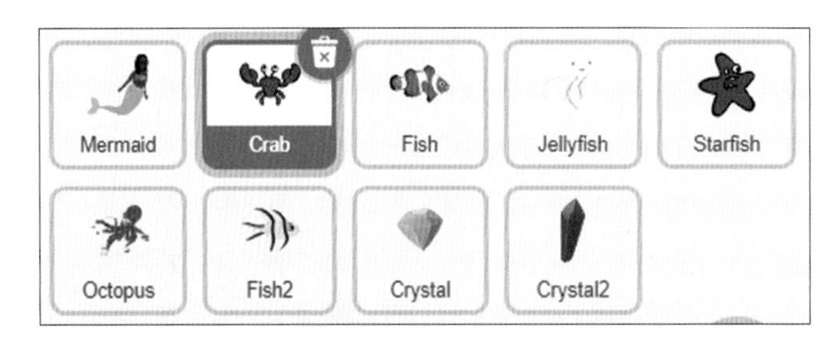

그림 11.11 사용되는 스프라이트들과 무대 배경

인어를 위한 스프라이트는 Mermaid가 스프라이트 고르기에서 제공된다. 인어의 친구들로는 게, 해파리, 불가사리, 문어, 물고기 등이 있다. 이들에 대한 스프라이트는 모두 스크래치에서 제공되는 것들로 Crab, Jellyfish, Starfish, Octopus, Fish 등을 스프라이트 고르기에서 선택하여 추가한다. 그리고 인어가 음악 재생을 위해서 닿아야 하는 보석을 위해서 Crystal을 추가한다. Fish2와, Crystal2는 Fish와 Crystal 스프라이트를 복사한 다음, 다른 모양을 선택하여 사용한다.

무대 배경으로는 바다 속 이미지를 제공하는 Underwater 1을 배경 고르기에서 추가한다. 무대에서 소리 탭의 소리 고르기를 이용하여 배경 음악으로 사용할 Drip Drop을 추가한다. 그림 11.12는 Drip Drop을 추가한 소리 탭의 화면이다.

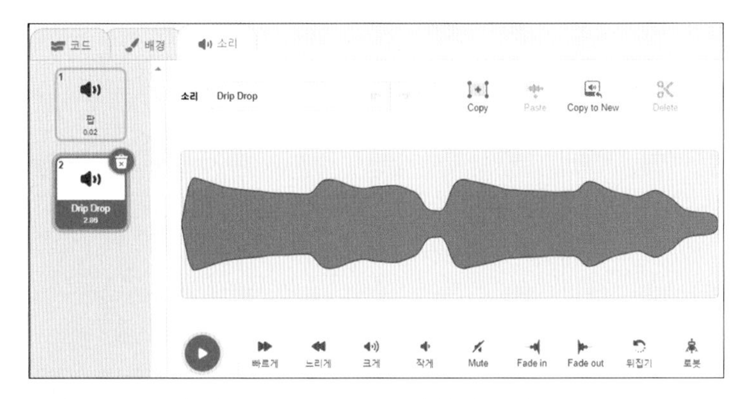

그림 11.12 소리 탭에서 Drip Drop 소리 추가 화면

댄스를 위한 음악을 재생하기 위해서는 보석 스프라이트에 소리 탭에서 소리 고르기로 Cave 소리를 등록해야 한다. 보석2 스프라이트에서는 Dance Energetic 소리를 등록한다.

(3) 스크립트

시작하기 버튼을 클릭하면 인어는 화면의 왼쪽 윗부분에서부터 오른쪽으로 점점 커지면서 이동하여 멈춘다. 멈춘 위치에서 스페이스 키를 누르면 인어는 손으로 보석을 터치하게 되며, 이에 따라 음악이 재생된다. 인어는 위쪽, 아래쪽, 왼쪽, 오른쪽 방향키에 의해서 이동하게 되는데 화면 오른쪽 아래에 또 다른 보석이 있다. 이 보석에게 다가가서 스페이스 키를 누르면 인어가 손을 뻗어 보석을 터치한다. 그러면 또 다른 음악이 재생된다. 이상의 시나리오에 따라 동작하도록 프로그래밍하면 스크립트는 다음과 같다.

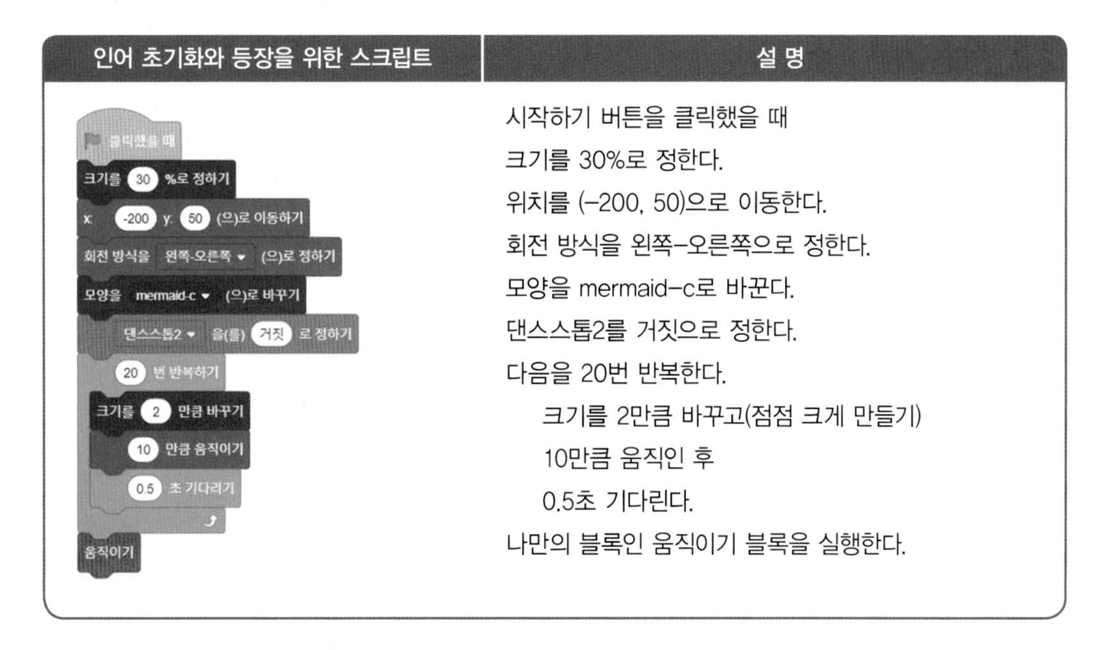

인어 초기화와 등장을 위한 스크립트	설 명
클릭했을 때	시작하기 버튼을 클릭했을 때
크기를 30 %로 정하기	크기를 30%로 정한다.
x: -200 y: 50 (으)로 이동하기	위치를 (–200, 50)으로 이동한다.
회전 방식을 왼쪽-오른쪽 (으)로 정하기	회전 방식을 왼쪽–오른쪽으로 정한다.
모양을 mermaid-c (으)로 바꾸기	모양을 mermaid–c로 바꾼다.
댄스스톱2 을(를) 거짓 로 정하기	댄스스톱2를 거짓으로 정한다.
20 번 반복하기	다음을 20번 반복한다.
크기를 2 만큼 바꾸기	크기를 2만큼 바꾸고(점점 크게 만들기)
10 만큼 움직이기	10만큼 움직인 후
0.5 초 기다리기	0.5초 기다린다.
움직이기	나만의 블록인 움직이기 블록을 실행한다.

인어가 손을 뻗는 동작을 나타내기 위해서 인어 스프라이트의 모양 중에서 mermaid-c와 mermaid-d를 바꾸어서 보여줌으로써 동작을 연출한다. 그림 11.13이 인어 스프라이트의 모양 중에서 이에 해당하는 것이다.

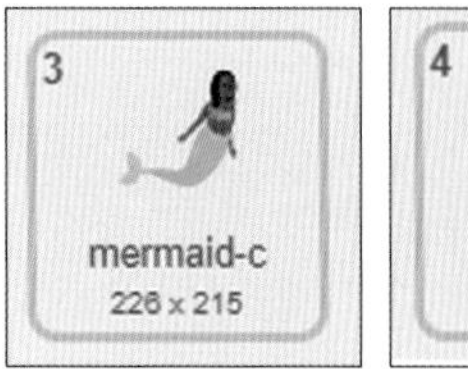

그림 11.13 인어 스프라이트의 모양들

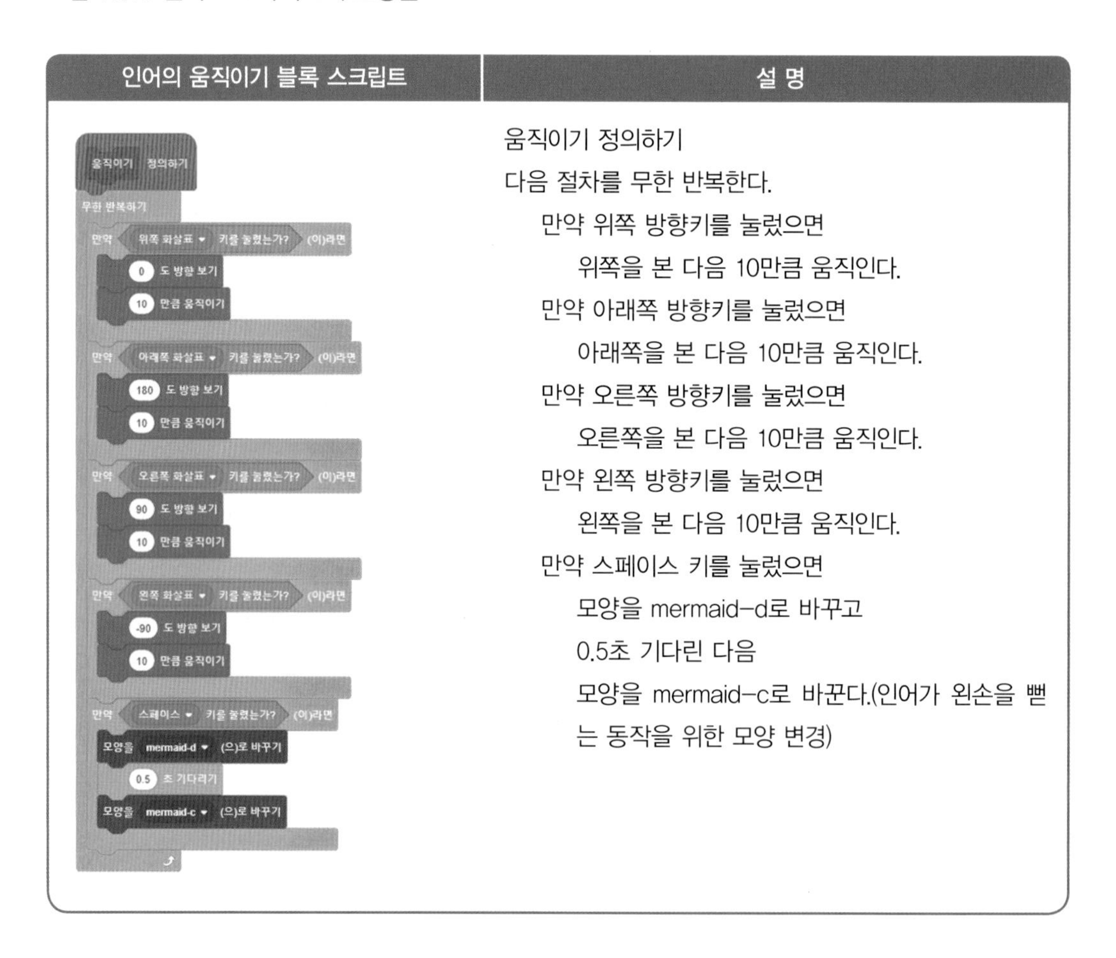

인어의 움직이기 블록 스크립트	설 명
움직이기 정의하기 무한 반복하기 만약 위쪽 화살표 키를 눌렀는가? (이)라면 0 도 방향 보기 10 만큼 움직이기 만약 아래쪽 화살표 키를 눌렀는가? (이)라면 180 도 방향 보기 10 만큼 움직이기 만약 오른쪽 화살표 키를 눌렀는가? (이)라면 90 도 방향 보기 10 만큼 움직이기 만약 왼쪽 화살표 키를 눌렀는가? (이)라면 -90 도 방향 보기 10 만큼 움직이기 만약 스페이스 키를 눌렀는가? (이)라면 모양을 mermaid-d (으)로 바꾸기 0.5 초 기다리기 모양을 mermaid-c (으)로 바꾸기	움직이기 정의하기 다음 절차를 무한 반복한다. 만약 위쪽 방향키를 눌렀으면 위쪽을 본 다음 10만큼 움직인다. 만약 아래쪽 방향키를 눌렀으면 아래쪽을 본 다음 10만큼 움직인다. 만약 오른쪽 방향키를 눌렀으면 오른쪽을 본 다음 10만큼 움직인다. 만약 왼쪽 방향키를 눌렀으면 왼쪽을 본 다음 10만큼 움직인다. 만약 스페이스 키를 눌렀으면 모양을 mermaid-d로 바꾸고 0.5초 기다린 다음 모양을 mermaid-c로 바꾼다.(인어가 왼손을 뻗는 동작을 위한 모양 변경)

인어가 화면의 오른쪽 아래에 있는 두 번째 보석을 터치하면 불가사리, 해파리와 함께 인어가 춤을 춘다. 인어의 춤추는 동작을 나타내기 위해서 모양 중에서 mermaid-b와 mermaid-c를 교대로 나타낸다. 이들의 모양은 그림 11.14와 같다.

그림 11.14 인어의 춤추는 동작을 위한 모양

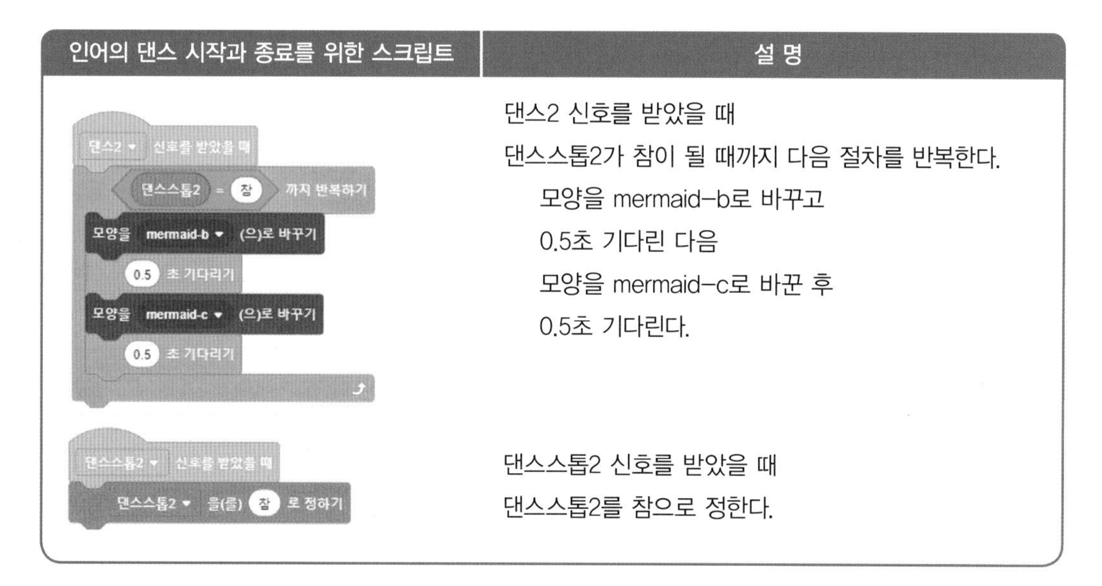

인어의 댄스 시작과 종료를 위한 스크립트	설 명
댄스2 ▾ 신호를 받았을 때 댄스스톱2 = 참 까지 반복하기 모양을 mermaid-b ▾ (으)로 바꾸기 0.5 초 기다리기 모양을 mermaid-c ▾ (으)로 바꾸기 0.5 초 기다리기	댄스2 신호를 받았을 때 댄스스톱2가 참이 될 때까지 다음 절차를 반복한다. 모양을 mermaid-b로 바꾸고 0.5초 기다린 다음 모양을 mermaid-c로 바꾼 후 0.5초 기다린다.
댄스스톱2 ▾ 신호를 받았을 때 댄스스톱2 ▾ 을(를) 참 로 정하기	댄스스톱2 신호를 받았을 때 댄스스톱2를 참으로 정한다.

물고기는 화면 오른쪽에서 왼쪽으로 왼쪽에서 오른쪽으로 움직인다. 물고기는 두 마리로 Fish 스프라이트의 모양에서 fish-a와 fish-c를 이용하여 나타낸다. 물고기 스프라이트는 인어의 동작과는 관련 없고 스크립트는 다음과 같이 단순하다.

물고기(Fish) 스크립트	설 명
클릭했을 때 회전 방식을 왼쪽-오른쪽 ▾ (으)로 정하기 x: 120 y: 50 (으)로 이동하기 크기를 50 %로 정하기 -90 도 방향 보기 무한 반복하기 10 만큼 움직이기 벽에 닿으면 튕기기 0.2 초 기다리기	시작하기 버튼을 클릭했을 때 회전 방식을 왼쪽-오른쪽으로 정한다.(물고기가 거꾸로 회전하는 것을 막기 위함이다.) 위치를 좌표(120, 50)로 이동한다. 크기를 50%로 정한다. 왼쪽 보기를 한다. 다음 절차를 무한 반복한다. 10만큼 움직이고 벽에 닿으면 튕긴 후 움직임의 속도를 줄이기 위해서 0.2초 기다린다.

다른 물고기(Fish2) 스프라이트의 동작은 앞의 물고기(Fish) 스프라이트와 동일하며 단지 모양을 fish-c로 바꾸고 위치와 방향이 다르다.

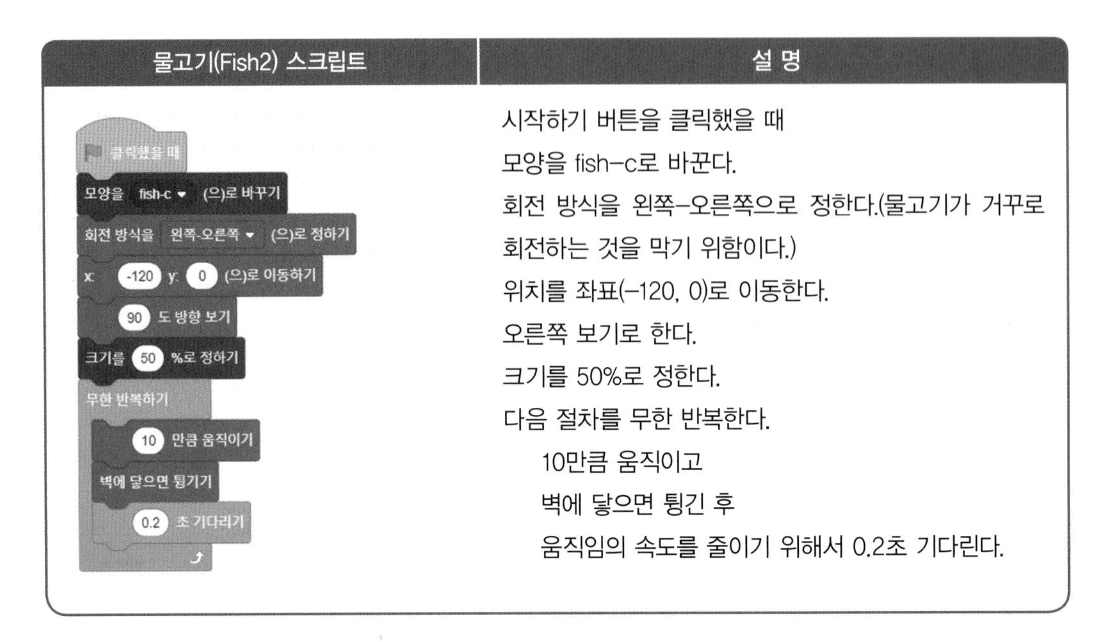

물고기(Fish2) 스크립트	설 명
클릭했을 때 모양을 fish-c (으)로 바꾸기 회전 방식을 왼쪽-오른쪽 (으)로 정하기 x: -120 y: 0 (으)로 이동하기 90 도 방향 보기 크기를 50 %로 정하기 무한 반복하기 10 만큼 움직이기 벽에 닿으면 튕기기 0.2 초 기다리기	시작하기 버튼을 클릭했을 때 모양을 fish-c로 바꾼다. 회전 방식을 왼쪽-오른쪽으로 정한다.(물고기가 거꾸로 회전하는 것을 막기 위함이다.) 위치를 좌표(-120, 0)로 이동한다. 오른쪽 보기로 한다. 크기를 50%로 정한다. 다음 절차를 무한 반복한다. 10만큼 움직이고 벽에 닿으면 튕긴 후 움직임의 속도를 줄이기 위해서 0.2초 기다린다.

인어가 보석(Crystal)을 터치했을 때 음악이 재생되면서 게는 동시에 춤을 춘다. 따라서 게는 댄스 신호를 받았을 때 애니메이션 효과를 이용하여 춤을 추도록 프로그래밍한다. 다음 스크립트는 게의 동작을 프로그래밍한 것이다.

게(Crab) 스크립트	설 명
클릭했을 때 크기를 60 %로 정하기 댄스스톱 을(를) 거짓 로 정하기	시작하기 버튼을 클릭했을 때 크기를 60%로 정한다. 댄스스톱 변수를 거짓으로 한다.
댄스스톱 신호를 받았을 때 댄스스톱 을(를) 참 로 정하기	댄스스톱 신호를 받았을 때 댄스스톱 변수를 참으로 정한다.
댄스 신호를 받았을 때 댄스스톱 = 참 까지 반복하기 댄스동작	댄스 신호를 받았을 때 댄스스톱 변수가 참이 될 때까지 댄스동작을 반복한다.

댄스 동작 정의하기
크기를 50%로 줄인다.
모양을 다음 모양으로 바꾼다.
20만큼 움직인다.
0.5초 기다린 다음에
왼쪽으로 –20만큼 움직인다.(좌우로 움직이도록 한다.)
0.5초 기다린다.
크기를 60%로 키운다.
모양을 다음 모양으로 바꾼다.
20만큼 움직인다.
0.5초 기다린 다음에
왼쪽으로 20만큼 움직인다.(좌우로 움직이도록 한다.)
0.5초 기다린다.

댄스 동작 블록 정의하기는 게의 춤 동작을 위한 모양 변경, 크기 조절과 위치 변경을 반복적으로 실행하도록 하였다.

해파리는 정해진 위치에서 좌우로 100만큼 계속 움직인다. 그리고 인어가 보석2(Crystal2)를 터치했을 때 해파리의 색깔이 계속 바뀌면서 움직인다. 해파리를 위한 스크립트는 다음과 같다.

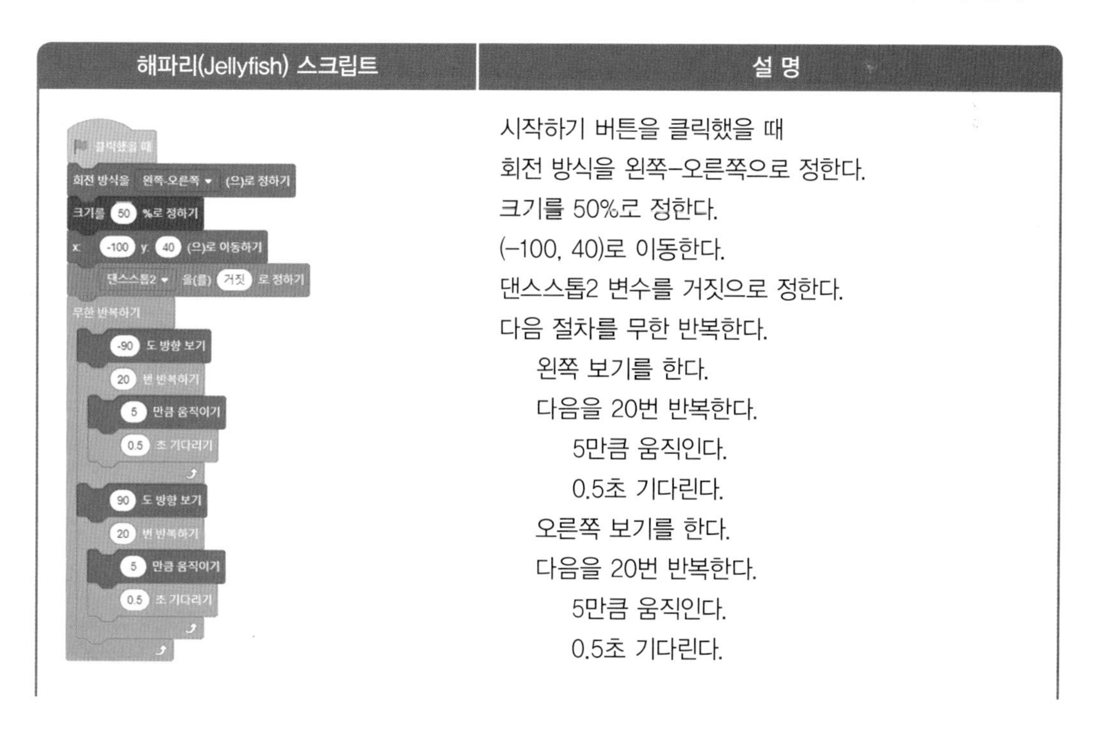

해파리(Jellyfish) 스크립트	설 명
	시작하기 버튼을 클릭했을 때 회전 방식을 왼쪽–오른쪽으로 정한다. 크기를 50%로 정한다. (–100, 40)로 이동한다. 댄스스톱2 변수를 거짓으로 정한다. 다음 절차를 무한 반복한다. 왼쪽 보기를 한다. 다음을 20번 반복한다. 5만큼 움직인다. 0.5초 기다린다. 오른쪽 보기를 한다. 다음을 20번 반복한다. 5만큼 움직인다. 0.5초 기다린다.

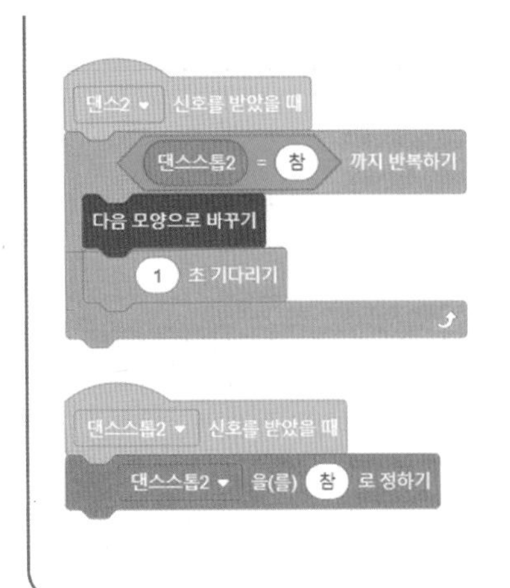

댄스2 신호를 받았을 때
댄스스톱2가 참이 될 때까지 다음 절차를 반복한다.
다음 모양으로 바꾼다.
1초 기다린다.

댄스스톱2 신호를 받았을 때
댄스스톱2 변수를 참으로 정한다.

댄스2 신호는 보석2(Crystal2)를 터치했을 때 보석2가 전달하는 것이고 댄스스톱2는 음악연주가 끝났을 때 춤추기를 멈출 것을 지시하기 위해 보석2가 전달하는 신호이다.

불가사리(Starfish)도 해파리와 유사한 동작을 한다. 즉 처음엔 정해진 위치에 멈추고 있다가 인어가 보석2(Crystal2)을 터치했을 때 보석2가 전달하는 댄스2 신호를 받고 춤추기 시작하고, 댄스스톱2 신호를 받으면 춤추기를 멈춘다. 불가사리 스크립트는 다음과 같다.

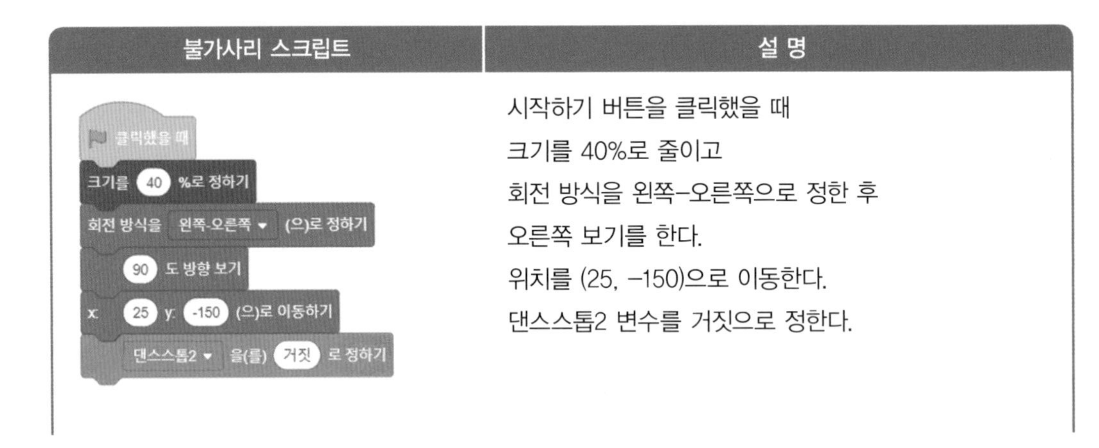

불가사리 스크립트	설 명
클릭했을 때 크기를 40 %로 정하기 회전 방식을 왼쪽-오른쪽 (으)로 정하기 90 도 방향 보기 x: 25 y: -150 (으)로 이동하기 댄스스톱2 을(를) 거짓 로 정하기	시작하기 버튼을 클릭했을 때 크기를 40%로 줄이고 회전 방식을 왼쪽–오른쪽으로 정한 후 오른쪽 보기를 한다. 위치를 (25, –150)으로 이동한다. 댄스스톱2 변수를 거짓으로 정한다.

댄스2 신호를 받았을 때
댄스스톱2 변수가 참이 될 때까지 다음 절차를 반복한다.
1만큼 움직이고 크기를 10만큼 키운다.
모양을 다음 모양으로 바꾸고 벽에 닿으면 튕긴다.
0.3초 기다린 다음 1만큼 움직이고 크기를 10만큼 줄인다.
모양을 다음 모양으로 바꾸고 벽에 닿으면 튕긴 후 0.3초 기다린다.

댄스스톱2 신호를 받았을 때
댄스스톱2 변수를 참으로 정한다.(춤추기를 멈추기 위해 변수를 참으로 한다.)

문어(Octopus)는 초기에 정해진 위치에서 멈추어 있다가 인어가 보석(Crystal)을 터치하면 춤추기 시작한다. 문어는 상하로 100만큼의 거리를 움직이면서 다음 모양으로 바꾸어가며 애니메이션 효과를 얻는다. 춤추기의 시작과 끝은 댄스, 댄스스톱 신호를 보석이 전달하고 이를 문어가 받았을 때 동작하도록 프로그래밍한다. 문어 스프라이트를 위한 스크립트는 다음과 같다.

문어(Octopus) 스크립트	설 명
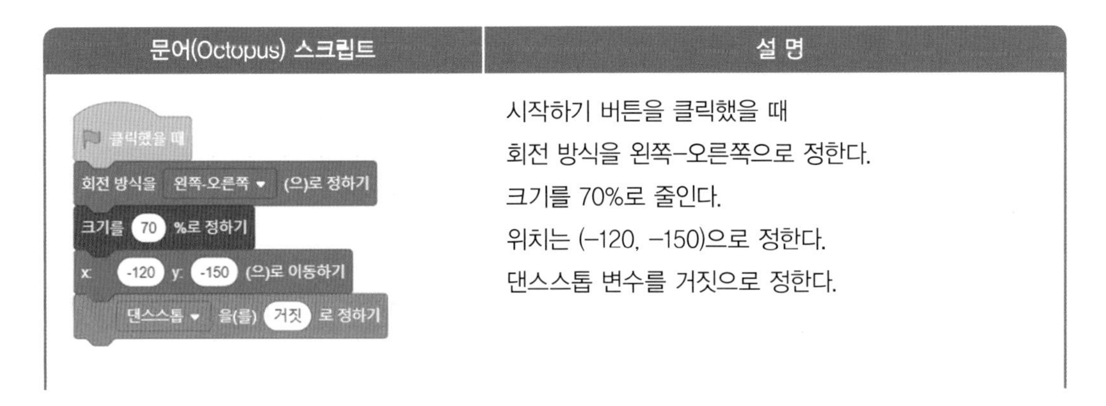	시작하기 버튼을 클릭했을 때 회전 방식을 왼쪽-오른쪽으로 정한다. 크기를 70%로 줄인다. 위치는 (−120, −150)으로 정한다. 댄스스톱 변수를 거짓으로 정한다.

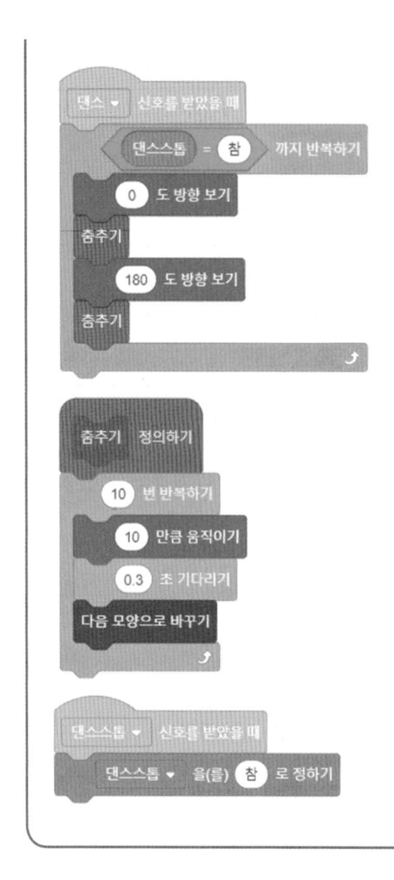

댄스 신호를 받았을 때
댄스스톱이 참이 될 때까지 다음 절차를 반복한다.
　위쪽 방향 보기를 실행한다.
　춤추기 블록을 실행한다.
　아래쪽 보기를 실행한다.
　춤추기 블록을 실행한다.

춤추기 블록 정의하기
다음 절차를 10번 반복한다.
　10만큼 움직이고
　0.3초 기다린 후 다음
　모양으로 바꾼다.

댄스스톱 신호를 받았을 때
댄스스톱을 참으로 정한다.

보석과 보석2는 인어가 터치를 했을 때 다른 스프라이트들에게 춤추기를 알리고 음악을 재생하는 기능을 수행한다. 연주가 끝나면 춤추기를 멈추기 위한 신호를 보낸다. 보석과 보석2에 대한 스크립트는 다음과 같다.

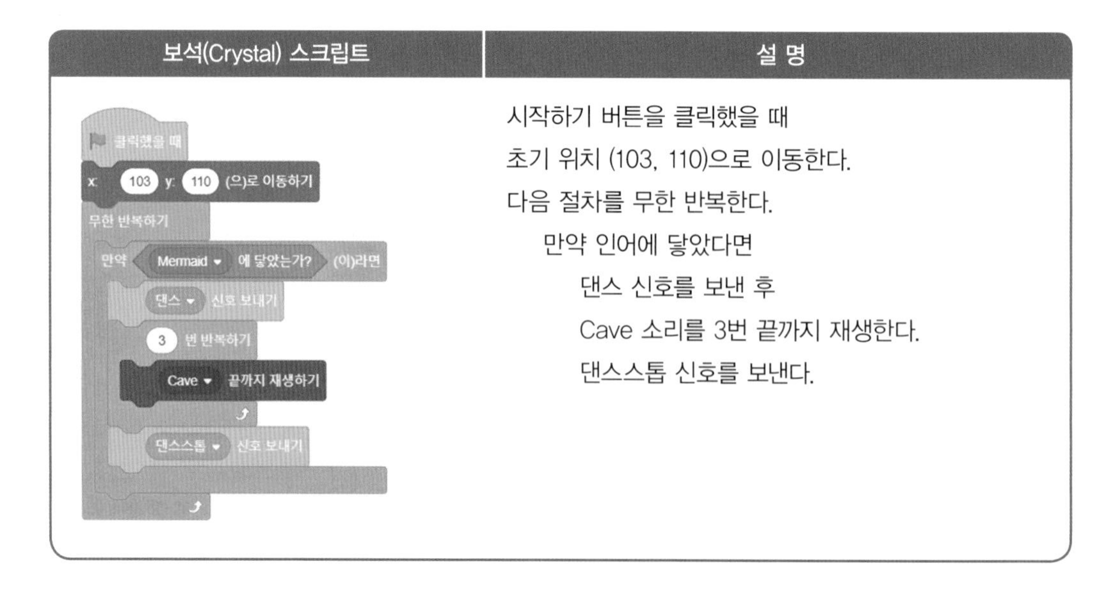

보석(Crystal) 스크립트	설 명
	시작하기 버튼을 클릭했을 때 초기 위치 (103, 110)으로 이동한다. 다음 절차를 무한 반복한다. 　만약 인어에 닿았다면 　　댄스 신호를 보낸 후 　　Cave 소리를 3번 끝까지 재생한다. 　　댄스스톱 신호를 보낸다.

보석2(Crystal2) 스크립트	설 명
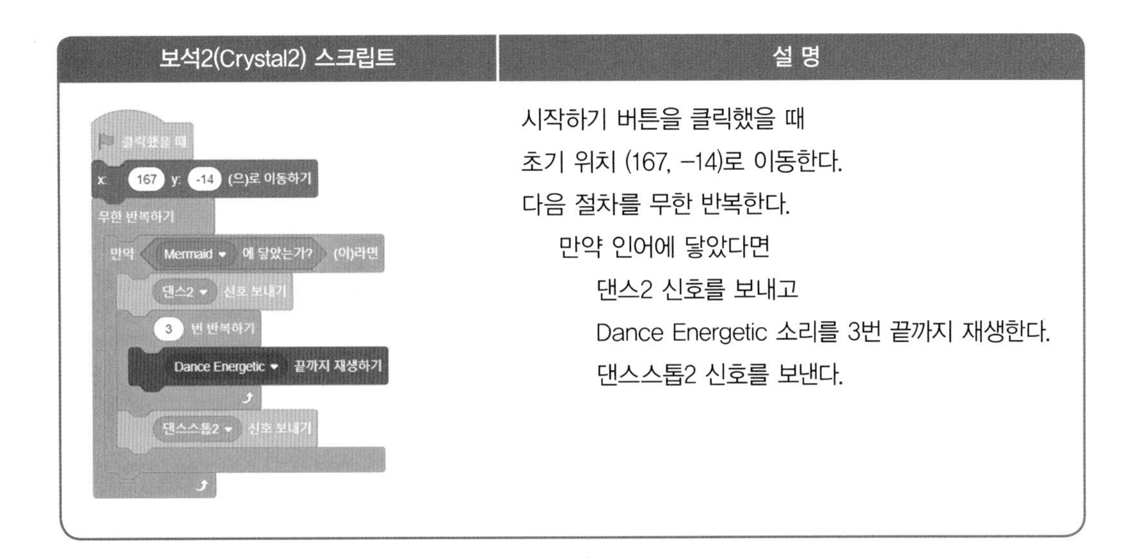	시작하기 버튼을 클릭했을 때 초기 위치 (167, −14)로 이동한다. 다음 절차를 무한 반복한다. 만약 인어에 닿았다면 댄스2 신호를 보내고 Dance Energetic 소리를 3번 끝까지 재생한다. 댄스스톱2 신호를 보낸다.

무대 배경에서는 바닷속 분위기를 연출하기 위해서 계속적으로 Drip Drop 소리를 연주하도록 하였다.

무대 스크립트	설 명
클릭했을 때 무한 반복하기 Drip Drop ▾ 끝까지 재생하기	시작하기 버튼을 클릭했을 때 다음 절차를 무한 반복한다. Drip Drop 소리를 끝까지 재생한다.

11.5 우주 전쟁 게임

그림 11.15 우주전쟁 게임 실행 화면

(1) 개요

- 우주선은 화면 하단에서 키보드 방향키에 의하여 좌우로 이동한다.
- 스페이스를 누르면 우주선에서 미사일이 발사된다.
- 화면 상단에서는 5대의 우주 로봇이 내려온다.
- 우주 로봇이 내려오는 속도는 임의로 정해진다.
- 우주 로봇이 미사일에 맞으면, 점수가 1 증가한다.
- 우주 로봇이 미사일에 맞으면 사라지고, 다시 화면 상단에서 내려온다.
- 우주 로봇에 우주선이 닿으면 게임은 종료된다.

(2) 사용되는 스프라이트와 무대 배경, 소리

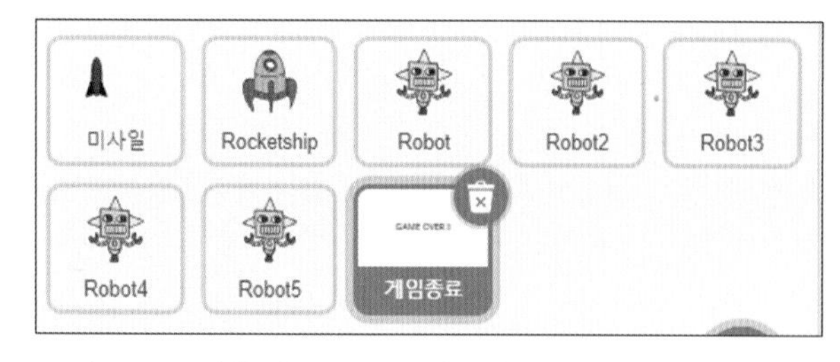

그림 11.16 사용되는 스프라이트와 무대 배경

게임을 위한 스프라이트로는 우주선을 위해서 Rocketship을 선택하고, 우주 로봇을 위해서는 Robot을 스프라이트 고르기에서 고른다. 미사일은 스프라이트 그리기에서 모양 편집기 기능을 이용해서 그린다. 편집기의 중앙에 있는 모양의 중심을 가운데 위치하도록 미사일을 그린다. 그림 11.17은 모양 편집기에서 그린 미사일 모양을 보여준다.

그림 11.17 미사일과 게임 종료 스프라이트 편집 화면

로봇은 동일한 모양의 스프라이트를 총 5개 이용한다. 이를 위해서 Robot 스프라이트를 복사하여 4개를 더 추가한다. 그림 11.18은 Robot 스프라이트 모양을 편집기에서 아래 연기 부분을 삭제하기 위해서 선택한 화면을 보여준다. 이 부분을 삭제한 그림을 로봇 모양으로 사용하였다.

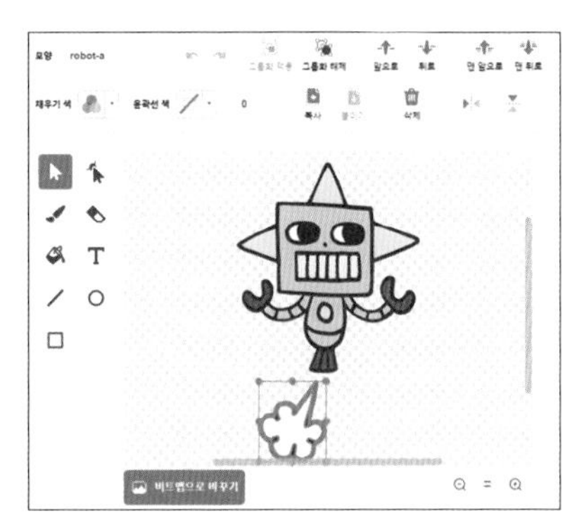

그림 11.18 로봇 모양 편집 화면

한편 소리효과를 위해서 미사일 스프라이트에는 Pop 소리를 추가하여 발사된 미사일이 로봇에 맞았을 때 소리효과로 사용한다. 또 로봇 스프라이트에는 Oops 소리를 추가하여 우주선이 로봇에 닿았을 때 우주선이 고장나는 장면의 소리효과를 나타낸다.

(3) 스크립트

우주선은 왼쪽, 오른쪽 방향키를 이용하여 좌우로 움직인다. 그리고 스페이스 키에 의해서 미사일이 발사된다. 우주선은 내려오는 로봇에 닿으면 정지되면서 게임이 종료된다. 따라서 미사일을 발사하여 내려오는 로봇을 맞춤으로써 점수도 올리고 로봇과의 충돌을 피할 수 있다. 이를 위한 우주선의 스크립트는 다음과 같다.

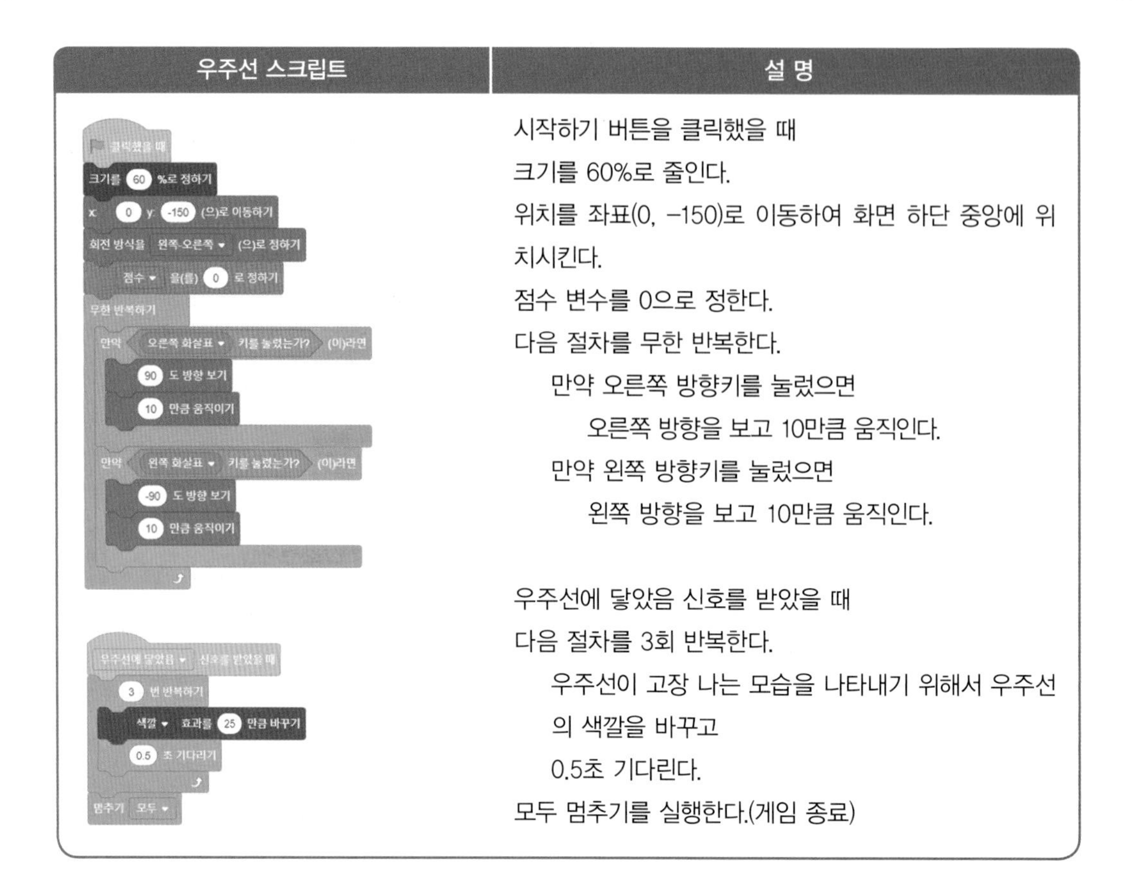

우주선 스크립트	설 명
클릭했을 때 크기를 60 %로 정하기 x: 0 y: -150 (으)로 이동하기 회전 방식을 왼쪽-오른쪽 (으)로 정하기 점수 을(를) 0 로 정하기 무한 반복하기 만약 오른쪽 화살표 키를 눌렀는가? (이)라면 90 도 방향 보기 10 만큼 움직이기 만약 왼쪽 화살표 키를 눌렀는가? (이)라면 -90 도 방향 보기 10 만큼 움직이기	시작하기 버튼을 클릭했을 때 크기를 60%로 줄인다. 위치를 좌표(0, −150)로 이동하여 화면 하단 중앙에 위치시킨다. 점수 변수를 0으로 정한다. 다음 절차를 무한 반복한다. 만약 오른쪽 방향키를 눌렀으면 오른쪽 방향을 보고 10만큼 움직인다. 만약 왼쪽 방향키를 눌렀으면 왼쪽 방향을 보고 10만큼 움직인다.
우주선에 닿았음 신호를 받았을 때 3 번 반복하기 색깔 효과를 25 만큼 바꾸기 0.5 초 기다리기 멈추기 모두	우주선에 닿았음 신호를 받았을 때 다음 절차를 3회 반복한다. 우주선이 고장 나는 모습을 나타내기 위해서 우주선의 색깔을 바꾸고 0.5초 기다린다. 모두 멈추기를 실행한다.(게임 종료)

미사일은 우주선의 뒤에 위치하기 때문에 화면에 나타나지는 않는다. 그러나 스페이스 키에 의하여 발사되는 동작을 만들기 위해서 복제되어 화면의 위쪽으로 이동한다. 다음은 미사일 스프라이트를 위한 스크립트이다.

미사일 스크립트 1	설 명
클릭했을 때 0 도 방향 보기 회전 방식을 왼쪽-오른쪽 (으)로 정하기 무한 반복하기 x: Rocketship 의 x좌표 y: -140 (으)로 이동하기	시작하기 버튼을 클릭했을 때 위쪽을 본다. 회전 방식을 왼쪽−오른쪽으로 정한다. 다음 절차를 무한 반복한다. 우주선의 x 좌표에 따라 미사일의 x 좌표를 맞춘다.(미사일은 우주선을 따라 함께 움직이도록 한다.)

미사일 스크립트 2	설 명
스페이스 ▾ 키를 눌렀을 때 나 자신 ▾ 복제하기 0.5 초 기다리기	스페이스 키를 눌렀을 때 나 자신을 복제한다. 0.5초 기다린다.(연속적으로 누를 경우에 시간 지연을 주기 위함이다.)

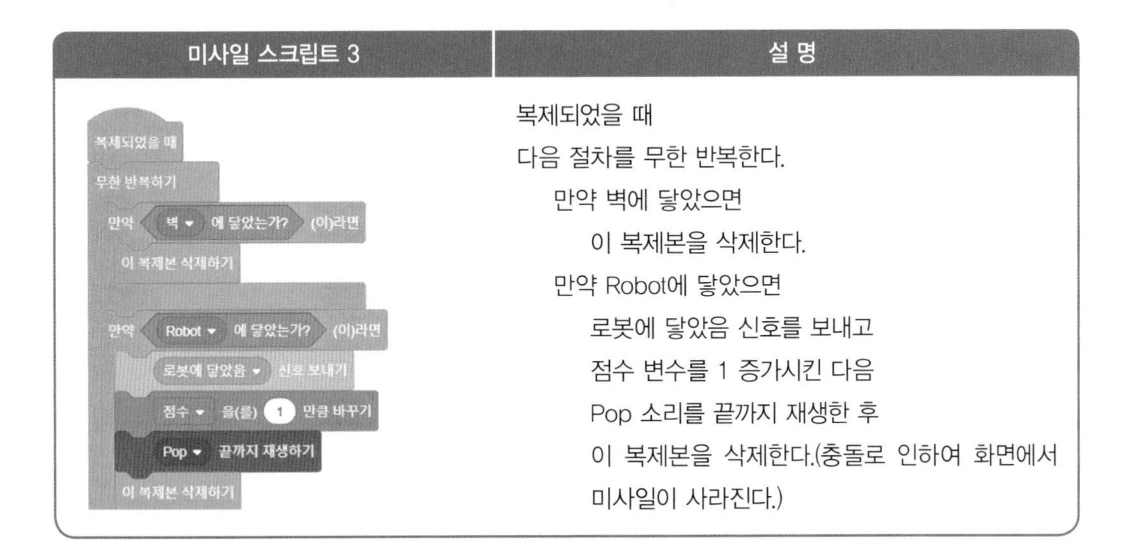

미사일 스크립트 3	설 명
복제되었을 때 무한 반복하기 만약 벽 ▾ 에 닿았는가? (이)라면 이 복제본 삭제하기 만약 Robot ▾ 에 닿았는가? (이)라면 로봇에 닿았음 ▾ 신호 보내기 점수 ▾ 을(를) 1 만큼 바꾸기 Pop ▾ 끝까지 재생하기 이 복제본 삭제하기	복제되었을 때 다음 절차를 무한 반복한다. 만약 벽에 닿았으면 이 복제본을 삭제한다. 만약 Robot에 닿았으면 로봇에 닿았음 신호를 보내고 점수 변수를 1 증가시킨 다음 Pop 소리를 끝까지 재생한 후 이 복제본을 삭제한다.(충돌로 인하여 화면에서 미사일이 사라진다.)

앞의 스크립트에서 Robot에 닿았을 때 처리하는 것과 동일한 방법으로 Robot2, Robot3, Robot4, Robot5에 대해서 처리한다. 그 다음에 위쪽으로 20만큼 움직이고 0.1초 동안 지연을 두었다.

미사일 스크립트 4	설 명
만약 Robot5 ▾ 에 닿았는가? (이)라면 로봇5에 닿았음 ▾ 신호 보내기 점수 ▾ 을(를) 1 만큼 바꾸기 Pop ▾ 끝까지 재생하기 이 복제본 삭제하기 20 만큼 움직이기 0.1 초 기다리기	만약 Robot5에 닿았으면 로봇5에 닿았음 신호를 보내고 점수를 1 증가시킨 다음 Pop 소리를 재생한 후 이 복제본을 삭제한다.(충돌로 인하여 화면에서 미사일이 사라진다.) 20만큼 움직인다. 0.1초 동안 기다린다.

5대의 로봇은 화면 상단에서 하단으로 내려오는 동일한 동작을 하지만, 각자 내려오는데 사용하는 지연 값이 서로 다르기 때문에 화면 하단까지 움직이는 속도가 각기 다르게 표현된다. 로봇은 우주선에서 발사된 미사일에 닿으면 사라지고, 다시 화면 상단의 임의의 위치에서 내려온다. 그렇기 때문에 5대의 로봇은 계속적으로 화면에 존재하게 된다. 로봇은 하나의 스프라이트를 복사하여 5대의 스프라이트로 만들었다. 움직임이 동일하므로 같은 프로그램을 그대로 사용한다. 다만 난수를 이용한 지연 값에서 차이가 생기고 미사일에 닿았을 때 로봇을 구분해야 하기 때문에 하나의 스프라이트를 복제하기로 만들지 않고 서로 독립적인 스프라이트로 구현하였다. 로봇 스크립트는 다음과 같다.

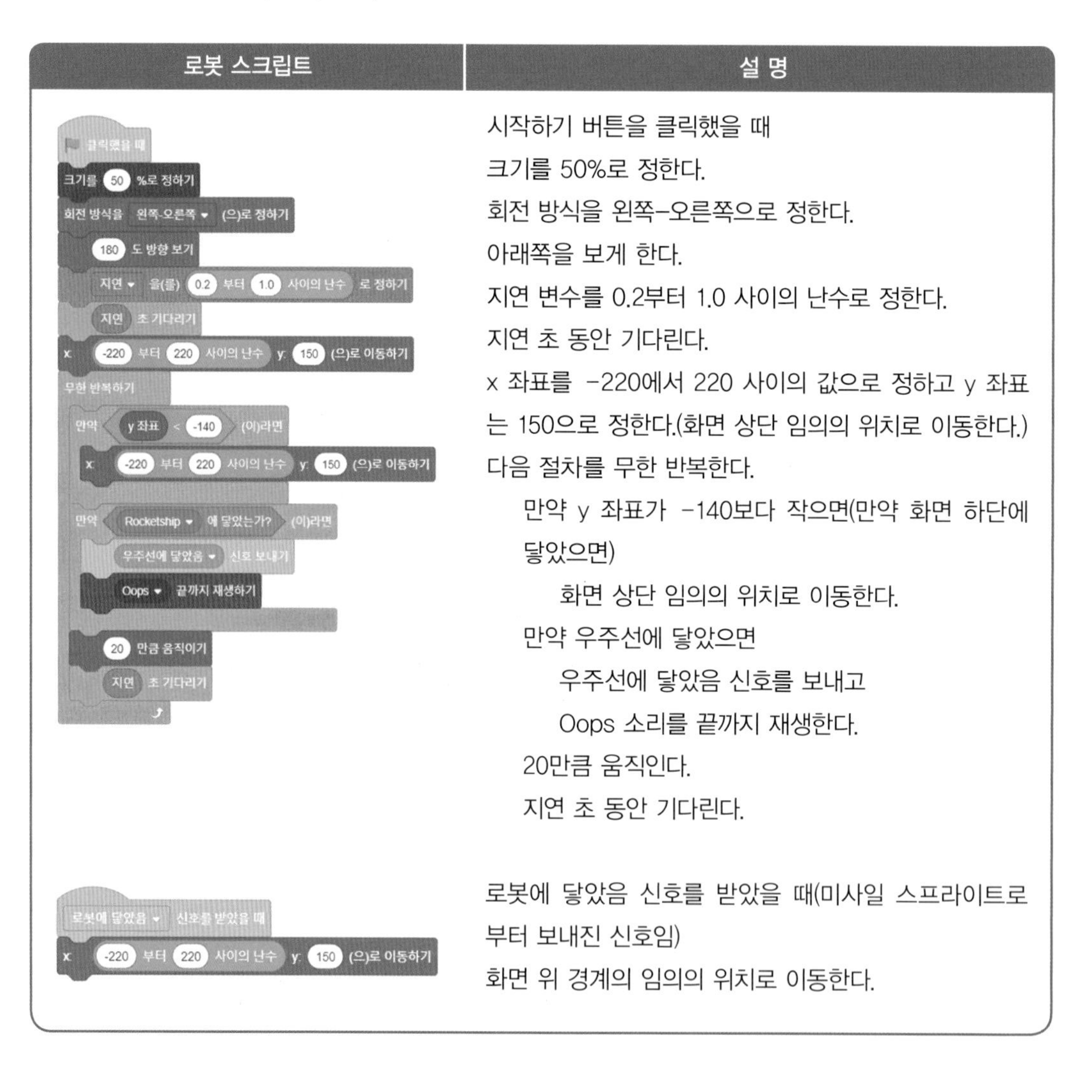

로봇 스크립트	설 명
클릭했을 때	시작하기 버튼을 클릭했을 때
크기를 50 %로 정하기	크기를 50%로 정한다.
회전 방식을 왼쪽-오른쪽 (으)로 정하기	회전 방식을 왼쪽-오른쪽으로 정한다.
180 도 방향 보기	아래쪽을 보게 한다.
지연 을(를) 0.2 부터 1.0 사이의 난수 로 정하기	지연 변수를 0.2부터 1.0 사이의 난수로 정한다.
지연 초 기다리기	지연 초 동안 기다린다.
x: -220 부터 220 사이의 난수 y: 150 (으)로 이동하기	x 좌표를 −220에서 220 사이의 값으로 정하고 y 좌표는 150으로 정한다.(화면 상단 임의의 위치로 이동한다.)
무한 반복하기	다음 절차를 무한 반복한다.
만약 y 좌표 < -140 (이)라면	만약 y 좌표가 −140보다 작으면(만약 화면 하단에 닿았으면)
x: -220 부터 220 사이의 난수 y: 150 (으)로 이동하기	화면 상단 임의의 위치로 이동한다.
만약 Rocketship 에 닿았는가? (이)라면	만약 우주선에 닿았으면
우주선에 닿았음 신호 보내기	우주선에 닿았음 신호를 보내고
Oops 끝까지 재생하기	Oops 소리를 끝까지 재생한다.
20 만큼 움직이기	20만큼 움직인다.
지연 초 기다리기	지연 초 동안 기다린다.
로봇에 닿았음 신호를 받았을 때	로봇에 닿았음 신호를 받았을 때(미사일 스프라이트로부터 보내진 신호임)
x: -220 부터 220 사이의 난수 y: 150 (으)로 이동하기	화면 위 경계의 임의의 위치로 이동한다.

복사된 다른 네 로봇도 동일한 스크립트로 프로그래밍 되었기 때문에 설명을 생략한다.

마지막으로 게임이 모두 끝나면 이를 알리는 메시지를 화면에 출력하기 위해서 게임종료 스프라이트를 만들었다. 이 스프라이트는 게임이 진행되는 동안에는 숨기기를 했다가 게임이 종료되면 보이기를 한다. 스크립트는 다음과 같이 간단하다.

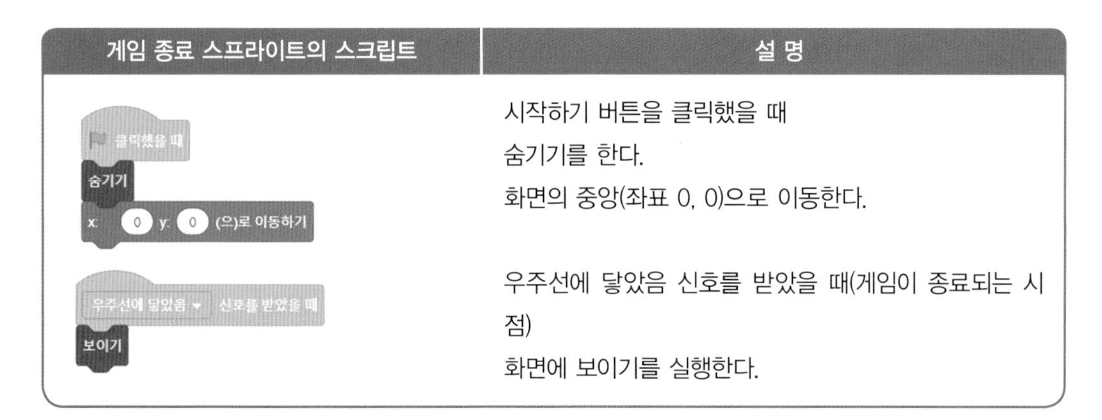

게임 종료 스프라이트의 스크립트	설 명
클릭했을 때 숨기기 x: 0 y: 0 (으)로 이동하기	시작하기 버튼을 클릭했을 때 숨기기를 한다. 화면의 중앙(좌표 0, 0)으로 이동한다.
우주선에 닿았음 ▾ 신호를 받았을 때 보이기	우주선에 닿았음 신호를 받았을 때(게임이 종료되는 시점) 화면에 보이기를 실행한다.

게임이 종료되었을 때 화면은 그림 11.19와 같다.

그림 11.19 우주 전쟁 게임 종료 화면

11.6 아날로그 시계

가정에서 흔히 볼 수 있는 아날로그 시계와 유사한 기능을 하는 프로그램을 만든다. 실행 화면은 그림 11.20과 같다.

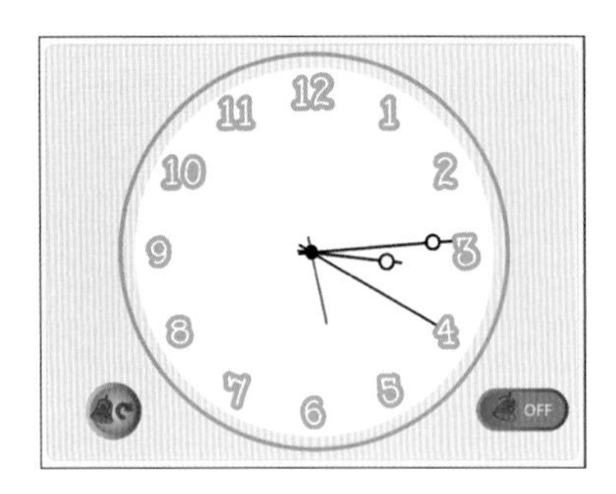

그림 11.20 아날로그 시계 실행 화면

(1) 개요

- 아날로그 시계처럼 1초마다 초침이 움직인다.
- 초침이 움직임에 따라 각도 비율을 고려하여 분침이 움직인다.
- 분침의 움직임에 따라 시침도 함께 움직인다.
- 알람기능을 갖는다.
- 왼쪽 아래 알람 조정 버튼을 클릭할 때마다 알람이 조금씩 시계방향으로 움직인다.
- 시침이 알람침과 동일한 각도에 위치하게 되면 알람이 울린다.
- 화면 오른쪽 아래에 위치한 알람 ON/OFF 버튼을 이용하여 알람을 켜거나 끌 수 있다.

(2) 사용되는 스프라이트, 무대 배경 그리고 소리

그림 11.21 사용되는 스프라이트와 무대 배경

아날로그 시계를 초침, 분침, 시침을 위해서 스프라이트 그리기를 이용하여 직선과 원 그리기를 사용하여 편집한다. 그리고 시침2는 알람의 시각을 나타내기 위한 바늘로 동일한 방식으로 스프라이트 모양 편집기에서 편집한다. 색깔은 빨강 색이 되도록 한다. 침을 그릴 때 주의해야 할 점은 모양의 중심이 스프라이트의 회전축이 되기 때문에 침의 축이 모양의 중심이 되도록 해야 한다는 것이다. 그림 11.22는 초침과 알람 침의 모양 편집화면을 보여준다.

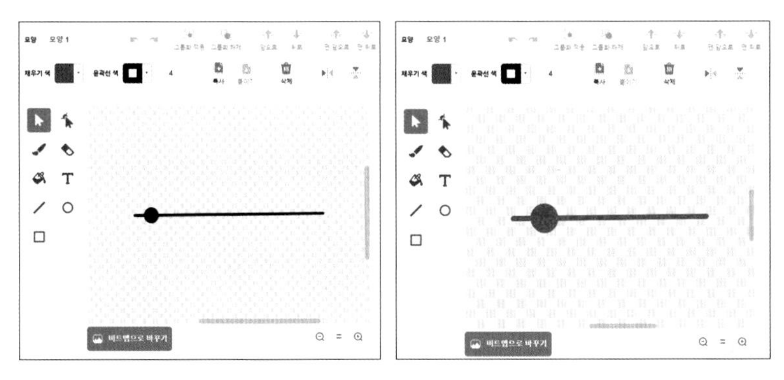

그림 11.22 초침과 알람 침 모양 편집 화면

분침이나 시침의 편집도 동일한 방식으로 이루어진다.

알람 조정 버튼과 알람 스위치 버튼을 위해서 Button1, Button2 스프라이트를 스프라이트 고르기에서 선택한다. 그리고 모양 편집기에서 알람 조정 버튼에 포함되어있는 종과 화살표 모양을 편집한다. Bell1 스프라이트의 모양을 편집기에서 선택한 후 복사한다. 그리고 button1 모양을 선택한 후 붙이기로 모양을 합친다. 알람 스위치 스프라이트에는 ON/OFF를 위해서 하나의 모양에는 ON을 다른 모양에는 OFF를 텍스트 편집으로 추가한다. 각 편집 화면은 아래 그림 11.23과 같다.

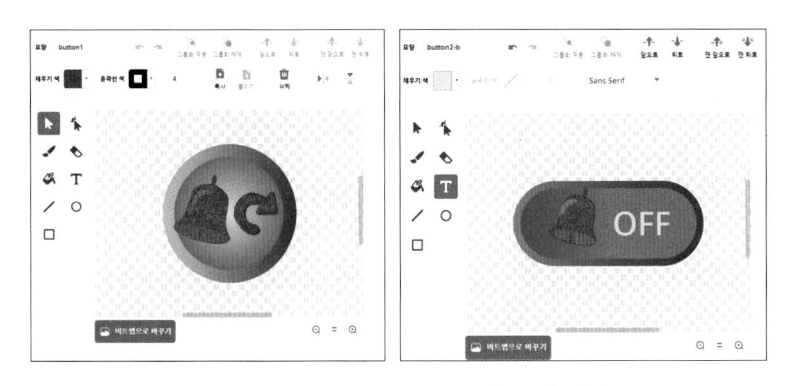

그림 11.23 알람 조정 버튼과 알람 스위치 모양 편집 화면

시계의 숫자를 위해서 스프라이트 고르기에서 Glow-0에서 Glow-9까지의 숫자 스프라이트를 이용한다. 10, 11, 12 숫자를 위해서 Glow-0, Glow-1, Glow-2 모양에서 숫자만 선택한 후, 복사하여 붙이기로 두 개의 숫자 모양을 합쳐서 만든다. 숫자 10에 대한 편집 화면은 그림 11.24와 같다.

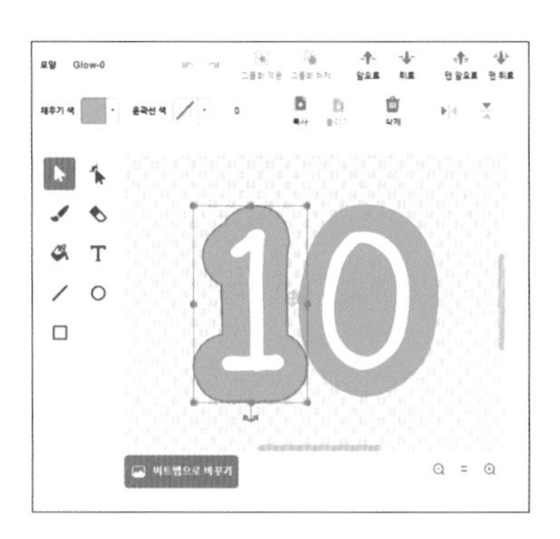

그림 11.24 숫자 10 편집화면

무대 배경은 Light 스프라이트를 이용하는데 시계의 테두리를 위해서 원을 추가하였다. 그림 11.25는 무대 배경 편집 화면을 보여준다.

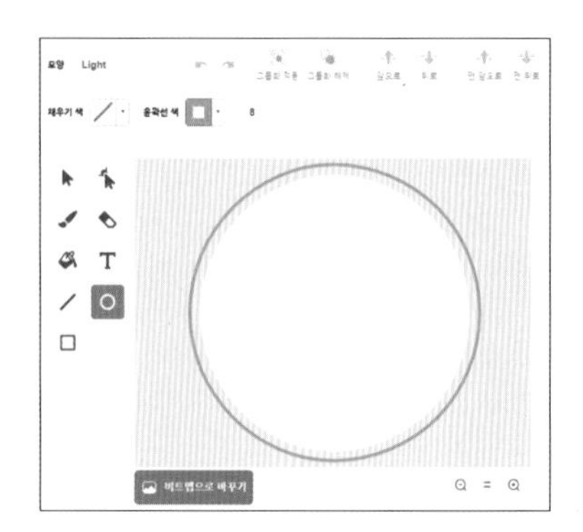

그림 11.25 무대 배경 편집 화면

(3) 스크립트

아날로그 시계의 주된 동작은 시침, 분침, 초침을 시간의 변화에 따라 움직이도록 하는 것이다. 위치는 화면의 중심에 두고, 시간이 흐름에 따라서 각 침들이 시간을 나타내도록 회전해야 하는 각도를 계산하고, 그 결과에 따라 방향 보기 블록을 이용하여 각 침을 회전시킨다.

침 한 바퀴 회전은 각도로 360 도에 해당한다. 초침이 한 바퀴 회전하는데 걸리는 시간은 60 초이므로 초의 경우는 1 초에 360/60 = 6도 회전이 이루어진다. 이를 고려하여 스크립트를 만들면 다음과 같다.

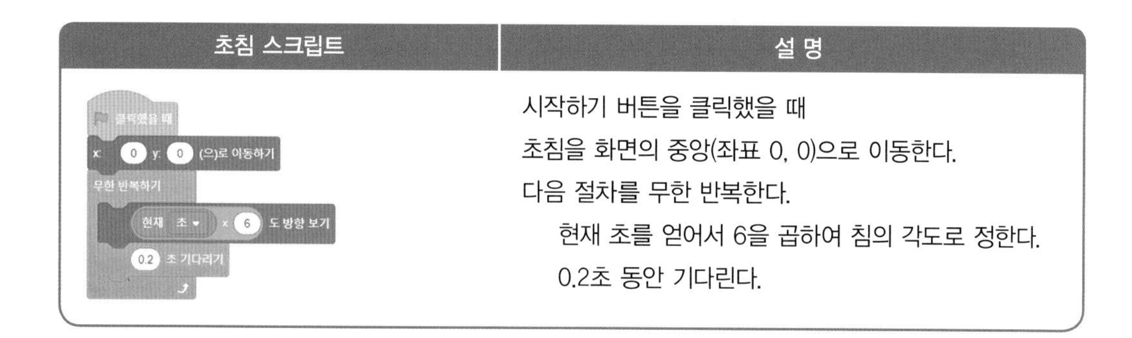

초침 스크립트	설 명
클릭했을 때 x: 0 y: 0 (으)로 이동하기 무한 반복하기 현재 초 × 6 도 방향 보기 0.2 초 기다리기	시작하기 버튼을 클릭했을 때 초침을 화면의 중앙(좌표 0, 0)으로 이동한다. 다음 절차를 무한 반복한다. 현재 초를 얻어서 6을 곱하여 침의 각도로 정한다. 0.2초 동안 기다린다.

초침을 움직이기 위해서 매초 마다 6도씩 회전시키기 위해서 현재 초에 6을 곱한 각도를 구한다. 0.2초 기다리기를 사용하여 빈번한 반복 수행을 줄여서 시스템에 부하를 줄였고 현재 초를 얻었을 때 오차를 0.2초 이내로 줄였다.

분침의 움직임도 초침과 유사하게 매분 마다 6도씩 회전한다. 그러나 1분 동안 움직임이 없다가 갑자기 6도를 회전하기보다는 초의 변화에 따라 미세하게 움직이는 것이 더 자연스럽기 때문에 매초 마다 0.1을 곱하여 그 결과를 더함으로써 1분 사이에 6도를 조금씩 회전하도록 프로그래밍하였다. 분침의 스크립트는 다음과 같다.

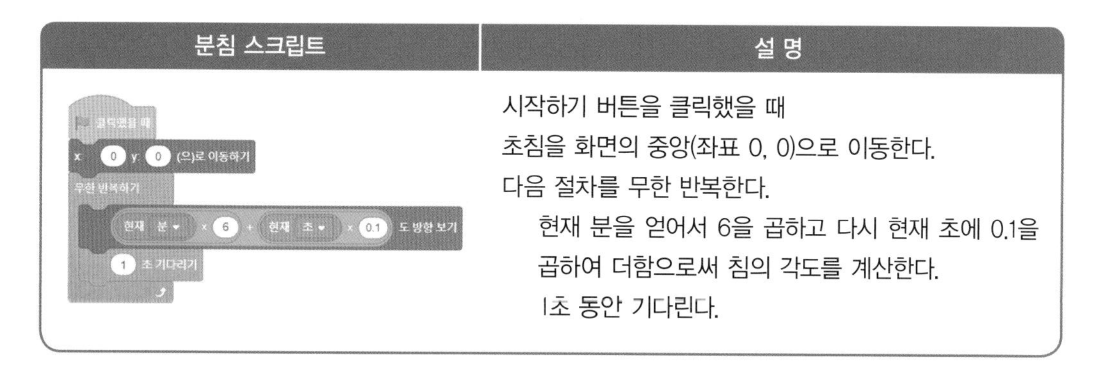

분침 스크립트	설 명
클릭했을 때 x: 0 y: 0 (으)로 이동하기 무한 반복하기 현재 분 × 6 + 현재 초 × 0.1 도 방향 보기 1 초 기다리기	시작하기 버튼을 클릭했을 때 초침을 화면의 중앙(좌표 0, 0)으로 이동한다. 다음 절차를 무한 반복한다. 현재 분을 얻어서 6을 곱하고 다시 현재 초에 0.1을 곱하여 더함으로써 침의 각도를 계산한다. 1초 동안 기다린다.

시침의 각도는 1시간에 30도를 회전해야 한다. 그리고 한 시간은 60분이므로 매분 마다 30/60 = 0.5도 회전하도록 프로그래밍하였다. 그리고 계산된 각도를 360도로 나눈 나머지 값을 시침 각도 변수에 저장하여 이용하였다. 이렇게 한 이유는 각도가 360도를 넘어섰을 때 각도가 360보다 작게 표현되도록 하여 같은 시간을 나타내는 알람 침의 각도와 비교했을 때 같은 각도가 되도록 하기 위함이다.

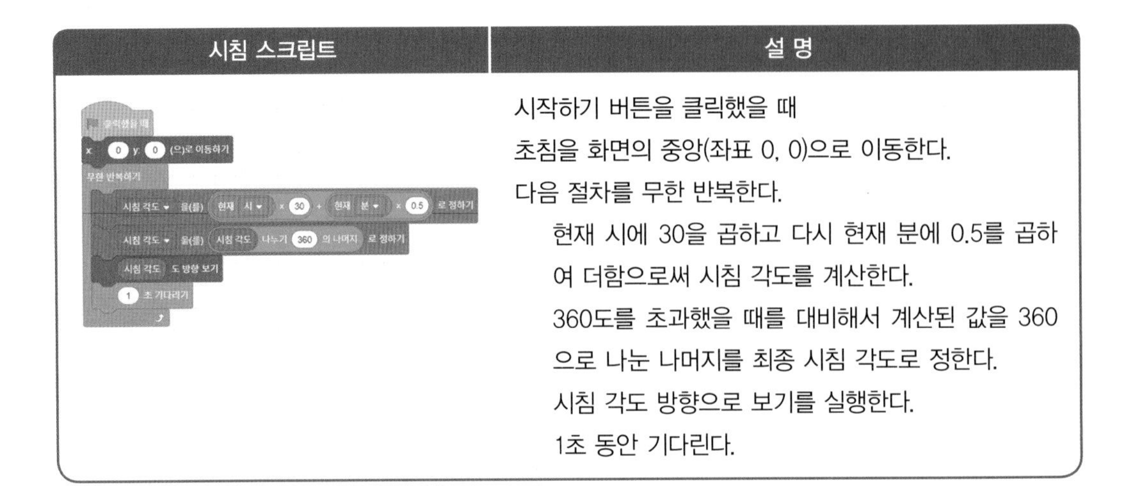

시침 스크립트	설 명
	시작하기 버튼을 클릭했을 때 초침을 화면의 중앙(좌표 0, 0)으로 이동한다. 다음 절차를 무한 반복한다. 현재 시에 30을 곱하고 다시 현재 분에 0.5를 곱하여 더함으로써 시침 각도를 계산한다. 360도를 초과했을 때를 대비해서 계산된 값을 360으로 나눈 나머지를 최종 시침 각도로 정한다. 시침 각도 방향으로 보기를 실행한다. 1초 동안 기다린다.

알람 침의 동작은 알람 조정 버튼을 클릭할 때마다 시계방향으로 3도씩 회전한다. 알람 스위치가 ON 상태에서 알람 침의 각도가 시침의 각도와 같으면 알람 소리를 재생하도록 한다. 1분이 지나면 시침의 각도가 미세하게 변하기 때문에 알람이 발생하는 기간은 1분이다. 그리고 알람 스위치를 OFF로 바꾸면 즉시 알람 소리는 정지된다. 이와 같은 동작을 위한 스크립트는 다음과 같다.

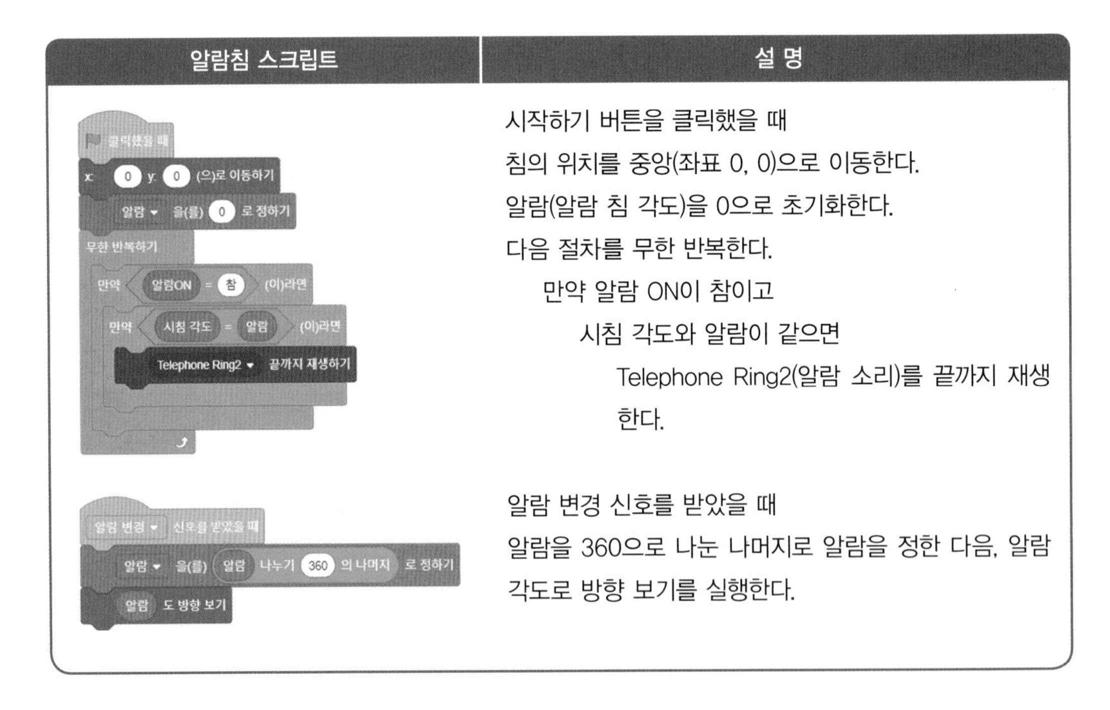

알람침 스크립트	설 명
	시작하기 버튼을 클릭했을 때 침의 위치를 중앙(좌표 0, 0)으로 이동한다. 알람(알람 침 각도)을 0으로 초기화한다. 다음 절차를 무한 반복한다. 만약 알람 ON이 참이고 시침 각도와 알람이 같으면 Telephone Ring2(알람 소리)를 끝까지 재생한다. 알람 변경 신호를 받았을 때 알람을 360으로 나눈 나머지로 알람을 정한 다음, 알람 각도로 방향 보기를 실행한다.

알람 변경 신호 메시지는 알람 조정 버튼 스프라이트에서 전달된다. 알람 조정 버튼이 클릭될 때마다 알람 변경 신호가 전달되고 이에 따라 알람 침의 각도(알람 변수 값)는 3도씩 변경된다.

알람 조절 버튼 스크립트	설 명
클릭했을 때 크기를 60 %로 정하기 x: -180 y: -140 (으)로 이동하기	시작하기 버튼을 클릭했을 때 크기를 60%로 정한다. 위치를 좌표(−180, −140)로 이동한다.
이 스프라이트를 클릭했을 때 크기를 55 %로 정하기 알람 ▾ 을(를) 3 만큼 바꾸기 알람 변경 ▾ 신호 보내기 0.5 초 기다리기 크기를 60 %로 정하기	이 스프라이트를 클릭했을 때 크기를 55%로 줄이고 알람 변수를 3만큼 증가시킨다. 알람 변경 신호를 보낸다. 0.5초 기다린 다음 크기를 60%로 되돌린다.

알람 조절 버튼을 클릭하면 클릭되었음을 사용자가 느끼게 하기 위해서 크기를 약간 줄였다가 되돌리도록 하였다.

알람 스위치 스크립트	설 명
클릭했을 때 크기를 70 %로 정하기 x: 190 y: -140 (으)로 이동하기 알람ON ▾ 을(를) 거짓 로 정하기 모양을 button2-b ▾ (으)로 바꾸기	시작하기 버튼을 클릭했을 때 크기를 70%로 정한다. 위치를 좌표(190, −140)로 이동한다. 알람 ON을 거짓으로 정한다. 모양을 button2−b(알람 OFF 모양)로 바꾼다.
이 스프라이트를 클릭했을 때 크기를 65 %로 정하기 만약 알람ON = 거짓 (이)라면 알람ON ▾ 을(를) 참 로 정하기 모양을 button2-a ▾ (으)로 바꾸기 아니면 알람ON ▾ 을(를) 거짓 로 정하기 모양을 button2-b ▾ (으)로 바꾸기 0.5 초 기다리기 크기를 70 %로 정하기	이 스프라이트를 클릭했을 때 크기를 65%로 줄인다. 만약 알람 ON이 거짓이면 알람 ON을 참으로 정하고 모양을 button2−a(알람 ON)로 바꾼다. 아니면 알람 ON을 거짓으로 정하고 모양을 button2−b(알람 OFF)로 바꾼다. 0.5초 기다린 후 크기를 70%로 되돌린다.

시간을 나타내는 숫자 스프라이트는 움직이지 않고 고정된 위치에 계속 존재해야 하므로 크기와 위치만을 계산하면 된다. 1부터 12까지의 각 숫자는 30도씩 회전하면서 원 주위에 위치하므로 각 숫자에 맞는 각도를 sin과 cos 함수를 이용하여 좌표를 계산할 수 있다. 다음은 1 숫자 스프라이트의 스크립트이다.

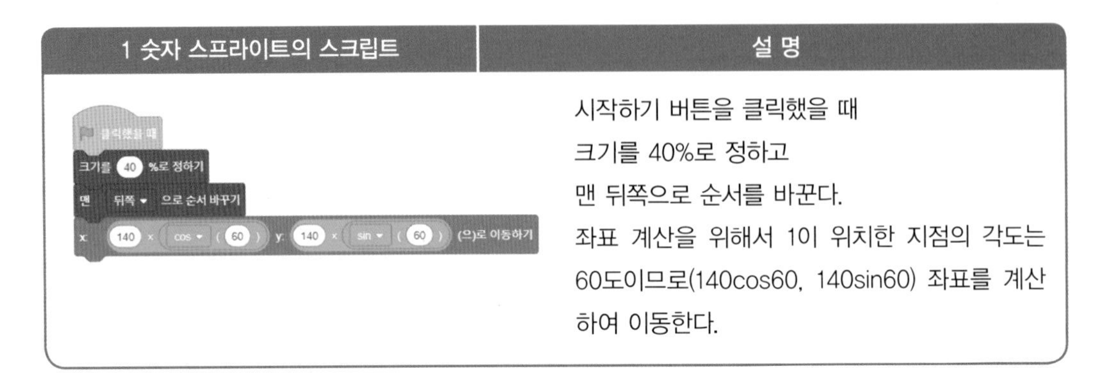

1 숫자 스프라이트의 스크립트	설 명
클릭했을 때 크기를 40 %로 정하기 맨 뒤쪽 ▾ 으로 순서 바꾸기 x: 140 × cos ▾ (60) y: 140 × sin ▾ (60) (으)로 이동하기	시작하기 버튼을 클릭했을 때 크기를 40%로 정하고 맨 뒤쪽으로 순서를 바꾼다. 좌표 계산을 위해서 1이 위치한 지점의 각도는 60도이므로(140cos60, 140sin60) 좌표를 계산하여 이동한다.

나머지 2에서 12까지의 숫자 스프라이트에 대한 스크립트는 좌표 계산 부분만 제외하면 같으므로 설명은 생략한다. 각 숫자에 대한 각도를 나열하면, 2 숫자는 30도, 3 숫자는 0도, 4 숫자는 -30도, 5 숫자는 -60도, 6 숫자는 -90도, 7 숫자는 -120도, 8 숫자는 -150도, 9 숫자는 180도, 10 숫자는 150도, 11 숫자는 120도, 12 숫자는 90도이다.

11.7 스톱워치

시간 측정을 위해서 사용하는 스톱워치(stop watch) 기능을 하는 프로그램을 만든다. 실행 화면은 그림 11.26과 같다.

그림 11.26 스톱워치 실행 화면

(1) 개요

- 시간을 측정하기 위한 스톱워치 기능을 한다.
- 측정되는 시간은 시, 분, 초로 나타난다.
- RESET 버튼에 의해서 0시 00분 00초로 초기화된다.
- START 버튼을 클릭하면 스톱워치의 시간 측정이 동작한다.
- STOP 버튼을 누르면 시간 측정은 멈춘다.

(2) 사용되는 스프라이트와 무대 배경

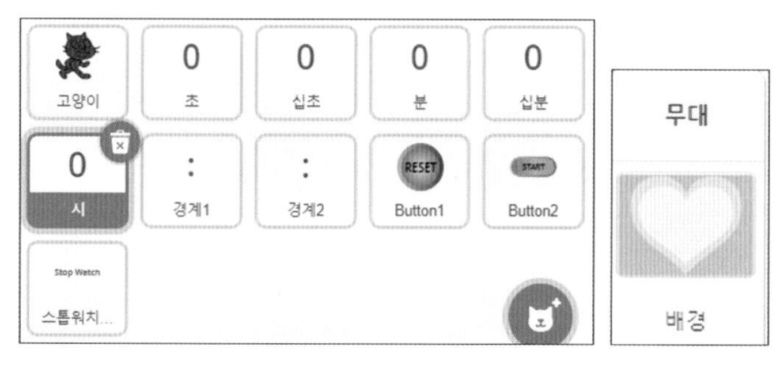

무대

배경

그림 11.27 사용되는 스프라이트와 무대 배경

스톱워치를 시각적으로 꾸미기 위해서 고양이 모양과 스톱워치(Stop Watch) 글자를 화면 상단에 위치시킨다. 측정되는 시간을 나타내기 위해서 초, 십초, 분, 십분, 시 등의 숫자 스프라이트를 이용한다. 숫자를 나타내기 위해서 모양의 편집기에서 텍스트 편집 기능을 이용하여 숫자를 편집하였다. 그림 11.28은 초 단위 자리의 숫자 1을 편집하는 화면을 보여준다.

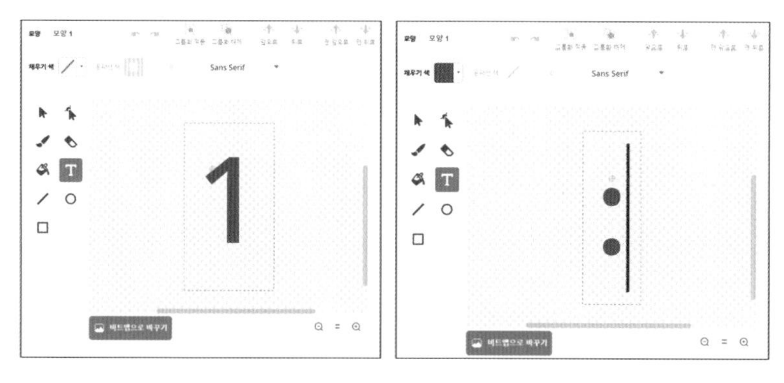

그림 11.28 초 단위의 숫자 편집 화면과 경계 편집 화면

이와 같은 숫자를 0에서 9까지 총 10개의 모양으로 편집하여 초 스프라이트에서 사용한다. 십초, 분, 십분, 시 등의 단위 숫자도 동일한 방식으로 모양을 편집한다. 순서는 0, 1, 2, 3, ... 와 같이 순차적으로 모양을 나열해야 다음 모양으로 바꾸기를 실행했을 때 숫자가 순서대로 화면에 나타난다. 경계1, 경계2 스프라이트는 시와 분, 분과 초 사이의 경계를 나타내기 위한 모양을 위해서 모양 편집기에서 편집한 스프라이트이다.

(3) 스크립트

시간을 측정하기 위해서는 1초마다 신호를 초 스프라이트로 전달한다. 초 스프라이트에서는 신호가 수신될 때마다 초 단위 숫자를 1씩 증가시킨다. 10초가 되는 순간 십초 스프라이트로 신호를 전달한다. 십초 스프라이트의 값이 1씩 증가하여 6이 되는 순간 분 스프라이트로 신호를 전달한다. 분 단위에서도 신호를 받을 때마다 1씩 증가하다가 10이 되는 순간 십분 단위로 신호를 전달한다. 십분 단위에서도 1씩 증가하여 6이 되는 순간 시 스프라이트에게 신호를 전달한다. 이와 같이 각 자리에서 아래 자리로부터 신호를 받을 때마다 1씩 증가하다가 한계에 도달하면 다음 높은 자리로 신호를 전달하는 방식을 이용하여 스크립트를 작성하였다.

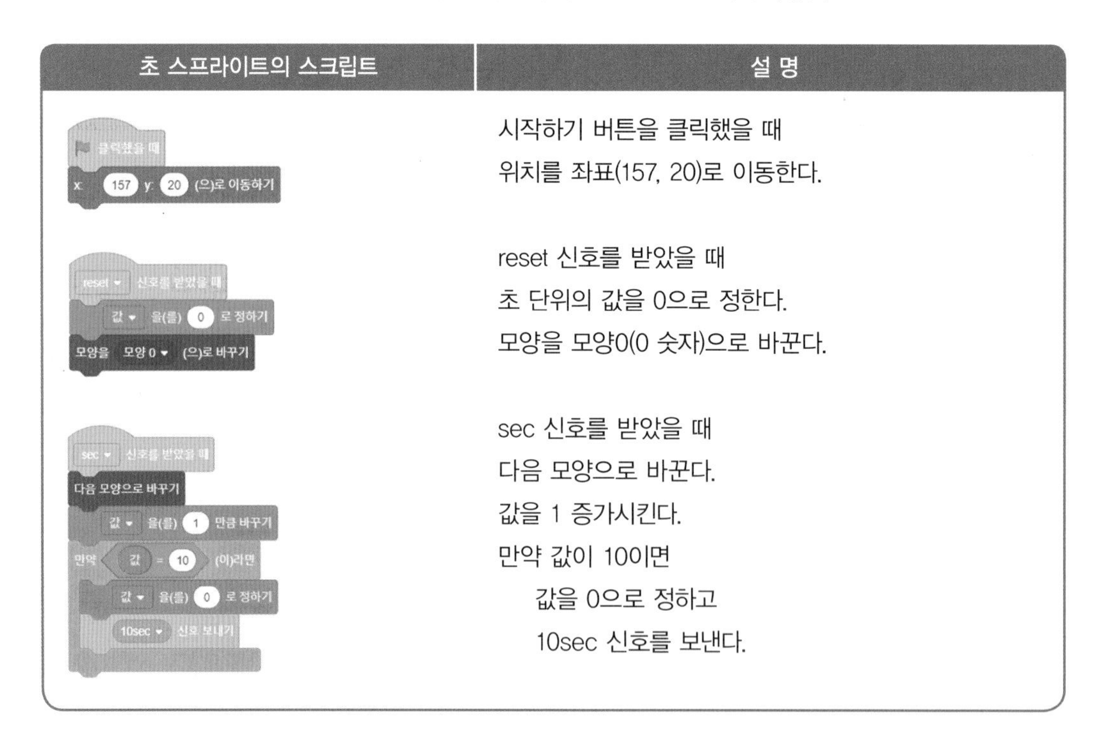

초 스프라이트의 스크립트	설 명
클릭했을 때 x: 157 y: 20 (으)로 이동하기	시작하기 버튼을 클릭했을 때 위치를 좌표(157, 20)로 이동한다.
reset ▾ 신호를 받았을 때 값 ▾ 을(를) 0 로 정하기 모양을 모양0 ▾ (으)로 바꾸기	reset 신호를 받았을 때 초 단위의 값을 0으로 정한다. 모양을 모양0(0 숫자)으로 바꾼다.
sec ▾ 신호를 받았을 때 다음 모양으로 바꾸기 값 ▾ 을(를) 1 만큼 바꾸기 만약 값 = 10 (이)라면 값 ▾ 을(를) 0 로 정하기 10sec ▾ 신호 보내기	sec 신호를 받았을 때 다음 모양으로 바꾼다. 값을 1 증가시킨다. 만약 값이 10이면 값을 0으로 정하고 10sec 신호를 보낸다.

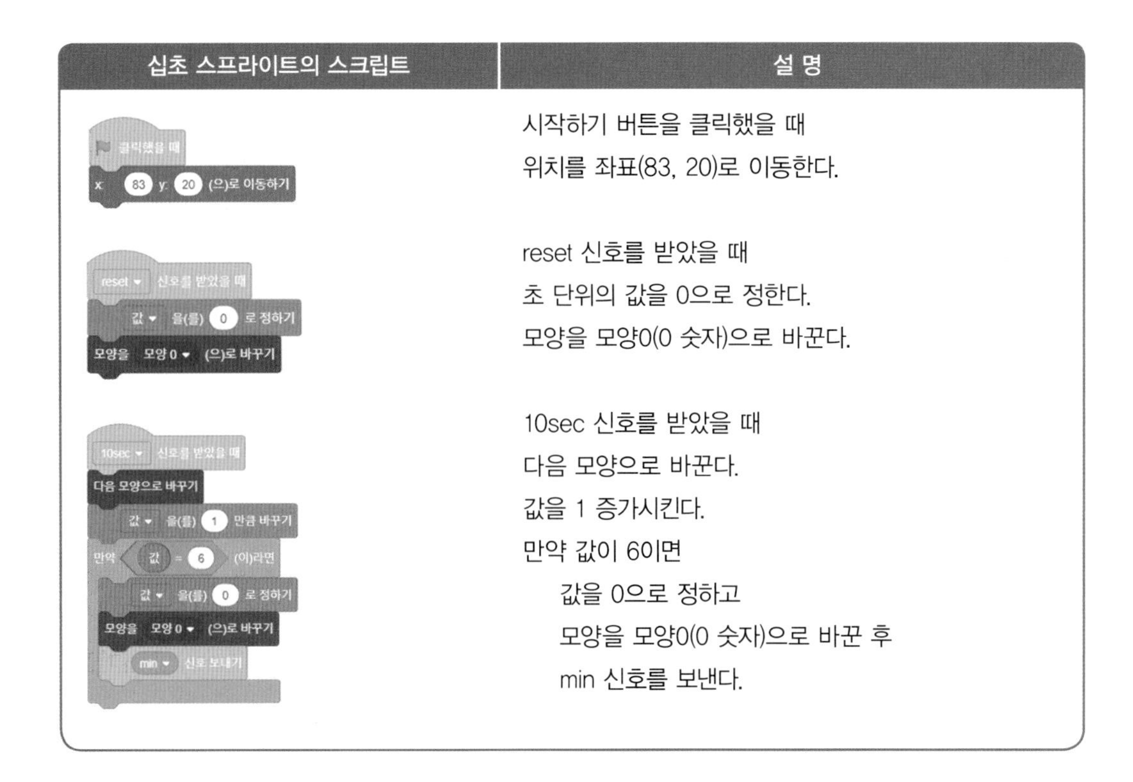

십초 스프라이트의 스크립트	설 명
클릭했을 때 x: 83 y: 20 (으)로 이동하기	시작하기 버튼을 클릭했을 때 위치를 좌표(83, 20)로 이동한다.
reset 신호를 받았을 때 값 을(를) 0 로 정하기 모양을 모양 0 (으)로 바꾸기	reset 신호를 받았을 때 초 단위의 값을 0으로 정한다. 모양을 모양0(0 숫자)으로 바꾼다.
10sec 신호를 받았을 때 다음 모양으로 바꾸기 값 을(를) 1 만큼 바꾸기 만약 값 = 6 (이)라면 값 을(를) 0 로 정하기 모양을 모양 0 (으)로 바꾸기 min 신호 보내기	10sec 신호를 받았을 때 다음 모양으로 바꾼다. 값을 1 증가시킨다. 만약 값이 6이면 값을 0으로 정하고 모양을 모양0(0 숫자)으로 바꾼 후 min 신호를 보낸다.

십초 스프라이트의 동작도 초 스프라이트와 매우 유사하다. 10sec 신호가 초 스프라이트로부터 들어오면 1씩 증가하여 6이 되는 순간 0으로 바뀌는 점과 스프라이트의 위치 그리고 다음 자리가 분 단위이므로 보내는 신호가 min인 점이 다르다. 분과 십분, 시 스프라이트들의 동작도 이와 유사하므로 설명을 생략하고 스크립트만 아래에 나타내었다.

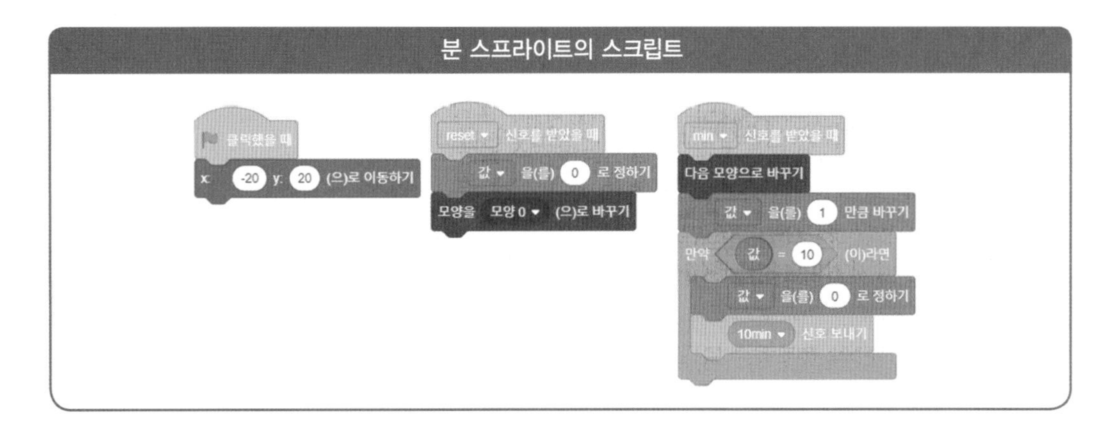

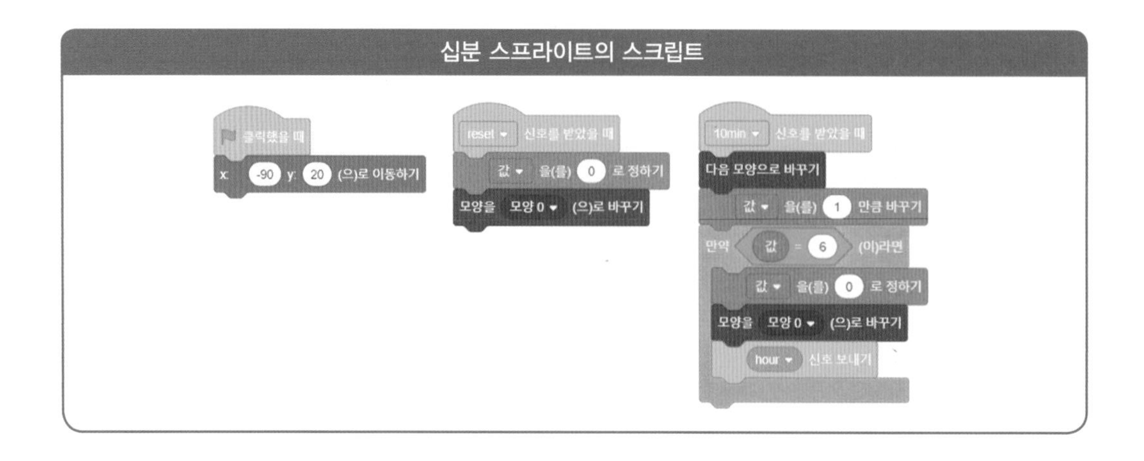

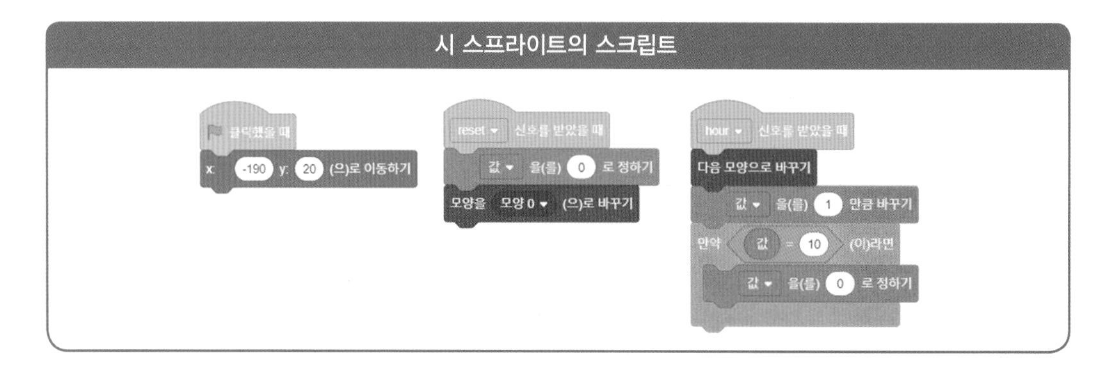

reset 버튼 스프라이트의 동작은 버튼을 클릭했을 때 단순히 reset 신호를 전달하는 것이다.

reset 버튼 스크립트	설 명
클릭했을 때 크기를 80 %로 정하기 x: -80 y: -120 (으)로 이동하기	시작하기 버튼을 클릭했을 때 크기를 80%로 줄인다. 위치를 좌표(−80, −120)로 이동한다.
이 스프라이트를 클릭했을 때 크기를 75 %로 정하기 reset 신호 보내기 0.3 초 기다리기 크기를 80 %로 정하기	이 스프라이트를 클릭했을 때 크기를 75%로 줄인다. reset 신호를 보낸다. 0.3초 기다렸다가 크기를 80%로 되돌린다.(버튼 클릭 효과를 나타내기 위해서 크기를 잠깐 줄였다가 되돌린다.)

START/STOP 버튼 스프라이트의 동작은 START 버튼인 경우는 클릭하면 시간 측정이 시작되고, 모양이 STOP으로 바뀐다. STOP 버튼인 경우는 클릭하면 시간 측정이 멈추고 버튼 모양이 START로 바뀐다. 시간 측정이 멈춘 상태에서 다시 START를 누르면 시간은 이전에 기록된 값에서 이어서 계속된다. 0부터 다시 측정하고 싶을 땐 reset 버튼을 먼저 클릭한 후, START 버튼을 클릭해야 한다. 이상과 같은 동작을 위한 프로그램은 다음 스크립트로 표현되었다.

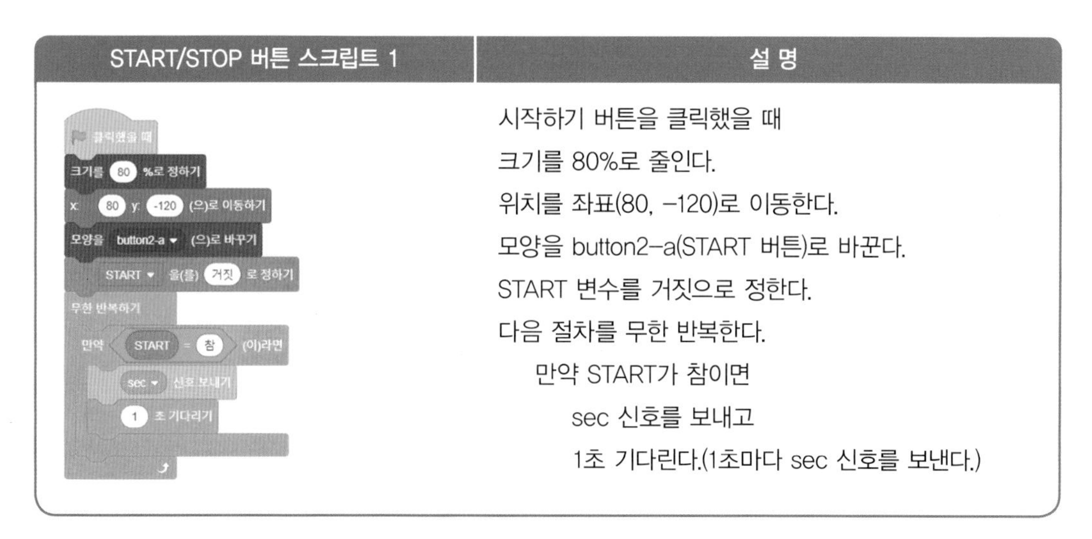

START/STOP 버튼 스크립트 1	설 명
클릭했을 때 크기를 80 %로 정하기 x: 80 y: -120 (으)로 이동하기 모양을 button2-a ▾ (으)로 바꾸기 START ▾ 을(를) 거짓 로 정하기 무한 반복하기 만약 START = 참 (이)라면 sec ▾ 신호 보내기 1 초 기다리기	시작하기 버튼을 클릭했을 때 크기를 80%로 줄인다. 위치를 좌표(80, −120)로 이동한다. 모양을 button2−a(START 버튼)로 바꾼다. START 변수를 거짓으로 정한다. 다음 절차를 무한 반복한다. 만약 START가 참이면 sec 신호를 보내고 1초 기다린다.(1초마다 sec 신호를 보낸다.)

만약 0.1초마다 신호를 보낸다면 동일한 논리 구조로 최소 단위가 0.1초인 스톱워치가 될 것이다. 이때는 단위에 대한 표현을 바꿔야 한다.

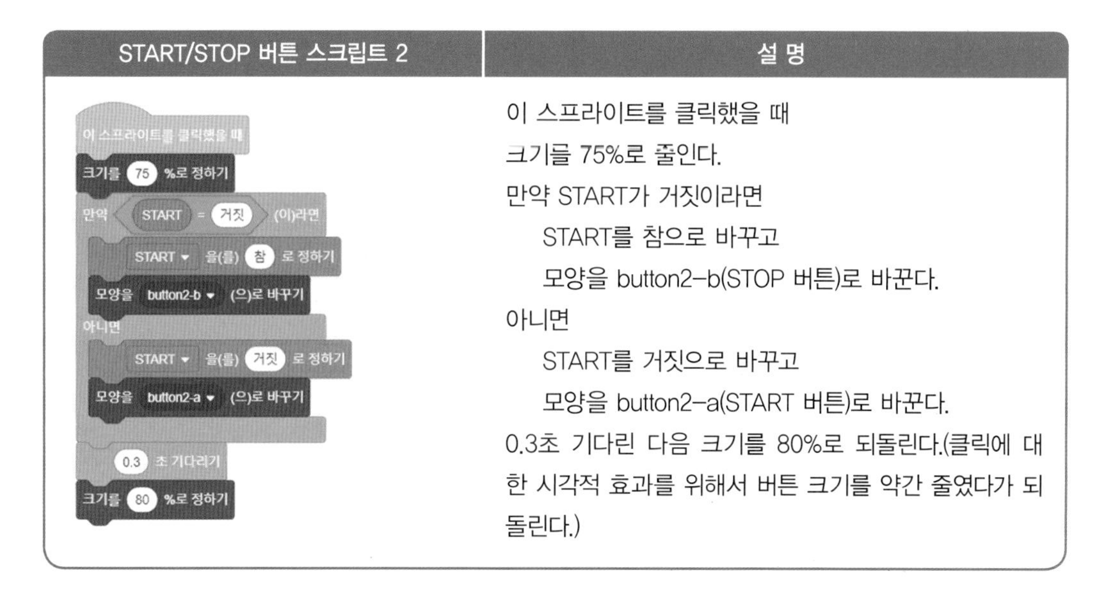

START/STOP 버튼 스크립트 2	설 명
이 스프라이트를 클릭했을 때 크기를 75 %로 정하기 만약 START = 거짓 (이)라면 START ▾ 을(를) 참 로 정하기 모양을 button2-b ▾ (으)로 바꾸기 아니면 START ▾ 을(를) 거짓 로 정하기 모양을 button2-a ▾ (으)로 바꾸기 0.3 초 기다리기 크기를 80 %로 정하기	이 스프라이트를 클릭했을 때 크기를 75%로 줄인다. 만약 START가 거짓이라면 START를 참으로 바꾸고 모양을 button2−b(STOP 버튼)로 바꾼다. 아니면 START를 거짓으로 바꾸고 모양을 button2−a(START 버튼)로 바꾼다. 0.3초 기다린 다음 크기를 80%로 되돌린다.(클릭에 대한 시각적 효과를 위해서 버튼 크기를 약간 줄였다가 되돌린다.)

마지막으로 화면에 Stop Watch 글자를 나타내기 위한 스프라이트는 단순히 시작하기 버튼을 클릭하면 오른쪽 경계에서 글자가 움직여서 들어와 화면에 나타나도록 하였다. 스크립트는 다음과 같다.

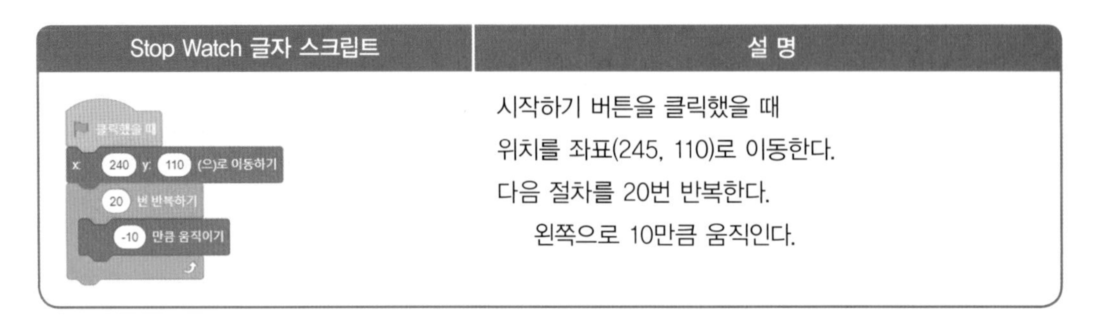

Stop Watch 글자 스크립트	설 명
클릭했을 때 x: 240 y: 110 (으)로 이동하기 20 번 반복하기 -10 만큼 움직이기	시작하기 버튼을 클릭했을 때 위치를 좌표(245, 110)로 이동한다. 다음 절차를 20번 반복한다. 왼쪽으로 10만큼 움직인다.

고양이 스프라이트는 화면 오른쪽 윗부분에 위치하며 프로그램이 시작할 때에 색깔이 반복적으로 변한다. 그 후로는 아무런 동작을 하지 않는다. 스크립트는 다음과 같다.

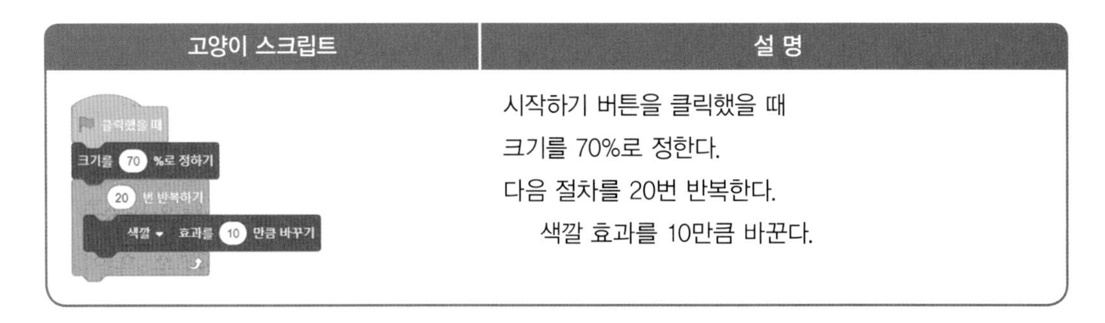

고양이 스크립트	설 명
클릭했을 때 크기를 70 %로 정하기 20 번 반복하기 색깔 ▾ 효과를 10 만큼 바꾸기	시작하기 버튼을 클릭했을 때 크기를 70%로 정한다. 다음 절차를 20번 반복한다. 색깔 효과를 10만큼 바꾼다.

11.8 공룡 인형 자판기

그림 11.29 공룡 인형 자판기 실행 화면

공룡 인형을 파는 자판기 기능을 하는 프로그램이다. 1000원, 500원, 100원을 입력하기 위한 버튼과 공룡 인형을 선택하는 버튼을 사용한다. 먼저 돈을 입력하는 버튼으로 적절한 금액을 입력하고 원하는 공룡 인형 버튼을 누르면 금액이 충분할 때 인형이 나오고 금액은 인형 가격만큼 줄어든다. 계속해서 금액 추가와 인형 선택을 할 수 있다. 실행 화면은 그림 11.29와 같다.

(1) 개요

- 금액은 오른쪽 아래에 위치한 1000, 500, 100 화폐 버튼을 이용하여 투입한다.
- 금액이 투입될 때마다 고양이 마스코트는 합계를 2초 동안 말한다.
- 왼쪽에 있는 공룡 인형 버튼을 눌러 인형을 선택하면, 투입한 금액이 충분할 경우 인형이 나온다.
- 만약 공용 인형 버튼을 클릭했는데 금액이 부족하면 고양이 마스코트가 부족한 금액을 말한다.
- 이어서 금액 추가나 인형 버튼 선택이 가능하다.
- 인형은 오른쪽 위에서부터 움직이고, 내려오면서 점점 커진다. 화면 가운데 아래에 있는 인형 바구니 위에서 멈춘다.

(2) 사용되는 스프라이트, 무대배경 그리고 소리

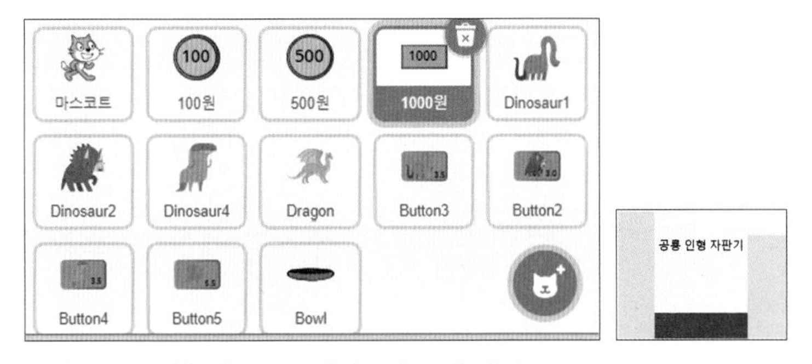

그림 11.30 사용되는 스프라이트와 무대 배경

마스코트는 고양이 스프라이트를 그대로 이용하였다. 화폐를 나타내는 스프라이트는 모두 그리기 기능을 이용하여 모양 편집기로 들어가서 원과 직사각형, 텍스트, 색 채우기 기능을 적절히 조합하여 편집하였다. 공룡 인형은 스프라이트 고르기에서 Dinosaur1, Dinosaur2, Dinosaur4, Dragon 스프라이트를 추가하였다. 공룡 인형 버튼은 공룡 인형 스프라이트의 모양 내에서 선택한 후 복사와 붙이기 기능을 이용하여 버튼 스프라이트에 공룡 모양과 금액을 나타내는 텍스트를 조합하여 만들었다. 그림 11.31은 공룡 인형 선택 버튼의 편집 화면을 나타낸 것이다.

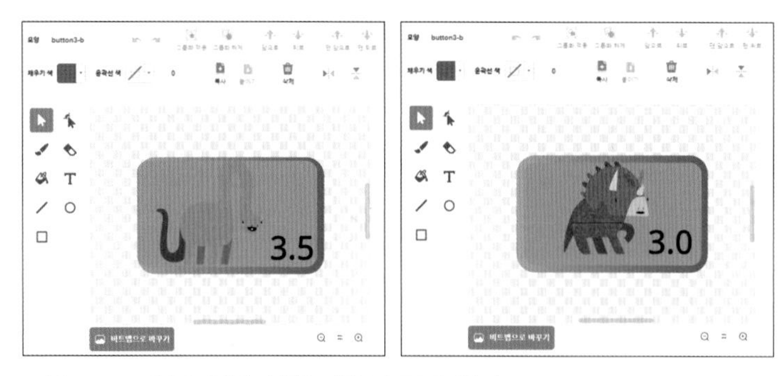

그림 11.31 공룡 인형 선택 버튼의 편집 화면

마지막으로 공룡 인형 바구니는 적절한 스프라이트가 없어서 그릇을 위한 Bowl 스프라이트를 추가한 후 그림을 선택하여 상하로 압축해서 그림을 변형하였다.
배경은 스프라이트 그리기 기능을 이용하여 배경 편집기로 직사각형 그리기와 색 채우기 기능을 이용하여 편집하였다.
소리는 프로그램을 실행하는 동안 Xylo1 소리를 무한 반복 재생한다.

(3) 스크립트

화폐 스프라이트들은 화면의 오른쪽 아래에 위치하고 움직이지 않기 때문에 동작이 단순하다. 스프라이트가 클릭되었을 때 금액이 투입되었음을 알리기 위해 클릭 되었다는 신호만 전달한다. 100원에 대한 스크립트를 살펴보면 다음과 같다.

100원 스프라이트의 스크립트	설 명
클릭했을 때 크기를 50 %로 정하기 x: 180 y: -145 (으)로 이동하기	시작하기 버튼을 클릭했을 때 크기를 50%로 줄인다. 위치를 좌표(180, −145)로 이동한다.
이 스프라이트를 클릭했을 때 크기를 45 %로 정하기 100 ▾ 신호 보내기 0.2 초 기다리기 크기를 50 %로 정하기	이 스프라이트를 클릭했을 때 크기를 45%로 줄인다. 100 신호를 보낸다. 0.2초 기다린다. 크기를 50%로 되돌린다.

500원, 1000원 화폐의 스크립트도 100원 스프라이트와 거의 동일하기 때문에 설명은 생략하고 스크립트만 나타내었다.

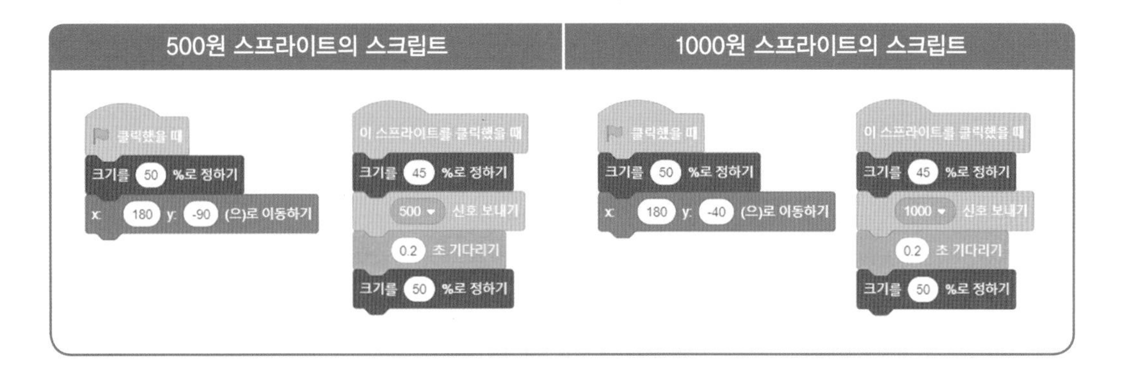

공룡 인형 선택 버튼은 눌렀을 때, 구매할 인형이 선택되었다는 신호만 전달한다. 다음은 첫 번째 공룡 인형 선택 버튼의 스크립트이다.

공룡 인형1 선택 버튼 스크립트	설 명
이 스프라이트를 클릭했을 때 크기를 95 %로 정하기 공룡1 신호 보내기 0.2 초 기다리기 크기를 100 %로 정하기	이 스프라이트를 클릭했을 때 크기를 95%로 약간 줄인다. 공룡1 신호를 보낸다. 0.2초 기다린 후, 크기를 원래대로 되돌린다.(버튼 클릭 효과를 시각적으로 나타내기 위함이다.)

다른 공룡 인형 선택 버튼도 보내는 신호 명칭만 다를 뿐, 동일한 스크립트로 되었다. 스크립트만 나타내면 다음과 같다.

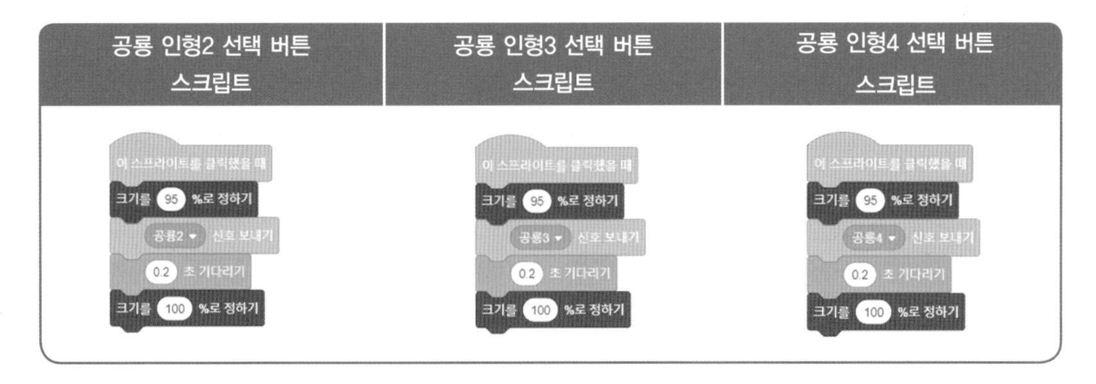

공룡 인형 스프라이트는 화면 오른쪽 위에 서로 포개져서 위치하고 있다가, 선택 버튼으로 선택이 되었을 때 자신을 복제하여 복제된 인형이 화면 왼쪽으로 움직여서 중앙 상단으로 이동한 다음 중앙 하단 쪽으로 움직인다. 이때 내려오면서 아래쪽 방향 보기 상태에서 점점 커진다. 바구니에 도착하면 멈춘다. 계속적으로 다른 공룡 인형이 선택되어도 동일한 방식으로 움직여서 바구니에 포개져서 위치하게 된다. 공룡 인형1에 대한 스크립트는 다음과 같다.

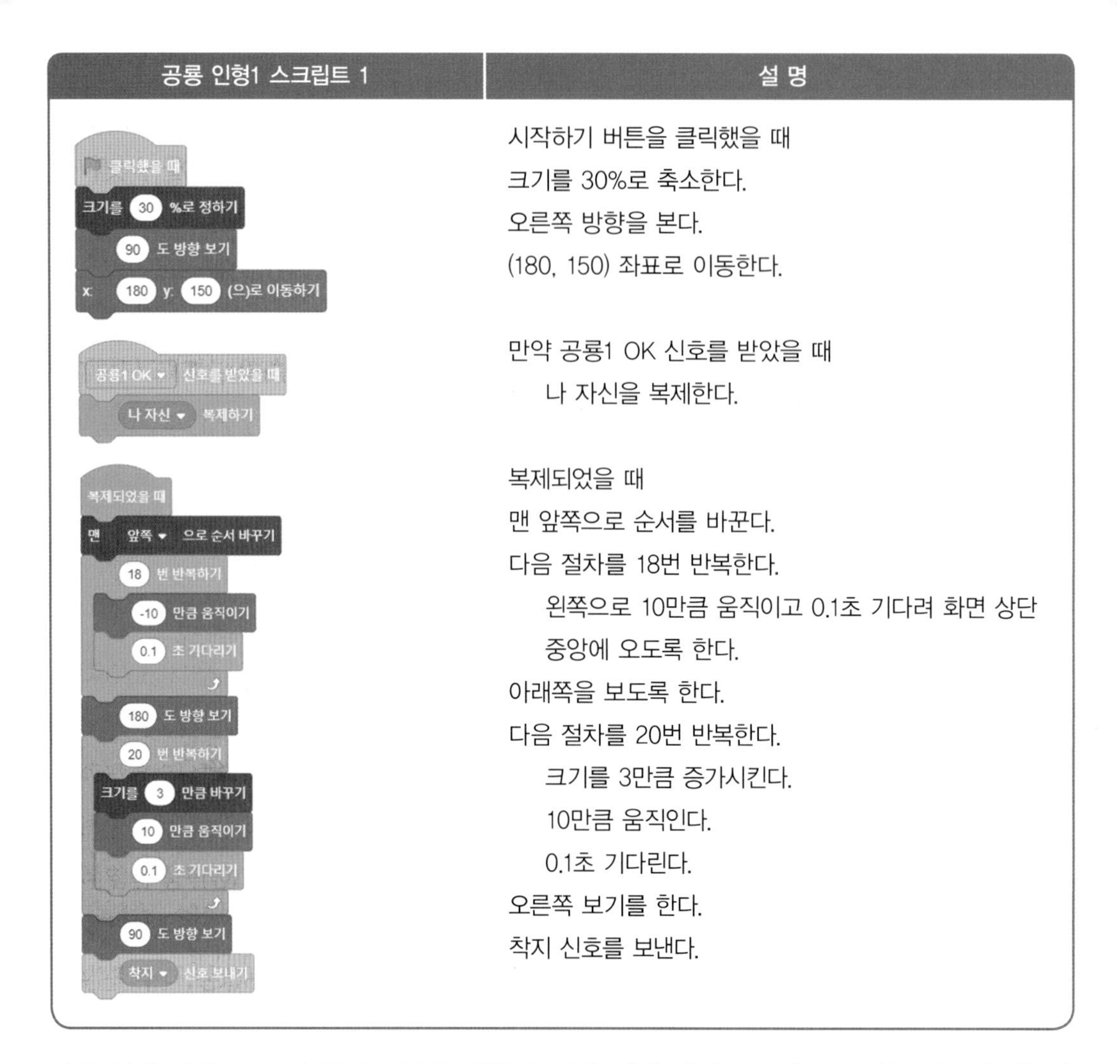

공룡 인형1 스크립트 1	설 명
클릭했을 때 크기를 30 %로 정하기 90 도 방향 보기 x: 180 y: 150 (으)로 이동하기	시작하기 버튼을 클릭했을 때 크기를 30%로 축소한다. 오른쪽 방향을 본다. (180, 150) 좌표로 이동한다.
공룡1 OK ▾ 신호를 받았을 때 나 자신 ▾ 복제하기	만약 공룡1 OK 신호를 받았을 때 나 자신을 복제한다.
복제되었을 때 맨 앞쪽 ▾ 으로 순서 바꾸기 18 번 반복하기 -10 만큼 움직이기 0.1 초 기다리기 180 도 방향 보기 20 번 반복하기 크기를 3 만큼 바꾸기 10 만큼 움직이기 0.1 초 기다리기 90 도 방향 보기 착지 ▾ 신호 보내기	복제되었을 때 맨 앞쪽으로 순서를 바꾼다. 다음 절차를 18번 반복한다. 왼쪽으로 10만큼 움직이고 0.1초 기다려 화면 상단 중앙에 오도록 한다. 아래쪽을 보도록 한다. 다음 절차를 20번 반복한다. 크기를 3만큼 증가시킨다. 10만큼 움직인다. 0.1초 기다린다. 오른쪽 보기를 한다. 착지 신호를 보낸다.

다른 공룡 인형2, 3, 4의 동작도 공룡 인형1과 같다. 이에 따라 스크립트도 받는 신호의 명칭만 다를 뿐, 나머지는 동일하기 때문에 설명은 생략하고 스크립트만 다음에 나타내었다.

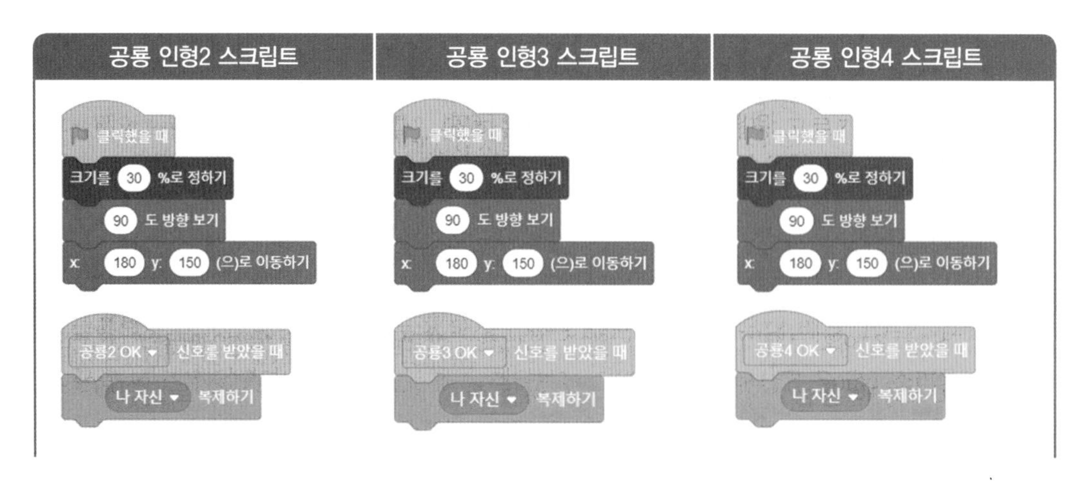

공룡 인형2 스크립트	공룡 인형3 스크립트	공룡 인형4 스크립트
클릭했을 때 크기를 30 %로 정하기 90 도 방향 보기 x: 180 y: 150 (으)로 이동하기	클릭했을 때 크기를 30 %로 정하기 90 도 방향 보기 x: 180 y: 150 (으)로 이동하기	클릭했을 때 크기를 30 %로 정하기 90 도 방향 보기 x: 180 y: 150 (으)로 이동하기
공룡2 OK ▾ 신호를 받았을 때 나 자신 ▾ 복제하기	공룡3 OK ▾ 신호를 받았을 때 나 자신 ▾ 복제하기	공룡4 OK ▾ 신호를 받았을 때 나 자신 ▾ 복제하기

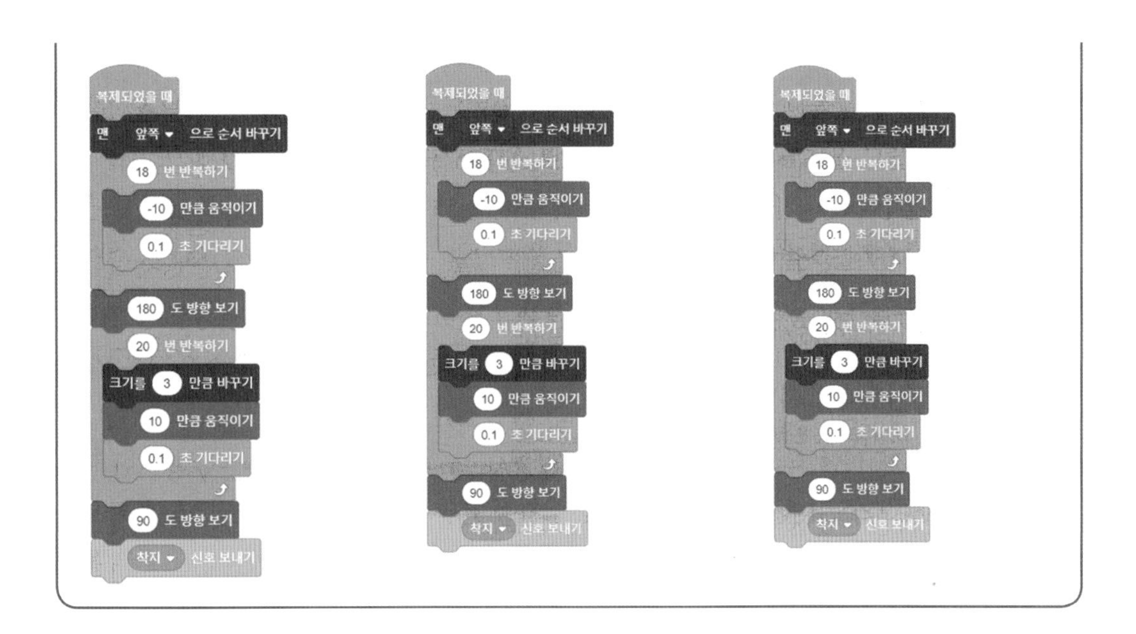

바구니(Bowl) 스프라이트는 화면 중앙 아래에 위치한다. 인형이 내려와서 착지 신호를 보내면 아래위로 살짝 움직여서 흔들리는 효과를 나타낸다. 바구니 스프라이트를 위한 스크립트는 다음과 같다.

바구니 스프라이트의 스크립트	설 명
클릭했을 때 크기를 400 %로 정하기 x: 0 y: -140 (으)로 이동하기	시작하기 버튼을 클릭했을 때 크기를 400%로 확대한다. 위치를 좌표(0, −140)로 이동한다.
착지 ▾ 신호를 받았을 때 x: 0 y: -142 (으)로 이동하기 0.1 초 기다리기 x: 0 y: -140 (으)로 이동하기	착지 신호를 받았을 때 좌표를 (0, −142)로 약간 아래로 움직인다. 0.1초 이후에 좌표 (0, −140)으로 되돌아간다.(바구니가 아래로 약간 내려갔다가 되돌아오는 움직임을 나타내었다.)

마스코트 스프라이트는 프로그램이 시작되면 화면 오른쪽에 위치하고, 화폐 버튼이나 공룡 인형 선택 버튼으로부터 전달된 신호를 받아서 적절히 대응하는 방식으로 동작한다.

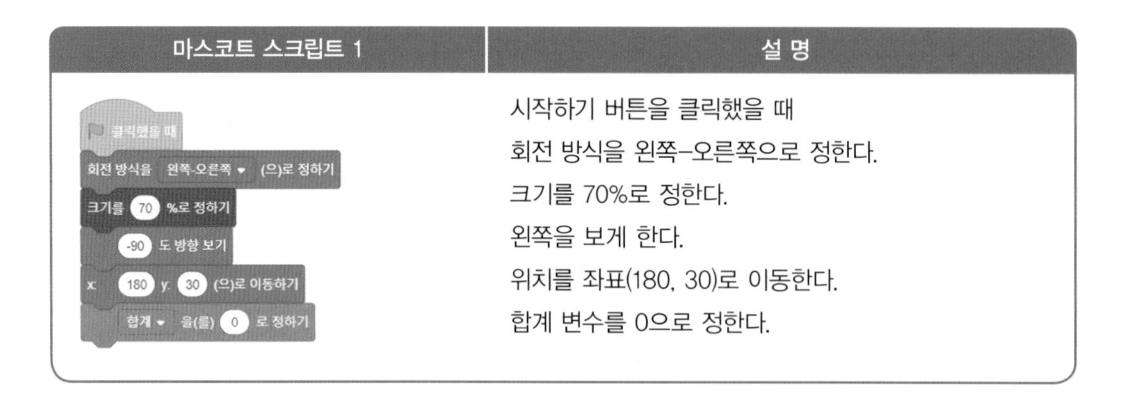

마스코트 스크립트 1	설 명
클릭했을 때 회전 방식을 왼쪽-오른쪽 (으)로 정하기 크기를 70 %로 정하기 -90 도 방향 보기 x: 180 y: 30 (으)로 이동하기 합계 을(를) 0 로 정하기	시작하기 버튼을 클릭했을 때 회전 방식을 왼쪽–오른쪽으로 정한다. 크기를 70%로 정한다. 왼쪽을 보게 한다. 위치를 좌표(180, 30)로 이동한다. 합계 변수를 0으로 정한다.

화폐 버튼이 전달하는 신호는 입력된 화폐의 종류를 알리는 것으로 이에 따라 현재 입력된 금액에 새로 입력된 액수를 합하고, 합계를 말하기하여 사용자에게 알린다. 이에 대한 스크립트는 다음과 같다.

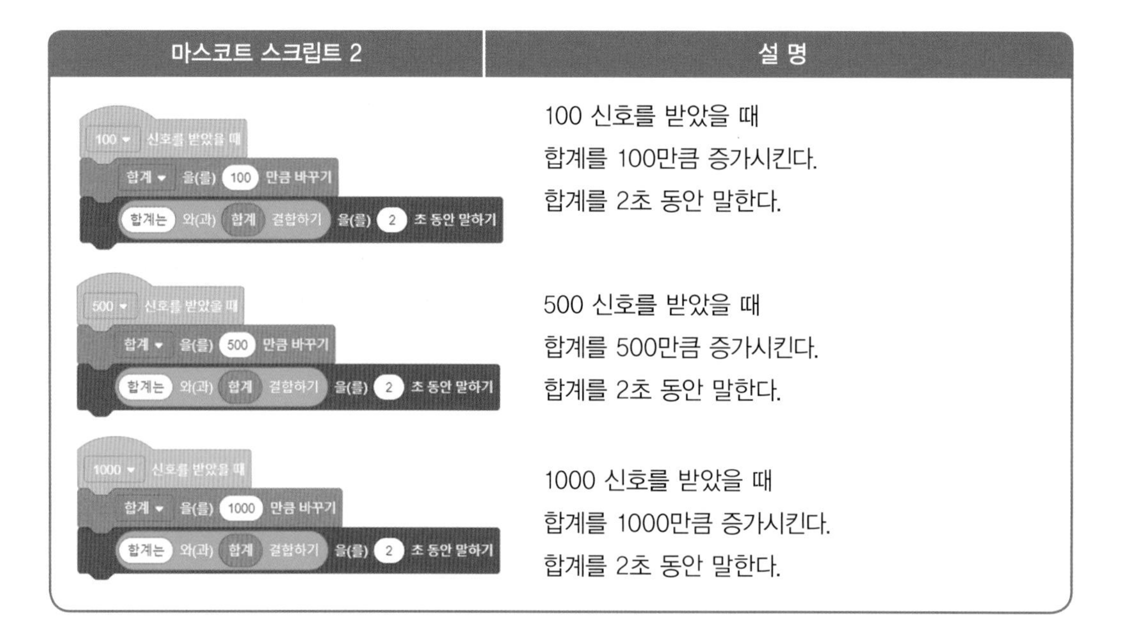

마스코트 스크립트 2	설 명
100 신호를 받았을 때 합계 을(를) 100 만큼 바꾸기 합계는 와(과) 합계 결합하기 을(를) 2 초 동안 말하기	100 신호를 받았을 때 합계를 100만큼 증가시킨다. 합계를 2초 동안 말한다.
500 신호를 받았을 때 합계 을(를) 500 만큼 바꾸기 합계는 와(과) 합계 결합하기 을(를) 2 초 동안 말하기	500 신호를 받았을 때 합계를 500만큼 증가시킨다. 합계를 2초 동안 말한다.
1000 신호를 받았을 때 합계 을(를) 1000 만큼 바꾸기 합계는 와(과) 합계 결합하기 을(를) 2 초 동안 말하기	1000 신호를 받았을 때 합계를 1000만큼 증가시킨다. 합계를 2초 동안 말한다.

인형 선택 버튼으로부터 전달된 신호는 어떤 공룡 인형이 선택되었는가를 알리는 것으로 이에 따라 현재 금액이 해당 공룡 인형을 구입할 수 있는가를 판단하여 금액이 충분하면 인형을 방출하도록 인형 스프라이트에게 신호를 보내고, 금액이 부족하면 모자라는 금액을 말하기를 통해서 사용자에게 알리는 역할을 한다. 다음은 공룡1 신호를 받았을 때 스크립트를 나타낸 것이다.

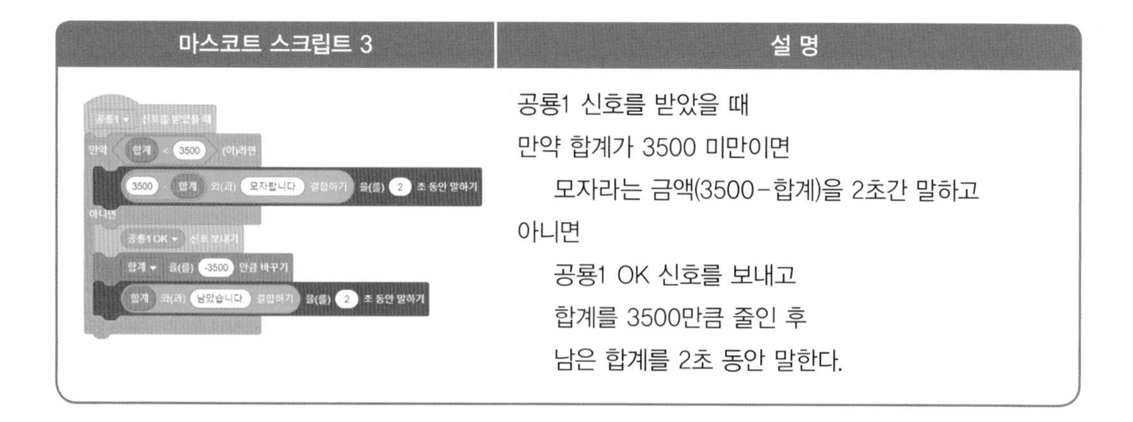

마스코트 스크립트 3	설 명
	공룡1 신호를 받았을 때 만약 합계가 3500 미만이면 모자라는 금액(3500-합계)을 2초간 말하고 아니면 공룡1 OK 신호를 보내고 합계를 3500만큼 줄인 후 남은 합계를 2초 동안 말한다.

공룡2, 공룡3, 공룡4 신호를 받았을 때도 신호 명칭만 다를 뿐, 처리하는 절차는 동일하므로 설명은 생략하고 스크립트만 아래에 나타내었다.

마스코트 스크립트 4

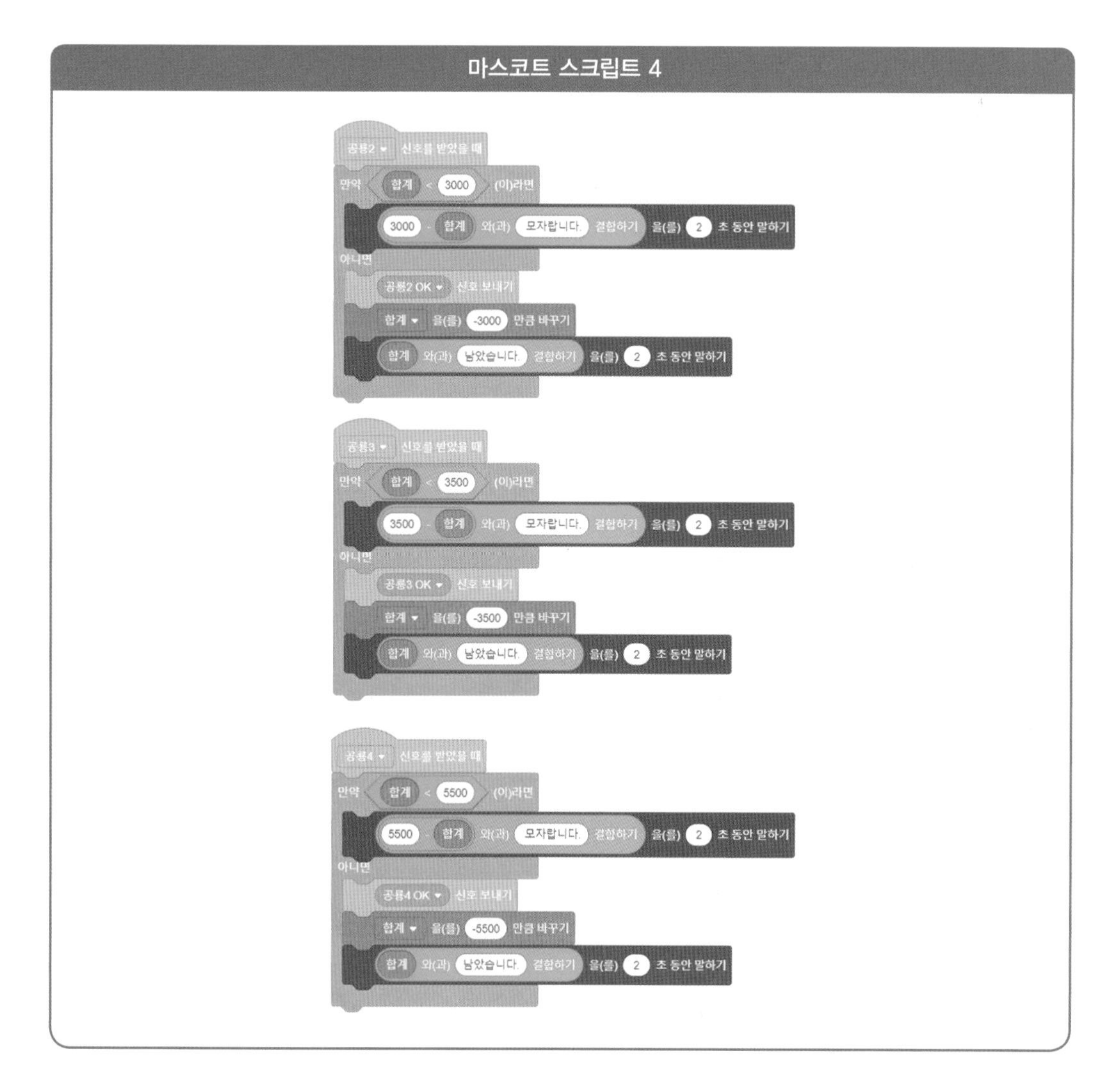

무대 스크립트에서는 배경을 위한 소리를 무한 재생한다.

무대 배경 스크립트	설 명
클릭했을 때 무한 반복하기 Xylo1 ▾ 끝까지 재생하기	시작하기 버튼을 클릭했을 때 다음 절차를 무한 반복한다. Xylo1 소리를 끝까지 재생한다.

찾아보기